ISBN 978-1-332-47105-8
PIBN 10358587


FB &c Ltd, Dalton House, 60 Windsor Avenue, London, SW19 2RR.
Company number 08720141. Registered in England and Wales.

KLINISCHE VORLESUNGEN

UEBER DIE

# KRANKHEITEN DER HARNWEGE.

---

DRUCK VON RUDOLF M. ROHRER IN BRÜNN.

DIE

# KRANKHEITEN DER HARNWEGE

## KLINISCHE VORLESUNGEN

AUS DEM HÔPITAL NECKER.

SEMIOLOGIE, DIAGNOSTIK, PATHOLOGIE UND THERAPIE.

VON

J. C. FELIX GUYON

PROFESSOR AN DER MEDICINISCHEN FACULTÄT IN PARIS, PRIMARCHIRURG IM HÔPITAL NECKER, MITGLIED DES INSTITUT (ACADEMIE DER WISSENSCHAFTEN) UND DER ACADÉMIE DE MÉDECINE.

NACH DER DRITTEN FRANZÖSISCHEN AUFLAGE MIT ERLAUBNIS DES AUTORS ÜBERSETZT UND BEARBEITET VON

Dr. OSCAR KRAUS IN CARLSBAD. und Docent Dr. OTTO ZUCKERKANDL IN WIEN.

ZWEITER BAND.

HARNVERGIFTUNG. — PHYSIKALISCHE UNTERSUCHUNG UND LOCALBEHANDLUNG.

MIT 30 FIGUREN IM TEXTE.

WIEN, 1897.

ALFRED HÖLDER,

K. U. K. HOF- UND UNIVERSITÄTS-BUCHHÄNDLER,

I. ROTHENTHURMSTRASSE 15.

# INHALT.

## Dritter Theil: **HARNVERGIFTUNG.**

### Achtzehnte Vorlesung.

**Allgemeines über die von den Harnwegen ausgehenden Intoxicationen und Infectionen.**



### Neunzehnte Vorlesung.

**Allgemeinerscheinungen der Harninfection.**

I. Harnfieber.

## Zwanzigste Vorlesung.

**Bedingungen für das Entstehen des Harnfiebers.**



## Einundzwanzigste Vorlesung.

**III. Fieber und Nierenlaesion — Parallele der verschiedenen Typen des Harnfiebers mit dem Fieber der Nephritiden und jenem der Infection.**



## Zweiundzwanzigste Vorlesung.

**Therapie des Harnfiebers.**

## Dreiundzwanzigste Vorlesung.

### Verdauungsstörungen.

Bedeutung und Häufigkeit.



## Vierundzwanzigste Vorlesung.

### Directe Untersuchung.

Seite

## Fünfundzwanzigste Vorlesung.

**Anatomische und physiologische Betrachtungen über die männliche Harnröhre.**

Anatomie.



## Sechsundzwanzigste Vorlesung.

(Fortsetzung.)



## Siebenundzwanzigste Vorlesung.

II. Physiologie.

(Fortsetzung und Schluss.)

DRITTER THEIL.

# HARNVERGIFTUNG.

## Achtzehnte Vorlesung.

# Allgemeines über die von den Harnwegen ausgehenden Intoxicationen und Infectionen.

Harnvergiftung. — Zwei Formen derselben. — Intoxication und Infection. — Die Infection spielt bei chirurgischen Affectionen der Harnorgane die Hauptrolle.

Intoxication. — Toxicität des Harnes. — Aeltere und neuere Anschauungen. — Experimentelles. — Bedeutung der Dosis bei der Intoxication. — Eingangspforten. — Intensität des toxischen Vermögens. — Maass für dasselbe. — Verschiedene Arten und Ursprung des Giftes. — Intestinaler Ursprung. — Die sieben Gifte des Harnes. — Uraemie. — Natur und Ursachen derselben. — Symptome experimentell erzeugter Uraemie. — Klinische Symptome der Uraemie.

Infection. — Allgemeines über dieselbe. — Sie wurde lange Zeit hindurch mit dem Harnfieber zusammengeworfen. — Aufklärung über deren Natur durch die Bakteriologie. — Locale und Allgemeinerscheinungen. — Beide sind mikrobischen Ursprungs. — Die Allgemeinerscheinungen folgen den localen Symptomen der Infection. — Klinische Bedingungen für die Receptivität. — Principien der Therapie.

Harnvergiftung, vorherrschende Rolle der Infection. — Nachdem über den Ursprung jener üblen Zufälle, welche im Verlaufe von Erkrankungen der Harnorgane aufzutreten pflegen, bisher irrige und confuse Anschauungen geltend waren, ruht die Lehre von der Pathogenese heutzutage auf positiveren Kenntnissen, seitdem wir über das Wesen der Infection der Harnwege besser unterrichtet sind. Wir vermögen jetzt die meisten Krankheitserscheinungen, deren letzte Ursachen bisher in Dunkel gehüllt waren, ungezwungen zu erklären, und man könnte die ganze Geschichte der Harnvergiftung füglich auf die Untersuchungen über die Harninfection reduciren.

Wenn aber auch die präponderirende Rolle, welche der Infection zukommt, über jeden Zweifel erhaben ist, so sind doch mitunter auch Erscheinungen der Intoxication zu berücksichtigen, mit welchen wir besonders bei renalen Affectionen zu rechnen haben.

Die Nierenaffectionen verlaufen aber bei unseren Kranken anders als bei Brightikern. Wir vermissen in unseren Fällen die typischen Erscheinungen der Uraemie; das Eiweiss fehlt nicht selten gänzlich oder zeigt sich nur in Spuren. Ebenso fanden wir niemals Affectionen der Retina, Epistaxis oder andere Blutungen, Veränderungen am Herzen oder an den Gefässen, wie sie im Verlaufe der Nephritis beobachtet werden. Keinerlei Oedeme, auch nicht Gehirnoedem. Nur in Ausnahmsfällen hatten wir Gelegenheit, cerebrale Erscheinungen zu beobachten; dagegen sehen wir oft Dyspnoe und Verdauungsstörungen. Die letzteren sind fast constant und immer deutlich ausgeprägt. Wir sehen die Kranken ohne Temperatursteigerung oder abnormes Sinken der Temperatur zugrunde gehen. Auch Coma beobachten wir nicht, dagegen bei alten Prostatikern, wenn sich ihr Zustand verschlimmert, bisweilen grosse Somnolenz. Auf das häufige Vorkommen der Polyurie habe ich bereits hingewiesen.

Unsere Aufgabe soll es nun sein festzustellen, inwieweit die erwähnten Respirations- und Digestionsstörungen, Temperaturschwankungen, Aufhebung des Bewusstseins u. s. w. auf Intoxication, inwieweit sie auf Infection zu beziehen sind.

Bei unseren Harnkranken ist meist die Nierenfunction beeinträchtigt, und zwar in der Regel infolge von Laesionen, welche durch die Infection gesetzt werden. Freilich gibt es auch eine Menge von Fällen, welche lange Zeit aseptisch verlaufen, doch ist es eine Seltenheit, wenn der aseptische Zustand bis zum Ende anhält. Unter allen Umständen aber befindet sich die Niere in einem labilen Gleichgewichtszustand, und geringfügige Störungen können die Ausscheidungsvorgänge in empfindlicher Weise beeinflussen.

In unseren Fällen liegen die Bedingungen für die Aufnahme und Resorption von Keimen ganz besonders günstig, und die Druckschwankungen innerhalb der Harnorgane bilden eine stete Gefahr für die ungestörte Function der Nieren. Ist diese normale Function gehemmt, so gelangen toxische Producte, gleichgiltig ob sie im Organismus erzeugt oder von aussen eingeführt worden sind, nicht mehr zur Ausscheidung, häufen sich im Blute an und führen zur Autointoxication.

Infection und Intoxication drohen stets und wirken oft vereint. Sie vermögen das Krankheitsbild zu verändern und gewissen Zufällen eine ernste Bedeutung zu geben.

So habe ich bei Besprechung der Oligurie hervorgehoben, dass die dauernde Herabsetzung der Harnausscheidung an und für sich immer ein bedenkliches Symptom sei; tritt es jedoch unter Apyrese auf, so ist dies nicht nur ein Zeichen, dass überhaupt Gefahr droht, sondern auch dass sie unmittelbar bevorsteht.

Tritt die Intoxication zu einer bereits bestehenden Infection hinzu, so wird sich der Zustand bedenklich verschlimmern, doch ist das Verhältnis dieser beiden Schädlichkeiten nicht bloss ein coordinirtes. Eine bedeutende chronische, von den Harnorganen ausgehende Intoxication macht vielmehr das Terrain für die Aufnahme von mikrobischen Keimen ganz besonders geeignet.

Wir wissen aus experimentellen Arbeiten, dass gewisse chemische Substanzen die Widerstandskraft des Organismus gegen Infection herabsetzen, und Erfahrungen am Krankenbette haben uns den klinischen Beweis für die Richtigkeit dieser experimentell festgestellten Thatsache erbracht. Bei Erörterung der incompleten Harnverhaltung mit chronischer Drucksteigerung habe ich erwähnt, wie leicht Kranke, die seit langem an chronischen Intoxicationszuständen leiden, durch den Katheterismus inficirt werden können. Diese grosse Empfänglichkeit für Aufnahme und Resorption von Keimen nimmt aber wieder in dem Grade ab, als durch regelmässig wiederholte künstliche Harnentleerung die Druckverhältnisse im Inneren des Harnapparates zur Norm zurückgeführt werden und auf diese Weise die Niere ihrer Function wieder in ausreichendem Maasse gerecht werden kann.

Die Intoxication, welcher die Kranken mit chronischen Affectionen der Harnwege bisweilen unterworfen sind, ist mithin eine der Bedingungen für die gesteigerte Receptivität dieser Patienten gegen mikrobische Einflüsse.

Bouchard war einer der ersten, welcher auf diese verminderte Resistenz der Gewebe infolge der Einwirkung chemischer Agentien hingewiesen hat und gleich Charrin und Duclert[1]) den Grund für diese Erscheinung in einer Verminderung der Phagocytose suchte.

Dennoch bleiben bei Vermengung der Symptome die Erscheinungen der Infection die dominirenden, die der Intoxication sind minder hervorstechend, ohne den ersteren aber deshalb an Bedeutung nachzustehen. Wir müssen also auch sie vollauf berücksichtigen, wenn die klinische Untersuchung auf Vollständigkeit Anspruch erheben soll.

Harnvergiftung. — Die von den Harnorganen ausgehende Intoxication hat ihren Grund in der ungenügenden Ausscheidung der toxischen Substanzen, welche normalerweise im Harne enthalten sind. Wir haben es also keineswegs mit bereits durch die Nieren ausgeschiedenen, im Harne enthaltenen Substanzen zu thun, die aus irgend einer Ursache wieder in den Kreislauf gelangen; es handelt sich vielmehr um deren successive Anhäufung im Blute. Wenn der Urin in normaler Weise erzeugt wird, so ist das allein der beste Schutz gegen Intoxication, und diese letztere kommt eben nur dann zustande, wenn die Niere in ihrer Function beeinträchtigt ist und die Fähigkeit verloren hat, dem Blute alle jene Substanzen zu entziehen, welche normalerweise im Harne zur Ausscheidung gelangen sollten.

---

[1]) Charrin et Duclert, Mécanisme de l'influence des substances toxiques agissant, à titre de causes secondes, dans la genèse de l'infection. C. R. de l'Acad. des sc. CXIX 1894.

Nichtsdestoweniger wirkt auch der normale und vollkommen aseptische Urin toxisch, und zwar in sehr hohem Grade. Diese Thatsache ist seit jeher bekannt gewesen, und Velpeau's classischer Ausspruch: „Der Harn ist eine der gefährlichsten Flüssigkeiten des Stoffwechsels, welche furchtbare Verheerungen anrichten kann, sobald sie ihre Canäle verlässt," ist ein deutlicher Beweis dafür, dass man seit jeher die Toxicität des Harnes ganz richtig zu beurtheilen wusste. Allein zur wissenschaftlichen Begründung dieser Anschauung war es nothwendig, die Bedingungen kennen zu lernen, unter welchen normaler Harn schädlich wirken kann.

Die Experimente von Claude Bernard und Bareswill (1859) haben die Wirkung gezeigt, welche man durch Ausschneiden oder Entnervung der Niere hervorrufen kann. Aber erst als man zu den intravenösen Einspritzungen schritt, konnte man die toxischen Erscheinungen des Harnes genau studiren.

Die einschlägigen Arbeiten von Feltz und Ritter[1]) und von Bouchard[2]) habe ich bereits erwähnt.

Um manifeste Erscheinungen von Harnvergiftung zu erzeugen, ist, selbst bei Einspritzung in die Venen, eine so grosse Menge Urins erforderlich, dass man diese Intoxication nicht leicht als eine Folge directer Resorption des Harnes ansehen kann.

Nach Feltz und Ritter beträgt die letale Dosis nicht weniger als die in drei Tagen ausgeschiedene Harnmenge, resp. $^1/_{15}$ des Gesammtgewichtes des Versuchsthieres. Dieser Umstand, sowie die Höhe von Bouchards urotoxischem Coeficienten, erweist den frappanten Unterschied von Intoxication und Infection.

Nach Bouchard braucht der Mensch im Mittel zwei Tage und vier Stunden, um eine Harnmenge von toxischer Kraft zu produciren.

Werden dagegen auch nur geringe Mengen septischen Harnes eingebracht, so treten fast unmittelbar darauf Infectionserscheinungen ein, und hier muss man sie nothwendigerweise durch Resorptionswirkung erklären. Die Keime und deren Stoffwechselproducte werden resorbirt, und deren ungenügende Ausscheidung steigert die Krankheitserscheinungen.

Aber auch beim pathologischen Harn variiren die Symptome, jenachdem derselbe in das Zellgewebe oder direct ins Blut eingespritzt wurde.

Bouchard injicirte zwei Kaninchen zuckerhältigen Harn; im ersteren Falle trat wenige Minuten nach der intravenösen Application

---

[1]) Feltz et Ritter, De l'urémie expérimentale 1881.

[2]) Bouchard, Leçons sur les auto-intoxications, professées à la faculté de médecine de Paris. Paris 1887.

abundante Glycosurie auf und hielt ein und eine halbe Stunde lang an, während die Einspritzung der gleichen Harnmenge bei dem zweiten Versuchsthiere resultatlos blieb. Im letzteren Falle war, durch die langsamer vor sich gehende Resorption des Harnes, der eingebrachte Zucker im Körper bereits oxydirt worden, ehe er als solcher in den Nieren zur Ausscheidung kommen konnte.

Die erste Intoxicationserscheinung beim Kaninchen ist die Verengerung der Pupille; nach Bouchard tritt sie bereits auf, wenn man dem Thiere 10 *gr* Harn auf 1 *kgr* des Körpergewichtes injicirt hat.

Zur Erzeugung einer letalen Wirkung bedarf es einer Menge von 30 bis 60 *gr* Harn auf 1 *kgr* des Körpergewichtes. Selbstverständlich sind diese Zahlen keine absoluten, da man ja mit der Concentration des Urins zu rechnen hat. Von stark diluirtem normalen Harne musste man beispielsweise 97 *ccm* auf 1 *kgr* einspritzen, eine Menge, bei welcher auch destillirtes Wasser bereits Vergiftungserscheinungen hervorruft.

Dagegen hat ganz normaler Urin, der von einem Individuum herrührte, das mit Torticollis (ohne Fieber) behaftet war, bereits in der Dosis von 12 *ccm* letal gewirkt.[1])

Diese Thatsachen sind auch praktisch nicht ohne Bedeutung, indem sie den grossen Einfluss der Verdünnung des Harnes durch reichliche Flüssigkeitsaufnahme deutlich documentiren.

Die Verminderung oder das gänzliche Fehlen der toxischen Kraft des Harnes bei Morbus Brigthii, eine Folge der „Impermeabilität" der Niere, lässt es begreiflich erscheinen, warum gerade der normale Harn toxisch wirkt. Durch Bouchard, Dieulafoy und Hallé wissen wir auch, dass der stark verdünnte Harn unserer Kranken, wenn sie an Polyurie leiden, an Toxicität bedeutend eingebüsst hat.

Ich will hier diesen interessanten Dingen nicht bis ins Detail nachgehen, sondern nur noch Einschlägiges über den intestinalen Ursprung gewisser Gifte zur Sprache bringen. Es ist hinlänglich bekannt, dass in den Faeces toxische Substanzen enthalten sind und ebenso, dass die ausgedehnte Innenfläche des Darmtractes zur Ausscheidung und Resorption besonders geeignet ist.

So sehen wir Verdauungsstörungen auftreten, wenn die Nierenfunction beeinträchtigt ist, und diese Störungen werden umso länger anhalten und stärker ausgesprochen sein, je mehr die Durchlässigkeit des Nierengewebes gelitten hat. Bouchard hat ein interessantes Experiment gemacht: Wenn man das Darmrohr ausgiebig desinficirt, sinkt

---

[1]) Bouchard loc. cit. p. 36.

die toxische Kraft des Harnes und steigt, sobald die Fäulniserscheinungen im Darme an Intensität zunehmen.

Aus den Untersuchungen über das Indican konnten wir bereits ersehen, dass uns dieser Körper annäherungsweise einen Gradmesser für die Darmfäulnis abgeben könne. Seine Gegenwart im Urin weist deutlich auf die Wechselbeziehung zwischen Darm und Niere hin, und diese Beziehungen müssen bei dem Umstande noch interessanter erscheinen, als bakteriologische Untersuchungen es zur Evidenz gebracht haben, dass einer der gewöhnlichsten Erreger der Infection der Harnwege, das Bacterium coli, seinen Hauptsitz gerade im Darme hat.

Ebenso wissen wir durch Krogius,[1]) dass der Urobacillus liquefaciens septicus, identisch mit Proteus vulgaris (Hanser), sich ebenfalls im Darme vorfindet.

Nicht als ob man annehmen könnte, dass diese Organismen auf dem Wege der Blutbahn vom Darme in die Niere gelangen und durch die letztere ausgeschieden werden könnten. Es steht vielmehr fest, dass in einem normalen Organismus die Niere für Bakterien undurchlässig ist; der Harn Gesunder ist und bleibt ja aseptisch. Allein die toxischen Stoffwechselproducte der Mikroben können ganz gut die Niere passiren und mit dem Harne ausgeschieden werden. Diese bisher nicht genügend studirte Wechselbeziehung zwischen Darm und Niere ist theoretisch und klinisch gleich wichtig.[2])

Bevor ich die Symptome der Harnvergiftung, die man klinisch gewöhnlich als Uraemie bezeichnet, näher bespreche, will ich zum besseren Verständnisse die Ergebnisse der experimentellen Forschung anführen.

---

[1]) Krogius, bakteriologische Untersuchungen über die Harninfection. Helsingfors 1892, p. 96.

[1]) Posner und Lewin (Ueber Autoinfection intestinalen Ursprungs. Berl. Klin. Wochenschrift 1895, 6) haben diesbezüglich interessante Belege geliefert. Zur Lösung der Frage, ob Mikroorganismen aus dem Darm in die Harnwege übergehen können, erzeugten diese Autoren beim Kaninchen durch Ligatur, resp. Vernähung des Anus, künstliche Obstipation. Es wurden zwei Versuchsreihen beobachtet; in der ersten Serie wurde bloss die Verschliessung des Afters vorgenommen, in der zweiten wurde noch vorher eine Reincultur des durch seine Farbe leicht kenntlichen Bacillus prodigiosus in den Darm eingebracht. Nach etwa 18 bis 24 Stunden konnte man bei jeder der beiden Versuchsanordnungen in allen Organen, im Herzblute und im Harne Mikroorganismen, und zwar in der ersten Bacterium coli, in der zweiten Versuchsreihe Bacillus prodigiosus, in grösserer Menge nachweisen.

Die Autoren schliessen aus diesem Resultate auf die Möglichkeit des Uebergehens von Keimen aus dem Darmtract in die Harnwege und nehmen an, dass die Mehrzahl der spontan entstehenden entzündlichen Erkrankungen der Harnorgane intestinalen Ursprungs sei. Sie sind der Ansicht, dass die Keime auf dem Wege der Circulation überwandern, doch geben sie immerhin die Möglichkeit eines directen Durchtrittes

Bouchard hat es unternommen, die toxisch wirksamen Stoffe des Urins zu studiren, und es gelang ihm, deren sieben aus dem Harne darzustellen, sowie physiologisch und chemisch zu bestimmen. Er fand eine diuretisch wirkende Substanz, nämlich den Harnstoff, eine narkotisch wirkende Substanz, einen Körper, welcher Salivation, einen, welcher Myosis erzeugt, einen, welcher die Temperatur herabsetzt, und endlich zwei Körper, welche Krämpfe auslösen, von denen der eine, das Kalium, anorganisch ist, während der andere in die Reihe der organischen Substanzen gehört. Von allen diesen Substanzen konnten bloss der Harnstoff und das Kalium chemisch isolirt werden, das Vorhandensein der übrigen liess sich bloss aus ihrer physiologischen Wirkung erschliessen.

Vermögen sie alle Harnvergiftung herbeizuführen und vermag eine jede von ihnen eine besondere Form von Zufällen auszulösen?

Die Uraemie ist, wie wir heute wissen, das Resultat der Zusammenwirkung von complicierten toxischen Agentien, deren Natur uns allerdings nicht genau bekannt ist. Feltz und Ritter haben von allen Bestandtheilen des Harnes den Kalisalzen allein die toxische Kraft zugeschrieben. Es muss zugestanden werden, dass vieles für diese Annahme spricht. Die Kalisalze, namentlich Chlorkalium, sind gewiss für ein Drittheil der toxischen Ausfallserscheinungen verantwortlich zu machen. Die Thiere gehen unter heftigen Convulsionen, Opisthotonus und Herzlähmung zugrunde, Erscheinungen, die wir in dieser Form bei Uraemie nicht beobachten. Trotz der grossen Wichtigkeit der Kalisalze für das Zustandekommen der Intoxication, muss es sich bei Uraemie um die Wirkung anderer Substanzen handeln, und man hat jene Theorien bereits verlassen, welche das Zustandekommen der Uraemie auf die Wirkung eines einzigen toxischen Agens zurückführten, wie z. B. jene Wilson's, der ausschliesslich dem Harnstoff alle Schuld beimaass.

---

der Bakterien durch die Blasenwand zu; der letztere Fall dürfte indessen nur ausnahmsweise eintreten.

Die klinischen Belege für den intestinalen Ursprung gewisser Infectionen an den Harnorganen sind zur Zeit noch recht spärlich. Mein Schüler Reblaub hat, auf dem französischen Chirurgencongress im Jahre 1892, eine Mittheilung über die Entstehung von Entzündungen der Harnleiter und Nieren bei Schwangeren gemacht, die ich an dieser Stelle erwähnen möchte. Durch den graviden Uterus erfahren sowohl der Darm als der Harnapparat eine gewisse Compression, welche zu Stasen in beiden Organcomplexen führt. Die Stase im Darme begünstigt den Uebertritt von Keimen aus diesem ins Blut. Durch die Nieren ausgeschieden, finden diese Keime, infolge der auch in den Harnorganen bestehenden Stase, günstige Bedingungen für die Proliferation und erregen so scheinbar spontan entstehende Entzündungsprocesse.

Wir wissen vielmehr aus Feltz' und Ritter's Versuchen, dass Harnstoff allein nur in ganz geringem Maasse toxisch wirkt.

Hat man dem Versuchsthier eine genügende Menge Harnes in die Blutbahn eingespritzt, so beginnen die Pupillen sich zu verengern; die Respirationsbewegungen werden frequenter und flacher, die Harnsecretion wächst und die Frequenz der Harnentleerung nimmt entsprechend zu. Gleichzeitig beobachten wir ein Sinken der Temperatur, oft bis auf 32° C.

Diese Hypothermie scheint, nach neueren Versuchen Roger's[1]), durch eine im Harne enthaltene, die Temperatur herabsetzende Substanz hervorgerufen zu sein. Es gelang diesem Autor, durch Dialyse die Harngifte zu trennen und das Vorhandensein von ausserordentlich giftigen Bestandtheilen des Harnes nachzuweisen, welche das Diaphragma nicht passiren und deren Wirkung durch jene Substanzen, welche die Membran passiren, neutralisirt wird. Diese Substanzen, d. h. die Kalisalze, der Harnstoff und die Farbstoffe des Harnes, erhöhten die Temperatur, nachdem bisweilen eine Temperaturabnahme vorausgegangen war. Die Flüssigkeit, die das Diaphragma nicht passirte, erzeugte, mit seltenen Ausnahmen, ein Sinken der Temperatur, und zwar betrug diese Abnahme im Momente des Todes 3 bis 4, in einem Falle selbst 7 Grade.

Kommen also alle Bestandtheile des Harnes zur Wirkung, so prädominirt, wie man sieht, die der nicht dialysablen Substanzen, da ja das Sinken der Temperatur die Regel ist. Freilich kommt es auch in Ausnahmsfällen zu höheren Temperaturen; hier dürften die dialysablen Substanzen in erster Linie wirksam sein.

Bekannte Symptome der Harnvergiftung sind die Abnahme des Corneal- und Palpebralreflexes, sowie häufig Exophthalmus.

Der Tod erfolgt ohne Krämpfe oder unter nur mässigen Muskelzuckungen; die Herzaction hält lange an, ebenso bleiben glatte und quergestreifte Muskeln noch lange erregbar; die Pupille bleibt nach Eintritt des Todes verengt und erweitert sich nur in Ausnahmsfällen wieder. Eiweissausscheidungen mit dem Harne sind selten und, wie sich aus der Beobachtung überlebender Thiere ergibt, nur passagär. Dagegen ist die Albuminurie nach Einverleibung pathologischen Harnes constant, und zwar stets in erheblichem Grade, vorhanden; auch kann man unter diesen Umständen Haematurie beobachten.

Ungenügende Ausscheidung der Harnbestandtheile, wie sie bei den verschiedensten anatomischen Erkrankungen der Niere stattfindet, muss nothwendigerweise zur Uraemie führen, doch hängt es von der

[1]) Roger, Application de la dialyse à l'étude de la toxicité urinaire, Soc. de Biologie. Juni 1894, p. 500.

Art der Erkrankung ab, ob die Intoxicationserscheinungen lange Zeit latent verlaufen und nur allmälig zutage treten, oder mit einemmale intensiv und mit aller Macht zum Vorschein kommen.

In diesem Sinne spricht man von acuter und chronischer, latenter Uraemie. Klinisch spricht man auch von der „grossen“ Uraemie und von einer leichteren Form der Erkrankung. Die Symptome der ersteren kennen wir bis ins Detail genau aus den sorgfältigen Beobachtungen von Dieulafoy, der unter der Bezeichnung Brightismus einen Symptomencomplex beschreibt, dessen Erkennung es uns ermöglicht, die Harnvergiftung in ihren frühesten Stadien zu entdecken und zu behandeln, ehe noch die Erscheinungen der grossen Uraemie manifest geworden sind. Bei allen Formen der acuten oder chronischen Nierenentzündung droht Uraemie in irgend einer Phase der Erkrankung. Wir müssen somit alle Aeusserungen dieses Zustandes kennen, da ja beispielsweise im Verlaufe einer chronischen Nephritis, ohne dass im Harn Eiweiss oder Cylinder vorhanden wären, jederzeit schwere uraemische Erscheinungen auftreten können.

Auch bei unseren Harnkranken sind die Symptome einer Nierenaffection mitunter wenig markirt; Oedeme fehlen fast immer, und auch der Harn lässt mitunter charakteristische Merkmale vermissen. Ich gestehe es offen, dass uns diesbezüglich nicht genügende diagnostische Hilfsmittel zur Verfügung stehen, und wir sind nicht imstande, den Grad der Nierensufficienz auch nur annäherungsweise abzuschätzen, was im Zeitalter der Nephrectomie höchst bedauerlich ist.

Vielleicht wird es auf dem Wege systematischer und exacter Beobachtung noch gelingen, für die Diagnose der beginnenden, jedoch klinisch noch latenten Harnvergiftung von Seite der inneren Medicin Anhaltspunkte zu gewinnen, und darum lenke ich Ihre Aufmerksamkeit auf die Lehre Dieulafoy's.

Er betont in erster Linie die Art und Weise des Beginnes. Das, was man Morbus Brightii nennt, jener Zustand, der infolge von verschiedenartigen Nierenaffectionen zur Uraemie führt, hat meist ein subacutes oder chronisches Initialstadium.

Die uraemischen Erscheinungen treten meist ganz allmählig, fast unmerklich auf, mit einemmale aber sind sie manifest geworden, und es hat den Anschein, als ob der Ausbruch der Symptome ein ganz unvermittelter und plötzlicher gewesen wäre. Bei näherer Betrachtung ergibt es sich aber, dass dem Ausbruche der Uraemie gewisse Symptome vorangegangen waren, welche für den Erfahrenen den Eintritt der Katastrophe voraussehen liessen.

Kopfschmerzen, Harndrang, Epistaxis, Herzklopfen, Wadenkrämpfe, Athemnoth, Kreuzschmerzen, Ohrensausen, Abnahme der Hörschärfe,

Schwindel, Sehstörungen, Appetitlosigkeit, Hautjucken, Paraesthesien in den Fingern, Kältegefühl und Verdauungsstörungen in mannigfachen Combinationen erregen den Verdacht auf beginnende Harnvergiftung.

Die semiotische Bedeutung jedes einzelnen Symptomes liegt in der Art und Weise seines Auftretens, in seiner Intensität und Dauer. Wir wissen ja, dass selbst die geringste Krankheitsäusserung Berücksichtigung verdient, wenn sie lange Zeit andauert, und dass ein einzelnes, an und für sich unbedeutendes Symptom dadurch an Bedeutung gewinnt, dass es gleichzeitig mit gewissen anderen in die Erscheinung tritt. Die Art der Combination oder Aufeinanderfolge der einzelnen Symptome wird uns bei ihrer Beurtheilung leiten müssen und genügt dazu, um den Eintritt schwerer Erscheinungen schon frühzeitig aus vagen Prodromen mit grosser Wahrscheinlichkeit voraussagen zu können. Die Erscheinungen der ausgesprochenen Uraemie lassen sich zweckmässig in drei Hauptgruppen: in cerebrale, dyspnoische und gastro-intestinale Symptome eintheilen. Bei den Harnkranken vermissen wir, wie Sie wissen, die erstere Gruppe, dagegen finden wir bisweilen Respirationsstörungen und in allen Fällen gastro-intestinale Symptome.

Cerebrale Form. — Es können hier Coma, Convulsionen oder Delirien vorherrschen.

Die comatöse Form der Uraemie ist namentlich bei jugendlichen Individuen nicht selten. Die Kranken befinden sich zunächst in einem apoplectiformen Zustand, der ganz allmälig in den comatösen übergeht; die Pupillen sind punktförmig verengt (Addison, Roberts, Bouchard).

Im Gegensatze zu früheren Annahmen können auch mitunter localisirte Lähmungen, Hemiplegien, Jackson'sche Epilepsie sowie Steigerung der Körpertemperatur vorhanden sein. Bei Autopsien findet man in solchen Fällen entweder umschriebenes Hirnoedem (Tennesson und Chantemesse) oder einen cerebralen haemorrhagischen Herd. Das Coma ist entweder eine primäre Erscheinung, oder es wird von Convulsionen und Delirien eingeleitet.

Die convulsive Form der Uraemie ist häufig, namentlich im Kindesalter und nach acuter Nephritis. Sie beginnt mit intensivem Kopfschmerz, Schwindel und Spasmen in den Gliedern; hierauf kommt ein convulsiver, epileptiformer Anfall zum Ausbruch. Die Körpertemperatur kann bis über 40 Grad steigen, meist sinkt sie aber unter die Norm.

Den für Epilepsie charakteristischen Anfangsschrei, sowie die Bissverletzungen an der Zunge vermissen wir bei Uraemie, ausser bei den eklamptischen Anfällen Schwangerer.

Die mit Delirien einhergehende Form von Uraemie beobachten wir hauptsächlich bei Erwachsenen. Das Delirium kann mitunter ziemlich ruhig verlaufen; es werden bloss unzusammenhängende Worte ausgestossen und der Anfall oft übersehen. Mitunter aber hat man es mit einem Zustande zu thun, welcher an acute Manie oder hallucinatorisches Irresein erinnert. Diese „folie brightique", wie sie Dieulafoy nennt, kann verschiedene Varietäten präsentiren.

Bisweilen ähnelt das Delirium der acuten Manie. Der Kranke ist aufgeregt, schlaflos, will sich fortwährend erheben und schreit beständig.

In manchen Fällen praedominiren Gehörs- und Gesichtshallucinationen; in anderen wieder sind die Kranken melancholisch, vollständig schweigsam und gehen oft mit Selbstmordgedanken um. In manchen Fällen leiden Uraemische an Verfolgungswahn und sehen überall Fallen und Hinterhalte. Solche Zustände können alternirend oder gemeinschaftlich bestehen und tage- oder monatelang anhalten. Ihre richtige Deutung ist im allgemeinen keine schwierige Sache, wenn die Symptome eines Mb. Brightii sonst klar zutage liegen. Im entgegengesetzten Falle ist die Klarstellung der wahren Ursache dieser Erscheinungen oft recht schwer, und mancher Kranke dieser Art wurde irrthümlich als psychotisch in's Irrenhaus gebracht.

Bei den Harnkranken vermissen wir diese mit Delirien und Convulsionen einhergehende Form der Uraemie; ebensowenig sehen wir Lähmungen und nur in Ausnahmsfällen tiefes Coma.

Dyspnoische Form. — Die uraemische Dyspnoe kann entweder einfach, paroxysmal oder mit Spasmen[1]) verlaufen. Bei der ersteren Form genügen die geringsten körperlichen Anstrengungen, wie z. B. das blosse Gehen, um gesteigerte Athemfrequenz und Athemnoth herbeizuführen.

Die paroxysmale Dyspnoe ist durch ein heftiges, periodisch wiederkehrendes Oppressionsgefühl charakterisirt. Von Cheyne im Jahre 1816 zuerst beobachtet, wurde das Phaenomen 1854 von Stokes beschrieben und wird in der Literatur als Cheyne-Stokes'sches Athmen bezeichnet. Es besteht in der regelmässigen und periodischen Aufeinanderfolge einer Phase der Apnoe, oder Pause, und einer Phase von Dyspnoe, in welcher die Inspirationen anfangs spärlich, kurz und oberflächlich, nach und nach an Tiefe zunehmen, immer häufiger, tiefer und lauter werden, um wieder allmählig bis zum Eintritt einer neuen Pause abzunehmen.

Das Stadium der Apnoe dauert gewöhnlich 30—40 Secunden, der

---

[1]) Lancereaux, Leçons de clinique médicale, p. 452, 1884.

ganze Anfall höchstens einige Minuten; gewöhnlich wird er von Circulationsstörungen, cerebralen und oculo-pupillaren Veränderungen begleitet.

Die spastische Form der Dyspnoe hat viele Analogie mit den asthmatischen Anfällen, und wurde aus diesem Grunde als Asthma uraemicum bezeichnet. Bei den schwersten Anfällen können abnorme Auscultationsphaenomene trotzdem fehlen, da der dyspnoische Anfall, wie auch Lancereaux annimmt, durch directe Reizung des Respirationscentrums, von Seiten nicht zur Ausscheidung gelangter toxischer Substanzen, ausgelöst wird. Trotzdem ist es natürlich keineswegs ausgeschlossen, dass bei uraemischen Kranken Bronchitis, Lungenoedem oder pleurale Ergüsse zur Entwicklung kommen können.

Oppression beobachten wir bei Harnkranken nur dann, wenn Infection erfolgt ist. Dann bestehen auch Veränderungen in den Lungen und man findet auch Cheyne-Stokes'sches Athmen.

Gastro-intestinale Form. — Lancereaux hat sie eingehend studirt. Nach ihm verläuft sie gewöhnlich unter den Erscheinungen einer Erkrankung des Magens und des Dickdarmes. Ausnahmsweise scheint sie im Dünndarme, ja selbst in der Mundhöhle und im Rachen localisirt zu sein. Auf die buccalen und pharyngealen, mir ebenfalls seit langem wohlbekannten, Symptome hat Lancereaux mit Recht hingewiesen. Die Internisten hatten bis dahin keine Kenntnis von dieser allerdings seltenen Erkrankungsform.

Bei unseren Harnkranken gehören gastro-intestinale Störungen zu den gewöhnlichsten Erscheinungen, und wir sehen sie sowohl bei aseptisch verlaufenden Erkrankungen des Harnapparates, d. h. infolge blosser Intoxication, als auch bei bestehender Infection; ihre Symptome kommen ebensowohl vereint als isolirt vor und lassen sich meist recht gut auseinanderhalten.

Das vorherrschende Symptom der gastrischen Form der Uraemie ist das Erbrechen, welchem nur selten Nausea vorangeht und das gegewöhnlich ohne besondere Anstrengung erfolgt. Dabei kommt es meist zur Entleerung von geringen Mengen klarer, gelblichgrauer, bisweilen grünlicher, bouillonartiger Massen. Die intestinale Form verläuft mit Diarrhöen ohne Schmerzen oder Koliken und ermüdet die Kranken deshalb selbst dann nicht, wenn sie profus auftreten; im Gegentheile sehen wir unter ihrem Einflusse Kopfschmerzen, Schlaflosigkeit schwinden, so dass die Kranken den Eintritt der Diarrhöen als eine Wohlthat empfinden. Anfänglich bestehen sie ohne nachweisbare Darmaffection; in vorgeschrittenen Fällen erleidet aber die Schleimhaut des Dünn- und Dickdarmes gewisse anatomische Veränderungen, welche von Lancereaux eingehend studirt und beschrieben worden sind.[1])

[1]) Lancereaux, Leçons cliniques p. 471.

Die intestinalen Symptome sind für diejenigen Harnintoxicationen, welche wir bei den chirurgischen, mit Retention einhergehenden Erkrankungen der Harnorgane beobachten, von Bedeutung und müssen stets im Auge behalten werden.

Ein weiteres Moment, welches unsere Aufmerksamkeit verdient, ist das Verhalten des Fiebers.

Bei der Intoxication und besonders bei der convulsiven Form wurden Temperatursteigerungen beobachtet, so von Rosenstein, Moussous und Strümpell. Der letztere hat in einigen Fällen Temperaturen bis zu 41·5° beobachtet. Häufiger sinkt aber die Temperatur, wie dies Hertz und später Bourneville gezeigt haben; nach Lancereaux fehlt die Hypothermie selten in den Fällen von chronischer Nephritis, welche mit arteriellen Veränderungen verlaufen. Constant sehen wir sie in den Endstadien chronischer Uraemie. Die Temperatur kann da bis 32, selbst bis 30° C. absinken.

Aus experimentellen Beobachtungen haben wir die Erfahrung gewonnen, dass bei Uraemie sowohl eine Abnahme als eine Steigerung der Temperatur vorhanden sein könne. Das Vorkommen subnormaler Temperaturen ist häufiger und gehört fast zur Regel.

Roger's Dialyse des Harnes scheint darauf hinzuweisen, dass die Temperatursteigerung auf die Einwirkung gewisser chemischer Substanzen zurückzuführen sei: es gibt ja thatsächlich Stoffe, wie das Cocain, welche eine hohe Temperatursteigerung veranlassen, ohne dass es zu convulsiven Zuständen kommen würde.

Wir sehen also, dass die Symptome der Uraemie, der Harnvergiftung, zahlreich und variabel sind, dass durch sie der Stoffwechsel arge Störungen erleidet und dass ihre mannigfaltigen Erscheinungsformen die verschiedensten Krankheiten vorzutäuschen vermögen.

Infection der Harnorgane. — Diese Art der Vergiftung kann nur durch das Eindringen pathogener Organismen in den Harnapparat zustande kommen, welche im Harne unter Luftabschluss günstige Bedingungen für ihre Entwicklung vorfinden.

Im normalen Zustande ist der Harn, der in der menschlichen Blase und Niere enthalten ist, aseptisch (Pasteur); unter pathologischen Verhältnissen ist er jedoch in so hohem Grade virulent, dass er thatsächlich Velpeau's oberwähnten Ausspruch von den „Verheerungen" rechtfertigt. Wir werden sehen, wie schwer die Erscheinungen sind, welche das Eindringen septischen Harnes in die Gewebe und den Kreislauf unseres Körpers hervorzurufen pflegt. Allein wir werden auch in die Lage kommen zu constatiren, dass diese verheerende Wirkung nicht immer so arg ist, als es nach gewissen Beobachtungen den Anschein haben könnte. Das aufmerksame Studium dieser Art von Giftwirkungen und des Giftes selbst wird uns diese scheinbaren Widersprüche erklären.

Zum Nachweise jener unbekannten Agentien im Harne, deren Existenz die klinische Beobachtung der Symptome bereits annehmen liess, ehe noch Pasteur 1859 auf deren grosse Bedeutung aufmerksam machte, musste vor allem die bakteriologische Untersuchung des Harnes herangezogen werden. Sie führte zur Kenntnis von kleinen Organismen von bestimmtem morphologischen und biologischen Verhalten, welche im Urin ein günstiges Medium zu ihrer Vermehrung und zur Entwicklung ihrer pathogenen Eigenschaften fanden. Nun galt es aber auf experimentellem Wege den Nachweis zu erbringen, dass durch den Lebensprocess jener Mikroorganismen alle anatomischen Veränderungen, die wir an den Harnorganen wahrnehmen, thatsächlich hervorgerufen werden könnten. Erst in den letzten Jahren gelang es, die ganze Kette von Beweisen zu erbringen, und heute sind wir über die Ursachen der Infection und über die Natur des Giftes hinreichend unterrichtet. Schliesslich müsste durch klinische Beobachtung und durch das Experiment darüber Klarheit geschaffen werden, von welchen Umständen die besondere „Receptivität" abhängig sei.

Bei meinen Auseinandersetzungen über die ammoniakalische Zersetzung des Urins habe ich erwähnt, dass, trotz der neuen Theorie von den Keimen, die wahre Natur der Infection der Harnwege noch lange Zeit nicht erkannt wurde. Die Gesetze für die Receptivität der Organe und den Grad ihrer Aufnahmsfähigkeit für Keime waren uns unbekannt.

Alle Theorien, welche sich vor der jetzigen wissenschaftlichen Aera mit der Erklärung der Urininfection befassten, hatten vorzüglich die Entstehung des Harnfiebers im Auge, so diejenigen, welche seit 1840 durch Velpeau und Civiale vertreten wurden. Sie sind die Vorläufer jener Entdeckungen, welche unsere jetzigen Anschauungen gezeitigt haben.

Seit Pasteur's Micrococcus ureae wurden aus dem pathologischen Harn bei dreissig verschiedene Formen von Mikroorganismen gezüchtet, diejenigen nicht mitgerechnet, welche einer Species angehören und nur von verschiedenen Autoren verschieden benannt wurden, und immer noch werden neue Formen bekannt. So beschreibt neuestens Melchior zwei Formen, den Diplococcus ureae liquefaciens und den Septobacillus anthracoides. Eine erschöpfende Aufzählung aller Arten ist nicht von Vortheil, und ich will mich hier nur darauf beschränken, die wichtigeren, von mehreren Autoren übereinstimmend beschriebenen Mikroorganismen zu erwähnen, die vermöge ihrer pathogenen Eigenschaften und der Häufigkeit ihres Vorkommens die anderen an Bedeutung überragen.

Hierher gehören die gewöhnlichen Erreger der Eiterung: Staphylococcus pyogenes aureus, albus, citreus, sowie der Streptococcus. Unter diesen sind aureus (Bumm, Michaelis, Albarran, Doyen, Rovsing, Morelle), und Streptococcus (Albarran) an erster Stelle zu nennen.

Weiters sind zu erwähnen: Urobacillus liquefaciens septicus von Krogius zuerst beschrieben, von Schnitzler und Reblaub eingehender studirt, sowie ein Bacterium non liquefaciens, welchem bei Infection der Harnwege nach Hallé und Albarran grosse Bedeutung zukommt.

Von Bouchard (1879) zuerst beschrieben, ward diese Form durch Clado (1887) neuerdings bestätigt. Clado bezeichnete die Form als „bactérie septique de la vessie“; Hallé (1887) Albarran und Hallé (1888) und Albarran (1889) stellten durch eine Reihe klinischer Beobachtungen und experimenteller Erfahrungen die zweifellose Bedeutung dieser Form fest und bezeichneten sie als „bactérie pyogène.“

Die gleiche Form wurde von Rovsing (1889) als Coccobacillus ureae pyogenes, von Chabrié als Uro-bacillus non liquefaciens septicus bezeichnet und beschrieben.

Seit 1891 sind wir erst (Morelle, Krogius, Achard, Renaud und Reblaub) über die Identität dieser wichtigen Form klar geworden. Diese von den verschiedensten Autoren gefundene Form ist identisch mit Bacterium coli commune. Wir wissen heute, dass dieser Form bei der Infection der Harnwege der allererste Rang zukommt.

In 50 von Albarran und Hallé untersuchten pathologischen Harnen fand sich 47 mal Bacterium coli vor; in dreissig mit dem Culturverfahren untersuchten Fällen war diese Bakterie 15 mal in Reincultur vorhanden. Albarran fand den Colibacillus 23 mal in 25 untersuchten Fällen, und darunter in 16 Fällen als einzig vorhandene Form. Morelle 13 mal unter 15 Fällen; Krogius 12 mal in 17 Fällen; Denys 17 mal in 25 Fällen; Barlow 5 mal in 7 Fällen etc. Einschlägige Beobachtungen mehren sich von Tage zu Tage. Uebrigens enthält inficirter Harn äusserst verschiedene Formen von Mikroben in sehr variablen Mengen. Wir finden die verschiedenartigsten Mikroorganismen, Mikrococcen und Bakterien, theils isolirt in Reincultur als einzige Species, theils mit anderen Formen combinirt.

Der Koch'sche Bacillus und der Gonococcus gehören, strenge genommen, nicht hieher; sie sind für die Entstehung der Harninfection nicht von Bedeutung. Die Infection der Blase und der oberen Harnwege ist bei der blennorrhoischen Form der Harnröhrenerkrankung meist secundär und beruht auf einer Mischinfection. Die tuberculösen Veränderungen an den Harnorganen sind ganz specifische Erkrankungen, wesentlich verschieden von den gewöhnlichen Erscheinungen eitriger Infection.

Die Erscheinungen, welche die Infection hervorruft, sind locale und allgemeine. Sobald der Harn septisch geworden ist, vermag er die verschiedenen Theile des Harnapparates, die Nachbarorgane und das umliegende Zellgewebe zu inficiren, ja die ganze Circulation in Mitleidenschaft zu ziehen. In jedem Falle sind seine schädlichen Wirkungen stets an die Gegenwart der Mikroorganismen oder ihrer Ausscheidungsproducte gebunden. Wir können, wie Sie wissen, durch Injection von Culturen in's Zellgewebe experimentell Oedem, Induration und Eiterung, ja selbst Gangrän hervorrufen. Diese localen Erscheinungen haben wir bereits eingehend besprochen, und ehe wir uns der Erörterung der Allgemeinsymptome zuwenden, möchte ich noch einiges über die pyogenen Eigenschaften der Mikroben des Harnes mittheilen.

Alle diese Mikroorganismen haben, wie gesagt, die Fähigkeit, Eiterung im Zellgewebe, d. h. Entzündung der Blase, Harnröhre oder Niere zu erzeugen, sobald sie nur in die Harnwege gelangen und diese sich in dem Zustande der Receptivität befinden. Auf letzteren Punkt werde ich noch zu sprechen kommen.

Es fragt sich nun: Wie erzeugen die Mikroben Eiterung auf der Schleimhaut der Harnwege? Geschieht dies direct, vermöge ihrer pathogenen Eigenschaften oder erst dann, wenn eine Veränderung des Urins vorausgegangen ist?

Die letztere Anschauung war lange Zeit die vorherrschende; allein ich habe bereits bei der Erörterung der Frage von der ammoniakalischen Harngährung deren Unhaltbarkeit nachgewiesen. Trotzdem neuerdings wieder Rovsing alle Hilfsmittel der Bakteriologie heranzog, um den Nachweis zu erbringen, dass die Zersetzung des Harnes die primäre Erscheinung sei, fand diese Hypothese keine Anhänger, vielmehr ist heutzutage die directe Einwirkung der Mikroben auf die Gewebe allgemein anerkannt.

Die Mikroben selbst rufen Eiterung hervor. Es ist überflüssig, auf die geringe Bedeutung der Ammoniurie für die Infection hinzuweisen, nur das Eine ist bemerkenswert, dass der Micrococcus ureae, der zur Zeit, als man noch die Ammoniurie zur Erklärung der Infection heranzog, den Schlüssel für deren ganze Pathogenese abgab, heutzutage auf der Liste der für die Harnorgane pathogenen Keime fehlt, und dass alle Mikroorganismen, welche den Harnstoff zersetzen, auch Eiterung hervorrufen können.

Es erhellt aus Reblaub's einschlägigen Untersuchungen, dass die Eiterung kein Stoffwechselvorgang der Mikroben ist, sondern dass der Organismus oder die Gewebe vielmehr auf die Wirkung der Mikroben mit Eiterung reagiren. Die letzteren erzeugen die Eiterung unmittelbar und regelmässig, so dass inficirter Harn stets Eiter enthält.[1])

Wie reagieren Organismus und Gewebe, wie vertheidigen sie sich gegen das Eindringen der Mikroorganismen, welche Umstände begünstigen und welche verhindern dieses Eindringen? Das sind die Fragen, welche wir zu beantworten haben, Fragen, welche zum Theil durch die Ergebnisse der klinischen Beobachtung, im Vereine mit jenen der Bakteriologie und Experimentalpathologie, bereits aufgeklärt sind, zum Theil aber derzeit noch der Aufklärung bedürfen.

Zunächst wollen wir in Betracht ziehen, auf welchen Wegen die Mikroben in den Harnapparat, auf welchen sie in die Circulation und auf welchen sie in das Zellgewebe gelangen.

Im allgemeinen können die Mikroorganismen auf zweierlei Weise

---

[1]) Es gibt Ausnahmen von dieser Regel; wir sehen nicht selten Urin, der ganz beträchtliche Mengen von Bakterien, dabei aber keinen oder nur sehr wenig Eiter enthält. Diese Form wurde 1881 zuerst von Roberts beobachtet; 1886 berichteten Schottelius und Reinhold über einen ähnlichen Fall, und 1888 finden wir, in den von Brik nach Ultzmanns Tode veröffentlichten Vorlesungen des letzteren, ein Capitel ausschliesslich der Bakteriurie gewidmet. Weitere Beobachtungen wurden von Runeberg (1891), von M. Thor Stenbeck in Stockholm (1892) und von Melchior in Kopenhagen (1893) mitgetheilt. A. Krogius in Helsingfors fügt denselben (Annales des mal. des voies urin. 1894) weitere sieben Beobachtungen hinzu.

Die Bakteriurie ist durch die Gegenwart zahlreicher Bakterien im frischen Harn, bei Mangel jeder Entzündungserscheinungen der Harnorgane, gekennzeichnet. Der Harn ist leicht getrübt. etwas opalisirend. Krogius vergleicht dessen Aussehen mit dem einer Bakteriencultur in Bouillon; er hat einen nicht recht definirbaren foetiden Geruch, und reagirt stets sauer. Eiweiss fehlt in uncomplicirten Fällen. Der Harn hellt sich bei längerem Stehen im Glase nicht auf; im Gegentheil, die Trübung der gesammten Flüssigkeit nimmt mit der Zeit zu, und wir vermissen jede Spur eines Sedimentes. Meist fehlen Localsymptome einer Blasenaffection, in Ausnahmsfällen sind Symptome von Cystitis vorhanden.

Krogius kommt durch seine bakteriologischen Untersuchungen zu der Ansicht, dass man es in solchen Fällen mit dem Bacterium coli commune zu thun habe.

Warum dieser für den Harnapparat gewöhnlich als Eitererreger wirkende Organismus gerade in den citirten Fällen nicht pyogen wirkt, lässt sich schwer sagen; wir müssen da wieder zu den Schlagworten „Verschiedenheit der Virulenz und Receptivität“ unsere Zuflucht nehmen.

Es könnte ja auch sein, dass die Bakteriurie bloss als transitorischer Zustand, vor dem Beginne oder beim Ausklingen von Cystitis erscheint, oder dass die besonderen Eigenschaften der Culturflüssigkeit, hier des Harnes, die pyogene Wirkung der Bakterien hemmen. Thatsächlich war in 5 Fällen eine concomitirende Albuminurie vorhanden, welcher Umstand, wie Krogius bemerkt, den Harn ganz besonders zur Nährlösung geeignet macht.

in den Harnapparat gelangen. Von aussen, direct durch die Harnröhre: Directe oder primäre Infection, oder aber, wenn sie im Körper aufgespeichert waren, durch Vermittlung der Blutbahn in die Niere und von da durch den Harn in die unteren Harnwege: Indirecte oder secundäre Infection.

Die letztere Form könnte auch so zustande kommen, dass die Keime durch die Circulation in die Blasenwand gelangen und dort deponirt werden. Die Keime dringen dann allmählig gegen die Schleimhaut vor und erregen auf diese Weise Cystitis.

Auch die directe Infection kann noch auf andere Weise zustande kommen, indem irgend eine Stelle der Harnwege direct inficirt wird, und schliesslich können aus einem benachbarten Krankheitsherde Mikroben, ohne Vermittlung der Circulation, auf directem Wege durch die Gewebe in die Harnwege gelangen.

Bezüglich der directen und indirecten Infection bemerke ich:

1. Dass der Durchbruch eines Eiterherdes in die Blase, die Ureteren oder das Nierenbecken sicherlich imstande ist, diese Organe zu inficiren, dass aber die Harnwege ein derartiges Ereignis auch ohne jede Folgeerscheinung vertragen können;

2. dass die Möglichkeit für das directe Eindringen der Keime durch die Nierenkapsel oder durch die Blasenwand erwiesen ist (Albarran, Reymond)[1]; doch muss zugestanden werden, dass dieser Weg der Infection für die gewöhnlichen Keime ausserordentlich selten ist; nur für den Koch'schen Bacillus ist sie nach meinen Erfahrungen fast die Regel.

Die primäre directe Art der Infection ist die häufigste. Sie ist aus diesem Grunde wichtiger als die indirecte, secundäre Form, welche seltener beobachtet wird. Die primäre Infection kann spontan entstanden oder hervorgerufen worden sein.

Directe spontane Infection der Blase kann bei einem Manne, dessen Harnröhre niemals erkrankt war, nicht zur Entwicklung kommen, vorausgesetzt, dass der Ablauf des Harnes normal von statten geht. Dagegen ist sie beim Weibe nicht selten, weil die Kürze der Harnröhre, deren schwacher Verschluss, sowie die Lage des Orificiums eine Infection begünstigten.

Trotz dieser Praedisposition ist die Cystitis beim Weibe relativ selten, eine Thatsache, welche darauf hinweist, dass der blosse Contact der Schleimhaut mit den Mikroben an und für sich noch nicht ausreicht, um Infection zu erzeugen. Wir sehen ja, dass auch beim Manne bereits ein pathologischer Process der Harnröhre, oder Störungen in der

[1]) Reymond, des cystites consécutives à une infection de la vessie à travers ses parois. Ann. gén. urin. 1893.

Harnentleerung vorhanden sein müssen, damit es zu einer sogenannten spontanen Cystitis komme, wie dies Reymond[1]) nachgewiesen hat.

Infection der Blase durch jene Organismen, welche normaler Weise in der Harnröhre gefunden werden, ohne dass jemals locale Eingriffe an den Harnorganen vorgenommen worden wären, findet sich nur dann, wenn der Kranke irgendeinmal an Gonorrhoe gelitten hat, oder wenn die Blase, infolge von Störungen im normalen Ablauf des Harnes, besonders empfindlich ist. Dagegen ist bei pathologischen Zuständen der Harnröhre und Blase, beim Manne wie beim Weibe, die spontane directe Blaseninfection sehr häufig. Die Fälle sind nicht selten, wo acute, chronische oder ganz latente Urethritis, Cystitis erzeugt. Um diese Thatsache anschaulicher zu machen, pflege ich zu sagen, dass es für die gonorrhoische Urethritis keinen Verfallstag gibt. Sie ist ein Gläubiger, der jederzeit seinen Wechsel präsentiren kann; für ihn gibt es keine Verjährung. So erklärt sich die grosse Anzahl der in der Praxis vorkommenden, anscheinend spontan entstehenden Cystitiden.

Die directe Infection wird in der grössten Mehrzahl der Fälle durch eine urethrale Einspritzung oder durch instrumentelle Untersuchung der Harnröhre hervorgerufen, wenn das verwendete Instrument nur ungenügend gereinigt ist und septische Keime enthält, oder wenn durch die Injection virulente Keime aus der inficirten Harnröhre in die Blase gespritzt werden. Diese Einspritzungen verursachen, meiner Meinung nach, ungleich häufiger Infection der Blase als die Sondirung oder der Katheterismus.

Die Blase kann noch auf andere Art direct inficirt werden. Es können auch beim Katheterismus mit aseptischen Instrumenten inficirende Keime aus der Harnröhre in die Blase gebracht werden.

Melchior war genöthigt, die Harnröhre etwa zehnmal (mit Hilfe der Ultzmann'schen Injectionsröhre) durchzuspülen, ehe steriler Harn abfloss. Zur Vereinfachung des Verfahrens construirte er einen gedeckten Katheter, dessen Schnabel erst dann vorgeschoben wird, wenn er am Ende der vorderen Harnröhre angelangt ist, und so kommt dieser letztere mit der Schleimhaut der Urethra anterior nicht in Contact. Mit Hilfe dieser einfachen Methode kann man keimfreien Harn erhalten und zugleich den Nachweis erbringen, dass thatsächlich Mikroben nur in der vorderen Harnröhre gefunden werden. Die hintere Harnröhre Blase und Niere sind normalerweise keimfrei. Enthält der Blasenharn Gesunder dennoch Keime (Enriquez), so erscheint die Annahme einer

---

[1]) Reymond, Cystites survenues chez des malades n'ayant jamais été sondés, Ann. des org. gen. urin. 1893.

latenten, vorübergehenden Allgemeininfection gerechtfertigt, deren Keime mit dem Harne zur Ausscheidung gelangen, ohne dass die Niere oder die Harnwege durch diesen Vorgang in irgendeiner Weise in Mitleidenschaft gezogen würden.

Die klinische Beobachtung lässt es zweifelhaft erscheinen, ob bei einer gesunden Harnröhre die Einführung aseptischer Instrumente häufig Infection der Blase hervorrufen könne, ja ob dies überhaupt jemals der Fall sei. Trotzdem die Befunde Melchior's unzweifelhaft sind, konnte ich selbst unter Umständen, welche für das Zustankommen einer Infection besondes günstig waren, nicht die Wahrnehmung machen, dass beim Katheterismus durch die Keime einer normalen Harnröhre üble Zufälle hervorgerufen worden wären.

Ich denke hier speciell an die alten incompleten Retentionen mit Blasendistension. Durch die grossen Blasenausspülungen, welche ich in derartigen Fällen stets vorzunehmen pflege, werden die Infectionskeime ausgeschwemmt, und man sollte dieses Vorgehen stets beobachten, wenn es sich um einen Katheterismus handelt, welcher unter Verhältnissen vorgenommen wird, die eine Infection begünstigen könnten.

Die secundäre oder indirecte Infection des Harnapparates, die wir im Verlaufe infectiöser Erkrankungen beobachten, gehört nicht in den Rahmen der gewöhnlichen chirurgischen Infection der Harnwege, sondern ins Gebiet der internen Pathologie.

Bouchard hat mit deren Beschreibung ein neues Capitel von der Harninfection erschlossen, welches wir nicht vernachlässigen können. Diese Infection beginnt in den Nieren mit einer infectiösen Entzündung, über welche dieser Autor zum erstenmal auf dem Congresse in London (1881) berichtete, und bleibt meist auf dieses Organ beschränkt. Sie verläuft gewöhnlich acut und sehr rapid. Geht sie dennoch in den chronischen Zustand über, so haben wir es mit dem Krankheitsbilde des chronischen Morbus Brightii zu thun. Im acuten Stadium kommen mit dem Harne grosse Mengen von Mikroben zur Ausscheidung, die unter Umständen die unteren Harnwege zu inficiren vermögen.

Seit den ersten Mittheilungen über diesen Gegenstand wurden zahlreiche weitere Erfahrungen gesammelt. Bouchard publicirte 15 Fälle von Nephritis mit Ausscheidung von Mikroben durch den Harn bei Infectionskrankheiten und besonders bei Typhus. Aehnliche Beobachtungen hatte gleichzeitig mit ihm Kannenberg gemacht, und seither haben auch Hueter, Thomaso-Crudeli und Levi bei Diphtherie, Weigert bei Variola, Brunner, Newski, Högyes, Janssen, Oppenheim bei Varicellen, Cornil und Babes, Atkinson, Sörensen und Perret bei Scharlach, Cornil, Denucé und Gaucher bei Erysipel, Capitan, Charpentier bei Puerperalfieber etc., Leitz,

Hüppl, Neumann, Karlinski, Kompe bei Typhus, Klebs, Nauwerk, Caussade bei Pneumonie Uebergang von Mikroben in den Harn gesehen.

Trotz der constanten Ausscheidung von Mikroben im Verlaufe von Infectionskrankheiten kommt es niemals zur Infection der Blase. Der Harn zeigt wohl die Zeichen der Bakteriurie, nicht aber die von Cystitis. Diese Immunität der Blase hat für uns nichts Auffallendes; wir wissen, dass bei jahrelang bestehender renaler Pyurie die Blase von Infection verschont bleibt. Reblaub konnte bei sorgfältigstem Studium der französischen und ausländischen Literatur keinen Fall nachweisen, in welchem sich eine Infection des Nierenbeckens, der Blase oder des Ureters im Verlaufe einer acuten Infectionskrankheit in zweifellos einwandsfreier Weise ergeben hätte. In keinem Falle war es zu wirklicher Pyurie gekommen. Damit die aus der Niere ausgeschiedenen Keime die Blase zu inficiren vermögen, bedarf es einer besonderen Receptivität derselben; ohne sie kann es selbst bei intravenöser Injection von Reinculturen (Rovsing) nicht zur Infection der Blase kommen.

Ein weiteres Moment verdient noch unsere volle Beachtung. Das ist nämlich die Thatsache, dass das Vorhandensein von Mikroben im Urin auf Veränderungen an den Nieren hinweist. Bereits Bouchard machte darauf aufmerksam und war in der Lage, durch eine Reihe von Sectionsbefunden den Beweis hiefür zu erbringen.

Die infectiöse Nephritis kann toxischen oder mikrobischen Ursprungs sein, d. h. die Niere kann durch die Passage der Mikroorganismen selbst oder durch deren toxische Producte, wie beispielsweise bei Diphtherie, Veränderungen erleiden; es handelt sich in beiden Fällen um die Feststellung der Frage, ob die Nierenerkrankung eine consecutive oder praeexistirende war.

Nach Wyssokowitsch[1]) ist eine bereits praeexistirende Veränderung der Niere die Bedingung für die Passage der Keime. Die Mehrzahl der Autoren ist aber anderer Ansicht und sieht die Veränderungen der Niere als Folgen der Mikrobenwirkung an. Obwohl gewisse Mikroben die Niere passiren können, ohne in derselben irgend welche Veränderungen epithelialer oder vasculärer Natur zu setzen, so ruft dennoch eine grosse Anzahl von pathogenen und nicht pathogenen Mikroorganismen erwiesenermaassen bei intravenöser Application Albuminurie hervor. Gleichzeitig findet man im Harne hyaline und epitheliale Cylinder, Leukocyten, ja selbst rothe Blutkörperchen (Wyssokowitsch).

---

[1]) Wyssokowitsch, Ueber die Schicksale der ins Blut injicirten Mikroorganismen im Körper der Warmblüter. Zeitschr. f. Hyg. 1887, Bd. I.

Hat der Arzt eine Cystitis vor sich, und lässt sich die Infection von der Harnröhre ausschliessen, so ist zunächst der renale Weg der Infection ins Auge zu fassen, d. h. man muss sorgfältig nach den Zeichen einer vorhandenen Nierenaffection suchen.

Auch bei den Harnkranken kann die Infection durch Vermittlung des Kreislaufes zustande kommen, wir sprechen dann von einer absteigenden renalen Infection.

Bevor wir dieselbe aber besprechen, wollen wir uns noch mit der aufsteigenden Form beschäftigen, jener Affection, bei welcher das pathogene Agens auf dem Wege der Ureteren aus der Blase in die Nieren gelangt. Dieses Uebergreifen des entzündlichen Processes erfolgt erst nach längerer Dauer der primären Erkrankung. Die Infection bleibt ange auf die Blase allein beschränkt, und bei ihrem Aufsteigen setzen die Keime, ehe sie das Parenchym der Niere ergreifen, an den Organen, die sie passieren, dieselben Veränderungen (Pyelitis, Ureteritis). Bei den Harnkranken sind es die Mikroben des veränderten Harnes, welche die infectiöse Nephritis erregen. Schon Klebs und Lancereaux (1868, 1876) wussten um diese Thatsache. Doch wurde die pathogene Wirkung erst durch Albarran (1889) bekannt.

Nach neueren Forschungen findet man bei der suppurativen Nephritis die gewöhnlichen Erreger der Eiterung (Doyen, Clado, Hartmann und de Gennes, Albarran), das Bacterium coli, den Streptococcus und einen verflüssigenden Bacillus (Hallé, Albarran und Hallé, Albarran, Morelle, Krogius). Bald ist im Eiter eine einzige Form der Mikroben vorhanden, bald handelt es sich um eine Mischinfection der Niere durch die Combination verschiedener Keime.

Unter 25 Fällen war 16 mal das Bacterium coli der Erreger der Eiterung; in den restlichen Fällen fand es sich siebenmal im Verein mit einem Bacillus liquefaciens mit Mikrococcen und mit Streptococcus vor; zweimal war ausschliesslich der letztere vorhanden (Albarran.) Der experimentelle Nachweis für die pathogene Wirkung der genannten Keime auf die Niere ist heutzutage als erbracht anzusehen. Es ist Albarran gelungen, durch Einspritzung von Reinculturen in den Ureter und nachfolgender Ligatur desselben, bei Versuchsthieren regelmässig suppurative aufsteigende Nephritis zu erzeugen.

Auch für gewisse sklerosirende Formen von Nephritis, welche neben der eitrigen Form zur Beobachtung kommen, konnte Albarran den bakteriellen Ursprung feststellen. Die Wirkung der Mikroben wird im speciellen Falle von der Virulenz der Keime und von der Beschaffenheit des Nährbodens beeinflusst.

Eine jede Infection des Harnapparates, sie mag beliebig localisirt sein, bildet für die Gesundheit, ja unter Umständen für das Leben des

Kranken eine ernste Gefahr, und die klinische Erfahrung lehrt uns die Verhältnisse kennen, unter welchen sie zu schweren Zufällen Veranlassung gibt.

Für das Zustandekommen von localen oder allgemeinen Störungen sind zwei Momente unerlässlich: Infection des Harnes und pathologische oder traumatische Continuitätstrennung der Schleimhaut des Harnapparates.

Damit also das schädliche Agens aus dem Harnapparate auf andere Gebiete übergehen könne, muss der natürliche Schutzwall für das umliegende Zellgewebe und für das umgebende Blutgefässnetz, durch Läsion des Epithels oder der übrigen Bestandtheile der Schleimhaut durchbrochen und so eine Eingangspforte für die Infection geschaffen worden sein.

Wir werden uns also fragen müssen, wie die sogenannte „spontane" Allgemeininfection zustande kommt, die seit Civiale von allen Klinikern beobachtet worden ist.

Bei jenen Formen hingegen, bei welchen eine „Veranlassung" vorliegt, werden sich, je nach dem Sitze und dem Grad der Verletzung, je nachdem die Eingangspforte mehr oder weniger weit geöffnet worden ist, interessante Unterschiede ergeben. Auch muss im Interesse einer rationellen Therapie genau festgestellt werden, inwieweit die einzelnen Theile des Harnapparates, die Nieren, Ureteren und Blase an der Erzeugung der Symptome allgemeiner Infection betheiligt sind.

Im Blute und in den Organen wurden in einer grossen Zahl von Fällen bei Harnfieber während des Lebens (Clado), im Beginne des Schüttelfrostes (Hartmann), wenige Stunden vor dem Tode (Albarran) und post mortem (Hallé, Albarran) pathogene Keime nachgewiesen. In der Mehrzahl der Fälle handelte es sich um Bacterium coli und in der Minderzahl um einen Bacillus liquefaciens. Das Harnfieber war stets deutlich ausgesprochen.

In anderen Fällen fanden sich im Blute, nebst den eben erwähnten Formen, noch Streptococcus und andere Eitererreger. Hier war das klinische Bild von dem erstgenannten, classischen einigermaassen abweichend.

Fanden sich ausschliesslich Staphylococcus aureus und Streptococcen vor, so glich der Verlauf der Erkrankung bald der Pyaemie mit eitrigen Metastasen, bald einer Infection mit hoher Temperatursteigerung ohne Infarct (Albarran). Der Ausgangspunkt dieser atypischen Formen der Infection ist gemeinhin eine periurethrale oder periprostatische Phlebitis, eine Erkrankung, die ich bereits vor langer Zeit beschrieben habe.

Wir sehen also, dass die pathologisch-anatomischen Befunde die infectiöse Natur des Harnfiebers zur Evidenz erweisen; noch klarer sprechen dafür die experimentellen Untersuchungen.

Bringt man Culturen von Bacterium coli oder von Urobacillus liquefaciens in die serösen Höhlen (Pleura oder Peritoneum) ein, so erliegt das Versuchsthier in der grössten Mehrzahl der Fälle dieser Infection binnen kurzem. Man findet bei den Obductionen die Keime massenhaft im Blute und in den Organen angesammelt (Clado, Hallé, Albarran, Krogius, Schnitzler, Rovsing, Morrelle u. a.). Bringt man die Keime direct in's Blut ein, so erfolgt diese Allgemeininfection, häufig mit septischer Nephritis combinirt (Berlioz, Clado, Hallé und Albarran, Krogius, Rovsing, Schnitzler).

Ich kann nicht genug auf diese „secundäre Localisation" der im Blute aufgespeicherten Infectionsstoffe in der Niere hinweisen. Sie spielt in der Pathologie eine grosse Rolle. Albarran hat dies mit Recht betont, nicht minder den „Einfluss des Zustandes der Nieren" auf ihre Infection auf dem Wege der Blutbahn. Durch seine Arbeiten wurde erst die Pathologie der sogenannten absteigenden Formen der Infection des Harnapparates hinreichend klargestellt.

Er wies nach, dass der Pyogenes, in den Ureter eingespritzt, nach dessen Unterbindung, die Niere direct inficirt. In der Corticalis der anderen Niere entstanden am siebenten oder achten Tage Congestion und hierauf miliare Abscesse. Spritzt man dagegen direct ins Blut ein, so muss ein Trauma vorhergehen, damit es zur Infection kommt.

Es gibt also unter Umständen eine haematogene Form der suppurativen Nephritis. Weiters hat Albarran das gleichzeitige Vorkommen aufsteigender und absteigender Infection an den Harnorganen nachgewiesen, die wohl anatomisch leicht zu differenziren sind, sich aber in ihren klinischen Aeusserungen decken.

Die experimentell erwiesene Möglichkeit einer auf diese Weise entstandenen secundären oder indirecten Infection der Nieren gibt uns nunmehr eine Erklärung für die im Verlaufe von acuten Infectionskrankheiten zu beobachtenden Formen der Nephritis an die Hand.

So fand die Anschauung, dass eine eitrige Nephritis auf dem Wege der Circulation entstehen könne, ihre volle Bestätigung, denn man hat ja thatsächlich in den miliaren Abscessen der anderen Niere dieselben pyogenen Bakterien wieder gefunden. Auch hat der genannte Autor darauf hingewiesen, dass sich auf diese Weise zur aufsteigenden eine absteigende Form gesellt.

Die Mikroben verlassen die Niere aber nicht nur auf dem Wege des Blutkreislaufes, sondern sie können auch durch die Lymphräume in's perirenale Zellgewebe gelangen und umgekehrt durch die Nierenkapsel in die Niere eindringen (Albarran). Ob nun die Mikroben isolirt oder mit dem Harne die Wandungen der Harnorgane passiren und in's Zellgewebe der Nachbarorgane eindringen, immer erzeugen sie Eiterung, und in dem Eiter der periurethralen, perivesicalen und perinephritischen Abscesse finden sich immer die Mikroben der Harnwege: Bacterium coli (Albarran und Hallé, Tuffier) im Vereine mit den gewöhnlichen Erregern der Eiterung (Albarran und Tuffier) oder die letzteren allein (Clado, Horteloup und Bordas). Soviel vorläufig über die Infection des Zellgewebes und die der Gewebe, aus denen der Harnapparat aufgebaut ist.

Principien für die Therapie der Infection der Harnorgane. — Das wirksamste Mittel zur Bekämpfung der Infectionserscheinungen bildet die locale Antisepsis. Die Therapie wird also vor allem eine chirurgische sein müssen. Die bestehende Infection der Harnwege ist keineswegs eine Gegenanzeige für locale Eingriffe; doch müssen dieselben an richtigem Orte und in zielbewusster und durchaus sachgemässer Weise vorgenommen werden, damit der Eingriff nicht von üblen Folgen begleitet sei. Freilich ist die Localbehandlung nicht ohne jede Gefahr, doch ist es die Aufgabe des Arztes, im Gefühl seiner vollen Verantwortlichkeit den Gefahren durch die stricte Indicationsstellung und die Art des Vorgehens thunlichst zu begegnen.

Die Mittel, welche wir zur Anwendung bringen, bieten uns die Möglichkeit, einerseits die Infectionsträger überallhin zu verfolgen und anderseits auf die gesetzten Laesionen in fast allen Theilen des Harnapparates entsprechend einzuwirken. Hauptsächlich ist die Blase der Schauplatz unserer therapeutischen Intervention, und hier erringen wir thatsächlich schöne Erfolge. Unsere weitere Aufgabe wird es sein, präventive Maassregeln zu treffen, um das Eindringen von Keimen in die Harnwege hintanzuhalten. Dieser Theil der Antisepsis, die Prophylaxe der Infection, ist bis ins feinste Detail sorgfältig ausgearbeitet. Doch ist die Chirurgie des Harnapparates, wie in so vielen Beziehungen, so auch in dieser, von ganz besonderen Verhältnissen abhängig.

In der allgemeinen Chirurgie spielt bekanntlich die Antisepsis die Hauptrolle, und zur Erzielung brillanter Operationsresultate genügt fast immer die stricte und scrupulöse Befolgung der für die anti- resp. aseptische Wundbehandlung geltenden Principien.

In der Chirurgie der Harnwege dagegen würden die Garantien für den Erfolg der Behandlung mitunter illusorisch werden, wenn wir nicht zugleich mit der Einleitung präservativer Vorkehrungen bereits an die Bekämpfung der Infection denken würden, denn in der Mehrzahl der Fälle ist der Harnapparat bereits inficirt, wenn wir zur Operation schreiten, und oft erfolgt die Infection trotz der grössten Aufmerksamkeit.

Trotz der thatsächlichen Schwierigkeiten, welche die Handhabung der Antisepsis bietet, soll sie doch vor und während eines jeden urologischen operativen Eingriffes zur Anwendung kommen. Gewiss gibt es ja Fälle, bei denen Unterlassungen oder Verstösse gegen die Asepsis ohne Folgen bleiben, doch gibt es wieder andere, in denen sich die geringste Nachlässigkeit in dieser Richtung bitter rächt.

Aus den früheren Erörterungen haben Sie erfahren, dass selbst die Harnwege vollkommen gesunder Individuen niemals als absolut aseptisch angesehen werden dürfen. Sie müssen sich also bei Ihren Eingriffen in jedem Falle so verhalten, als ob die Harnorgane bereits von Keimen erfüllt, inficirt, wären. Sie müssen Sorge tragen, dass die trotz aller Sorgfalt in die Blase eingeführten, oder dort vorhandenen Mikroorganismen eliminirt oder unschädlich gemacht werden. Dazu bedarf es selbstverständlich localer Eingriffe. Auf die Details der Ausführung will ich an geeigneter Stelle eingehen und hier nur noch in kurzen Zügen die Maassnahmen für die interne Behandlung erörtern, denn trotzdem die Therapie hauptsächlich eine chirurgische ist, darf man dennoch auch diejenigen Hilfsmittel nicht verschmähen, welche uns die medicinische Behandlung an die Hand gibt.

Nachdem man einmal die Mikroben als die Urheber der Infection erkannt hatte, lag es nahe, dass man versuchte, sie durch geeignete Medicamente zu vernichten.

Gegenwärtig ist man darüber einig, dass ein minder resistenter Körper den Einflüssen der Infection leichter ausgesetzt ist, dass es also eine Pflicht der rationellen Therapie ist, die Widerstandsfähigkeit des Individuums entsprechend zu erhöhen.

Heutzutage, wo durch die Darstellung antitoxischer Serumflüssigkeiten die Therapie der Infectionen in neue, vielversprechende Bahnen geleitet ist, muss man sich wohl fragen, ob die oft frappante neutralisirende Kraft des Heilserums thatsächlich eine „antitoxische" ist, oder ob nicht vielmehr, wie dies Metschnikoff und Roux vermuthen, eine besondere stimulirende Kraft die Resistenz des Körpers gegen gewisse Keime in ungeahnter Weise steigert. Man hat ja wiederholt beobachtet, dass das Serum des gegen eine gewisse Mikrobenform immunisirten Thieres sich auch gegen andere Keime als wirksam erweist, aber ebenso, dass die zu Praeventivimpfungen geeigneten Serumflüssigkeiten auch nicht immer specifisch wirken. So sind gegen Lyssa immunisirte Kaninchen gegen sonst tödtliche Dosen von Schlangengift immun.[1])

---

[1]) Roux, Communications sur les serums antitoxiques au Congrès de Budapest. Annales de l'Institut Pasteur f. VIII. p. 722.

Vorläufig lässt es sich nicht absehen, inwieferne die interne Behandlung der Harninfection von diesen schönen Entdeckungen Nutzen ziehen wird.

Man kann sicherlich den normalen Urin durch Einführung von Medicamenten, welche durch die Niere wieder eliminirt werden, gegen Mikroorganismen refractär machen. Das ist dann nichts anderes als präventive Antisepsis und da ist es wohl angezeigter, die gewöhnliche chirurgische Antisepsis in Anwendung zu bringen, denn sie ist unschädlicher. Weder der Magen noch die Niere vertragen solche Medicamente längere Zeit hindurch. Ist aber der Harnapparat inficirt, so lässt sich überdies durch diese Methode nichts ausrichten, denn es gibt keine Medicamente, welche in solcher Dosis die Nieren passiren können, dass sie die Vermehrung, sowie die schädlichen Wirkungen der Mikroorganismen genügend zu hemmen vermöchten.

Diese Thatsachen sprechen klar zu Gunsten der chirurgischen Behandlung und gegen die interne Medication, wie ich durch Gegenüberstellung der Resultate der antiseptischen Behandlung auf dem Wege durch die Nieren und auf jenem durch die Blase nachzuweisen versucht habe.[1])

Man braucht deshalb aber noch nicht auf die Darreichung interner Mittel vollständig zu verzichten. Die besten Medicamente zur Bekämpfung des Fiebers bleiben die Stimulantien, und ich bin auch zu ihnen wieder zurückgekehrt, wenigstens was die acuten Formen der Infection anbelangt, nachdem ich ohne Erfolg die verschiedensten Antiseptica versucht hatte. Nur durch Beförderung der Ausscheidung, durch Hebung der Kräfte kann man den Organismus für die localen Eingriffe genügend vorbereiten.

Ich würde die Unwirksamkeit der internen Antiseptica bei Behandlung der von den Harnorganen ausgehenden Infection nicht betonen, wenn mich nicht vielfältige Erfahrungen bei acuten und chronischen Fällen dazu veranlassen würden.

Dagegen lässt sich der wohlthätige Einfluss der Darmantisepsis bei milden Formen und während der Reconvalescenz nach schweren Anfällen, desgleichen als Vorbereitung für operative Eingriffe, nicht verkennen. Was wir über die Einwirkung der Darmgifte auf die Toxicität des Harnes wissen, spricht deutlich zu Gunsten der Darmantisepsis.

---

[3]) Guyon, Mercredi médical, 30. Juli 1890.

Literatur:

1859 Pasteur, Mém. sur les générations dites spont. (Annal. de chim. et phys.)

1860 Pasteur, Compt. rend. Acad. Scienc.

1864 Van Tieghem, Rech. sur la format. de l'urée et de l'acide hippur. (Thèse. fac. Sc)

1868 Klebs, Handb. d. path. Anat. I., p. 655.

1876 Lancereaux, Dict. encycl. Sc. méd. art. Rein, p. 189 und 221.

1879 Bouchard, Leç. sur les malad. par ralentissement de la nutrition, p. 250.

1881 Guyon, Leç. clin. sur les malad. des voies urin. 1. édition, 13. Vorlesung, p. 232—401.

1883 Guiard, Transf. ammon. des ur. These. Paris. p. 99—104, p. 209.

1884 Guyon, Supp. de la prost. et pyohémie. (Ann. gén. urin.) 521.

1885 Guyon, Leç. clin. sur les mal. des voies urin. 2. edit. — Lépine et Roux sur la cyst. et la néphr. prod. chez l'anim. sain par le Microc. ureae. (C. R. Ac. d. sc. Aug.)

1886 Doyen, Congr. franc. de chir. — Giovannini, Die Mikroparas. des männl. Harnröhrentrippers. (Centrb. f. d. med. Wissen. Nr. 48.)

1887 Clado, Étude sur une bact. sept. de la vessie. Thèse. Paris. — Clado, Deux nouv. bact. isol. des ur. path. (Bull Soc. Anat. p. 290, 339.) — Hallé, Rech. bact. sur un cas de fièvre urin. (Bull. Soc. Anat. 20. Oct p. 610.) — Hartmann u. de Gennes, Bull. Soc. Anat. 20. Oct. — Clado. Bact. de la fièvre urin. (Bull. Soc. Anat. 20. Oct. p. 631. — Berlioz, Rech. clin. et. exp. sur le pass. des bact. dans l'urine. Thèse Paris. — Lustgarten u. Mannaberg, Vierteljahrschr. f. Derm. u. Syphilis.

1888. Albarran et Hallé, Note sur une bact. pyog. et son rôle dans l'infect. (Bull. Acad. Med. 21. Aug. — Doyen, Néphr. bact. asc. (Journ. d. conn. méd. 23. Aug.) — Clado, Bact. sept. de la vess. (Bull. soc. Anat. 30. Nov. p. 965.) — De Gennes et Hartmann, Note sur les absc. mil. des reins et l'inf. urin. (Bull. soc. Anat. 7. Dec. p. 981.) — Albarran, L'inf. urin. et la bact. pyog. (Bull. Soc. Anat. 28. Dec. p. 1028.) — Legrain, Les. microb. des écoul. uréth. (Bull. Soc. Anat. 28. Dec. p. 1028.) — Bouchard, Thérap. des mal. inf. (Ann. de l'app. rin p. 244, 248.)

1889 Albarran, Le rein des urin. Thèse Paris. — Doyen, Bull. acad. Méd. April. — Guyon, Note sur la réceptivité de l'app. urin à l'inv. microb. (Ac. d. Sc. 29. April.) — Albarran, Périnéphr. de cause rén. (Soc. biol. 1889 Juni.)

1890 Guyon, Note sur l'anat. et phys. path. de la rét. urin. (Ac. d. Sc.) — Guyon et Albarran, Anat. et phys. path. de la rét. d'urine. (Arch. de méd. exp.) — Tuffier et Albarran, Bact. des absc. urin. (Ann. gén. urin.) — Krogius, Urob. liqu. sept. (Soc. biol. Juli.) — Schnitzler, Zur Bakt. der ac. Cyst. (Centr. f. Bakt.) — Thorkild Rovsing, Die Blasenentzündung, Berlin.

1891 Guyon et Albarran, Gangr. urin. d'origine microb. (Congr. f. Chir.) — Morelle, Étude bact. sur les cyst. (Louvain, La Cellule VII.) — Horteloup, Trait. des absc. urin. (Ann. gén. urin. October.) — Achard et Renault, Sur les rapp. du bact. col. et du bact. pyog. des inf. urin. (Soc. biol. 29. Dec.) — Reblaub, A prop. de l'ident. du bact. coli et du bact. pyog. (Soc. biol. 29. Dec.) — Charrin, Sur la bact. urin. (Soc. biol. 29. Dec.) — Bazy, Cyst. par inf. desc. (Congr. franc. de Chir.)

1892 Krogius, Rôles du bact. col. d. l'inf. urin. (Arch. méd. exp. Januar.) — Achard et Hartmann, Sur un cas de fièvre ur. (Soc. biol. 16. Jan.) —

Reblaub, Étiol. et pathol. des cyst. non tub. chez. la femme. (Thèse, Paris.) — Hallé, De l'inf. urin. (Ann. gén. urin. Febr.) — Guyon, Rapp. sur la path. des accid. inf. chez lez urin. (Congr. fr. de Chir.) — Enriquez, Contr. à l'étude bact. des néphr. inf. (Thèse, Paris.) — Denys, Étude sur les inf urin. (Bull. Ac. R. de Belgique, März.) — Krogius, Rech. bact. sur l'inf. urin. Helsingfors. — Bazy, Cyst. exp. par inj. vein. du coli bac. (Soc. de Biol. 12. März.)

1893. Reymond, Cyst. cons. à une inf. de la vessie à trav. les par. (Ann. gén. urin.) — Reymond, Cyst. surv. chez mal. n'ayant pas été sond. (Ann. gén. ur.) — Melchior, On cyst. og. urininf. (Klin. exp. og. bact. stud. Kopenhagen.) — Bazy, Cyst. par inf. desc. (Ann. gen. urin.)

1894 Krogius, Sur la bactériurie. (Ann. gén. ur.)

## Neunzehnte Vorlesung.

# Allgemeinerscheinungen der Harninfection.

### I. Harnfieber.

Klinische Beobachtung und Beschreibung der Anfälle des Harnfiebers.

Acute und schleichende Form des Harnfiebers. — Erster Typus der acuten Form. — Acuter Anfall mit raschem Verlauf. — Einzelne Phasen. — Complicationen. — Delirien, Digestionsstörungen, Soor, Respirationsstörungen, cardiale Störungen. — Zweiter Typus des acuten Fiebers, wiederholtes und prolongirtes Fieber. — Complicationen: digestive, cerebrale, cardiale, respiratorische, renale; Eiterung und Phlegmone des Zellgewebes; cutane Erscheinungen. — Dauer und Ausgang des acuten Harnfiebers. — Temperatur bei Eintritt des Todes. — Prognostische Bedeutung der Temperatursteigerung.

Schleichende Form des Fiebers. — Geringe Erhebung der Temperatur. — Ausgesprochene Allgemeinsymptome. — Digestionsstörungen, Habitus, Pseudointermittenz. — Prognose.

Das Fieber bildet eines der auffälligsten und gewöhnlichsten Symptome der Allgemeininfection bei Erkrankungen eines beliebigen Abschnittes des Harnapparates.

Dennoch sehen wir bisweilen ausgebreitete Entzündungsprocesse an den Harnorganen vollkommen apyretisch verlaufen. Localinfection, selbst wenn sie die Niere betrifft, erzeugt noch kein Fieber. Gewisse Kranke sind aber gegen Temperaturerhebungen, trotz der ausgesprochensten Allgemeininfection, sozusagen immun.[1])

Gewisse Digestionsstörungen sind constante Begleiter der Infection; wir treffen sie in verschiedener Intensität ebensowohl in den ersten Anfängen der Erkrankung als in vorgeschrittenen Stadien. Sie können sowohl in der Infection an und für sich, als auch in der Harnintoxication begründet sein, und es ist unsere Aufgabe, zu erkennen, welchen Antheil jede dieser beiden Ursachen an dem Zustandekommen der erwähnten Erscheinungen nimmt.

Die Harnkachexie entwickelt sich entweder aus chronischen Fällen mit aseptischem Verlauf — wie bei den incompleten Retentionen mit Distension — oder bei Harnfieber mit chronischem, schleichendem Typus.

---

[1]) Albarran, (Le rein des urinaires, Th. de Paris 1889) hat im Blute Mikroorganismen gefunden, ohne dass dabei Temperaturerhöhung vorhanden gewesen wäre, eine bakteriologische Stütze für diese meine klinische Beobachtung.

In beiden Fällen treten Digestionsstörungen in den Vordergrund der Erscheinungen. Aber auch bei ganz acuten Fieberanfällen sieht man mitunter wiederholtes, fast unstillbares Erbrechen auftreten, wie bei der „digestiven" Form der Uraemie.

Das sind aber nicht die einzigen Beweise für die combinirte Wirkung von Infection und Intoxication, und wir werden sie im weiteren Verlaufe noch kennen lernen.

Bekanntlich ist das erste Symptom der experimentellen Uraemie, das auch klinisch beobachtet wird, die Verengerung der Pupille. Diese Erscheinung kommt aber weder bei der apyretischen noch bei der fieberhaften Form der Infection constant vor. Meine Schüler Baudron und Genouville fanden sie 50 mal unter 100 Fällen der ersteren, 55 mal unter jenen der letzteren Form. Bei nicht infectiösen Erkrankungen der Harnwege fanden sie Myose in 40 von 100 Fällen.

Hier kann die Myose bei Fehlen jeglicher Infection nur der Wirkung einer bestehenden Intoxication zugeschrieben werden, doch müssen wir zugestehen, dass diese Kranken keinerlei sonstige Zeichen der Uraemie darbieten.

Die klinische Beobachtung lässt bei den Harnkranken im Allgemeinen ein Ueberwiegen der Phaenomene der Infection erkennen.

I. Klinik des Harnfiebers. — Ein Blick auf die Temperaturcurven unserer Fieberkranken zeigt uns, dass es nicht bloss eine, sondern verschiedenartige Formen des Harnfiebers gibt.

Bald zeigt die Curve einen einzigen ziemlich hohen Anstieg, bald sind mehrere Erhebungen vorhanden und durch Zonen normaler oder nahezu normaler Temperatur von einander geschieden. Während sich in diesen Fällen der acute Fieberanfall sichtbar abhebt, zeigen andere Curven fiebernder Kranker nur geringe, unregelmässig zerstreute Erhebungen.

Wir kennen also verschiedene Formen des Harnfiebers, die man zweckmässig als acute und chronisch-schleichende Form differenziren kann.

Die acute Form zeigt zwei scharf getrennte Typen

Bald erscheint das Fieber unvermittelt und verschwindet nach kurzer Dauer wieder vollständig — das ist die häufigste Erscheinungsform. Nach ein oder zwei mehr weniger heftigen Anfällen tritt vollständige Defervescenz ein.

Bald wieder besteht das Fieber fast continuirlich, und die Anfälle sind durch Exacerbationen angedeutet oder selbst durch ganz apyretische Intervalle von einander getrennt. Bei einem und demselben Kranken sehen wir oft zunächst eine mehrere Tage andauernde Continua mit Exacerbationen und nach 24- oder 48stündiger Apyrese eine Serie von rasch aufeinander folgenden Anfällen.

Die Sonderung der beiden Formen ist klinisch nicht von Wichtigkeit, da wir an einem und demselben Individuum beide Arten unmittelbar nach einander auftreten sehen.

Während das charakteristische Moment bei der acuten Form in der anfallsweisen Temperatursteigerung gelegen ist, sehen wir beim *chronischen, schleichenden Harnfieber* einen nicht besonders intensiven Status febrilis ununterbrochen, ohne grosse Veränderungen von einem Tage zum anderen, fortbestehen. Es tritt mitunter im Anschluss an acutes Harnfieber auf, kann in dieses übergehen oder aber zur Uraemie führen.

Wir kennen also:

1. Den acuten Fieberanfall von kurzer Dauer. (*Erster Typus des acuten Harnfiebers.*)

2. Die wiederholt auftretenden, oft intensiven Fieberanfälle mit oder ohne Remission. (*Zweiter Typus des acuten Harnfiebers.*)

3. Eine mehr weniger scharf markirte Continua von unbestimmter Dauer mit kurzen Temperaturhebungen. (*Chronisches oder schleichendes Harnfieber.*)

**Harnfieber, acute Form. I. Typus.**
Innere Urethrotomie.

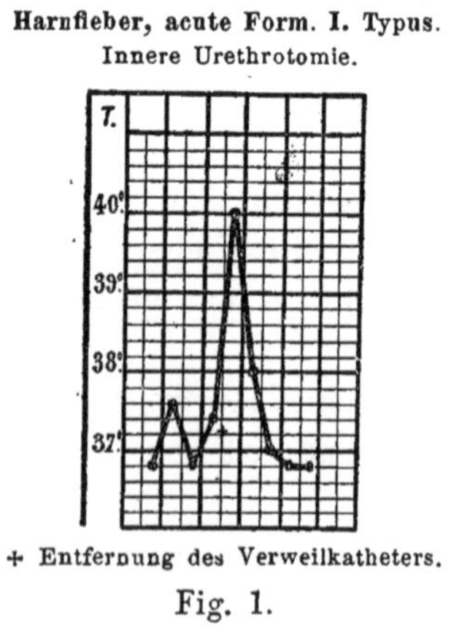


+ Entfernung des Verweilkatheters.

Fig. 1.

*Der Fieberanfall.* — Den typischen Verlauf eines acuten Fieberanfalles konnten Sie an dem Kranken auf Nr. 22 studiren. Donnerstag wurde die innere Urethrotomie vorgenommen, der Verweilkatheter lag bis Freitag abends, und am Morgen des folgenden Tages trat im Momente des Erwachens ganz unvermuthet ein nicht allzu intensiver Schüttelfrost auf, dem alsbald lebhafte Hitze folgte. Bei der Visite, also etwa drei Stunden nach dem Beginne des Schüttelfrostes, fanden wir den Kranken bereits über und über mit Schweiss bedeckt. Dieser Anfall blieb der einzige, den der Kranke zu überstehen hatte, und es erfolgte alsbald (Fig. 1) vollständige Defervescenz.

Der ganze Anfall hatte sich in einem Zeitraume von 24 Stunden abgespielt.

Es ist der gewöhnliche Verlauf derartiger Fieberanfälle: Nach leichten Prodromen, wie Unbehagen beim Erwachen u. ä., oder ohne alle Prodromen, erfolgt der initiale Schüttelfrost mit nachfolgender Hitze und profuser Transspiration. Die Temperatur steigt noch während des Schüttelfrostes auf 40 selbst 41°, und in wenigen, höchstens 24 Stunden ist die Defervescenz eine vollständige, die Temperatur wieder normal. Der Anfall ist vorüber, und es bleiben nur noch eine gewisse Mattigkeit und Gliederschmerzen zurück.

Der Schüttelfrost eröffnet die Scene. Er fehlt in typischen Fällen nie, doch ist seine Dauer und Intensität individuellen Schwankungen unterworfen. Alle Grade des Schüttelfrostes, vom leichten Fieberschauer bis zu den schweren Formen von zwei- bis dreistündiger Dauer, mit Zähneklappern, Tremor der Extremitäten, Cyanose des Gesichtes, kommen zur Beobachtung.

Ein charakteristisches Beispiel bot Pat. Nr. 18 bei der Frühvisite am letzten Montag: Er war hochgradig aufgeregt und beängstigt, seine Gesichtszüge verfallen, die Augen halonirt, die Respiration erschwert, Extremitäten kalt; Zähneklappern und Fieberschauer vervollständigten das Bild.

Glücklicherweise sind dergleichen extreme Fälle nicht die Regel; oft beobachtet man kaum mehr als ein gewisses Missbehagen, Horripilationen (Gänsehaut), leises Frösteln, das nach und nach über die einzelnen Glieder abläuft.

Da die Schwere des Anfalles gewöhnlich der Intensität und namentlich der Dauer des Frostes proportionirt ist, so kann man aus derselben gewisse prognostische Schlüsse ziehen.

Nach kurzer Zeit weicht das Kältegefühl und wechselt mit fliegender Hitze ab: das Hitzestadium beginnt. Das Gesicht wird roth und belebt, die Augen glänzend, die Haut trocken, spröde, brennend heiss, die Athmung geht leichter von statten und wird tiefer. Die Angstgefühle des Kranken nehmen ab; er wird ruhiger. Wie der Schüttelfrost, so kann auch die Hitze nur kurz andauern und kaum markirt sein, oder hochgradig werden.

Allmählig weicht die Hitze, die Haut wird feucht, es bricht Schweiss aus und wir haben das dritte Stadium des Anfalles vor uns. Die Schweissecretion kann unter Umständen so profus sein, dass die Leib- und Bettwäsche vollständig durchnässt wird und selbst Decke und Matratze nass werden.

Mit dem Eintritt des Schweisses wird der Kranke ruhig und verspürt ein gewisses Wohlbehagen, eine allgemeine Abspannung tritt ein.

Wenn diese drei Stadien der Reihe nach ablaufen und einander proportionirt sind, so kann man annehmen, dass der Anfall beendet ist. Anderenfalles ist ein kritischer Ablauf des Anfalles unwahrscheinlich, es tritt nur unvollständige oder kurzdauernde Defervescenz ein. Man wird auf eine Wiederholung der Anfälle besonders dann gefasst sein müssen, wenn die Länge und Intensität des Frostes jener des Schweiss- und Hitzestadiums nicht entspricht. Je stärker der Schüttelfrost, desto ausgiebiger muss auch die Schweissecretion sein.

Als Complicationen des acuten Fieberanfalles sehen wir nervöse Störungen, sowie Störungen der Respiration, Circulation und Verdauung.

Unter diesen complicirenden Erscheinungen stehen die Delirien obenan, nicht so sehr wegen ihrer Häufigkeit, als darum, weil sie sowohl die Umgebung, als den mit diesem Symptom noch nicht ganz vertrauten Arzt, alarmiren. Sie kommen nicht in allen Stadien gleichmässig zur Beobachtung und beginnen fast ausschliesslich während des Frostes, seltener während des Hitzestadiums, und fast niemals während des Schweisses. Es lässt sich nicht entscheiden, ob diese Delirien auf Infection oder Intoxication beruhen, oder ob sie, wie man behauptet hat, zum Theil auf die psychische Aufregung des Patienten, infolge des intensiven Fiebers, zurückzuführen sind.

Das alles sind Hypothesen, die praktisch keinen Belang haben. Thatsächlich sind diese Delirien weder ernst zu nehmen, noch besonders häufig.

Die Verdauungsstörungen sind dagegen constante Begleiterscheinungen des Fieberanfalles, die ich, von der leichten Nausea bis zu den schweren, unstillbaren Formen des Erbrechens, der Diarrhoe etc., ausführlich besprechen will.

Die Zunge ist während des Fiebers und an den folgenden Tagen, ob trocken oder feucht, stets mit einem grauweissen, breiigen Belag bedeckt. Trockene, lederartige Beschaffenheit der Zunge lässt eher einen ungünstigen Verlauf des Fieberanfalles voraussehen, und die Defervescenz wird in diesem Falle nur schwer und unvollkommen vor sich gehen, der Uebergang in den zweiten Typus des acuten Fiebers ist imminent.

Der Speichel zeigt intensiv sauere Reaction. Diese Veränderung in der Beschaffenheit der Speichelflüssigkeit wird uns das Zustandekommen des Soors erklären, einer parasitären Affection der Mundschleimhaut, die wir namentlich bei der zweiten Form des acuten Fiebers, sowie in den Fällen chronischen Fiebers, bei Harnkranken zu beobachten Gelegenheit haben. Ich hebe hervor, dass diese Mundaffection in unseren Fällen nicht jene prognostische Bedeutung hat, die man ihr bei anderen Erkrankungen zuschreibt.

Der Kranke verspürt einen bitteren, pappigen Geschmack im Munde, es besteht Ekelgefühl, welches häufig von Erbrechen galliger, schleimiger Massen gefolgt ist. In der Regel erfolgt das Erbrechen ein- bis zweimal täglich, in anderen Fällen wiederholt es sich selbst nach völliger Defervescenz anfallsweise durch längere Zeit, 36—48 Stunden hindurch, unaufhörlich. Daneben beobachten wir abundante, theils anhaltende, theils nur vorübergehende Diarrhöen.

Respirationsstörungen sind, wenn auch nicht so deutlich ausgesprochen, dennoch stets vorhanden. Oppression, Dyspnoe etc. findet man häufig, und die Kranken klagen nicht bloss über Lufthunger, sondern speciell darüber, „dass sie ihren Thorax nicht mehr zu heben vermögen.“ Das ist die charakteristische Dyspnoe der Uraemischen, die von keinerlei auscultatorisch wahrnehmbaren Symptomen begleitet ist.

Unter den Circulationsstörungen ist nicht nur die Pulsbeschleunigung verstanden, die kaum jemals excessiv wird, sondern es sind noch gewisse andere Zustände gemeint, die ich erwähnen will.

Bereits zweimal hatte ich Gelegenheit, Ihnen an Fällen meiner Klinik ausgesprochene Arythmie, ohne jede Erkrankung der Klappen oder des Herzmuskels, zu demonstriren. Beide Kranke zeigten allerdings den zweiten Typus des acuten Harnfiebers, bei welchem Störungen von Seiten des Herzens ganz besonders ausgeprägt sind. Allein auch beim solitären acuten Fieberanfalle beobachten wir gewöhnlich gewisse Irregularitäten und Intermittenz des Pulses.

Diese Erscheinungen stehen mit der Intensität der Harnvergiftung in geradem Verhältnis, doch sehen wir sie auch nach Eintritt der Defervescenz noch tagelang anhalten. Anderseits können, namentlich bei schlecht genährten Individuen, die Veränderungen des Pulses schon vor Eintritt des Fiebers vorhanden sein und unter diesen Umständen als praemonitorisches Symptom des acuten Fieberanfalles diagnostisch von Bedeutung werden. Ich konnte solche Abnormitäten des Pulses häufig genug beobachten und erst jüngst wieder an einem Collegen, den ich an Stein operirt hatte. Derselbe versicherte mich, vor dem Fieberanfalle niemals an Arythmie gelitten zu haben, und auch nach erfolgter Heilung stellte sich eine solche nicht wieder ein.

Bei Herzkrankheiten ruft der Fieberanfall Arythmie hervor oder steigert bereits bestehende Irregularitäten des Pulses. Ein Patient mit Mitralinsufficienz, den ich unlängst operirte, litt während und vor zwei aufeinanderfolgenden Fieberanfällen an hochgradiger Arythmie, trotzdem er bis dahin keine derartigen Erscheinungen kannte. Diese Arythmie des Pulses war bereits zwei bis drei Tage vor dem Anfalle vorhanden, wie ich dies mit meinem Freunde Potain constatiren konnte, und sie liess den Eintritt des Anfalles vorhersagen. Nach demselben kehrte der Puls zur Norm zurück.

Diese Thatsache hat ihre Analogie bei gewissen Fällen von Intoxication und weist auf eine unvermittelte Störung des cardialen Gleichgewichtes während des Fiebers hin. Man muss es dahingestellt sein lassen, ob deren Ursache in einem excessiven Tonus und Widerstande der Capillaren, infolge des Reizes des ungenügend gereinigten Blutes, zu suchen sei.

Freilich wissen wir, dass Herzhypertrophie eine häufige Complication der interstitiellen Nephritis bildet, allein diese Veränderung des Herzens lässt sich stets durch die Percussion nachweisen, und die eigenthümliche Beschaffenheit des Pulses sowie der Galopprythmus (Potain) sind überdies für die Veränderungen, wie sie bei Nephritis am Herzen beobachtet werden, so charakteristisch, dass die Diagnose keinerlei Schwierigkeiten unterliegt.

Glücklicherweise sind alle diese Complicationen des acuten Fieberanfalles nur vorübergehend, überdauern denselben in den seltensten Fällen, und auch dann nur kurze Zeit, und lassen keine Spuren zurück.

**Harnfieber, acute Form, zweiter Typus.**
Pyelonephritis bei der Section constatirt.

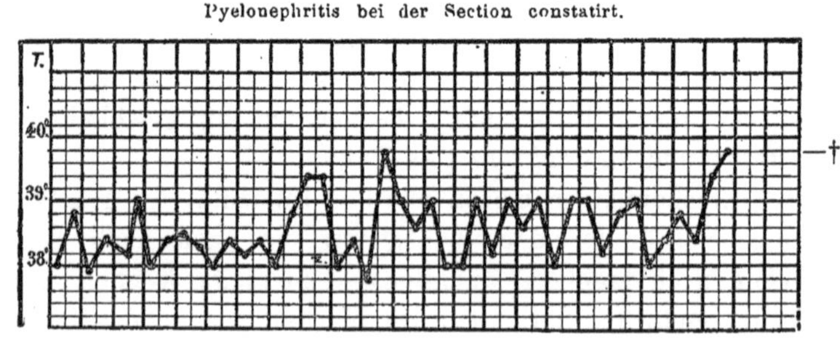


Fig. 2.

Zweiter Typus des acuten Harnfiebers. — Ist nach dem acuten solitären Fieberanfall die Temperatur wieder zur Norm abgefallen, so fühlt sich der Kranke alsbald leidlich wohl. Eine geringe Schwäche, etwas Kopfschmerz und leichte Verdauungsstörungen deuten noch auf den eben abgelaufenen schweren Anfall hin. Ganz anders gestaltet sich die Sache bei dem zweiten Typus des acuten Harnfiebers, welches unter öfter aufeinander folgenden Fieberanfällen, verläuft oder einen chronischen fieberhaften Zustand mit Exacerbationen darstellt.

Die Temperaturcurve (Fig. 2) versinnbildlicht uns die leztere Art des Fiebers. Sie rührt von einer Kranken her, welche einer acuten Pyelonephritis e cystitide erlegen ist. Vom Beginne der Erkrankung bis zum Tode betrug die Temperatur nie weniger als 38°; allein die Curve zeigt ausser diesen gleichmässig hohen Temperaturen noch einzelne besondere Exacerbationen mit nachfolgenden relativen Defervescenzen, d. h. im Verlauf eines hohen Fiebers noch besondere Anfälle, und auf der Höhe eines solchen Anfalles erlag die Kranke ihrem Leiden. Ich habe unter vielen ähnlichen gerade diese Curve ausgewählt, weil sie von einem Weibe herrührt, ein Beweis dafür, dass das Harnfieber beim Manne und beim Weibe ganz analog verläuft.

Der Fieberanfall ist beim zweiten Typus weniger scharf ausgeprägt, seine einzelnen Stadien, Frost, Hitze und Schweiss, folgen einander nicht in derselben typischen Weise, wie beim solitären Fieberanfalle.

**Harnfieber, acute Form. II. Typus.**
Lithrotripsie.

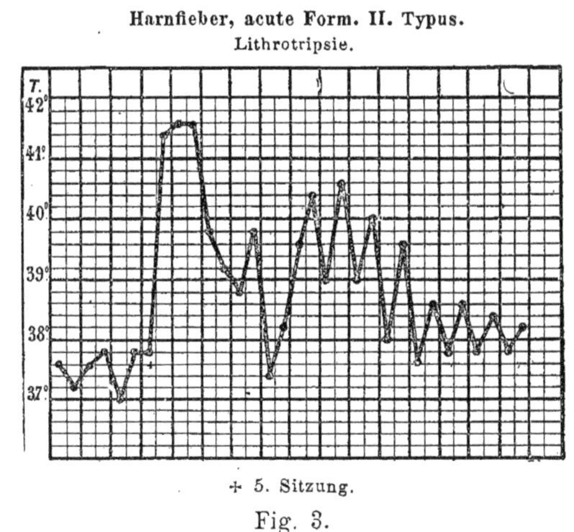


+ 5. Sitzung.

Fig. 3.

Der Schüttelfrost ist oft intensiv und hält lange an, dagegen tritt das Hitzestadium nur allmählig ein, die Kranken können sich nicht recht erwärmen und gerathen schwer in Schweiss; dementsprechend ist auch die Euphorie nach Ablauf des Fieberanfalles nicht in dem Grade ausgesprochen, wie beim solitären Fieberanfall. Der Kranke ist ängstlich und unruhig, auch wenn das Stadium des Schweisses bereits eingetreten ist.

Aus der Betrachtung der Fiebercurven ersieht man ferner, dass die Temperatursteigerung ungefähr dieselben Grenzen einhält, wie beim ersten Typus des acuten Harnfiebers. Selten wird die Höhe von 40° überschritten, und wenn dies wirklich einmal der Fall ist, so schwankt die Zahl zwischen 40° und 41°. Eine Temperatur von 41,6° sehen Sie an der folgenden Curve (Fig. 3), die ich der Arbeit meines Schülers

Malherbe entlehne.[1]) Eine gleich hohe Temperatur wurde in keinem anderen Falle des acuten Harnfiebers beobachtet, und trotzdem genas der Kranke, an welchem die Steinzertrümmerung vorgenommen worden war. Ich will damit nicht etwa gesagt haben, dass eine derartige Temperaturerhebung kein ernstes Symptom darstelle, doch lässt sich daraus ersehen, dass der voraussichtliche Ausgang keineswegs nach der Höhe der Temperatur allein beurtheilt werden kann.

Die Complicationen, welche bei der zweiten Form des Harnfiebers auftreten, sind dieselben wie die der ersten Form, nur treten sie constant auf und verlaufen unter schwereren Erscheinungen.

Vor allem verdient der Zustand des Verdauungstractes besondere Aufmerksamkeit. Die Zunge wird kurz nach dem Eintritt des Anfalles lebhaft geröthet und trocken, der Speichel zähflüssig, äusserst spärlich und intensiv sauer. Im weiteren Verlaufe erscheint die Zunge mit einem fuliginösen Belage bedeckt, schwärzlich, oft völlig lederartig trocken und abschilfernd. Die lezteren Erscheinungen kommen erst nach mehreren Tagen zur Beobachtung, während Röthung und Trockenheit der Zunge bereits bei Beginn des Fiebers vorhanden zu sein pflegen. Ebenso rasch kann sich Soor entwickeln. Man findet ihn meist auf dem Zungenrücken, der Wangenschleimhaut, Gaumensegel und hinteren Pharynxwand. Am weichen Gaumen und Pharynx ist der weissliche Belag ganz besonders dicht, und in zusammenhängenden Fetzen ablösbar, so dass man den Eindruck einer exsudativen Entzündung empfängt. Die Prodrome dieser Erscheinungen, eine oft ausgesprochene Röthung der Gaumenbögen und des Pharynx, kann man bereits bei Beginn des Fieberanfalles beobachten; auch kommt es nicht selten vor, dass die Kranken bereits am ersten Tage über Halsschmerzen und Schmerzen beim Schlingen klagen. Für den Arzt ist das Vorhandensein dieser vermeintlichen Angina in mehrfacher Beziehung wichtig. Locale Behandlung, mit Gargarismen und Bepinselungen, wird auch hier ihre Schuldigkeit thun.

Das frühzeitige Erscheinen der buccalen und pharyngealen Veränderungen ist für die Beurtheilung des Falles nicht ohne Bedeutung. Gewöhnlich bleibt unter solchen Umständen der Fieberanfall nicht vereinzelt, und wir haben es dann mit dem zweiten Typus des acuten Harnfiebers zu thun. Die Schnelligkeit und Intensität, mit welcher sich die Localsymptome entwickeln, lassen einen Schluss auf die wahrscheinliche Dauer des ganzen Processes zu.

Ich habe hier nur von der voraussichtlichen Dauer, nicht von der Schwere des Fiebers gesprochen, denn in diesen wie anderen Erkrankungen des Harnapparates hat der Soor für die Beurtheilung des Processes selbst keine Bedeutung.

---

[1]) A. Malherbe, la fièvre dans les malad. des voies urin. Paris 1872.

Erbrechen und Diarrhöen sind nicht constant vorhanden; es ereignet sich häufig genug, dass sie für einige Zeit cessiren, um dann später, stärker oder schwächer, wiederzukehren. Durch ihre Intensität können sie dem Fieberanfalle ein eigenes („choleriformes“) Gepräge verleihen, ohne dass es sich hiebei um etwas anderes, als um die Steigerung eines accidentellen Symptoms des Harnfiebers handeln würde.

Von Seiten des Nervensystems beobachten wir analoge Erscheinungen wie beim solitären Fieberanfalle. Allerdings hat man auch cerebrale Symptome, wie Sopor, beobachtet, doch sind dies nur terminale Erscheinungen mancher krankhafter Zustände des Harnapparates, wie z. B. der Harnverhaltung und haben mit dem Harnfieber nichts zu thun. Nach meinen eigenen Beobachtungen sind die erwähnten Hirnsymptome gewiss keine häufige Complication des Harnfiebers.

Dagegen verdienen die Störungen der Respiration und Circulation unsere volle Beachtung. Selten findet man Veränderungen am Herzen und in den wenigen beobachteten Fällen waren sie meist schon vor dem Fieberanfalle vorhanden.

Der Respirationsapparat wird dagegen in seiner Function durch das Harnfieber direct beeinflusst, darauf deuten Störungen im Lungenkreislauf, Oppression u. dgl. hin. Complicationen von Seiten der Lungen gehören im zweiten Typus des Harnfiebers durchaus nicht zu den Seltenheiten; man findet häufig genug Congestion im Unterlappen bei mangelhafter Blähung der Alveolen, Rasselgeräusche, ja selbst wirkliche Pneumonie. Natürlich ist bei solcher Complication die Vorhersage entsprechend ungünstiger, besonders wenn auch die Zunge geröthet und trocken erscheint. Trotz langer Dauer kann bei uncomplicirten Fällen das Fieber in Heilung ausgehen, und der Zustand der Lungen sowie des Verdauungstractes werden uns die Anhaltspunkte für die Stellung der Prognose geben müssen.

Auch die Niere kann in Mitleidenschaft gezogen werden. Sie kann spontan oder auf Druck schmerzen, während gleichzeitig Störungen in der Harnsecretion auftreten. Ich habe bereits erwähnt, dass die Harnmenge während des Fiebers regelmässig abnimmt, um nach Ablauf desselben wieder normal zu werden. Um diese Verminderung nachzuweisen, muss man stets die während des Fiebers entleerten Harnmengen mit den früher secernirten Quantitäten vergleichen, da bei vorhandener Polyurie, trotz der febrilen Verminderung der Menge, noch immer ansehnliche Quantitäten von Harn zur Ausscheidung gelangen können.

Die Beschaffenheit des Harnes ist nicht wesentlich verändert; Albumen, Blut oder Harncylinder kommen nicht zur Beobachtung. Nur die einzelnen chemischen Bestandtheile zeigen, der geringeren Harnmenge entsprechend, gewisse Veränderungen. Malherbe bemerkt ganz richtig, dass der urinöse Geruch dieser Kranken von Verunreinigung der Haut und der Wäsche des Kranken durch Urin, und nicht von einer veränderten Beschaffenheit der ausgeathmeten Luft oder des Schweisses, herrührt. Die Kranken werden oft von lebhaftem Harndrang geplagt, vermögen dabei aber nur wenige Tropfen zu entleeren, und auch ohne Harndrang wird beim Uriniren in liegender Stellung die Benässung nur schwer zu vermeiden sein.

Nierenschmerzen kommen selten spontan vor, sind dann aber sehr heftig. Schmerz bei Druck auf die Nierengegend ist keineswegs constant, sondern nur etwa in einem Drittheil der Fälle vorhanden. Diese Ziffer ist nicht statistisch erhoben, sondern entspricht nur dem Eindrucke, den ich aus zahlreichen Beobachtungen gewonnen habe.

Weitere Complicationen äussern sich in Eruptionen, umschriebenen schmerzhaften phlegmonösen Indurationen, lebhaften Schmerzen ohne Oedeme, Eiterungen im Unterhautzellgewebe der Extremitäten, in den Muskeln, den Gelenken und endlich in der Parotis. Sie kommen zwar weniger häufig vor, als die vorher beschriebenen, allein sie sind aus dem Grunde nicht minder wichtig, weil sie fast ausschliesslich nur dem zweiten Typus des acuten Harnfiebers angehören.

Solche Processe schienen anfangs ganz unerklärlich, und eine Gonitis suppurativa, die nach einem Katheterismus auftrat, war z. B. ein ziemlich unerwarteter Zwischenfall, dessen Causalconnex lange dunkel blieb. Erst mein illustrer Lehrer Velpeau, und nach ihm Civiale, haben auf den engen Zusammenhang dieser Erscheinungen mit dem Harnfieber hingewiesen.

Seither mehrten sich die diesbezüglichen Beobachtungen, doch muss man sie immerhin als ausserordentlich selten bezeichnen. Von Herpes labialis und einem Fall von Purpura abgesehen, konnte ich keinerlei Eruptionen auf der Haut im Anschlusse an Harnfieber beobachten, doch beschreibt Civiale eine pustulöse Eruption, deren Entstehung er der profusen Schweissecretion zuschreibt. Wäre diese Ansicht die richtige, so müssten wir wohl die Erscheinung häufiger zu sehen bekommen. Meiner Ansicht nach sind die in Frage stehenden Veränderungen an der Haut jenen analog, die im subcutanen Zellgewebe und in den Muskeln vorkommen.

Umschriebene Infiltrate des Unterhautzellgewebes sind nicht selten; der Kranke klagt über einen localisirten Schmerz, dem bei der Untersuchung eine oder mehrere umschriebene Indurationen entsprechen; die Haut über denselben ist nicht verändert. Wir konnten sie besonders an den oberen Extremitäten, einmal auch am horizontalen Ast des Unterkiefers beobachten (die Parotis war frei). Selten kommt es an diesen Stellen zur eitrigen Einschmelzung, meist schwinden die Infiltrate durch Resorption.

Die Gliederschmerzen, die in manchen Fällen beobachtet werden, sind oft so unerträglich, dass selbst die Berührung der Bettdecke schmerzhaft empfunden wird. Trotzdem ist weder Schwellung noch Röthung wahrnehmbar, so dass die Kranken an Rheumatismus zu leiden vermeinen, besonders wenn die Schmerzen zufällig auf die Gelenke localisirt sind. Während die früher erwähnten Indurationen vorwiegend an den oberen Extremitäten erscheinen, finden wir die rheumatoiden Schmerzen gewöhnlich an den Beinen, und zwar in der Wadengegend. Wenn diese Schmerzen auch oft in schweren, rasch letal endigenden Fällen beobachtet wurden, so kommen sie doch ebenso oft in den leichteren Graden und bei günstigem Verlaufe der Erkrankung, ohne sonstige Beeinträchtigung des Allgemeinbefindens vor.

Im Gegensatz zu dieser schmerzhaften, wenig bekannten Complication des Harnfiebers sind die eitrigen Processe sorgfältig studirt und genau beschrieben worden.

Malherbe zählt nach Marx die Regionen des Unterhautzellgewebes und der Muskulatur auf, welche ihrer Häufigkeit nach in folgender Reihenfolge von Eiterung ergriffen werden, und zwar: Unter- und Oberschenkel, Gesäss, Hypogastrium, Vorder- und Oberarm, regio praecordialis. Je einmal wurden als Sitz der Eiterung die fossa iliaca und das retropharyngeale Zellgewebe beobachtet.[1])

Die Gelenke erkranken, der Häufigkeit nach, in folgender Ordnung: Kniegelenk, Schultergelenk, Sprunggelenk. In einem Falle musste Velpeau beide Sprunggelenke zur Entleerung des angesammelten Eiters incidiren; der Kranke genas.

Von 26 Fällen Civiale's genasen 11 vollständig, 13 starben, während das Schicksal der zwei übrigen sich nicht feststellen liess.

Ich konnte seit 1881 nur einen einzigen Fall von suppurativer Gonitis mit der genannten Aetiologie beobachten. Dreimal fanden wir Abscesse des Zellgewebes und nur ein einzigesmal eine eitrige Myositis; in allen diesen Fällen genasen die Kranken. Die Zellgewebsabscesse betrafen einmal die Bauchdecke, in den beiden übrigen Fällen

---

[1]) O. Zuckerkandl beobachtete einen Fall, bei welchem es nach einmaliger Sondirung der Harnröhre zu wiederholten fieberhaften Anfällen, mit eitrigen Metastasen neben dem linken Sprungelenke und dem rechten Schultergelenke derselben Seite gekommen war. Eine merkwürdige, nirgends erwähnte Localisation war es, als 14 Tage nach der Sondirung eine eitrige Iritis auftrat. Zur Entleerung des reichlichen, in der Vorderkammer angesammelten Eiters musste die Cornea incidirt werden. (Prim. Dr. Adler.) Anm. d. Uebers.

die Vorderseite des Oberschenkels. Die Eiterung war reichlich, doch erfolgte die Heilung binnen kurzer Zeit.

Nach einer Lithotripsie sah ich einmal einen tiefliegenden, der fossa iliaca externa aufsitzenden Abscess unter der Muskulatur des Gesässes auftreten.

In einem zweiten Falle war, nach einem vom Kranken selbst ausgeführten Katheterismus, ein Abscess über der fossa infraspinata aufgetreten. Dieser Kranke, ein junger Student, erlag seinem Leiden. In den Jahren 1894 und 1895 beobachteten wir bei zwei Prostatikern mit inficirten Harnwegen einmal, nebst allgemeiner Purpura, beiderseitige Eiterung in dem hinter dem Olecranon gelegenen Schleimbeutel, während im zweiten Falle die Eiterung den Musculus deltoideus ergriffen hatte. Im Eiter fanden sich Streptococcen und Staphylococcen, die auch im Harne vorhanden waren. Der erstere Kranke starb; im zweiten Falle trat Heilung ein.

Die Parotitis im Verlaufe von Erkrankungen der Harnorgane zeigt keine besonderen Merkmale, welche auf die seltene Aetiologie derselben hinweisen würden. Sie ist ein Zeichen von übelster Vorbedeutung und kommt nur in den Endstadien der Krankheit zur Beobachtung. Es liegt nahe, sämmtliche eben erwähnten Formen von Vereiterung oder Infiltration der Gewebe als Aeusserungen eines pyaemischen Processes aufzufassen. Sie sind Complicationen des Harnfiebers, speciell des zweiten Typus der acuten Form, und deuten auf eine Anhäufung von Mikroben in den Geweben hin, sind aber keine charakteristischen Symptome einer besonderen Form der Harninfection. Bei Harnkranken, selbst nicht operirten, finden wir dagegen eitrige Infection, die in ihrem Verlaufe und ihrem Ausgange von der erwähnten Pyaemie wesentlich abweicht.

Trotz ihres verschiedenen Auftretens lassen sich alle Formen des Harnfiebers auf einen Grundtypus zurückführen. So hören sie oft von perniciösem Harnfieber sprechen, wenn die Kranken entweder dem excessiven Fieber in irgend einem seiner Stadien, oder den eintretenden Complicationen, rasch erliegen. Doch gehören diese foudroyant verlaufenden Fälle zu den grössten Seltenheiten, und nicht eine besondere perniciöse Form des Fiebers, sondern vielmehr die Schwere der veranlassenden Erkrankung, ist für den letalen Ausgang verantwortlich zu machen. Ueber die Dauer und den Ausgang des acuten Harnfiebers in beiden Typen haben unsere Beobachtungen folgende Anhaltspunkte ergeben:

Beim solitären acuten Fieberanfalle ist die Dauer nahezu in allen Fällen constant.

Unter 32 Fällen war der Anfall 15 mal innerhalb von 24 Stunden abgelaufen; 11 mal betrug die Dauer zwei volle Tage und 6 mal bis zu drei Tagen; in sieben von den erstgenannten 15 Fällen war der Anfall in 17 Stunden, in den übrigen innerhalb 12, ja selbst in 6 Stunden abgelaufen. Ein Beispiel der letzteren Art zeigt Ihnen die vorliegende Curve (Fig. 4).

Die Dauer des Anfalles hängt mit der Intensität desselben durchaus nicht zusammen, ja meist sind die heftig verlaufenden Formen gerade die kürzesten. Ueber die Dauer der zweiten Form des acuten Harnfiebers sind bestimmte Aeusserungen nicht abzugeben. Der Anfall kann 5, 8 Tage, ja 2 bis 3 Wochen anhalten; nur in Ausnahmsfällen wird auch dieser Termin überschritten.

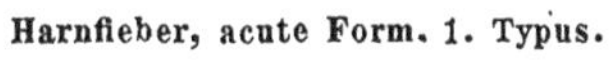
Harnfieber, acute Form. 1. Typus.

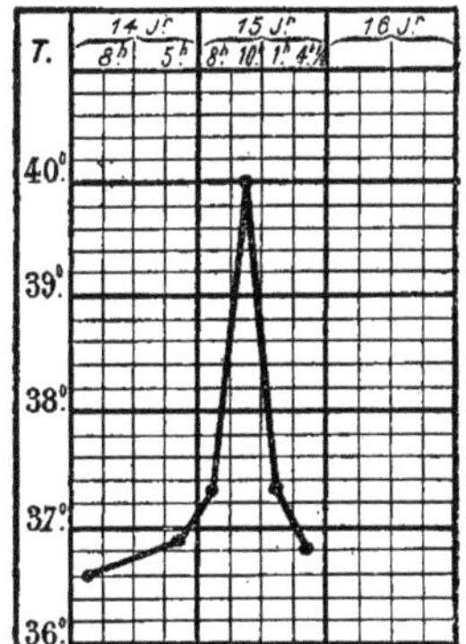


Typischer Anfall. Beginn 8 Uhr morgens und um 1 Uhr fast beendet.

Fig. 4.

Der Tod tritt im Verlaufe des Fiebers des zweiten Typus ebenso oft ein, doch kann man auch bei langer Dauer des Fiebers noch Heilung erfolgen sehen. Während das Fieber beim ersten Typus meist in wenigen Stunden, selten erst nach Verlauf von zwei Tagen, kritisch abfällt, ist die Defervescenz hier eine lytische, ganz allmählig eintretende. Erst nach mehrtägigen Schwankungen zwischen normalen Morgen- und etwas erhöhten Abendtemperaturen bleibt die Körperwärme dauernd normal.

Die Fortdauer der unvollständigen Defervescenz dieses leichten, aber permanenten Fiebers charakterisiert das chronische Harnfieber, in welches bekanntlich die acute Form übergehen kann. Von einer wahren Defervescenz zu sprechen ist nur dann gestattet, wenn die Temperatur nicht nur zum Ausgangspunkt des Fiebers, nehmen wir an auf 37 Grade, zurückgekehrt ist, sondern erst wenn sie sich noch durch mehrere Tage, mit geringen abendlichen Schwankungen, ein bis zwei Zehntel unter diesem Stande erhält. In Fig. 6 sank die Temperatur zunächst auf 38° ab und erst, als nach einem weiteren Anstieg die Temperatur unter 37° fiel, war der Kranke definitiv afebril.

Die Curve in Fig. 5 zeigt dagegen meist unvollständige Entfieberung, die von bedeutenden Temperaturerhebungen nach jedem operativen Eingriffe gefolgt war.

Der Kranke, an dem die Zertrümmerung eines Steines in verschiedenen Sitzungen vorgenommen worden war, genas. Der Fiebertypus ist hier nicht ganz rein, entspricht aber eher dem zweiten Typus des acuten Harnfiebers.

**Harnfieber acute Form. Beide Typen alterniren.**

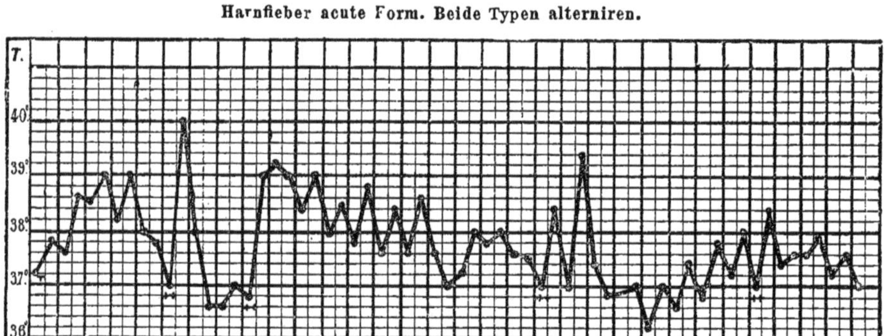


+ Vorbereitender Katheterismus.
++ Die Einzelnen Sitzungen der Lithotripsie.

Fig. 5.

Der Tod kann sowohl auf der Höhe des Fiebers (Fig. 7), als nach dem Abfall der Temperatur bis auf 37° und darunter, erfolgen.

**Harnfieber, acute Form. 1. Typus.**

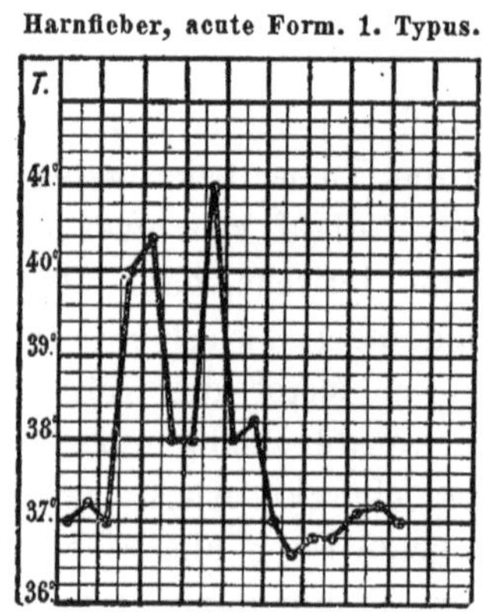


Nach der ersten Defervescenz bei 38° neuerlicher Anfall.
Zweite Defervescenz unter 37°. Heilung.

Fig. 6.

Der Grund der Temperatursteigerung lässt sich für die Prognose nicht mit apodictischer Gewissheit verwerten, und je länger Sie beobachten, desto vorsichtiger werden Sie sich über den vermeintlichen

Ausgang einer Erkrankung aussprechen. Ich erinnere Sie daran, dass ein ganz intensiver Anstieg der Temperatur solitär bleiben und innerhalb weniger Stunden einer vollkommenen und dauernden Apyrexie weichen kann, dass also die Höhe der Temperatur eines ersten Anfalles keineswegs als Kriterium für die Prognose gelten darf.

Ebensowenig ist es rathsam, in einer relativ geringen Temperaturerhebung des ersten Anfalles ein prognostisch günstiges Zeichen sehen zu wollen.

Die Curve Fig. 7 rührt von einem alten Steinkranken her, der nach einem blossen explorativen Katheterismus starb. Auch hier betrug die Temperatur anfangs nur einige Zehntel Grade über der Norm, stieg aber bald steil an. Der prognostische Wert dieser Art der Temperaturerhebungen ist natürlich ein ganz anderer. Hohe Initialtemperaturen gehen eher rasch in volle Defervescenz über, während eine allmählige, oscillirende, doch stetige Zunahme der Temperatur die definitive Entfieberung umsoweiter hinausschiebt, je länger sie andauert.

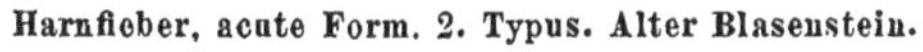

**Harnfieber, acute Form. 2. Typus. Alter Blasenstein.**

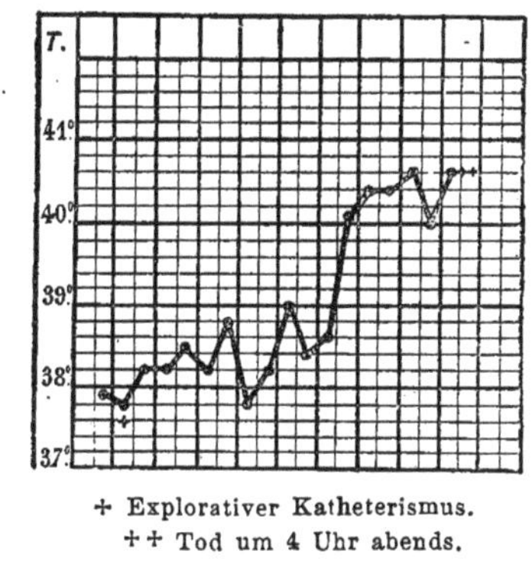


+ Explorativer Katheterismus.
++ Tod um 4 Uhr abends.

Fig. 7.

Selbst eine stetige Temperaturzunahme von wenigen Zehntelgraden, Tag für Tag, stellt eine imminente Gefahr für den Kranken dar, denn meist erfolgt dann ganz plötzlich ein jäher Anstieg und die Temperatur erhält sich auf der Höhe. In solchen Fällen gibt der Zustand des Kranken zu den grössten Besorgnissen Anlass, und wenn ein Eingriff angezeigt erscheint, so muss er unter diesen Umständen ohne Zögern unternommen werden. Der Effect einer während des fieberhaften Zustandes vorgenommenen, Urethrotomie ist durch die vorliegende Curve (Fig. 8) trefflich illustrirt. Nach der Operation erreicht die Temperatur auch nicht ein einzigesmal mehr die frühere Höhe. Nur einmal stieg die Temperatur, nach Entfernung des Verweilkatheters, auf 38·4°; von da an blieben aber die Zahlen in normalen Grenzen.

Nur ein zielbewusster chirurgischer Eingriff kann unter solchen Umständen der Infection wirksam begegnen und die drohende Gefahr beseitigen. Wie in den übrigen Fällen, so ist auch, zur prognostischen Beurtheilung des acuten Fiebers der zweiten Kategorie, die Dauer der Erkrankung von eminenter Wichtigkeit. Die Geschichte des Falles, dessen Temperaturcurve ich Ihnen in Fig. 9 vorlege, mag diese Behauptung illustriren. Es handelte sich um incomplete Harnverhaltung mit consecutiver Pyelonephritis; der Fall endete letal. Schon als wir

Innere Urethrotomie während des Fiebers.

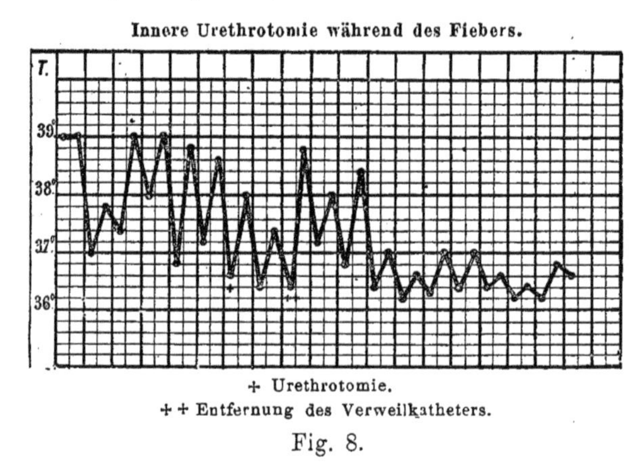


+ Urethrotomie.
+ + Entfernung des Verweilkatheters.

Fig. 8.

den Kranken zum erstenmal an der Klinik sahen, war Fieber (39°) vorhanden. Nach dem ersten Katheterismus wurde ein Fieberanfall von bedeutender Intensität (40°) ausgelöst, und hierauf erfolgte ein solcher

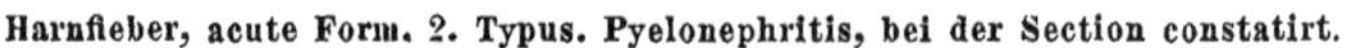
Harnfieber, acute Form. 2. Typus. Pyelonephritis, bei der Section constatirt.

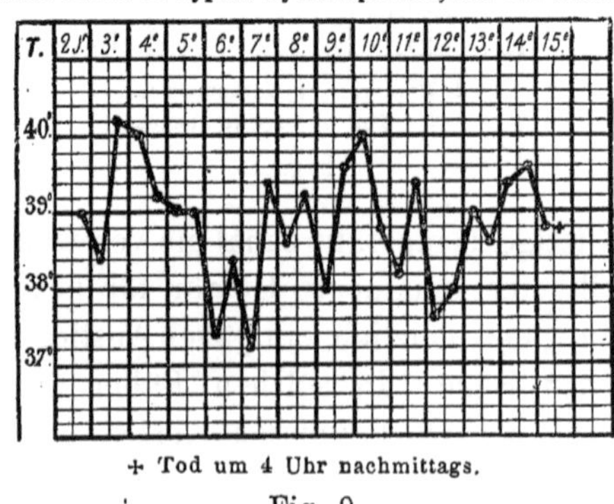


+ Tod um 4 Uhr nachmittags.

Fig. 9.

Abfall der Temperatur, dass wir das Beste hofften. Allein bald wiesen tägliche kleine Fieberanfälle darauf hin, dass die Entleerung der Blase nicht imstande sei, die infolge vorgeschrittener Veränderungen in der Niere eingetretene Harnintoxication auf die Dauer erfolgreich zu bekämpfen. Der Kranke verschied, nachdem die Temperatur in zwei verschiedenen Anfällen 40° überschritten hatte, trotzdem nach dem zweiten Anfalle die Temperatur wieder bis auf 37·2° gesunken war. Hier hatte der Eingriff den letalen Ausgang nicht nur nicht verhindern können, sondern scheint eher den Eintritt des Todes beschleunigt zu haben. Dies der Verlauf bei langdauernder chronischer Harnverhaltung, wie bei Lithiasis, wenn der Stein lange in der entzündeten Blase verweilt hat.

Selbstredend ist eine progressive Temperaturabnahme nach dem acuten Fieberanfalle von günstiger prognostischer Bedeutung. Dass ein günstiger Ausgang selbst nach längerer Dauer des Fiebers eintreten kann, das beweisen mir zahlreiche Fälle, in denen Heilung eintrat, trotzdem während eines ganzen Monates und darüber ein Fieberanfall auf den anderen gefolgt war.

**Harnfieber, chronische Form mit intercurrirendem, acutem Anfall. — Stein hinter einer Strictur Cystitis pseudomembranacea. Pyelonephritis. Tod bei Nacht.**

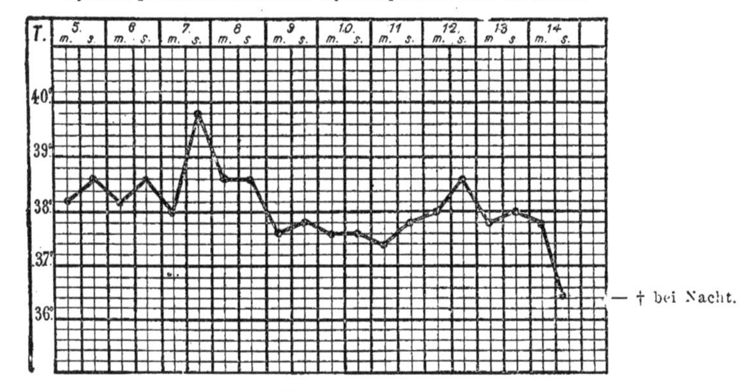


Fig. 10.

Chronische, schleichende Form des Harnfiebers. — Sie kann sich aus beiden Formen des acuten Fiebers entwickeln, aber auch gleich von vorneherein charakteristisch einsetzen. Nicht selten bleibt chronisches Fieber eine zeitlang latent, ehe es durch einen plötzlichen Temperaturanstieg seine Existenz kund gibt, denn auch im Verlaufe des chronischen Fiebers sehen wir mitunter einen ganz unvermittelt steilen Temperaturanstieg (Fig. 10). Diese Anfälle sind selten spontan, meist durch einen localen Eingriff bedingt. Sie bleiben entweder vereinzelt, und das Fieber nimmt dann wieder seinen continuirlichen, schleichenden Verlauf, oder es folgen ihrer mehrere aufeinander und bilden dann den zweiten Typus der acuten Form, die bis zum Tode des Kranken fortdauert. Dies ist ein häufiger Ausgang der chronischen Form, der durch acute Nachschübe nur noch beschleunigt wird.

Doch ist der chronische, schleichende Verlauf auch ohne acute Zwischenfälle geeignet, den Tod herbeizuführen. Perrève bemerkt hiezu, „dass ein solches kleines Fieber die robusteste Constitution zu untergraben vermag."

Schon Civiale kannte das chronische Harnfieber bei Steinkranken, Perréve hat es bei Stricturen beobachtet und alle Autoren, welche den Stoff behandelten, haben es beschrieben; am besten Malherbe, trotzdem seine Bezeichnung „continuirliches remittirendes Fieber", unserer Meinung nach, nicht ganz am Platze ist.

Das Fieber mit heftigen Anfällen wurde freilich weit häufiger zum Gegenstande eingehender Abhandlungen gemacht, allein man darf sich nicht verhehlen, dass gerade jene Form, welche geringe, nicht alarmirende Symptome darbietet, die gefährlichere ist.

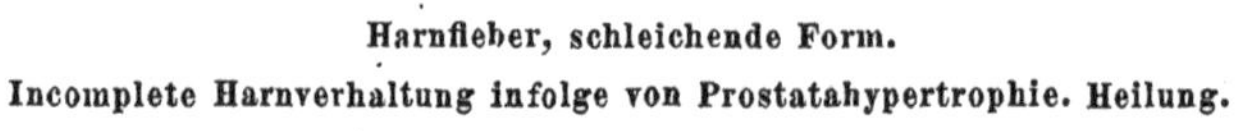

**Harnfieber, schleichende Form.**
**Incomplete Harnverhaltung infolge von Prostatahypertrophie. Heilung.**

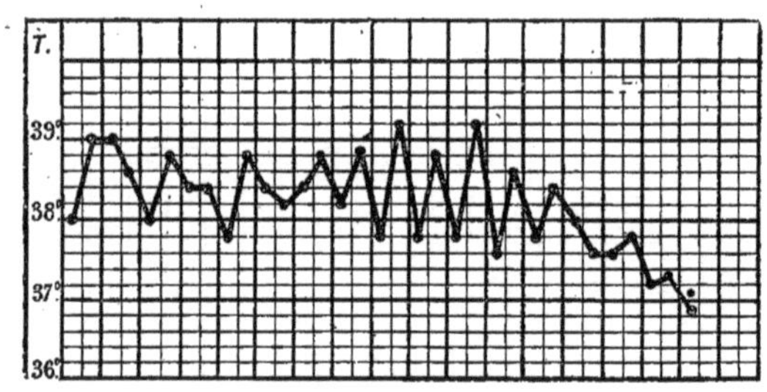


Fig. 11.

Die folgende Stelle aus Malherbe ist interessant: „Wenn man an einer Klinik für Urologie thermometrische Messungen anstellt, so wird man bei vielen Kranken, die man für afebril hielt, Rectum-Temperaturen von 38·5 oder 39° finden. Die Kranken selbst werden sehr erstaunt sein zu hören, dass sie fiebern, da sie keinerlei subjectives Fiebergefühl hatten."

Durch eine derartige Entdeckung wird nur derjenige Beobachter überrascht werden, der da glaubt, dass jedes Fieber nothwendigerweise in alarmirender Weise, als typischer Fieberanfall, auftreten muss. Bedenkt man aber, dass das Fieber, als eine symptomatische Erscheinung der Harnvergiftung, ganz schleichend verlaufen kann, so ergibt sich die Nothwendigkeit von selbst, in jedem Falle, wo Erscheinungen der Harnintoxication vorliegen, auch die Körpertemperatur systematisch zu verzeichnen.

Der latente Verlauf des Fiebers ist gerade für die chronische Form charakteristisch (Fig. 11).

Die Harnvergiftung kann ohne Fieberanfälle, unter dem klinischen Bilde einer Febris continua, ja selbst völlig afebril verlaufen.

Der afebrile Verlauf muss deshalb nicht auch der prognostisch günstigere sein. Die vorliegende Curve (Fig. 12) zeigt das Verhalten der Temperatur bei einem 40jährigen Kranken, der unter den Erscheinungen von Blasendistension und Pyelonephritis, kachectisch zugrunde gieng. Dieser Zustand war die Folge einer alten, mit Fractur des Schambeines complicirten, traumatischen Harnröhrenstrictur. Die Temperatur blieb stets normal, selbst nach einem, 4 Tage vor dem Tode unternommenen, Versuch zur Urethrotomia interna.

Solche Kranke, bei denen neben der Intoxication auch noch Infection besteht, haben kein Fieber, sie „vermögen keines zu erzeugen“

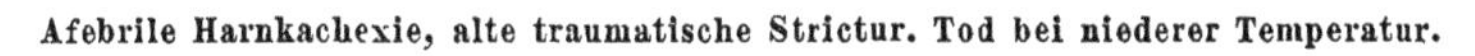

**Afebrile Harnkachexie, alte traumatische Strictur. Tod bei niederer Temperatur.**

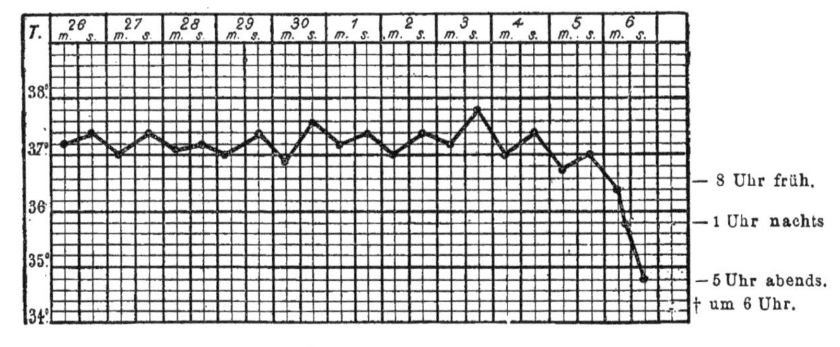


Fig. 12.

Bei der Besprechung der acuten Fieberanfälle haben wir der Complicationen von Seite des Darmtractes Erwähnung gethan. Oft sehr heftig, sind diese Intestinalsymptome dennoch nur Symptome zweiter Ordnung und treten ihrer Intensität nach vor dem Fieber, dem Hauptsymptome, stets zurück.

Beim chronischen Fieber ist das gerade umgekehrt.

Wir sahen, dass beim acuten Harnfieber die Digestionsstörungen den Anfall und die Defervescenz noch einige Zeit überdauern, und dass das Andauern dieser Darmstörungen prognostisch insoferne von übler Vorbedeutung ist, als sie eine Erneuerung des Fieberanfalles befürchten lassen. Als Prodrome des Anfalles haben wir die Verdauungsstörungen bereits kennen gelernt. Diese torpiden, schleichend verlaufenden Störungen treffen wir aber auch beim chronischen Harnfieber und bei dem Umstande, als in solchen Fällen die Nieren vorgeschrittene Veränderungen aufzuweisen pflegen, wird man diese Störungen als Intoxicationserscheinungen zu deuten haben.

Ich habe vorhin von der dominirenden Rolle der Verdaungsstörungen im Bilde des chronischen Harnfiebers gesprochen und wir haben bemerkt, dass bei der chronischen Form die Rollen vertauscht seien.

Thatsächlich dominiren hier die Verdauungsstörungen und die Störungen des Allgemeinbefindens als deren nächste Folge. Die Kranken klagen in erster Linie über Verdauungsbeschwerden, und diese hat der Arzt auch hauptsächlich zu behandeln. Praktisch ist dagegen nichts einzuwenden, wofern der Arzt nur nach Beachtung des Digestionstractes, auch den Harnorganen entsprechende Aufmerksamkeit widmet.

Die erste Erscheinung, welche auf Digestionsstörungen hinweist, ist Appetitmangel, der sich nach und nach bis zu vollständiger Anorexie steigern kann. Die Verdauung wird mühsam, und zwar mitunter in so hohem Grade, dass sich bei manchen Kranken, wie wir dies beobachten konnten, bei jeder Nahrungsaufnahme eine Art fliegender Hitze im Gesicht einstellt, während der übrige Körper, und besonders die Extremitäten, kühl werden. Die Zunge ist trocken und mit einem reichlichen gelblichen Belag bedeckt. Die Kranken klagen über einen faden Geschmack im Munde und über vermehrtes Durstgefühl. Im weiteren Verlaufe tritt Abmagerung ein, die Haut wird trocken, spröde und zeigt einen Stich ins Gelbliche. Allein trotz des gelblichen Teints, der namentlich an den Falten der Gesichtshaut deutlicher hervortritt, fehlen Zeichen eines ausgesprochenen Icterus. Diese eigenthümliche Verfärbung soll niemals übersehen werden und muss stets die Veranlassung zu einer genauen und vollständigen Krankenuntersuchung, mit besonderer Berücksichtigung der Harnorgane, abgeben. Es braucht wohl kaum erst erwähnt zu werden, dass wir in solchen Fällen auch das Verhalten der Temperatur genau controliren müssen, denn wir sind ja gewöhnt, bei Harnkranken den Antheil des Fiebers an dem Zustandekommen schwerer Krankheitserscheinungen stets in Erwägung zu ziehen.

Doch können Temperatursteigerungen, auch bei den ausgesprochensten Formen von Harnvergiftung, im klinischen Bilde vermisst werden, die Krankheit kann bis zum Schluss afebril verlaufen und der Tod bei Hypothermie eintreten (Fig. 12). Bei dem schleichenden Harnfieber ist diese Temperaturabnahme nur relativ.

Man hat es aber bei der schleichenden Form nicht immer mit einem larvirten Fieber zu thun. Geringe Nachtschweisse, die wegen der sonstigen Trockenheit der Haut auffallen, Kopfschmerzen, besonders in der Frühe beim Erwachen, nächtliche Unruhe, Hitzegefühl führen den aufmerksamen Beobachter zur Feststellung der Temperaturerhöhung. Sind bereits vereinzelte ausgesprochene Fieberanfälle vorangegangen, so wird man von selbst auf den Gedanken kommen, die Temperatur systematisch zu beobachten, und da findet man, dass auch in den anscheinend apyretischen Stadien zwischen den Anfällen, die Temperatur erhöht ist (Fig. 13). Dieser Umstand gestattet uns auch die Stellung der Differentialdiagnose zwischen dem sog. intermittirenden Harnfieber und der Malaria, welche man häufig zusammengeworfen hat. Bereits die acute Form zeigt nur einen oder mehrere Anfälle, ohne regelmässige Intermittenzen, oder aber eine Continua mit remittirenden Anfällen. In letzterem Falle sind die Intervalle kurz und atypisch. Bei der chronischen Form beobachtet man von Zeit zu Zeit einen vereinzelten Anfall mit seinen drei Stadien, der den Kranken 24 Stunden an's Bett fesselt.

Hegte man die Hoffnung, dass sich der Kranke nach einem derartigen Anfalle rasch erholen werde, so findet man sich in seinen Erwartungen getäuscht, denn er bleibt gelb, mager und dyspeptisch. Trotzdem wird er, oder seine Umgebung, die Diagnose Malaria stellen, wenn auch nur der geringste Anhaltspunkt dafür zu finden ist.

**Schleichende Form des Harnfiebers. Pyelonephritis, Harnkachexie.**

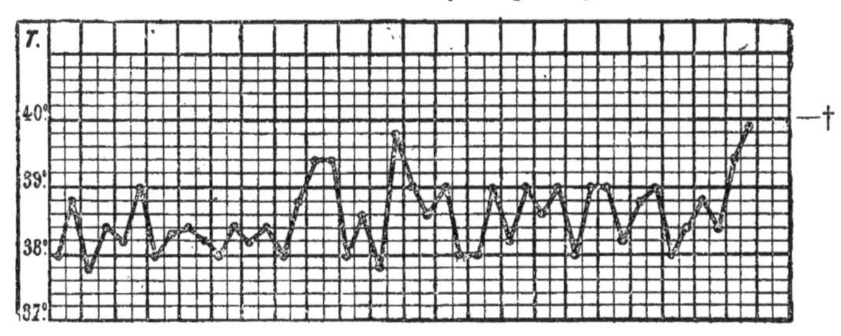


Fig. 13.

Internisten und Chirurgen bekommen derartige Pseudo-Sumpffieber zu sehen, bei denen nur die Blase etwas mit einem Sumpf gemein hat: Sie muss trocken gelegt werden. Solche Fälle kommen bei Stricturen und bei Prostatahypertrophie zur Beobachtung, und ich will Ihnen einen solchen Fall mittheilen, den ich im Jahre 1868 beobachtet habe.

Es handelte sich um einen Stricturkranken, der früher als Soldat in Afrika gewesen war und zur Zeit der Beobachtung bei einem unserer berühmtesten Collegen als Hausbesorger fungirte. Er litt an Fieberanfällen, die er, nach eigener Diagnose, als „Afrikafieber“ bezeichnete.

Der Zustand dauerte bereits 18 Monate, wurde immer schlimmer, der Mann magerte ab, wurde gelb und vermochte bald nicht mehr seinen Dienst zu versehen. Erst auf mehrmalige Anfrage gestand er endlich dem Collegen, dass er auch an Harnbeschwerden leide, die er verschwiegen hatte, um deren gonorrhoischen Ursprung nicht eingestehen zu müssen.

Der Arzt, dem nun der Zusammenhang der Dysurie mit den Fiebererscheinungen klar geworden war, dirigirte ihn nunmehr in das Hôpital Necker. Dort constatirten wir eine impermeable Verengerung der Harnröhre und waren genöthigt, den äusseren Harnröhrenschnitt ohne

Leitsonde auszuführen. Der Kranke genas, und war von seinem Fieber befreit. Auch die Verdauungsbeschwerden kehrten, bei fortgesetzter Sondirung der Harnröhre, nicht wieder.

Die chronische Form des Harnfiebers braucht also, wie Sie aus dem vorliegenden Falle ersehen, nicht nothwendigerweise an derart vorgeschrittene Krankheitsprocesse geknüpft zu sein, dass eine restitutio ad integrum ausgeschlossen wäre. Die Stagnation des Harnes an sich, a die blosse Gegenwart von Steinen in einer inficirten Blase, vermag bereits diese Form des Fiebers auszulösen.

Die Constatirung des Fiebers allein genügt also noch nicht, um einer chirurgischen Intervention günstigen Erfolg zu prognosticiren. Da muss das Gesammtbild der Harnvergiftung entscheiden. Bei geringen Temperaturerhebungen und milden Allgemeinsymptomen wird natürlich die Diagnose minder ungünstig sein.

Das chronische Harnfieber kann Wochen, ja Monate hindurch, anhalten und die Kranken sind dann stets von intercurrenten acuten Fieberanfällen bedroht, die, spontan entstanden oder durch einen Eingriff bedingt, das Leben direct gefährden.

# Zwanzigste Vorlesung.

## Bedingungen für das Enstehen des Harnfiebers.

A. Spontanes Fieber: Fast negativer Einfluss acuter Processe. (Cystitis acuta, Urethritis, acute complete Harnverhaltung, Epididymitis, Prostatitis, Urininfiltration.) — Traumatische Ruptur der Harnröhre. — Harnverhaltung bei Verengerungen der Harnröhre; bei Prostatahypertrophie. — Beobachtungen. — Chronische Cystitis. — Blasensteine. — Neoplasmen.

B. Durch locale Eingriffe hervorgerufenes Fieber. — Dilatation; Caliber der Instrumente, Dauer des Contactes mit der Harnröhre. — Innerer Harnröhrenschnitt; Statistik; Einfluss des Verweilkatheters, der Reaction und Beschaffenheit des Harnes. — Evacuatorischer Katheterismus; Statistik; Bedeutung des „modus faciendi"; Steinzertrümmerung. — Urethrale Einklemmung von Steinfragmenten. — Lithotripsie und Urethrotomie; Vergleichung der beiden Verfahren.

Nachdem wir in den vorhergehenden Vorlesungen das Wesen und die klinischen Formen des Harnfiebers besprochen haben, sollen nun die Umstände näher erörtert werden, welche die genannte Erkrankung bedingen und zur Folge haben. Diese Kenntnis werden wir selbstverständlich nur aus der klinischen Beobachtung und aus den Ergebnissen des Experimentes schöpfen, um auf diese Weise den Mechanismus der Entstehung des Harnfiebers zu verstehen, sowie den Antheil kennen zu lernen, den die einzelnen Erkrankungen jedes Theiles des Harnapparates an dem Znstandekommen des Fiebers nehmen.

Vor allem handelt es sich um die möglichst genaue Feststellung jener Bedingungen und Umstände, unter welchen das Harnfieber ausgelöst wird. Dazu müssen wir die Krankheitserscheinungen, sowie die etwa vorgenommenen Eingriffe und alle näheren Momente bei Ausführung derselben, etwaige Schwierigkeiten und Zufälle, genau in Erwägung ziehen.

Das Harnfieber entsteht entweder ohne nachweisbare Veranlassung, oder es tritt selbst nach relativ unbedeutenden localen Eingriffen, wie z. B. nach dem Katheterismus, auf.

*A.* Spontanes Harnfieber. — Zunächst müssen wir von der auffallenden Thatsache Notiz nehmen, dass acute Erkrankungen, die einen bis dahin gesunden Harnapparat ergreifen, meist ohne die typischen Aeusserungen des Harnfiebers zu verlaufen pflegen. Dies gilt vorwiegend für die unteren Theile des Harnapparates, für die Blase und Harnröhre. Das Verhalten der Niere wollen wir einer gesonderten Besprechung unterziehen.

Es ist selbstverständlich, dass im Verlaufe einer Cystitis oder phlegmonösen Prostatitis mitunter ganz intensive Fiebererscheinungen zur Beobachtung kommen, allein die Temperaturerhebungen bieten nichts Charakteristisches dar und unterscheiden sich keineswegs von einem Fieber, wie wir es z. B. im Verlaufe einer Bronchitis oder einer Zellgewebsphlegmone zu sehen bekommen.

Wenn wir die Fiebercurve in Fig. 14 betrachten, die von einem Patienten mit suppurativer Prostatitis stammt, so finden wir an der-

**Prostatitis phlegmonosa suppurativa.**

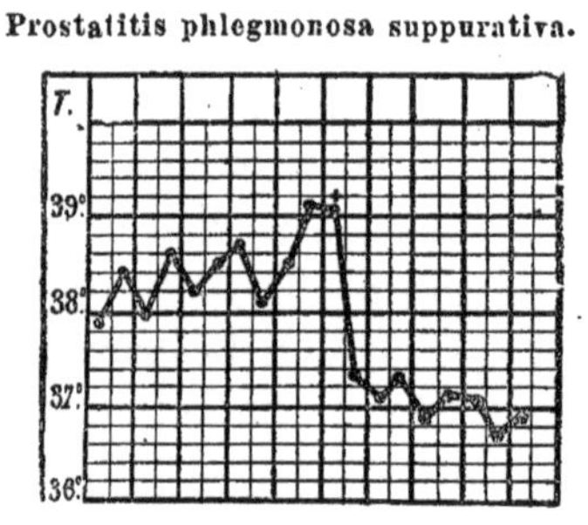


+ Eröffnung des Abscesses, daraufhin Defervescenz.

Fig. 14.

selben absolut nicht Charakteristisches. Weder die Curve, noch die Begleiterscheinungen, erinnern an Harnfieber. Der apyretische Verlauf des Trippers ist ja genügend bekannt. Patient auf Nr. 7 ist mit einer intensiven gonorrhoischen Cystitis bei uns eingetreten, die, beiläufig gesagt, durch Instillationen von Arg. nitric. rasch geheilt wurde. Man hat, bei sorgfältigster Messung am Morgen und Abend, in diesem Falle niemals die geringste Temperaturerhebung constatiren können.

Ebenso verlaufen Katarrhe des Blasenhalses oder der Blase selbst in der Regel apyretisch. Die acute Blasenentzündung, die wir bei Steinkranken im Anschluss an die Litholapaxie auftreten sehen, ist trotz der Intensität der Erscheinungen und trotz ihres schmerzhaften Verlaufes fast niemals von Fieber begleitet. Unsere Erfahrungen bestätigen diese von Malherbe zuerst hervorgehobene Thatsache: nur in seltenen Fällen ist im Initialstadium eine Temperaturerhebung von wenigen Zehntelgraden zu verzeichnen.

Für das Auftreten von Fieber bei Cystitis ist der „frühere Zustand der Blase“ von Wichtigkeit.

In der That muss man derartige Entzündungsprocesse mit raschem Verlaufe, die in einer verhältnismässig gesunden Blase auftreten, mit der plötzlich auftretenden Harnverhaltung vergleichen. Tritt ein solches Ereignis unvermittelt ein, und zwar bei einer Blase, die noch gewöhnt ist, sich regelmässig zu entleeren, so zieht es alle jene schmerzhaften und peinlichen Erscheinungen nach sich, die wir bereits kennen gelernt haben; allein der Fieberanfall fehlt fast immer. Er fehlt öfter bei Retention infolge von Strictur, als bei Harnverhaltung infolge von Prostatahypertrophie, und bei beiden kann er selbst dann ausbleiben, wenn die Blase inficirt ist.

Ich hebe hervor, dass ich mich hier nur auf die acute, frisch entstandene Harnverhaltung beziehe, weil bei der chronischen, completen oder incompleten Form das Fieber ein vollkommen verschiedenes Verhalten zeigt. Wenn die erwähnten Affectionen ohne Fieber zu verlaufen pflegen, so gilt dies hingegen durchaus nicht von gewissen acuten Erkrankungen, nämlich von Epididymitis, Harnabscessen und Urininfiltration.

Auf Nr. 16 des Männerzimmers liegt derzeit ein Mann, der vor 6 Wochen an einer besonders schweren eitrigen Epididymitis erkrankte und dabei alle Symptome der zweiten Form des acuten Harnfiebers zeigte. Liess sich hier ein causaler Zusammenhang constatiren oder nicht? Bei näherer Betrachtung war ein solcher geradezu auszuschliessen. Es handelte sich um einen Steinkranken, der bereits sehr abgemattet an die Klinik kam. Der Urgrund aller seiner Leiden war aber eine Sondirung zur Erweiterung der Strictur und zu dem Zwecke, um die Harnröhre für die Operation vorzubereiten. Nach deren Vornahme traten zugleich Epididymitis und Fieber auf. Wir sind also berechtigt, die Erscheinungen als bloss coordinirt anzusehen, beide als Folge der instrumentellen Untersuchung. Solche Fälle sind nicht selten; aber Epididymitis nach einem Katheterismus geht oft mit intensivem und anhaltendem Fieber einher, selbst wenn keine Eiterung erfolgt, kann also an und für sich schon fieberhaft verlaufen.

In analoger Weise verhalten sich Harnabscesse, die bald an und für sich mit Fieber einhergehen, wie andere locale Eiterungen, bald mit Harnfieber coincidiren. Alles hängt dann von den bereits bestehenden Laesionen ab. Harnabscess und Harninfiltration werden hauptsächlich bei alten Harnkranken beobachtet, somit unter sehr complicirten Verhältnissen. Besonders muss man immer an die Retention oder wenigstens an die Stagnation des Urins denken. Ausserdem kommen die Kranken immer erst dann in's Spital, wenn der Abscess bereits gebildet, die Phlegmone auf der Höhe ist. Die Anamnese ergibt meist nur Näheres über örtlichen Schmerz oder Harnbeschwerden, selten ist von einem grossen Schüttelfrost zu Beginne die Rede. Man findet aber solche Initialfröste, wenn sich der Abscess im Anschlusse an einen localen Eingriff entwickelte. Die Temperatursteigerung, welche die

Bildung des Eiterherdes begleitet, hat nichts mit dem Harnfieber gemein, und die Körperwärme fällt mit der Entleerung des Eiters zur Norm ab. In einem unserer Fälle war nach der ersten Incision eines Harnabscesses, wobei der Eiter nur unvollkommenen Abfluss hatte, der Temperaturabfall nur gering und unvollkommen; die Temperatur wurde erst normal, als nach Vergrösserung der Incisionsöffnung dem Eiter ausreichender Abfluss geschaffen wurde. Defervescenz nach Eröffnung solcher Harnabscesse ist die Regel, trotzdem der Harn über die Wunde fliesst, und diese Abscesse verhalten sich, wenn nur die Stagnation des Eiters hintangehalten wird, wie andere heisse Abscesse, ja ich möchte sagen, dass sie rascher ausheilen, denn bereits nach drei bis vier Tagen sind die Wundflächen mit üppigen, hellrothen Granulationen bedeckt.

Ich habe seit jeher auf die verschiedene Wirkung des Harnes hingewiesen, wenn er über Wunden fliesst und wenn er in verwundetem Gewebe (Gewebe, dessen Continuität getrennt ist) stagnirt oder in die Gewebsinterstitien eindringt. Der Contact allein wird gut vertragen, selbst wenn es sich um krankhaft veränderten Urin handelt, ja man könnte fast so weit gehen, den Harn unter diejenigen Substanzen zu rechnen, welche die Wundheilung fördern! Die Stagnation dagegen und das Eindringen des Harnes in's Gewebe rufen sowohl locale als allgemeine Symptome hervor.

Fast scheint es, als ob uns die Urininfiltration die brauchbarsten Bedingungen für das Studium dieser Zustände bieten würde, denn die plötzliche Ueberschwemmung des Zellgewebes mit Urin sollte doch nahezu experimentelle Verhältnisse für die Beurtheilung der directen Absorption liefern. Thatsächlich ist dies aber nicht ganz der Fall.

In jenen Fällen, in welchen der Harn infiltrirt ist, handelt es sich um bereits lange bestehende Erkrankungen der Harnorgane. Wenn die Kranken endlich das Spital aufsuchen, hat sich die Infiltration schon lange etablirt, wir bekommen sie also nicht frisch zu sehen. Die localen Veränderungen, wie Gangraen und Zellgewebsvereiterung, die dem Eindringen des Urins in's Gewebe so rasch nachfolgen, compliciren die Verhältnisse nur noch mehr, unter denen wir den Verlauf des Fiebers studiren könnten.

Bei traumatischer Infiltration ist das Bild nicht so complicirt; der Urin kann normal bleiben, doch sind auch hier ganz besondere Umstände maassgebend.

Sie wissen, meine Herren, dass es beim Fall auf das Mittelfleisch recht häufig zu einer fast completen Zerreissung der Harnröhre, und zwar im Bereiche des Bulbus, kommt. In solchen Fällen habe ich während der ersten 24 Stunden kein Fieber auftreten sehen. Das Perineum ist zwar gespannt, vorgewölbt und scheinbar infiltrirt, allein das ist thatsächlich keine Urininfiltration! Davon überzeugt man sich stets, wenn man breit eröffnet, um das hintere Ende der Urethra zu suchen und einen Verweilkather einzulegen. Da findet man keinen Urin in der Tiefe, sondern nur Blutgerinnsel, es fliesst Blut aus, aber kein Urin: der Verletzte hat in die Wunde nicht hineinurinirt. Man kann sich dies leicht erklären, wenn man bedenkt, dass das Harnröhrenende gequetscht, retrahirt und zusammengerollt ist und überdies durch die Action des eigentlichen Schliessmuskels der Harnröhre, des Sphincter urethrae, verschlossen wird. Die durch den Reiz der Verletzung bewirkte Muskelcontraction kann der Blase hinreichend lange Widerstand leisten und auf diese Weise den Austritt von Harn in die Wunde eine Zeit lang verhindern. So erscheint es also begreiflich, warum nicht sofort Harninfiltration erfolgt.

**Pyaemie im Verlaufe einer Harninfiltration.**

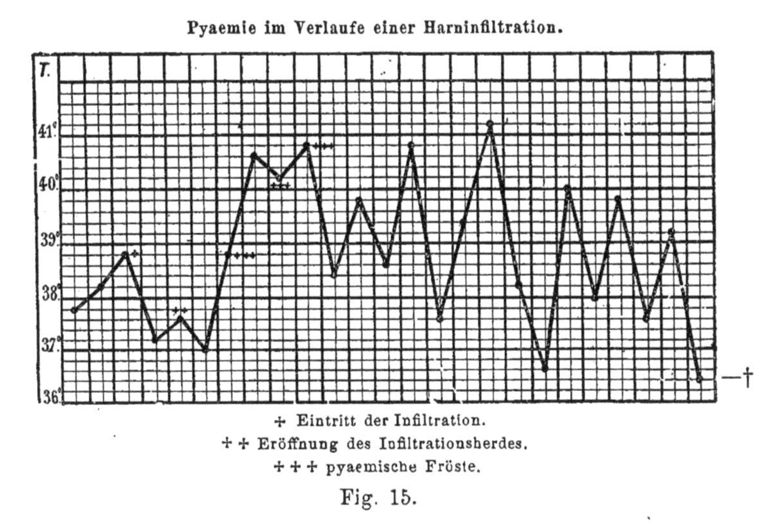


\+ Eintritt der Infiltration.
\+ + Eröffnung des Infiltrationsherdes.
\+ + + pyaemische Fröste.

Fig. 15.

Auch nach unseren Operationen sehen wir Harninfiltration nicht eintreten. In dem einzigen Falle unserer Beobachtung (innere Urethrotomie) handelte es sich um einen Kranken, der bereits vor dem Eintritt der Infiltration wiederholte Fieberanfälle erlitten hatte und dessen Harn hochgradige Veränderungen zeigte. Der Fall ist von Malherbe (Beob. III) beschrieben. Operation, Eröffnung des Herdes am 28. März 1872. An diesem und dem vorhergehenden Tage grosse Fieberanfälle; incomplete Defervescenz nach der Incision und von da bis zu dem am 11. April erfolgten Tode ununterbrochene Anfälle.

Die Harninfiltration bildet häufig den Ausgangspunkt von Septicaemie und Pyaemie, wie beispielsweise in dem vorliegenden, letal verlaufenen Falle (Fig. 15). Mit dem Eintritte der Infiltration stieg die Temperatur auf 38,8 an, um am nächsten Tage bis auf 37,2 zu sinken.

Der Incision, die bei normaler Temperatur vorgenommen wurde, folgten am nächsten Tage Schüttelfrost und Fieberanfälle, die bis zum Tode anhielten. Dieser Kranke erlag zweifellos einer Eiterresorption.

Wenn das Fieber nicht durch sonstige Complicationen unterhalten wird, so folgt stets nach der Incision definitive Entfieberung.

Bestehen dagegen vorgeschrittene Veränderungen an den Harnorganen, so wird es schwer sein, festzustellen, welchen Antheil die Aufsaugung des Harnes durch die Zellgewebsräume an dem Zustandekommen des Fiebers hat.

Bei derartiger Aufsaugung treten übrigens ganz andere Erscheinungen auf, als wenn der Harn direct in die Venen gebracht wird.

Bei chronischen Erkrankungen der Harnorgane wird, im Gegensatz zu den acuten, häufig Fieber beobachtet.

Harnröhrenstricturen, Prostatahypertrophie und Blasensteine sind allerdings an sich noch keine fieberhaften Processe, doch geben hier sowohl consecutive Veränderungen der Harnorgane, als auch chirurgische Interventionen, häufig genug Veranlassung für Fiebererscheinungen.

Wir wollen zunächst jene Verhältnisse besprechen, unter welchen das Fieber spontan auftritt, und jene, welche dessen Erscheinen nach operativen Eingriffen befürchten lassen.

Die Casuistik der Stricturen und der Prostatahypertrophie liefert hiefür reiches Material.

Stricturkranke sind lange Zeit hindurch völlig fieberfrei, weil es sich hier meist um jugendliche Individuen handelt, bei denen die Blasenmuskulatur infolge von compensirender Hypertrophie selbst den Widerstand einer sehr verengten Harnröhre lange Zeit hindurch zu überwinden vermag. Solange diese Compensation eine vollständige ist, bleiben üble Folgen aus. Diese lange Toleranz ist so vollständig auf die Kraft der Muskulatur zurückzuführen, dass die Stricturkranken davon im vorgerückten Alter sogar noch Vortheil ziehen: sie leiden weniger an Prostatahypertrophie als andere. Das ist noch ein Glück im Unglück.

Ausnahmen von dieser Regel bilden Kranke, die aus schwer nachweisbaren Gründen, oft frühzeitig dahingelangt sind, dass sie ihre Blase nicht mehr vollständig entleeren können.

So kann die unverhältnismässig rasche Entwicklung einer Strictur der Blase gewissermaassen keine Zeit lassen, ebenso rasch mit ihren compensatorischen Veränderungen zu folgen.

Erst jüngst sahen wir an der Klinik einen jungen Mann von 21 Jahren, bei welchem mehrere spontane Fieberanfälle aufgetreten waren.

Auf die Einführung dünner Bougies und auf alle anderen

Dilatationsversuche reagirte der Kranke mit neuerlichen Fieberanfällen. Wir nahmen daher die innere Urethrotomie vor, welche von einem vereinzelten Anfall gefolgt war; Patient wurde geheilt und blieb fieberlos. Bei ihm hatte sich die Strictur sehr schnell entwickelt, denn der einzige Tripper, den er jemals gehabt, war zwei Jahre vorher acquirirt worden, und wir waren imstande, vor der Operation die Insufficienz der Blase in unzweifelhafter Weise nachzuweisen.

Diese Beobachtung, so selten sie auch sein mag, zeigt uns noch deutlicher, als die der vorgeschrittenen Fälle, den Einfluss der Harnverhaltung auf die Entstehung des Fiebers. In dem genannten Falle war die Retention weder acut noch complet. Die Urinentleerung gieng wohl mit Schwierigkeiten vor sich, doch hatte Patient es niemals nöthig gehabt, zum Katheter zu greifen.

Gewöhnlich vergehen mehrere Jahre, bis die Blase ihre Contractilität einbüsst, sich nicht mehr entleert und nach und nach distendirt wird. Um diese Zeit beginnen die Kranken meist an Verdauungsstörungen zu leiden, oder es zeigen sich hie und da Fieberanfälle. Sie können aber auch von vorneherein an schleichendem Harnfieber, mit oder ohne vereinzelte Anfälle, erkranken und zeigen zugleich Symptome von Intoxication und Infection.

Bei der Prostatahypertrophie ist das Stadium der Immunität im allgemeinen kürzer, doch kann es mitunter mehrere Jahre betragen.

Jedenfalls widersteht hier der Blasenmuskel den gesteigerten Anforderungen weniger gut, und so bereitet sich allmälig, bei insufficienter Thätigkeit der Detrusoren, die Harnverhaltung vor. In diesem Stadium kann die Infection den Harnapparat mit Leichtigkeit ergreifen, und namentlich droht die Entstehung von acutem oder schleichendem Harnfieber. Der Muskel erlahmt endlich im Kampfe gegen das wachsende Hindernis, indem der compensirenden Zunahme in relativ kurzer Zeit ein Ziel gesetzt wird.

Der Patient auf Bett Nr. 5 besitzt eine alte Strictur und unterzieht sich bereits das zweitemal an unserer Klinik der Sondencur. Fieber oder Verdauungsstörungen wurden seit Beginn der Erkrankung niemals beobachtet. Das finden wir begreiflich, denn der Urin zeigt ein durchaus normales Verhalten und die Blasenwand ist, weder gegen das Rectum, noch gegen das Hypogastrium hin vorgewölbt, also nicht hypertrophisch.

Betrachten wir dagegen den Kranken auf Bett Nr. 22, bei welchem wir vor einigen Tagen die innere Urethrotomie vorgenommen haben.

Bei der Aufnahme fanden sich alle Symptome des chronischen Harnfiebers, trotzdem Patient niemals katheterisirt worden war. Ich habe Ihnen damals den Kranken vorgestellt und Sie darauf aufmerksam gemacht, dass die Entleerung der Blase nur unvollständig erfolge und dass der Urin eitrig sei. Die Blase war als derber, prall gespannter, kugeliger Tumor palpabel, der nahezu bis an den Nabel reichte. Nach der Operation stellte sich die normale Harnentleerung wieder ein und alle übrigen Krankheitssymptome giengen allmälig zurück.

Ein drittes Beispiel ist noch bezeichnender. Der Kranke auf Bett Nr. 15 bot bei seiner Aufnahme das charakteristische Bild der Harnkachexie dar, deren Grund bei der Untersuchung auch sofort klar wurde; denn trotzdem der Kranke vorgab, vollkommen normal zu uriniren, reichte die Blase dennoch bis an den Nabel hinauf. Es fand sich eine Strictur im bulbösen Theile der Harnröhre, die für die Sonde Nr. 7 eben noch passirbar war und die incomplete Retention verursachte. Mit grosser Vorsicht schritten wir an die Erweiterung des Canals, indem wir in weit auseinander liegenden Sitzungen, ohne jede Gewaltanwendung, sondirten und die Sonde, sobald sie das Hindernis passirt hatte, sofort wieder entfernten. Heute ist die Erweiterung bereits bis Nr. 13 gediehen und wir sehen, dass die Blase die Symphyse nur noch um etwa drei Querfinger überragt. Es stellt sich auch bereits wieder Appetit ein und der Allgemeinzustand bessert sich in dem Maasse, als die Stagnation des Harnes abnimmt.

Aehnliches können Sie auch bei Hypertrophie der Prostata bemerken. Betrachten Sie z. B. die beiden Kranken auf Bett Nr. 10 und 24. Der eine katheterisirt sich regelmässig, der andere zeigt eine deutliche Distension der Blase. Sie werden es nach dem Gesagten begreiflich finden, dass der erstere afebril ist und ebenso, dass im letzteren Falle ein fieberhafter Zustand besteht.

Im allgemeinen ist jedes Moment, welches, wenn auch nur vorübergehend, den freien Ablauf des Harnes beeinträchtigt, also indirect die Harnverhaltung steigert, geeignet, Fieber zum Vorschein zu bringen oder, wenn ein solches bereits besteht, eine acute Exacerbation unter dem typischen Bilde des Fieberanfalles hervorzurufen. So muss meiner Meinung nach jene verhältnismässig häufige Erscheinung erklärt werden, dass kurz nach irgend einem Excess, ja selbst nach blosser Ermüdung, Schüttelfrost auftritt. Bei Besprechung der Retention haben wir bereits erwähnt, dass die Distension bei Individuen, die an Retention leiden, einen chronischen Congestivzustand erzeugt. Diese Congestion wird nun durch die verschiedenartigsten Einflüsse gesteigert und bleibt nicht auf die Blase allein beschränkt, sondern erstreckt sich auch auf den Secretionsapparat, d. h. auf die Niere.

Wenn man sich ferner daran erinnert, dass auch beim *chronischen Blasenkatarrh* fast stets partielle Retention besteht und dass der stagnirende Harn gewöhnlich inficirt ist, so wird man sich auch nicht wundern, bei dieser Affection früher oder später einmal Harnfieber auftreten zu sehen.

Man muss daher in jedem Falle von Prostatahypertrophie oder Harnröhrenstrictur überdies, falls sie inficirt ist, die Blase palpiren und mit Hilfe des Katheters eine etwaige Insufficienz ermitteln. Die Resultate dieser Untersuchung werden uns gewisse Symptome erklären und uns für die einzuschlagende Therapie zur Richtschnur dienen.

Man muss sich auch daran erinnern, dass die angeführten Krankheitsprocesse, die ohne geeignete Intervention bereits an und für sich einen fieberhaften Verlauf nehmen können, auf die kleinsten chirurgischen Eingriffe mit den schwersten und alarmirendsten Fieberanfällen reagiren.

Trotzdem lassen wir uns nicht abhalten, bei präciser Indication, im vollen Bewusstsein der Verantwortlichkeit, local einzugreifen.

Steinkranke scheinen eine gewisse Immunität gegen Fieber zu besitzen und sprechen die Wahrheit, wenn sie erklären, niemals Schüttelfrost oder Unwohlsein verspürt zu haben.

„Primäre“ Steine entwickeln sich ja in Organen, die gesund und nicht inficirt sind, ihr Wachsthum geht vollkommen aseptisch vor sich und sie erzeugen keine anderen Laesionen als solche, welche durch die mechanische Irritation oder den Choc bedingt sind. Ich meine jene Hyperaemien und oberflächlichen Verletzungen, die das Allgemeinbefinden auch nicht im geringsten zu beeinflussen pflegen und auch auf die Receptivität der Blase ohne Einfluss bleiben. Ja, wir sehen bei Steinkranken nur selten Harnretention infolge der mechanischen Reizung des Blasenmuskels, selbst nicht partielle.

Dies gilt natürlich nur von den primären Steinen. Die secundären Steine, die in chronisch eiternden, also mikrobisch inficirten Organen entstehen und weiter entwickelt werden, erzeugen an sich auch noch kein Fieber, trotzdem der Zustand der Blase oder Niere mit ihrer Bildung im engsten Zusammenhange steht. Solche Steinkranke müssen oft die grässlichsten Leiden erdulden, und das lange Zeit — haben aber kein Fieber. Sie werden erst fieberkrank, wenn eines jener Momente in's Spiel kommt, welche gewöhnlich Harnfieber auslösen, d. h. die unvollständige Entleerung und Reinigung einer inficirten Blase, Harnröhrenverletzungen, Erkältung und Excesse aller Art, kurz alle Momente welche die Congestion begünstigen, also selbst die einfache instrumentelle Exploration.

So wird ein chirurgischer Eingriff bei primären oder secundären Steinkranken immerhin ein Wagnis sein; denn wenn sie selbst kein Fieber haben, so droht dessen Eintritt doch stets und sie sind gegen dasselbe sowie gegen andere allgemeine infectiöse Zufälle desto weniger widerstandsfähig, je länger der Stein bereits in der Blase verweilt hat und je länger sie dem Einflusse der Intoxication und Harninfection ausgesetzt waren.

Die Curve in Fig. 16 stammt von einem „primären“ Steinkranken, dessen Harnapparat seit langem inficirt war und der den Stein seit mehreren Jahren mit sich herumtrug. Er starb nach einer einfachen und leichten Exploration. Blase und Niere waren der Sitz tiefgreifender chronischer Entzündung gewesen.

**Harnfieber. Acute Form. 2. Typus. Alter Blasenstein.**

Cystitis und Nephritis bei der Section constatirt.

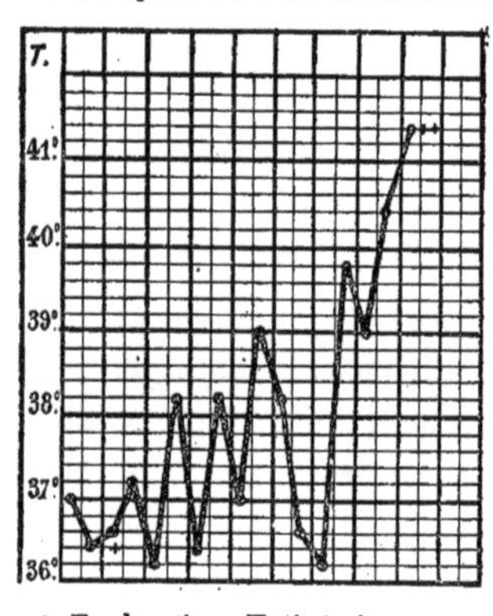


+ Explorativer Katheterismus.
++ Tod um 6 Uhr abends.

Fig. 16.

So wird denn bei den Steinkranken, ebenso wie bei den übrigen Harnkranken, ausschliesslich der Zustand des Harnapparates und der Grad seiner Functionsstörung zur Beurtheilung der Schwere des Processes, sowie zur Stellung therapeutischer Indicationen heranzuziehen sein. Die Grösse und das Alter des Steines sowie seine Zusammensetzung sind nur von secundärer Bedeutung. Um bei Lithiasis die suspecten Fälle herauszufinden, muss man den Harn und den Harnapparat genau untersuchen, auf die Digestionsstörungen und das für chronische Harnintoxication und Infection so charakteristische Aussehen der Faeces achten und besonders das Thermometer nicht vernachlässigen. Nur mit Berücksichtigung aller dieser Verhältnisse war es mir möglich vorauszusehen, dass Nr. 25, den ich lithotribiren wollte, ein ungünstiger Fall für die Operation sei, und thatsächlich gab der Verlauf derselben meiner Vorhersage recht. In solchen Fällen bietet der Steinschnitt die einzige Hoffnung auf Heilung.

Die Neoplasmen der Blase erzeugen ebensowenig Fieber als die Neubildungen anderer Organe. Auffälliger muss es uns erscheinen, dass auch die Tuberculose des Harnapparates, und zwar selbst die

Nierentuberculose lange Zeit hindurch ohne Temperatursteigerung verläuft. Harnfieber wird sich in beiden Fällen nur dann zeigen, wenn bereits secundäre Störungen in der Harnentleerung zustande gekommen sind.

Damit also spontan Harnfieber auftrete, genügen weder eine locale Infection, noch starke Reize, weder Traumen, noch heftige Entzündung. Fieber ist selbst dann selten, wenn Blaseneiterung, also Infection besteht, wie bei der acuten Cystitis und bei acuten Retentionen in inficirten aber noch nicht schwer veränderten Blasen.

Es bedarf stets länger dauernder chronischer Processe und namentlich der incompleten Entleerung der Blase, damit das Fieber im Krankheitsbilde vorhanden sei.

Da tritt dann noch zu der Wirkung der alten Läsionen die des inficirten Urins hinzu, dessen Virulenz durch das lange Verweilen in einem günstigen Culturmedium noch erhöht wird. Das sind jene Krankheitsprocesse, die sowohl das spontane Auftreten von Fieber ermöglichen, als auch in noch höherem Grade mit Fieberanfällen schwerer Art auf locale Eingriffe zu reagiren pflegen. Ein Excess, ja selbst eine einfache Erkältung können, wenn auch nicht sehr heftige, doch immerhin beträchtliche Fieberanfälle nach sich ziehen.

*B.* Künstlich hervorgerufenes Fieber. — Wenn wir auch zugeben müssen, dass das Harnfieber, wie wir gesehen haben, unter Umständen spontan auftreten kann, so ist es doch in der Mehrzahl der Fälle eine directe Folge chirurgischer Eingriffe. Alle operativen Handgriffe geben natürlich hiezu nicht im gleichen Grade Veranlassung, sei es, weil deren modus faciendi verschieden ist, sei es besonders deshalb, weil sie bei verschiedenen Erkrankungen, unter verschiedenen Bedingungen und auf verschiedenen Terrains ausgeführt werden.

So finden wir bei 250 Fällen von einfacher Dilatation, die an meiner Klinik vorgenommen wurden, 40mal Fieber, das ist ein Sechstel der Fälle. Es trat jedesmal am selben Tage, und zwar circa 6 oder 7 Stunden nach der Sondirung auf. Meist folgt ein einziger acuter Fieberanfall, mitunter kann es aber, wie bei einem unserer alten Patienten, zu wiederholten Anfällen kommen (zweiter Typus des acuten Harnfiebers). Unter solchen Umständen soll so bald als möglich die Urethrotomie ausgeführt werden, denn diese allein vermag den üblen Folgen der Stagnation des Harnes ein Ziel zu setzen.

Man kann also Anfälle von Harnfieber willkürlich auslösen, leider aber nicht auch ebenso Anfälle hindern. Wir sehen das Fieber in Fällen zum Vorschein kommen, in welchen mit grösster Vorsicht, mit peinlicher Asepsis vorgegangen wurde. Es ist aber immerhin schon etwas, wenn man weiss, was nahezu mit Bestimmtheit Fieber erzeugt, und sich entsprechend inacht nehmen kann.

Bei jeder gewaltsamen Sondirung, so oft die Harnröhre durch zu rasche Aufeinanderfolge der Sitzungen ermüdet wird, oder wenn zu dicke Instrumente eingeführt werden, wird es Fieber geben, und zwar umso gewisser, je „mechanischer", wenn ich so sagen darf, der Eingriff gewesen ist. Besonders bei Kranken, bei denen schon an und für sich Fieber droht — wie z. B. bei dem Kranken auf Nr. 15, von dem ich gerade gesprochen habe — wird die geringste Unvorsichtigkeit grosse Anfälle auslösen. Wir haben es ja mit inficirten Kranken zu thun und darum deckt auch die scrupulöseste Antisepsis nicht alle operativen Verstösse.

Fieber tritt nicht nur ein, wenn eine Strictur passirt worden ist, sondern mitunter auch bei Versuchen zur Dilatation impermeabler Stricturen, wie wir dies z. B. wiederholt bei dem Kranken auf Nr. 22 beobachtet haben, bei welchem wir die Strictur bloss zu entriren vermochten. Die Annahme, dass Erosionen der Blasenschleimhaut oder leichte urethrale Verletzungen die Eingangspforte für Keime darstellen, ist in derartigen Fällen nicht aufrechtzuerhalten. Zur Stütze dieser Annahme müsste ja unbedingt die Stelle der Continuitätstrennung vom Urin bespült werden, damit dieser eindringen oder resorbirt werden könne; das ist ja aber ausgeschlossen, weil der Schnabel des Instrumentes peripherwärts von der Strictur geblieben ist. Mir erscheint es viel plausibler, dass der wiederholte Reiz durch das Instrument gesteigerte locale Congestion und in der Folge, durch Vermehrung des Hindernisses, eine kurzdauernde Harnverhaltung erzeugt. Die Congestion kann die Blase und die Niere betreffen. Im ersten Falle wird die ohnehin nur unvollkommen entleerte Blase nur noch schlechter entleert, die Congestion wächst und mit ihr erscheint auch das Fieber. Nur ganz allmälig kehren die normalen Verhältnisse wieder, bis eines Tages die gleiche Veranlassung die gleichen Folgen nach sich zieht.

In analoger Weise sehen wir bisweilen nach der Einlegung dünner Verweilkatheter, die uns bei Behandlung der Stricturen grosse Dienste leisten, Fieber auftreten. In der Regel wird durch die Einlegung dieser dünnen Katheter die Entleerung der Blase wunderbar befördert, doch beobachten wir mitunter auch das Gegentheil, und gewisse Individuen uriniren gerade mit dem dünnen Katheter sehr schwierig. Solche Kranke werden Fieber bekommen und wir werden genöthigt sein, sie zu urethrotomiren.

Wir haben nicht ohne Grund der mechanischen Reizung durch die Instrumente die Schuld an jenem Fieber beigemessen, welches bei Dilatationscuren aufzutreten pflegt. Hierher zählen wir längeres Liegenlassen von Kathetern, die „mit Reibung" eindringen. Im allgemeinen soll der Verweilkatheter der Wand nicht zu innig anliegen und die freie Beweglichkeit des Instrumentes muss immer gewahrt bleiben.

Sollen wir annehmen, dass auch eine gewisse individuelle Empfindlichkeit mit im Spiele ist, wie wir sie bei der Kategorie der „Impressionablen“ so häufig vorfinden? Die gesteigerte Empfindlichkeit der Harnröhre ist thatsächlich so oft und von so maassgebender Seite als eine Gelegenheitsursache für das Auftreten von Fieber bezeichnet worden, dass es nicht angeht, dieselbe a limine zu bestreiten. Die Thatsache lässt sich nicht leugnen, dass ein Zuviel von mechanischer Reizung bei impressionablen Kranken eher als beim normalen Individuum Reaction erzeugt. Allein ich glaube nicht an eine „specifische“ Empfindlichkeit, denn ich habe ganz gehörig „impressionable“ Kranke beobachtet, die nach der Urethrotomie den Verweilkatheter durch 24 Stunden ohne üble Nebenwirkung zu ertragen vermochten.

Gleich nach der Dilatation rangirt die Urethrotomia interna. Da sehen wir Harnfieber in etwa ein Drittheil der Fälle auftreten. Diese Angabe verdient volles Vertrauen, denn die Zahl der Beobachtungen, aus welchen sie resultirt, beträgt nicht weniger als 300, und in allen diesen Fällen wurden sorgfältige Notirungen über das Verhalten der Temperatur vorgenommen.

Das Verhältnis von einem Fieberkranken auf drei Operirte bezieht sich auf alle Arten des Fiebers, von den leichten, passagären Temperaturerhebungen bis zu den schwersten Anfällen des Harnfiebers, die wir im Anschlusse an die Operation beobachtet haben. Infolge dessen sind unsere Ziffern eher etwas zu hoch gegriffen; doch fällt dieser Fehler minder schwer in die Wagschale als der entgegengesetzte.

Der Fieberanfall nach Urethrotomie entspricht durchaus dem typischen Bilde mit dem Schüttelfrost, dem raschen Anstieg der Temperatur, profusem Schweiss und kritischem Abfall des Fiebers. Der ganze Cyklus spielt sich meist in einem Zeitraume von 24 bis 36 Stunden ab.

Um zu erfahren, wie lange nach der Operation das Fieber einzutreten pflegt, haben wir 75 Fälle von reinem Harnfieber genau verfolgt und fanden, dass es

unter 10 Fällen 1mal: am ersten Tage auftrat
„ 10 „ 3mal: am Abend des zweiten Tages
„ 10 „ 5mal: im Verlaufe und besonders am Morgen des dritten Tages
„ 10 „ 1mal trat es später, ohne scheinbaren directen Zusammenhang mit der Operation, auf.

Zum besseren Verständnis des Wertes dieser Ziffern sei noch bemerkt, dass, bei der am Hôpital Necker üblichen Methode, nach der

Incision ein Verweilkatheter eingelegt und durch 24—36 Stunden liegen gelassen wird. Der Katheter bleibt offen, so dass der Harn frei abfliessen kann.

Das Fieber beobachteten wir aber in der Mehrzahl der Fälle nach Ablauf des zweiten oder während des dritten Tages nach der Operation, also etwa 12 bis 18 Stunden nach Entfernung der sonde à demeure. Vor diesem Termine, also während der Verweilkatheter noch lag, war das Harnfieber nur in einem Zehntel der Fälle vorhanden und in einem von zehn Fällen kam das Fieber erst später als fünf Tage post operationem zur Beobachtung. Diese Spätformen des Fiebers, welche meist durch das irrationelle Verhalten von Kranken hervorgerufen werden, die sich für völlig hergestellt halten, verlaufen zwar unter der Erscheinung typischer Fieberanfälle, sind aber minder intensiv und bleiben fast stets solitär (Fig. 17). Aehnliche Resultate haben Untersuchungen einer

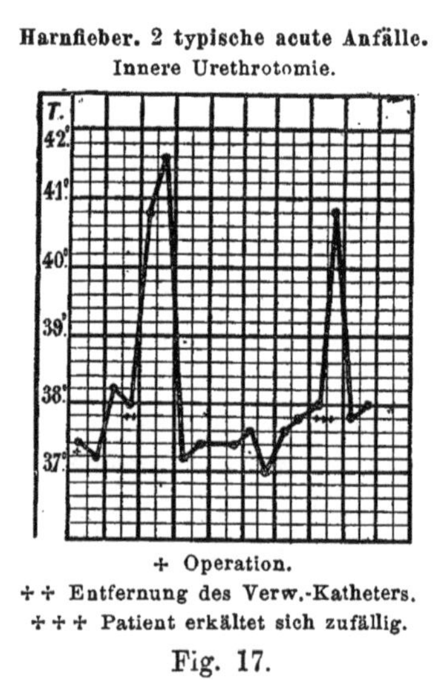


**Harnfieber. 2 typische acute Anfälle.**
Innere Urethrotomie.

+ Operation.
++ Entfernung des Verw.-Katheters.
+++ Patient erkältet sich zufällig.

Fig. 17.

kleineren Zahl von Fällen ergeben; so blieben, wie Martinet in seiner Preisschrift berichtet, von dreissig operirten Kranken zwanzig völlig fieberfrei. In keinem Falle war das Fieber am Tage der Operation aufgetreten; neunmal fiel der Anstieg der Temperatur in die Zeit vom zweiten bis zum dritten, ein einzigesmal auf den vierten Tag post operationem.

Der Einfluss des Verweilkatheters auf den Zeitpunkt, in welchem Fieberanfälle auftreten, und auf deren relative Häufigkeit, geht auch aus den Erfahrungen hervor, welche Gosselin[1]) an seinen Operirten in der Charité machte. In 18 von 35, also in mehr als der Hälfte der Fälle,

[1]) Gosselin, Clinique de la Charité, 2. Aufl., Bd. II., p. 217.

war der Verlauf ein fieberhafter; in 14 von diesen 35 Fällen war kein Verweilkatheter zur Anwendung gekommen. Von diesen 14 Fällen erkrankten 10 unter Schüttelfrost und Fieber, und zwar, was besonders bemerkenswert erscheint, acht von diesen schon am Tage der Operation. Diese Resultate sind in hohem Grade instructiv, da wir aus denselben, auf dem Wege des Gegenbeweises, die eminent „fieberwidrige“ Wirkung des Verweilkatheters ersehen können.

Bei einfacher Ueberlegung drängt sich einem unwillkürlich die Anschauung auf, dass der Umstand, ob der Urin sauer oder alkalisch reagirt, auf das Entstehen von Fieber nach der inneren Urethrotomie einen wesentlichen Einfluss haben sollte. Das war auch die Ansicht meines unvergesslichen Lehrers Gosselin.

Unsere klinischen Erfahrungen haben uns indes eines anderen belehrt. Wir konnten nach Urethrotomia interna, ja nach Litholapaxie, bei alkalischer und selbst bei ammoniakalischer Beschaffenheit des Harnes afebrilen Wundverlauf beobachten.

Zur Zeit befindet sich noch ein Kranker an der Klinik, an welchem wir die Urethrotomie bei ammoniakalischer Reaction des Harnes vorgenommen haben. Auch bei ihm wurde infolge der regelmässigen und ausgiebigen Evacuation der Blase der Harn allmählig wieder sauer. Die ammoniakalische Reaction des Harnes ist also keineswegs eine Contraindication für den operativen Eingriff, sie ist vielmehr nicht selten gerade die Veranlassung, ungesäumt radical vorzugehen.

Die eminent schädlichen Wirkungen des ammoniakalischen Harnes sind uns durch die Ergebnisse des Experimentes zu deutlich vor Augen geführt worden, als dass wir ihnen an der Klinik nicht Rechnung tragen sollten. Es hiesse dagegen zu weit gehen, wollten wir deshalb annehmen, dass die ammoniakalische Beschaffenheit des Harnes nach einem Eingriffe in jedem Falle Fieber bedingen müsse. Ebenso falsch wäre es aber, der Acidität des Harnes eine prognostisch günstige Bedeutung für den Wundverlauf zuzuerkennen. Es kommen nämlich nicht nur Fieberanfälle bei Kranken vor, deren Harn ganz normal reagirt, sondern der eitrige Urin gewisser Individuen, von denen wir bereits gesprochen haben (Bd. I., 15. Vorl.), reagirt nur deshalb sauer, weil ihre Niere ebenfalls lädirt ist.

Dagegen wird unter dem Einflusse des Blasenkatarrhs die ammoniakalische Harngährung eher eintreten. Bei Eiter im Urin sind also Erscheinungen allgemeiner Infection eher zu befürchten, wenn der Urin sauer, als wenn er alkalisch ist.

Für diese in der vorbakteriologischen Zeit gemachten Beobachtungen haben wir heute die Erklärung, seit wir wissen, dass der für die Harninfection so bedeutsame Colibacillus vorwiegend im saueren Harne cultivirt.

Je mehr unsere Erfahrungen über die Urethrotomie zunehmen, desto mehr drängt sich uns die Erkenntnis auf, dass die üblen Erfahrungen, die man früher mit dieser Operation gemacht hatte, auch darin begründet waren, dass man mit Vorliebe dicke Verweilkatheter verwendete. Unsere Resultate besserten sich, als wir anfiengen, zartere Instrumente zu benützen, die ohne mechanische Reizung der Harnröhrenwand functionirten.

Aehnliche Erwägungen leiten uns bei der Beurtheilung des evacuatorischen Katheterismus und der durch denselben hervorgerufenen fieberhaften Reactionen. Ich erinnere Sie an einen Prostatiker unserer Klinik, den gewöhnlich ich oder einer meiner Assistenten katheterisirte. Diesem Kranken habe ich viermal erlaubt, sich den Katheter selbst zu setzen; er that dies ungeschickt und jedesmal folgte auf diese Versuche ein ausgesprochener Fieberanfall. Die Art und Weise, wie der Katheterismus ausgeführt wird, ist also für die Entstehung fieberhafter Reactionen nicht ohne Belang.

Bei 60 Kranken, die regelmässig dem evacuatorischen Katheterismus unterzogen worden waren, zeigte die Krankengeschichte bloss 20mal Fiebererhebungen. Diese Ziffer ist gewiss zu niedrig gegriffen, und wir müssen annehmen, dass wir entweder zufällig eine besonders günstige Beobachtungsreihe vor uns hatten oder aber, dass man glaubte, zu geringe Fiebererhebungen in den Krankengeschichten vernachlässigen zu dürfen. Ich habe aus meinen Beobachtungen den Eindruck empfangen, dass gewiss in der Hälfte der Fälle Erscheinungen von Fieber, u. zw. fast stets von acutem Harnfieber vorkommen.[1])

Bei den früher erwähnten 20 Fällen war das Fieber 16mal im Anschlusse an den einfachen Katheterismus aufgetreten, und zwar hörte dasselbe in 12 Fällen nach ein- oder mehrmaligem Auftreten vollständig auf, während es sich in den vier anderen Fällen so regelmässig wiederholte und förmlich einnistete, dass man auf den chirurgischen Eingriff in dieser Form einfach verzichten musste.

Zweimal fiel die fieberhafte Reaction mit dem Einlegen des Verweilkatheters zusammen, und in den restlichen zwei Fällen sistirte das Fieber während der Spitalsbehandlung, um sofort wieder zu erscheinen, als wir in dem einen Falle den Verweilkatheter entfernten, in dem anderen den regelmässigen Katheterismus früh und abends unterliessen.

Die Schlüsse, welche sich aus diesen Thatsachen ergeben, sind ganz einfach: wenn der chirurgische Eingriff gewisse Gefahren mit

[1]) Diese Erfahrungen entstammen allerdings der vorantiseptischen Periode.

sich bringt, so hat er doch auch seine unbestreitbaren Vortheile. Wenn er mitunter Fieber auslöst, so bietet er in manchen Fällen wieder die einzige Möglichkeit, um dem Fieber Einhalt zu thun. Ein Beleg hierfür ist der Kranke auf Bett Nr. 18. Wie Sie sich erinnern, kam er mit chronischer Cystitis und incompleter Harnverhaltung zu uns. Anfangs wurde seine Blase früh und abends regelmässig mit Hilfe des Katheters entleert. Zunächst gieng alles gut von statten, allein nach und nach wurde die Harnröhre gereizt, der Katheter passirte nur mehr schwierig und es traten einige, allerdings leichte Fieberanfälle auf.

Eines Abends unterblieb der Katheterismus und sofort brachen in Folge der blossen Harnverhaltung die heftigsten Anfälle aus. Um den Ablauf des Urins zu ermöglichen, ohne dabei die Harnröhre zu reizen, legten wir den Verweilkatheter ein.

Die Temperatur kehrte hierauf allmählig zur Norm zurück und der Kranke, der bereits aufgegeben war, befindet sich zur Zeit in voller Reconvalescenz. Die Blase functionirt ausreichend, und wenn sich der Kranke einmal in 24 Stunden den Katheter setzt, so thut er dies nur aus übertriebener Vorsicht, um nur gewiss jede Stagnation des Harnes hintanzuhalten.

Dieser Fall lehrt uns, was der Verweilkatheter zu leisten vermag und wie wohlthuend die Wirkung des evacuatorischen Katheterismus sein kann, wenn er nur vorsichtig ausgeführt wird und wenn man vermeidet die Harnröhre zu verletzen. Ich kann es nicht genug wiederholen, dass hier die grösste Schonung nothwendig ist und dass man den Kranken insbesondere die Vermeidung jeder Gewaltanwendung dringend einschärfen muss.

Es hiesse aber von der Wahrheit abweichen, wollten wir nicht zugeben, dass bei einer noch so sachgemässen und methodischen Handhabung des Katheters und der sonde à demeure, der Krankheitsverlauf mitunter alle Erwartungen zu Schanden macht und dass verschiedene Complicationen, besonders das Harnfieber, die Heilung aufs Spiel setzen können.

Es ist auch gefährlich, eine seit langem distendirte Blase plötzlich vollständig zu entleeren, und wir haben bereits im ersten Theile darauf hingewiesen, dass unter solchen Umständen Erscheinungen von Congestion auftreten können, welche selbst die Nierenfunction beeinträchtigen. Umso verständlicher erscheint es, warum auch die rapide Entlastung der übervollen Blase von Fiebererscheinungen gefolgt zu sein pflegt.

Ohne mich hier auf eine Erklärung dieser Phaenomene näher einzulassen, will ich die Gelegenheit nur dazu benützen, um Ihnen die Vorschrift nochmals ins Gedächtnis zu rufen, dass man eine sehr stark, oder seit langem distendirte Blase nur langsam nnd allmälig entleeren darf.

Unter allen Operationen, mit denen wir uns zu beschäftigen haben, gibt die Lithotripsie[1]) am häufigsten Veranlassung zu Fiebererscheinungen.

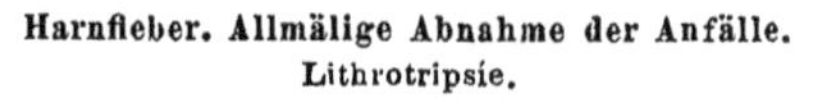

**Harnfieber. Allmälige Abnahme der Anfälle.**
**Lithrotripsie.**

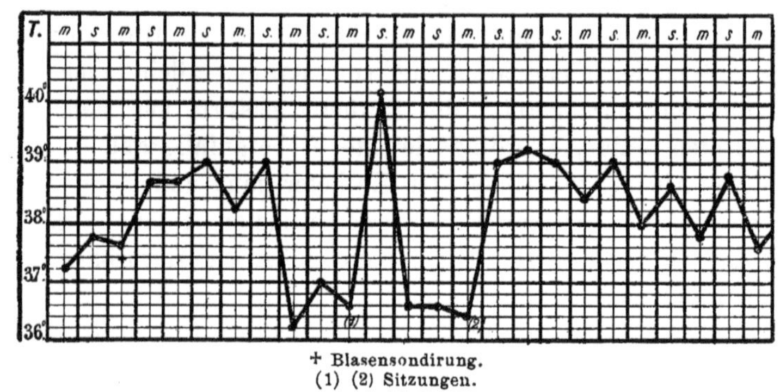


+ Blasensondirung.
(1) (2) Sitzungen.

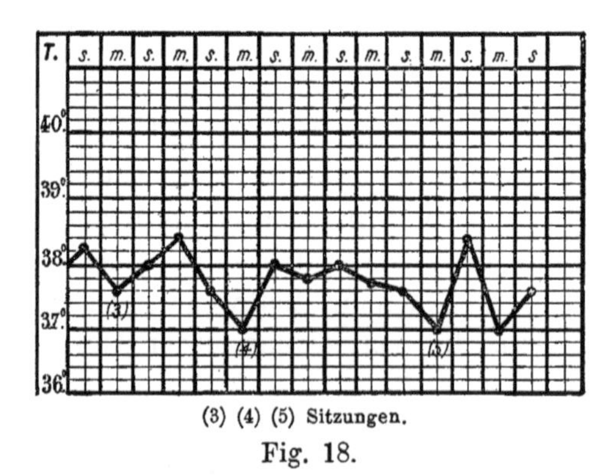


(3) (4) (5) Sitzungen.

Fig. 18.

Wir finden sie fast in allen Krankengeschichten und erinnern uns fast keines Operirten, der nicht bei einer oder der andern Sitzung einen Fieberanfall gehabt hätte. Besonders nach der ersten und zweiten Sitzung treten solche Zufälle häufig auf und werden desto seltener und unauffälliger, je weiter die Behandlung vorschreitet.

---

[1]) Ich spreche hier von der alten Methode der Steinzertrümmerung in wiederholten Sitzungen, bei welchen man bekanntlich die Steintrümmer in der Blase zurückliess und deren spontane Ausstossung abwartete. Auch die Antisepsis war damals noch nicht in Gebrauch. Gerade diese mangelhaften Operationen, deren Resultate trotzdem jenen des Perinealschnittes weit überlegen waren, haben mich in die Lage gesetzt, eine Reihe von Beobachtungen zu machen, die ich deshalb aus den beiden ersten Auflagen dieses Buches wieder zum Abdrucke bringe, weil sie zum besseren Verständnisse der Entstehung des Harnfiebers beitragen und wir heutzutage nicht mehr Gelegenheit haben, diese Beobachtungen zu erneuern.

Meist sind dies typische Anfälle, deren Beurtheilung nicht schwer fällt; doch gibt es auch Ausnahmen, Fälle, die ohne Verschulden des Operateurs und unabhängig von der Operation unglücklich verlaufen. Solche Zufälle muss man vorhersehen lernen, um sie wirkungsvoll bekämpfen zu können.

Die Intensität des Fiebers ist dem Grade der Verletzung proportionirt. Je mühsamer und langwieriger die Sitzung, desto stärker der Anfall.

Dieses Verhältnis ist ein so feststehendes, dass der Arzt im Augenblicke, wo er den Lithotriptor herauszieht, bereits vorhersagen kann, ob es Fieber geben und ob dasselbe heftig sein wird.

Aus der Fiebercurve, Fig. 18, kann man ersehen, wie das Fieber mit der Zahl der Sitzungen allmälig an Intensität abnimmt. Diese Curve stammt von einem Steinkranken, der heute morgens das Spital verliess. Bei seiner Aufnahme betrug die Temperatur 37 °, stieg nach einer einmaligen Sondenuntersuchung auf 38,6°, sank nachher wieder, um nach der ersten Sitzung in jähem Anstiege 40,2° zu erreichen. Nach der Sitzung wieder Abfall, neuerlicher Anstieg nach jeder weiteren Zertrümmerung, allein das Fieber wurde immer geringer und betrug in der Folge 39, 38,2 und schliesslich 38°.

Mit der fortschreitenden Wundheilung wird auch das Fieber geringer. Begreiflicherweise ermüdet die erste Sitzung mehr als eine blosse Exploration oder die nachfolgenden Operationen. Der Stein ist schwerer zu fassen, die Manöver complicirter, die Trümmer zahlreicher voluminöser, besonders kantiger.

Bei der Lithotripsie in mehreren Sitzungen muss man, ausser mit dem Trauma der Operation, auch noch mit jenem rechnen, welches die in der Blase zurückbleibenden Fragmente erzeugen können. Sie klemmen sich mitunter in der Harnröhre ein, ihre Ausstossung ist dann schmerzhaft und schwierig und genügt zur Auslösung von Fieberanfällen.

Diese Anfälle sind mitunter ebenso intensiv, mitunter noch intensiver als jener, welchen die erste Sitzung auslöst.

Der durch den operativen Eingriff selbst bedingte Fieberanfall beginnt fast mit mathematischer Sicherheit regelmässig 6—10 Stunden nach der Operation. Wenn man, wie wir, die Operationen etwa um 10 Uhr vormittags vornimmt, so wird man während der Nachmittagsvisite, etwa um 5 Uhr, bereits den Eintritt des Fiebers beobachten können. Seltener kommt es vor, dass sich der Anfall in der dem Operationstage folgenden Nacht, jedenfalls aber innerhalb der ersten 24 Stunden post operationem, abspielt. Niemals sehen wir einen Fieberanfall in unmittelbarem Anschluss an die Operation eintreten. Dagegen entwickeln sich die Krankheitserscheinungen bei Einklemmung von Steinfragmenten sofort zu ihrer Höhe. Patient auf Nr. 6, vorgestern operirt, stand gestern um 7 Uhr früh auf, um zu uriniren. Plötzlich verspürte er heftigen Schmerz in der Gegend des Blasenhalses, es gieng etwas Blut ab und unter schmerzhaftem Drängen und Pressen wurde ein erbsengrosses scharfkantiges Steinfragment ausgestossen. Zwei Stunden später fanden wir den Mann bei der Visite schweisstriefend, also bereits im Stadium des eben überstandenen Fieberanfalles.

Ich habe derartige Beobachtungen zu häufig gemacht, als dass ich auch nur im geringsten über den Zusammenhang von Ursache und Wirkung im Zweifel sein könnte. Der Grund, weshalb der Fieberanfall nach der Lithotripsie erst mehrere Stunden später, nach der Einklemmung eines Fragmentes aber fast sofort einsetzt, mag darin liegen, dass bei der ersteren — wofern methodisch vorgegangen wurde — die Verletzungen der Harnröhre und Blase nur verhältnismässig gering sind. Wird dagegen ein Fragment plötzlich ausgestossen, so erfolgt die allerdings umschriebene Verletzung durch die Gewalt des Harnstrahles, welcher beim Ausströmen durch den Fremdkörper zurückgehalten wird, in äusserst roher Weise. Die Harnröhre wird auf diese Weise zugleich lädirt und in Spannung versetzt, und die Bedingungen für die Resorption von der verletzten Stelle aus sind so günstige, dass der Fieberanfall der Verletzung unmittelbar nachfolgt.

Aus diesen Thatsachen, wie aus denjenigen, welche sich aus dem genauen Studium des Kranheitsverlaufes nach der Urethrotomie ergeben, lässt sich ersehen, dass Verletzungen der Harnröhre bei der Entstehung des Fiebers eine grosse Rolle spielen. Gerade darum, weil die Urethra besonders leicht „in Tension“ versetzt werden kann, geht der Urin dort leichter in die Blutbahn über, und weil dieser Uebergang obendrein auch noch „reichlich“ erfolgt, tritt die Wirkung so rasch und vollständig ein. Unter solchen Verhältnissen ist zweifellos die Menge der schädlichen Substanz, welche resorbirt wird, bedeutend. Der Druck ist stark und der Weg in die Blutbahn durch die Verletzung der Vacuolen der pars cavernosa urethrae weit eröffnet. Man begreift also sowohl die Heftigkeit dieser Anfälle als auch die Raschheit, mit der sie auftreten.

Bei Ausführung der inneren Urethrotomie weichen die Harnröhrenwände wohl dem Drucke des Harnstrahls, sind aber nicht genügend geschmeidig. Forscht man sorgfältig nach, so erfährt man dann thatsächlich von den Kranken, dass die Harnentleerung vor Eintritt des Fiebers schmerzhaft war, und oft mit Blutung einhergieng. Trotzdem nun die Harnröhre sowohl im physiologischen, als pathologischen Zustande verdächtige, wenn nicht gefährliche Keime beherbergt, so bleiben deren Verletzungen dennoch so lange ohne üble Folgen, bis ein Strahl inficirten Harnes unter ganz besonderen Bedingungen als Infectionsträger fungirt.

Nur so begreifen wir, dass sich Prostatiker jahrelang ungestraft mit mangelhaft desinficirten Instrumenten katheterisiren können. Desgleichen erzeugen auch die ärgsten fausses routes keine Fiebererhebungen, solange vollständige Retention besteht.

Wir sehen also, dass sowohl bei der Urethrotomie, als auch bei der alten Melhode der Lithotripsie die Fieberanfälle vom Trauma ausgelöst werden. Treten diese Anfälle in jenen Fällen öfter und später auf, in welchen die Operationswunde die einzige Ursache bildet, wie bei der früheren Methode, bei welcher die Sitzung am Morgen und der Fieberanfall am Nachmittag stattfand, so beruht dies offenbar darauf, dass die Blase nur leicht verletzt, erst nach und nach und in kleinen Mengen resorbirt und dass auch die Resorption in der Harnröhre nur gering ist, weil kleine Fragmente, ohne Stauung zu erzeugen, durchtreten können.

Solange wir nichts dazu thaten, um die Anfälle nach der Steinzertrümmerung zu verhindern, waren sie ziemlich häufig; sobald wir aber den Verweilkatheter zu Hilfe nahmen und auch nach der Urethrotomie die Wunde auf diese Weise vor Reizung schützten, wurden sie seltener.

Die Resultate der inneren Urethrotomie wurden alsbald besser und die Anfälle seltener, seitdem wir die urethralen Wunden durch Anwendung des Verweilkatheters entsprechend schützten.

Allein wir haben gerade gesehen, dass die grössten Verletzungen der Blase verhältnismässig geringe Reaction hervorrufen. Dagegen müssen wir uns das Eine vor Augen halten, dass nach einer übermässig lange dauernden und besonders nach einer mühsamen Operation die Widerstandskraft des Organismus herabgesetzt ist.

Zum Eintritt der Infection ist also zweierlei erforderlich: Es müssen einerseits genügend zahlreiche und wirksame Infectionsträger vorhanden sein, d. h. die Menge und Virulenz des Infectionsstoffes muss hinreichen. Anderseits muss aber der Organismus, der sonst über genügende Kampfmittel verfügt, geschwächt oder geschwächt worden sein.

Die Dauer der Operationen kann eine derartige Wirkung haben, doch müssen wir hauptsächlich die Intensität des Traumas fürchten. Wir erkennen also an, dass die „Fehler der Chirurgen“ in Rechnung kommen.

Welchen grossen Einfluss die Dauer der Operation ausübt, darüber gibt die moderne Lithotripsie die besten Aufschlüsse.

Bekanntlich hat Bigelow die Technik dieser Operation dermaassen umgestaltet, dass die vollständige Zertrümmerung des Steines und sofortige Entfernung der Steintrümmer in einer Sitzung vorgenommen wird. Der Operateur ist daher gezwungen, sich mit dem Uebel der langen Dauer des Eingriffes abzufinden. Wie verhält sich nun dem gegenüber das Fieber?

Es sei mir gestattet, Ihnen zum besseren Vergleiche die Resultate meiner in vorantiseptischer Zeit operirten Fälle anzuführen. Die erste Serie wurde von meinem Schüler Desnos[1]) publicirt und ergab 10% Fieber (26mal unter 226 Fällen). Eine zweite Serie liess ich von Kirmisson[2]) veröffentlichen. Da war bereits der Procentsatz auf 5,7 gefallen. (4mal in 70 Fällen.) Vergleiche ich mit diesen Resultaten jene, welche seinerzeit mein Schüler Henriet in seiner Dissertation mitgetheilt hat, als ich noch die Lithotripsie in kurzen und wiederholten Sitzungen vornahm und die Trümmer in der Blase liess, da betrug die Anzahl der fieberhaft verlaufenden Fälle 33% (24 auf 73)! Es ist leicht einzusehen, dass der Abfall des Fieberprocentes von 33 auf 10 nur darauf beruht, dass an Stelle wiederholter Eingriffe ein einziger trat, und dass die argen Verletzungen durch die abgehenden Steintrümmer grösstentheils hinweg fielen. Das wird noch deutlicher durch die letzte Serie, bei welcher an der Operationstechnik nichts geändert war und trotzdem das Fieberprocent auf 5,7 fiel. Der ganze Unterschied war der, dass ich mittlerweile eine grössere manuelle Geschicklichkeit erworben hatte, dass ich die Zertrümmerung besser vornahm und dass mir die Evacuation der Blase vollständiger gelang. Die einzige Erklärung für diese Verbesserung des Operationsresultates liegt in der Einschränkung des Traumas und besonders jenes Traumas, welches durch die passirenden Fragmente erzeugt wurde. Die vollständige Zertrümmerung des Steines in einer Sitzung war ja bereits vor Bigelow unternommen worden, aber mit dem denkbar ungünstigsten Resultat; man hatte ja die Fragmente immer in der Blase zurückgelassen, was eben in der vorantiseptischen Zeit schwere Folgen nach sich zog. Und so konnte sich die Methode Civiale's so lange Jahre allseitiger Anerkennung erfreuen, denn ihre kurzen Sitzungen mit geringer Fragmentbildung setzten nur geringe Verletzungen, besonders unter den Händen dieses vorzüglichen Operateurs.

Wir sehen also, dass die Art und Weise, in welcher die Instrumente gehandhabt werden, der modus faciendi, das Auftreten von Fieber nach Blasenoperationen ausserordentlich beeinflusst. Allerdings bieten die grösste Sorgfalt und Geschicklichkeit in der Ausführung der Eingriffe noch immer nicht die volle Garantie für den Verlauf des Falles. Es kommen ja auch noch andere maassgebende Factoren, die grössere oder geringere Virulenz des Harnes, Veränderungen der Organe und ihrer Function u. ä. in's Spiel.

---

[1]) Desnos, Étude sur la lithotritie à séances prolongées. Th. Paris 1882.

[2]) Kirmisson, Des modifications modernes de la lithotritie. Th. Paris 1883.

Unter sonst gleichen Verhältnissen, und das Vorhandensein von infectiösem Urin stets vorausgesetzt, werden sich Verletzungen der Blase und der Harnröhre verschieden verhalten. Der Umstand, dass sich Urin in einem resorptionsfähigen Hohlraum befinde oder denselben durchfliesse, genügt noch nicht, um unter allen Umständen Fieber auszulösen, auch dann nicht einmal, wenn das Schleimhaut-Epithel lädirt ist, wie wir dies soeben bei der Harnröhre gesehen haben. Das Eindringen des Urins muss, wie gesagt, „unter hohem Druck“ erfolgen, und so sehen wir auch gewöhnlich trotz häufiger Urinentleerung, trotzdem der mikrobische Harn fortwährend mit der verletzten Wandung in Contact kommt, noch kein Fieber auftreten. Ja selbst die gewöhnliche Stagnation des Urines in der Harnröhre bei Stricturen reicht dazu nicht aus. Nichtsdestoweniger resorbirt die Harnröhrenschleimhaut selbst im physiologischen Zustande sehr kräftig.

Fassen wir die Bedeutung der Localisation des Traumas näher ins Auge, so lehrt uns die Erfahrung, dass das Harnfieber weit häufiger nach Verletzungen der Harnröhre, als nach Blasenverletzung eintritt, trotzdem im letzteren Falle das Harngift mit der verletzten Stelle länger im Contact bleiben kann.

Alle unsere Operationen in der Blase, die Abtragung von Geschwülsten, mit oder ohne Resection der Blasenwand, Incision und Cauterisation u. a. pflegen sämmtlich fieberlos zu verlaufen. Das kann aber nicht bloss durch die Antisepsis erreicht worden sein, denn wir haben ja meist in inficirten Geweben zu operiren und durch die Operation ändert der inficirte Harn seine Beschaffenheit durchaus nicht.

Sicherlich spielen die Intensität und wiederholte Einwirkung des Traumas beim Entstehen des Fiebers eine besondere Rolle; gewiss ist die resorbirende Fläche umso grösser, je zahlreicher und tiefer die Verletzungen gewesen sind.

Eine der schwierigsten Aufgaben der Chirurgie der Harnwege ist die Vorhersage der möglichen Ausgänge des Eingriffes. Nur die gewissenhafteste klinische Untersuchung, verbunden mit der Harnanalyse, die nach den (im ersten Bande) erörterten Principien vorgenommen werden soll, vermag uns zu leiten und nur so werden wir die Indicationen und Contraindicationen gegen einander genau abwägen und unser Verhalten darnach einrichten können.

Aber noch andere Factoren müssen zur Beurtheilung des Falles herangezogen werden. Wir kennen die Rolle des Traumas bei der Erzeugung des Fieberanfalles, den Einfluss von Sitz und Grad der Verletzung, allein wir sind nicht imstande zu sagen, warum die Schwere der Anfälle der Intensität der Verletzung mitunter nicht entspricht, noch unter welchen Voraussetzungen die Temperaturerhebungen ephemer oder andauernd, habituell oder selten auftreten.

Wir kennen den Antheil, welchen die Harnröhre an diesen Zuständen hat; der Antheil der Blase ist aber noch nicht hinlänglich bekannt und von jenem, welcher der Niere zukommt, wissen wir so viel wie gar nichts. Daher wollen wir uns zunächst damit befassen, festzustellen, welche Rolle die Niere bei der Harninfection spielt, und wir werden sehen, dass bei ihr, wie bei der Blase, nicht einzig und allein das Trauma in Betracht kommt.

Wenn also die Verhältnisse, welche wir in dem Vorhergehenden erörtert haben, uns auch noch nicht gestatten, alle Probleme des Infections-Mechanismus, klarzustellen, so dienen sie doch als Richtschnur für die Praxis. Die Harnröhre schonen und schützen, die Blase entleeren und reinigen, das ist die Vorschrift, welche aus ihnen entspringt, einfach und wichtig zugleich.

# Einundzwanzigste Vorlesung.

## III. Fieber und Nierenlaesion. — Parallele der verschiedenen Typen des Harnfiebers mit dem Fieber der Nephritiden und jenem der Infection.

Aseptisch verlaufende Affectionen der Niere. — Tumoren, Verletzungen, Steine. — Nierenkoliken, Retention und Congestion. — Septische Nierenaffectionen. — Acute und chronische „medicinische“ Nephritis. — Nierenentzündung der Harnkranken, aufsteigende, absteigende, suppurative Form, renale Harnverhaltung. — Malaria, Septicaemie, Pyaemie. — Verlauf und Folgen der Anfälle von Harnfieber. — Specielle Natur des Harngiftes. — Antheil der Niere an der Erzeugung des Fiebers.

Lange Zeit hindurch war die Theorie vom ausschliesslich renalen Ursprung des Harnfiebers allgemein anerkannt. Man hielt das Harnfieber stets für die Aeusserung einer Erkrankung der Niere, und diese allein sollte imstande sein, die typischen Formen des Harnfiebers auszulösen.

Die klinischen Beobachtungen, namentlich an Fällen der acuten Form, waren nicht geeignet, dieser Theorie als Stütze zu dienen, und schon im Jahre 1881 war ich der Ansicht von dem exclusiv renalen Ursprunge des Harnfiebers entgegengetreten. Das Harnfieber, namentlich aber der acute Typus desselben, erschien mir am ehesten dem Fieber acuter Infectionskrankheiten vergleichbar, und so gelangte ich zu der Annahme, dass, trotz der unleugbaren Bedeutung der Nierenerkrankungen für die Production des Fiebers, dennoch in erster Reihe der Harnintoxication Rechnung zu tragen sei, dass es ohne Intoxication kein Fieber gebe.

So lange die wahre Natur des Harngiftes verkannt wurde, konnte die Discussion zu keinem gedeihlichen Ende kommen. Nunmehr aber wissen wir, dass das Harnfieber eine Folge der Infection des Blutes ist. Folgerichtig kann die locale Infection eines einzelnen Organes, und wäre es selbst die Niere, derartige allgemeine Erscheinungen nicht erklären. Dennoch verdienen die Veränderungen der Niere unsere volle Berücksichtigung, und es wäre vollkommen verfehlt, wollte man annehmen, dass sie ganz ohne Bedeutung seien und dass man mit ihnen nicht zu rechnen brauche. Sie spielen vielmehr, sowohl bei der Entstehung als bei dem weiteren Verlaufe des Fiebers, eine grosse Rolle, welcher wir Rechnung tragen müssen.

Die Frage nach dem Zusammenhange zwischen Harnfieber und Nierenaffection ist also, wenn auch in anderer Form als früher, noch immer actuell, und es handelt sich uns in erster Linie um die Feststellung, ob der Niere selbst eine thermogene Kraft eigen sei. Klinische und experimentelle Erfahrungen lassen uns über diesen Punkt nicht im Unklaren.

Aseptisch verlaufende Affectionen der Niere gehen ohne Fieber einher; für Contusionen, Rupturen und selbst Neoplasmen wird uns diese Thatsache nicht überraschen. Bleibt der Katheterismus oder eine andere Gelegenheitsursache für die Infection aus dem Spiele, so verlaufen die schwersten Verletzungen der Niere, die voluminösesten Geschwulstbildungen an diesem Organe, völlig apyretisch.

Es hat allerdings den Anschein, als ob die Reizung durch kleine Steine, jene kleinen Traumen, welche durch die Bewegung oder Erschütterung der letzteren hervorgerufen werden und die sich durch Blutungen manifestiren, die heftigen localen Schmerzen, welche sie mitunter auslösen, die Nierenkoliken und besonders die renalen Harnverhaltungen eine andere Wirkung hätten. Wir wissen jedoch, dass trotz der heftigsten Schmerzen, mögen sie noch so oft auftreten und noch so lange andauern, trotz der deutlichsten intrarenalen Drucksteigerung kein Fieber eintritt, wenn keine Infection vorhanden ist. Man kann also nicht zugeben, dass die Niere an und für sich die Fähigkeit besitze, Fieber zu erzeugen. In demselben Sinne lassen sich die Erfahrungen über Nierencongestion verwerten, trotzdem die Anhänger der renalen Theorie gerade diese stets als Beweismittel angeführt haben.

Die Stauungsniere bei Herzkrankheiten kann uns als Typus der Nierencongestion dienen. Overbeck hat durch Unterbindung der Nierenvenen eine Stase in den Glomerulis erzeugt, welche jener bei Stauungsniere analog ist. In beiden Fällen verläuft diese Congestion ohne Fieber. Allerdings beschreiben die Pathologen eine acute Congestion mit fieberhaftem Verlaufe, allein die vorgebliche Nierencongestion ist gewiss nichts anderes, als eine acute Nephritis infectiöser Natur mit besonders ausgeprägten congestiven Erscheinungen. Ich habe in meinen in Gemeinschaft mit Albarran angestellten Versuchen über die Pathologie der Harnverhaltung (Bd. I.) die Nierencogestion niemals als fieberhaften Process verlaufen gesehen. Die Nierencongestion war beiderseitig überaus heftig, unter ähnlichen Verhältnissen erzeugt unter welchen wir sie bei den Harnkranken auftreten sehen, das Volumen der Niere war vergrössert, das Nierenparenchym entsprechend verändert — trotzdem haben wir niemals Temperaturerhebungen beobachtet, solange der

Harn aseptisch blieb. Der Schluss ist somit gestattet, dass die Nierencongestion an und für sich kein fieberhafter Process ist.

Dagegen können septische Nierenkrankheiten mit Fieber einhergehen. Ihr Verlauf wird uns vielleicht noch deutlicher als jener der aseptischen Erkrankungen beweisen, dass der Niere selbst keinerlei specifische thermogene Kraft innewohnt. Wenn man die Symptomatologie der primären Nierenentzündungen näher betrachtet, die ohne jede Erkrankung der untern Harnwege zu verlaufen pflegen, so wird man sehen, dass bei ihnen das Fieber die kleinste Rolle spielt.

Der reinste Typus einer acuten Nierenentzündung ist die „Erkältungs"-Nephritis. Ist sie intensiv, so setzt sie mit starken Schüttelfrösten und hohem Fieber ein. Dieses initiale Fieber fehlt mitunter, oder Schüttelfrost und Fieber sind nur geringfügig. Ebenso verhält sich die Scharlachnephritis, die mit Recht als die intensivste Form der toxisch-infectiösen Nierenentzündungen bezeichnet wird. Es ist bemerkenswert, dass die im Verlaufe von Diphteritis, Parotitis, Erysipel und Pneumonie auftretende Nephritis fast symptomlos zu verlaufen pflegt; fast stets ist die Ausscheidung von Eiweiss die einzig nachweisbare Krankheitserscheinung.[1])

Man darf wohl annehmen, dass die Fiebererhebung, mit welcher gewisse Formen primärer Nephritis zu beginnen pflegen, eine Folge der Infection, nicht der Veränderungen in der Niere ist, und selbst bei der Erkältungs-Nephritis spielt das infectiöse Element auch eine Rolle. Jedenfalls beobachten wir in den intensiven Formen der Nephritis, wie beispielsweise bei Scharlachnephritis, dass die primär fieberhafte Krankheit nach einiger Zeit in ein reactionsloses Stadium übergeht, trotzdem der locale Process im Zunehmen begriffen ist und zu Sclerosirung und Degeneration des Nierenparenchyms führt.

Bei chronischer Nephritis ist das Fieber zweifellos nicht durch die renale Läsion bedingt; es handelt sich vielmehr in derartigen Fällen um eine secundäre Infection der Niere, noch häufiger aber um eine viscerale Infection (Pleuritis, Bronchopneumonie), oder um eine oberflächliche Infection, die sich auf der ödematösen oder fissurirten Haut, oder im Unterhautzellgewebe etablirt hat und dergestalt eine Complication bildet. Wenn also bei einer chronischen Nephritis Fieber auftritt, so heisst die klinische Regel: nach einer infectiösen Complication suchen. Wenn wir bedenken, dass der Morbus Brightii meist von allem Anfange an chronisch verläuft,[2]) und dass man unter diesem Schlagworte die Gesammtheit aller subacuten und chronischen Nieren-

[1]) Dieulafoy, loc. cit. p. 21.

[2]) Dieulafoy, loc. cit. p. 50.

entzündungen versteht, welche in der internen Medicin beobachtet werden, so muss man anerkennen, dass das Fieber dabei die kleinste Rolle spielt.

Kommt das Fieber im Initialstadium schwerer Fälle zur Beobachtung, so zeigt es in seiner Erscheinungsform grosse Aehnlichkeit mit dem acuten Harnfieber der zweiten Art. Ein einziger, oft schwerer Schüttelfrost eröffnet die Scene (Rayer), die Temperatur kann auf 39,5°, 40°, ja selbst 40,5° (Wunderlich) ansteigen. Der Puls ist frequent, klein; die Haut anfangs trocken, später mit profusem Schweiss bedeckt. Es besteht Nausea, Erbrechen, die Zunge wird trocken, später fuliginös, mit einem Wort derselbe Symptomcomplex wie in unsern Fällen.

Was aber in allen diesen Formen der Nierenentzündung in den Vordergrund tritt, so wie sich der Zustand verschlimmert, das sind die schweren Symptome von Uraemie.

In wenigen Tagen oder Wochen entrollt sich das ganze Krankheitsbild, ohne dass dabei eine Temperatursteigerung bemerkt würde.

Allerdings habe ich bereits bei der Besprechung der Uraemie darauf aufmerksam gemacht, dass diese letztere mitunter fieberhaft verlaufen kann und dass der Grund des Fiebers gerade wieder in der Uraemie selbst gelegen ist. Nicht Nierenläsionen erzeugen Hyperthermie, sondern im Urin selbst sind, nach Lépine[1]), u. zw. schon normaler Weise, gewisse Substanzen enthalten, welche, wenn sie überwiegen, Hyperthermie erzeugen können. Allein diese Fieberbewegungen sind bei ihrem seltenen Vorkommen von so untergeordneter Bedeutung, dass im allgemeinen die Thatsache des apyretischen Verlaufes der Uraemie hierdurch keine wesentliche Einschränkung erfährt.

Nur bei acuter Nephritis ist gewöhnlich Fieber vorhanden, oft ist es nur gering und es fehlt regelmässig in den subacuten und chronischen Formen.

Trotzdem auch bei unseren Kranken die Nieren ausgebreitete und diffuse Veränderungen des Parenchyms zeigen können, trotzdem in vielen Fällen beide Nieren ergriffen sind, so sind dennoch Erscheinungen von Intoxication, d. h. Uraemie, relativ selten.

Die „chirurgische" Niere bleibt übrigens functionstüchtiger als die „medicinische" und die Veränderungen, welche zu deren Insufficienz führen, etabliren sich erst nach längerem Bestehen der Erkrankung. Intoxicationserscheinungen treten erst bei lang dauernden Entzündungen, u. zw. meist in der Form von Verdauungsstörungen, auf.

Wenn auch eine bei Erkrankungen der Harnorgane secundär ergriffene Niere ihrer Aufgabe, die toxischen Substanzen auszuscheiden,

---

[1]) Lépine, Sur une auto-intoxication d'origine rénale avec élévation de la température et dyspnée. Rev. de méd. 1889. p, 154.

immerhin noch gerecht wird, so gilt dies nicht in gleichem Maasse für die Producte der Infection. Gerade Kranke, deren Harnorgane vorgeschrittene anatomische Veränderungen aufweisen, deren Leiden also schon lange besteht, fiebern leicht, auch ohne chirurgische Eingriffe. Bei ihnen kann, wie wir sahen, das Fieber spontan eintreten, lang andauern und einen ernsten Verlauf nehmen. Sie reagiren auch auf die kleinsten Gelegenheitsursachen mit den schwersten Folgezuständen.

Ihr Organismus hat infolge der Intoxication seine Widerstandskraft eingebüsst, und da auch die Ausscheidung der Infectionsstoffe durch die kranken Nieren nur unvollkommen von statten geht, so wird selbst eine geringfügige Resorption durch die Blasenschleimhaut schwere Erscheinungen hervorrufen. In solchen Fällen zeigt das Fieber den zweiten Typus der acuten oder die chronische Form, die entweder nur eine Zeit lang andauert, oder bis zum Tode anhält. Also auch bei unseren Kranken macht sich die Herabsetzung der Nierenfunction unangenehm bemerkbar und übt auf deren Schicksal einen bestimmenden Einfluss aus.

Als Resumé dieses Vergleiches ergibt sich die Thatsache, dass bei der primären Nephritis die Nierenfunction öfter und rascher beeinträchtigt wird, als bei der „chirurgischen" Nephritis. Auch der Verlauf der beiden zeigt auffallende Unterschiede.

Beide Kategorien von Nierenentzündungen sind wohl durch Infection bedingt, allein bei der medicinischen Form hat die Infection ihre Rolle bereits ausgespielt, sobald sie den Entzündungsprocess hervorgerufen hat; alle weiteren Veränderungen gehen nunmehr selbständig, ohne fernere Intervention infectiöser Processe, vor sich.

Bei Harnkranken dagegen wird die Nierenerkrankung durch neuerliche Infection fortwährend, sei es auf dem Wege des Ureters oder auf dem Wege der Blutbahn von neuem angefacht. Ein Fieberanfall folgt auf den anderen, und die Veränderungen der Niere greifen immer tiefer. Dagegen können die Nieren von Harnkranken ihrer Function wieder genüge leisten, selbst wenn sie ernstlich ergriffen worden sind, wofern man nur die Ursache der Infection ausschaltet und neuerliche Infection verhindert.

Es lässt sich schwer annehmen, dass diese Verschiedenheit im Verlaufe der beiden genannten Kategorien von Nephritis bloss auf dem verschiedenen Infectionsmechanismus beruhen solle. Freilich bestehen grosse Unterschiede zwischen der aufsteigenden Infection, welcher ja unsere Kranken besonders ausgesetzt sind und der absteigenden, der einzigen, die bei der primären Nephritis möglich ist. Allein auch die Harnkranken müssen mit der absteigenden Infection rechnen. Es drängt sich uns daher die Anschauung auf, dass das toxische Agens der Harninfection besondere Eigenschaften besitzen müsse. Für diese Annahme sprechen gewisse klinische Beobachtungen, auf welche wir noch näher einzugehen haben werden. Vorher wollen wir aber unsere Enquête, über den Einfluss septischer Nierenerkrankungen auf die Erzeugung des Fiebers, zu Ende führen.

Man wundert sich immer, bei der Beobachtung eines grossen klinischen Materiales, wie es das unsere ist, zu sehen, dass infectiöse Erkrankungen der Niere ohne jede locale und allgemeine Symptome verlaufen.

Um nur das eine Symptom „Fieber“, mit dem wir uns eben beschäftigen, näher ins Auge zu fassen, so sehen wir, dass Pyelitis grösstentheils vollkommen fieberlos verläuft. Die Pyelitiker haben kein Fieber, selbst bei so copiöser Pyurie, dass wir sie gemeinhin als „Eiterpisser“ bezeichnen, und selbst wenn eine Polyurie mit trübem Harn tiefgehende Veränderungen der Niere erkennen lässt; ja der Allgemeinzustand kann dabei ein relativ günstiger sein. Freilich handelt es sich hier hauptsächlich um Eiterungen des Nierenbeckens und der unteren Harnwege.

Diese Immunität beobachtet man selbst dann noch, wenn die Erkrankung das Parenchym ergreift und an Intensität zunimmt. Es besteht selbst dann kein Fieber, wenn die eiternde Niere Retention aufweist. Dabei bemerke ich, dass der Eiter bei derartigen Pyonephrosen regelmässig pathogene Keime enthält; wir konnten dieselben immer nachweisen.

Damit eine erhöhte Temperatur zustande komme, scheint es also durchaus nicht zu genügen, dass die Niere mit Eiter erfüllt sei, es bedarf dazu noch einer rasch zustande kommenden Drucksteigerung innerhalb derselben.

Ich habe unlängst 26 kürzlich beobachtete einschlägige Fälle klinisch besprochen und wir fanden nur 13mal Fieber, mithin nur in der Hälfte der Fälle.[1])

Doch noch mehr: die tuberculöse Pyelitis verläuft ebenfalls apyretisch. In diesen Fällen kann, wie bei der nicht tuberculösen Form der Nierenbeckeneiterung, das Fieber nur unter dem Einflusse von Harnverhaltung oder acuten Nachschüben in Erscheinung treten. Unter diesen Umständen fungiren ein localer Eingriff, Erkältung, Excesse irgend welcher Art, als Gelegenheitsursachen.

Am klarsten erhellt die geringe Abhängigkeit des Harnfiebers von renalen Veränderungen aus den Thatsachen, die uns Albarran[2])

---

[1]) F. Guyon, Quelques remarques sur les pyonéphroses. Ann. gén. urin p. 9, 1895.

[2]) Albarran, Le rein des urinaires. Paris 1889.

in seiner Dissertation mitgetheilt hat. Ein Kranker stirbt 13 Stunden nach Vornahme der inneren Urethrotomie ohne Verweilkatheter, bei einer Temperatur von 41°. Das Bacterium pyogenes, die offenbare Todesursache, fand sich in Blase und Harnröhre in Reincultur vor, desgleichen im Blute und den Organen, allein es bestand keinerlei Nierenerkrankung. Derselbe Autor berichtet über 8 Fälle suppurativer Nephritis, die nach langem apyretischen Verlaufe letal endigten. Wir berufen uns also nicht bloss auf klinische, sondern auch auf pathologisch-anatomische Befunde, wenn wir den Satz vertreten, dass Erkrankungen der Niere, selbst der schwersten Art, ohne Fieber verlaufen können. Selbst begeisterte Anhänger der renalen Theorie müssen zugeben, dass es Fälle gibt, in denen unter schweren fieberhaften Anfällen der Tod eintritt, ohne dass an der Niere die geringste Veränderung nachweisbar wäre. Malherbe[1]) veröffentlicht zwei hierher gehörige Fälle und bemerkt im Anschlusse an dieselben: „Wir sagen also, dass die Niere fast immer krank ist, wenn nach längerem uraemischen Fieber der Tod eintritt.

Die Nieren wirken also niemals, auch nicht wenn sie septisch inficirt sind, specifisch fiebererregend. Diese septischen Processe können aber einerseits einen hohen Grad erreichen, ohne dass Fieber auftritt, anderseits kann Harnfieber letal ablaufen, ohne dass bei der Section, mit allen Hilfsmitteln der Technik, eine Veränderung an der Niere nachzuweisen wäre.

Mit Hilfe der renalen Theorie ist also die Entstehung des Harnfiebers keineswegs erklärt. Ueberdies habe ich aus klinischen Beobachtungen gelernt, dass wir den typischen acuten, solitären Fieberanfall bei Nephritis stets vermissen. Wenn auch in einzelnen Fällen die Niere zweifellos ergriffen war, so fehlt uns noch immer der Beweis dafür, dass sie jene sich immer wiederholenden intensiven aber kurzdauernden Fieberanfälle thatsächlich veranlasst hat. Das ist umsoweniger anzunehmen, als die Anfälle mit einem steilen Anstieg der Temperatur und einem ebenso raschen und vollständigen Temperaturabfall verlaufen.

Ich kenne aber keine viscerale Erkrankung, welche so brüsk auftritt, den Organismus so vollständig ergreift und denselben von heute auf morgen wieder im Stiche lässt, um völligem Wohlbefinden Platz zu machen.

Dagegen fanden wir den Fiebertypus, welcher unseren acuten Anfällen eigenthümlich ist und den wir bei der Nephritis vermissen, bei anderen krankhaften Zuständen wieder, Zuständen welche mit dem Harnapparate nichts zu schaffen haben. So kommen wir im Verlaufe klinischer Forschungen naturgemäss zur Annahme der „Infection.“

[1]) Malherbe, De la fièvre dans les maladies des voies urin. Paris 1872.

Fast unwillkürlich drängt sich dem Beobachter die Aehnlichkeit des Anfalles von Harnfieber mit dem Malariaanfalle auf. Die drei einander folgenden Stadien und das Verhalten der Temperatur sind in beiden Processen übereinstimmend. Sehen Sie sich die beiden Fiebercurven Fig. 19 und 20 an, und Sie werden die des Malariakranken von der unseres Patienten kaum unterscheiden können. Derselbe steile Anstieg bis über 41°, derselbe kritische Abfall nach kurzem Bestande des Fiebers Trotz der Analogien im Verlaufe ist das veranlassende toxische Moment in jedem Fall ein anderes; die Reaction des Organismus gegen das Gift äussert sich aber in analogen Erscheinungen.

Abgesehen von dem ähnlichen Verlaufe, finden wir doch zwischen dem Harnfieber und der Febris intermittens genügende Unterschiede.

**Malaria.**

**Temperaturaufnahme 3mal täglich.**

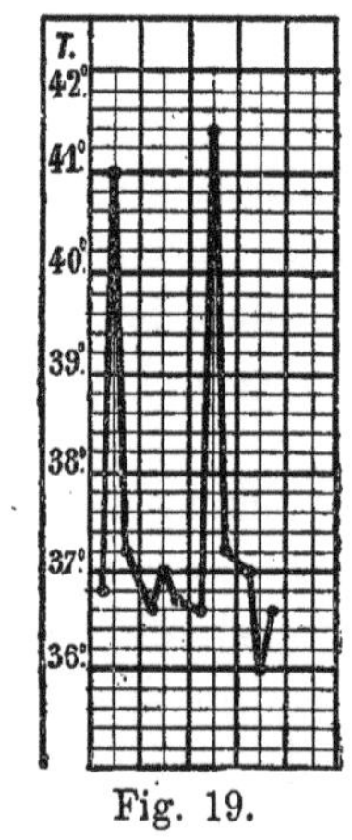


Fig. 19.

**Harnfieber, acute Form. 1. Typus.**

Innere Urethrotomie.

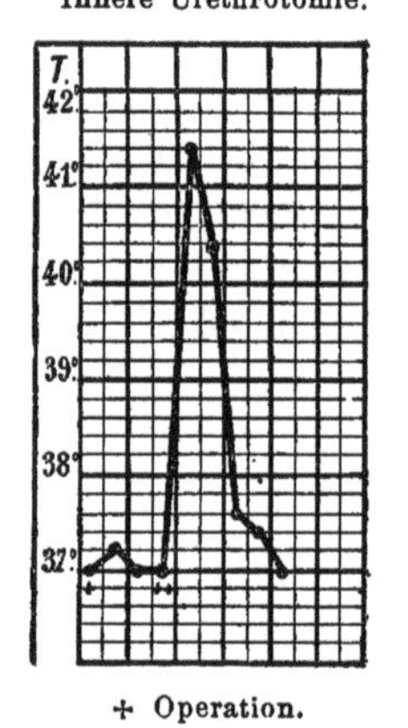


+ Operation.

++ Entfernung des Verw.-Katheters.

Fig. 20.

Der Malariaanfall lässt sich nicht willkürlich hervorrufen, wie der Harnfieberanfall, und dessen Eintritt nach der Vornahme von Operationen oder Traumen erfolgt unter ganz anderen Bedingungen. Wiederholen sich die Harnfieberanfälle, so geschieht dies nicht in fixen, regelmässigen, vorher bestimmbaren Intervallen, wie beim Wechselfieber.

Oft ist die Defervescenz zwischen den Anfällen eine unvollkommene.

Das toxische Agens erschöpft sich beim Harnfieber häufig genug in einem einzigen intensiven Anfall. Die Krankheit ist beendet und es bleibt im Blute vom Virus nichts zurück.

Dies gilt bekanntlich vom Malaria-Gifte nicht, vorausgesetzt dass dessen Wirkung nicht durch Chinin endgiltig aufgehoben wird, was allerdings selten genug der Fall ist und beim Harngift nicht einmal momentan erreicht werden kann.

Das Fieber bei Septicaemie und Pyaemie zeigt ebenfalls gewisse Analogien mit jenem der Harnkranken (Fig. 21). Vergleichen Sie, meine Herren, das Verhalten der Temperatur eines pyaemisch Erkrankten (Fig. 15) mit dem acuten Harnfieber der zweiten Art und Sie sehen hier wie dort intensive Anfälle, oft Tag für Tag, oft durch fieberfreie oder fast fieberfreie Intervalle getrennt. Auch hier finden wir multiple Schüttelfröste und eine gewisse Incongruenz in der Intensität der aufeinander folgenden Stadien des Fieberanfalles. Die Schweisse sind namentlich während der Nachtstunden profus, und auch in den anfallfreien Zeiten bemerkbar. Mit dem Fieber und den damit zusammenhängenden Erscheinungen ist aber auch die Analogie erschöpft. So vermissen wir bei Pyaemie jene Digestionsstörungen, die wir constant bei Harnfieber vorzufinden gewohnt sind; auf eine verschiedene Localisation

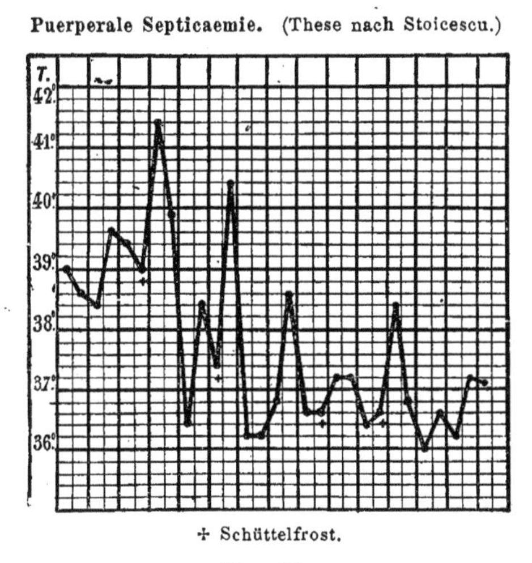


Fig. 21.

des Giftes deuten der Icterus, die Dyspnoe, die Lungensymptome hin, die wir im Verlaufe der Pyaemie beobachten. Auch wird das pyaemische Fieber nach mehr oder weniger zahlreichen Anfällen, und selbst nach dem Auftreten umschriebener Eiterherde, nicht plötzlich aufhören, wie dies bei unseren Kranken fast regelmässig der Fall ist.

Ich will mir weitere Parallelen ersparen und glaube Ihnen zur Genüge erwiesen zu haben, dass der Charakter des Harnfiebers thatsächlich mit dem der infectiösen Erkrankungen grosse Aehnlichkeit besitzt.

Allen Infectionskrankheiten, mögen sie auch in ihrem Verlaufe noch so grosse Verschiedenheiten aufweisen, ist das Fieber gemeinsam. Meist ist der mit einem Schüttelfrost einsetzende Fieberanfall die erste Erscheinung, welche von der Invasion des Blutes durch den Infectionsstoff Kenntnis gibt.

Das Fieber ist der Ausdruck für die Reaction des gesammten Organismus gegen das Eindringen schädlicher Keime, der Ausdruck des Kampfes, welchen der in seiner Vitalität schwer bedrohte, aber noch widerstandsfähige Körper zu führen hat.

Die fortwährende Erneuerung, oder unvollkommene Ausscheidung der toxischen Substanz wird für die Prognose der Harnvergiftung von grosser Bedeutung sein, und die verschiedene Absorptionskraft der einzelnen Abschnitte des Harnapparates wird hiebei eine wichtige Rolle spielen. Ehe ich jedoch diesen Punkt in's Auge fasse, möchte ich Ihnen aber von einer besonders interessanten klinischen Eigenthümlichkeit der Harnvergiftung Mittheilung machen.

Die zweite Form des acuten Harnfiebers zeigt thatsächlich alle klinischen Symptome des Fiebers, welches wir im Beginne und weiteren Verlaufe von suppurativen Processen zu beobachten pflegen. Und trotzdem ergibt sich aus den eingehendsten und wiederholten Beobachtungen, dass solche Eiterungen, die man gewöhnlich als metastatische Abscesse bezeichnet, gerade bei der Harnvergiftung zu den grössten Seltenheiten gehören. Zweifellos kommen ja, wie bereits früher erwähnt, unter Umständen bei den Harnkranken eitrige Metastasen in den Gelenken, den Muskeln oder im Zellgewebe vor. Allein das sind so überaus seltene Ausnahmen, dass sie die Regel nur noch bestätigen. Wir sehen an unserer Klinik tagtäglich Anfälle des acuten Harnfiebers und es verstreichen viele Monate, oft Jahre, ehe ich in der Lage bin, Ihnen derartige Resultate der Harnvergiftung zu demonstriren. Ueberdies ist es möglich, dass die seltenen Fälle urinöser Infection mit Metastasenbildung ihre Entstehung nicht der typischen Harnvergiftung, sondern deren Combination mit einem andern septischen Agens, d. h. einer Mischinfection verdanken. Jedenfalls können sich, selbst bei Individuen, welche in Folge von gewissen Zufällen eine Prädisposition zu Eiterungen haben sollten, wochenlang Fieberanfälle wiederholen, ohne dass sich Eiterherde bilden.

Die Temperaturtabelle (Taf. I, Fig. 22) zeigt die Fieberbewegungen eines Kranken, der am 27. November 1884 mit einem grossen, im Anschlusse an eine fausse route entstandenen Periurethralabscess aufgenommen worden war. Zunächst wurde der Abscess behandelt und hierauf am 26. December die innere Urethrotomie vorgenommen. Es gab vorerst keine anderen Fiebersymptome als eine acute Ephemera am Tage der Operation. Als aber am 8. Jänner die Dilatation begonnen und täglich fortgesetzt wurde, trat am 11. Fieber auf, welches fast continuirlich bis zum 24. Februar, d. h. 43 Tage anhielt.

Es handelte sich hier um eine neuerliche Infection durch die Harnröhre, welche auf dem Wege der Blutbahn Nephritis erzeugt hatte,

Tafel I zu Seite 88.

+ Geheilt entlassen.

+ Urethrotomie. ◡ Beginn der Dilatation. ○ Dilatation. — Exploration der Harnröhre.

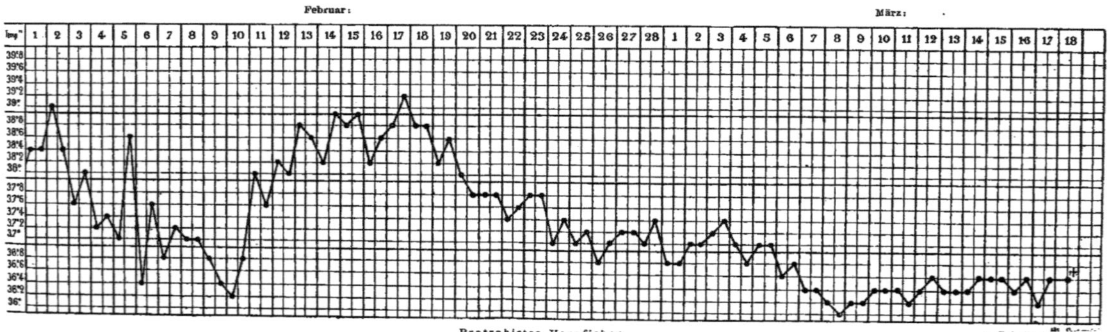

Februar: März:

Protrahirtes Harnfieber.

+ Geheilt entlassen.

Fig. 22.

nicht aber um eine neuerliche Abscessbildung, denn weder im alten Eiterherd, noch an irgend einer anderen Stelle war Eiterung nachzuweisen gewesen. Thatsächlich verliess der Kranke am 18. März das Spital geheilt.

Einen solchen Verlauf hätten wir bei Pyaemie wohl kaum beobachtet; nach 6wöchentlicher Dauer des Fiebers wäre wohl kaum mehr vollständige Heilung erfolgt.

Es ist also nicht zu bezweifeln, dass die Harnvergiftung aufhört, sobald die Ausscheidung des Giftes erfolgt ist und nicht mehr erneuert wird. Unter solchen Umständen ist die Erkrankung definitiv als abgeschlossen zu betrachten, selbst wenn die Niere Veränderungen aufweist und die Blase inficirt ist.

Die locale Infection schliesst ein vollkommen ungestörtes Allgemeinbefinden keineswegs aus, und dasselbe wird so lange erhalten bleiben können, als nicht durch eine neue Gelegenheitsursache das körperliche Gleichgewicht eine Störung erleidet. Die Fieberanfälle können sich — wie wir dies bei der nunmehr verlassenen Methode der Lithotripsie gesehen haben — vier-, fünf- oder sechsmal wiederholen, ohne dass darum der Zustand der Kranken bedenklich wäre.

Aus diesen Thatsachen scheint somit das Eine mit vollständiger Gewissheit hervorzugehen, dass dem Harngifte thatsächlich „ganz specifische Eigenschaften“ zukommen.

Dieses Gift äussert nur eine temporäre Wirkung, hinterlässt keine Spuren in den Geweben, wird lange Zeit hindurch ausgeschieden und kann unter gewöhnlichen Verhältnissen keine besonders grosse Virulenz besitzen.

Wir wissen heutzutage, dass der Hauptträger der Harninfection das Bacterium coli ist. Die Kenntnis seiner biologischen Eigenschaften und die seiner Stoffwechselproducte wird wohl noch manche klinische Streitfrage aufklären. Speciell die Einwirkung dieses Mikroorganismus auf die Gewebe und den gesammten Organismus bedarf noch eingehender Studien. Sie werden kaum etwas anderes zutage fördern, als was sonst stets bei methodischen und sachgemässen Forschungen in die Augen springt: den logischen Zusammenhang von Experiment und klinischer Beobachtung.

Für uns folgt aus den vorstehenden Betrachtungen die Thatsache, dass die Fieberanfälle, denen die Harnkranken unterworfen sind, keineswegs direct durch renale Veränderungen veranlasst sind; wir müssen die Ursache für dieselben vielmehr in einer Infection des ganzen Organismus auf dem Wege der Blutbahn suchen.

Stand die renale Theorie aber bereits mit den klinischen Erfahrungen in crassem Widerspruch, so wurde sie durch die Ergebnisse des Experimentes vollends aus dem Sattel gehoben.

Allein wenn auch die Erkrankung der Niere die Entstehung des Fiebers noch nicht bedingt, so darf die Thatsache doch nicht übersehen werden, dass sie dessen Auftreten in hohem Maasse begünstigt und geradezu bestimmend auf dessen Verlauf einwirkt.

Indem sie die Ausscheidung des Giftes beeinträchtigt, begünstigt sie die Ansammlung der „morbiden" resp. „letalen Dosis" und ist mit die Ursache, dass sich im gegebenen Augenblicke solche Mengen toxischer Keime im Blute vorfinden, dass der Organismus ihnen kampflos preisgegeben ist. Ueberdies producirt die inficirte Niere toxische Substanzen, welche in's Blut gelangen und die Niere der gesunden Seite zu inficiren vermögen. In diesem Sinne muss man der acuten Nephritis, mag sie auf- oder absteigend entstanden sein, eine gewisse Bedeutung für die Erzeugung des Fiebers zuschreiben. Wenn die Niere das Fieber auch nicht selbst hervorruft, so kommt ihr doch eine gewisse regulirende Rolle zu.

## Zweiundzwanzigste Vorlesung.

# Therapie des Harnfiebers.

A. Chirurgische Präventivbehandlung. Vor der Operation: Ruhe der Organe; Vorbereitung für den Contact der Instrumente. — Während der Operation: sanfte und kurz dauernde Handgriffe; methodische und präcise Führung der Instrumente; keine Gewaltanwendung; Anästhesie. — Nach der Operation: Erwärmung des Patienten, um Erkältungen zu vermeiden; die Harnentleerung muss entsprechend geregelt werden.

B. Interne Präventivbehandlung. — Behandlung des Verdauungstractes (Purgantien, salinische Mittel, Amara), der Haut (Frottiren, Bäder), des Urins (verdünnende Getränke, Benzoe- und Borsäure), des Nervensystems (Bromkalium, Opiate, protrahirte Bäder). — Wert des Chinins.

C. Interne curative Behandlung. — Diaphorese. — Entleerung. — Alkohol. — Chinin. — Coffein. — Revulsiva. — Inhalationen. — Milchdiät.

D. Chirurgische curative Behandlung. — Indicationen und Gegenindicationen für die Ausführung der Dilatation der Urethrotomie, des evacuatorischen Katheterismus, der Lithotripsie, des Steinschnittes. — Fieber und Operation.

Bei der Darstellung der Lehre von der Harnvergiftung war mein Bestreben hauptsächlich dahin gerichtet, die praktisch so wichtige Frage von den Ursachen des Harnfiebers und der Harnvergiftung klar zu legen, um danach unsere Therapie einrichten zu können.

Unsere Behandlung wird eine doppelte sein, eine vorbeugende und eine direct auf die Beseitigung der Erkrankung gerichtete und wird je nach den Mitteln, deren sie sich bedient, theils der innern Medicin, theils der Chirurgie angehören.

Chirurgische Präventivbehandlung. — Das Harnfieber kann ohne nachweisbare Veranlassung auftreten; meist aber wird es sich mit einem localen Eingriffe in directen Zusammenhang bringen lassen, und ein einfacher Katheterismus kann, genau so wie die schwerste Operation, besonders bei mangelhafter Antisepsis, oder bei bereits bestehender Infection, unmittelbar Erscheinungen von Harnvergiftung zur Folge haben.

Wir müssen somit alle unsere Manöver unter derartigen Cautelen vornehmen, dass wir nicht selbst Mikroben in den Harnapparat hineinbringen und dass wir sie verhindern, ihre Wirkung zu entfalten, wenn sie ungeachtet unsrer Vorkehrungen eingedrungen oder ohne unser Vorwissen im Harnapparate bereits vorhanden wären.

Jede Infection ist an die Gegenwart von Keimen geknüpft, allein zur Auslösung der Fieberanfälle bedarf es noch ganz besonderer Verhältnisse, welche mit dem Zustande der einzelnen Organe und jenem des Gesammtorganismus in engem Zusammenhange stehen. Der Mangel der Resistenz des letzteren, alte Laesionen oder jüngere Traumen der ersteren kommen ins Spiel und die Sorgfalt, mit welcher der Kranke für die Operation vorbereitet wird, die Art und Weise, wie man operirt, können infectiöse Zufälle hervorrufen oder verhüten, abschwächen oder steigern.

Ebenso wichtig wie die antiseptischen Vorkehrungen sind eine ganze Reihe anderer Vorsichtsmaassregeln, auf welche man vor, während und nach der Operation zu achten hat.

Vor der Operation. — Die Vorsichtsmaassregeln werden natürlich je nach dem Zwecke des Eingriffes verschieden sein; wir werden z. B. bei einer Strictur nicht so vorsichtig sein wie bei einem Stein, und bei der Untersuchung der Harnröhre nicht so peinlich und scrupulös vorgehen wie bei einer Blasenuntersuchung.

Im allgemeinen gilt die Regel, dass ein Organ, welches mit Instrumenten untersucht wird, ausgeruht haben soll.

Fast alle Männer fürchten sich vor dem Katheterismus; selten ist der Entschluss, sich vom Arzte untersuchen zu lassen, ein spontaner. Die Kranken geben gewöhnlich erst spät dem Drängen eines Freundes, oder des Hausarztes nach, fassen dann plötzlich den Entschluss und wollen aber dann auch so rasch als möglich über die unangenehme Untersuchung hinwegkommen.

Da wird es dann unsere Pflicht sein, einen Aufschub zu erlangen, den Kranken, der oft übermüdet und abgearbeitet bei uns erscheint, mitunter nach einer anstrengenden Reise vom Bahnhof direct zu uns fährt, und nach der Untersuchung sofort wieder in den Waggon steigen will, dessen Organe also ganz besonders impressionabel sind, zurück zu halten.

Nach kurzer Fragestellung werden wir die Entscheidung getroffen haben, ob es sich um eine Erkrankung der Harnröhre, der Prostata oder der Blase handelt. In dem ersteren Falle werden wir die Untersuchung sofort vornehmen können, wenn nicht zufällig eine specielle Impressionabilität oder ein verdächtiger Allgemeinzustand dagegen spricht. Muss aber die Blase entleert oder untersucht werden, so wird man oft genöthigt sein die Organe vorher ruhen zu lassen und dem Kranken ein bis zwei Tage Bettruhe, oder wenigstens Zimmerruhe, zu verordnen, ehe man zur Untersuchung schreitet. In solchen Fällen werden wir auch die Untersuchung nicht im Ordinationszimmer, sondern in der Wohnung des Patienten vornehmen.

Der Kranke wird sich gewiss nicht ohne Widerrede fügen, jedoch unserem dringenden Wunsche nachgeben, wenn wir ihm den Zweck dieser Maassregel, dass heisst die Vermeidung des consecutiven Fiebers klar gemacht haben.

Es genügt nicht immer, dass die Organe geruht haben; sie müssen oft für den Contact der Instrumente eigens vorbereitet werden. Namentlich vor Ausführung der Lithotripsie wird eine solche vorbereitende Cur angezeigt sein, und Civiale hat bereits auf diesen Umstand hingewiesen und hervorgehoben, dass es sich hiebei nicht bloss um die Erweiterung des Canals handelt, sondern dass die Schleimhaut desselben zur Toleranz gewissermaassen erzogen werden muss.

Civiale gieng dabei ausserordentlich zart zu Werke und führte im Beginne täglich eine dünne, geschmeidige, glatte Wachsbougie ein, die er unmittelbar darauf wieder entfernte. Bei besonderer Empfindlichkeit wurde die Sonde nicht tiefer als bis zu jenem Punkte eingeführt, an welchem der Kranke Schmerzen zu äussern begann, so dass man oft erst nach Verlauf von mehreren Tagen so weit gekommen war, die Sonde völlig bis in die Blase einzuführen. Civiale empfahl dabei, die Instrumente weder stossweise einzuführen. noch zu entfernen und nie liegen zu lassen. Er stieg auch mit dem Caliber der Bougies äusserst langsam bis zu jenem der normalen Harnröhre.

Die allgemeinen Vorschriften Civiale's über die Einführung der Bougies zu dem genannten Zwecke gelten thatsächlich für die Einführung eines jeden Instrumentes in die Harnröhre oder Blase, und ich führe sie deshalb an, trotzdem die Methode selbst bereits verlassen ist. Das Instrument, welches die Harnröhre passirt oder Excursionen in der Blase macht, soll dem Untersuchenden möglichst genau Tastempfindungen vermitteln und dem Kranken möglichst wenig Schmerz verursachen. Beiden Bedingungen wird man dadurch gerecht werden, dass man jede, auch die geringste Gewaltanwendung vermeidet.

So darf man eine Harnröhrenstrictur niemals mit einem Instrumente passiren wollen, welches unter harter Reibung der Wände und nur durch starkem Druck eindringt.

In der Blase darf weder die Sonde noch der Lithotriptor Contractionen auslösen; man muss dagegen sofort in seiner Bewegung einhalten und das Instrument eventuell entfernen, wenn diese Contraction heftig wird.

Ganz ohne mechanische Reizung lassen sich ja Instrumente nicht handhaben; allein dieser Reiz muss auf sein Minimum reducirt werden. Um das richtige Maass der Reizung kennen zu lernen, die vertragen wird, muss man in jedem Falle der individuellen Schmerzempfindlichkeit und dem Widerstande, den die Harnröhre dem eindringenden Instrumente entgegensetzt, Rechnung tragen.

Der Widerstand kann ein activer, durch Muskelkrampf bedingter, oder, wie bei Strictur, ein passiver sein. Die Schmerzempfindung kann in einer individuell gesteigerten Empfindlichkeit begründet sein, die Resistenz dagegen ist stets der Ausdruck für eine objectiv vorhandene Erschwerung des operativen Vorgehens. Es wäre gefehlt, die Hindernisse mit Gewalt überwinden zu wollen; man muss sie zu umgehen wissen, oder ihnen durch Geduld und Delicatesse in der Führung der Instrumente beikommen.

Natürlich gibt es gewisse Operationen, wie die Urethrotomie und die Divulsion einer Strictur, welche sich ohne eine gewisse Kraftanwendung nicht ausführen lassen, doch sind diese Eingriffe nicht explorativer Natur. Das Messer des Urethrotoms, das Instrument zur gewaltsamen Sprengung, muss mit einer entsprechenden Intensität gehandhabt werden, und es ist oft unvermeidlich, dass diese Eingriffe Fieber im Gefolge haben.

Allein gewaltsame Eingriffe, wie wir sie unter dem Schutze eines Conductors in der Harnröhre ungestraft vornehmen können, lassen sich in der Blase niemals ohne die grösste Gefahr ausführen; wir dürfen die Blase weder brüsk entleeren, noch durch eine zu rasche und zu reichliche Injection unzart ausdehnen.

Die Empfindung, welche das Instrument der führenden Hand vermittelt, die Art, in welcher der Kranke die Berührung der Instrumente in jedem Momente empfindet, setzen unserem Vorgehen ein deutliches Maass und Ziel. Das Instrument sagt uns selbst, wie weit wir straflos gehen dürfen, doch muss man dessen Sprache auch verstehen. Je weiter man vorgeht, umso eher wird man die tactilen Eindrücke verstehen lernen. Vor allem muss man mit Geduld gewappnet sein, und nur in der sanften Führung liegt das Geheimnis des oft fast unerreichbar erscheinenden Erfolges.

Man muss nöthigenfalls jede Eitelkeit bei Seite lassen und selbst einen bereits begonnenen operativen Eingriff abbrechen, wenn sich dessen Ausführung Schwierigkeiten entgegenstellen sollten. Ein solches Vorgehen kann dem Chirurgen nur als ehrendes Zeugnis dienen, der es vorzieht, nicht aus Furcht, sondern im vollen Bewusstsein der Sachlage, einen Eingriff als unausführbar aufzugeben, um den Kranken keinen unnöthigen Gefahren auszusetzen.

Da die grösste Klippe der Harnchirurgie das Harnfieber ist und dessen Vermeidung zugleich die Vermeidung der Harnvergiftung bedeutet, so schien es mir natürlich, bei dieser Gelegenheit die Principien der nothwendigen Prophylaxe der Besprechung zu unterziehen.

Diese Principien lassen sich in zwei Schlagworte zusammenfassen: peinlichste Sauberkeit und scrupulöseste Sorgfalt. Damit kann man gute Chirurgie treiben.

Heutzutage ist die Nothwendigkeit, die Harnröhre für einen Eingriff in die Blase erst entsprechend vorzubereiten, nicht mehr so gross als in der vorantiseptischen Zeit, und ich für meinen Theil bringe sie nur mehr bei impressionablen, ganz besonders empfindlichen Kranken zur Anwendung. Dennoch ist sie unter Umständen wichtig, ja unerlässlich.

Die Blase der Steinkranken ist, in Folge der Excursionen des Steines mechanischen Schädigungen im hohen Grade ausgesetzt, und es wird unsere Aufgabe sein, dieselben auf ein geringes Maass zu reduciren. Das erreichen wir durch Ruhe, Einschränkung der Spaziergänge etc.

Die Blase durch Injectionen toleranter zu machen, hiesse unter diesen Umständen einen Fehler begehen, denn die normale Blase verträgt wohl Einspritzungen, allein die erkrankte ist meist sehr empfindlich.

Wir werden daher vor allem eine bestehende Cystitis zu behandeln haben und zwar nicht nur um den Eintritt des Fiebers zu verhindern, sondern auch im Interesse einer Sondirung oder Operation.

Acute Cystitis ist eine Gegenindication für die Vornahme von Blasenwaschungen, man kann unter. solchen Umständen nur Instillationen vornehmen. Bloss in subacuten Fällen werden wir versuchen, den eitrigen Harn vor der Operation durch antiseptische Mittel nicht infectiös zu machen; der Erfolg wird hier weniger von der angewendeten Flüssigkeit, als von der Indicationsstellung abhängen. Ueberhaupt müssen wir unsere Hoffnung niemals auf ein bestimmtes Verfahren oder Medicament setzen, sondern auf die logisch begründete Gesammtidee der Behandlung.

Minder wichtig als bei intravesicalen Eingriffen erscheint die Präventivbehandlung, wie gesagt, wenn es sich um die Harnröhre handelt.

Dennoch gibt es Fälle, in denen man leicht Fieber erzeugen kann, wenn man eine Verengerung zu rasch passiren will; so bei besonderer Empfindlichkeit des Individuums, bei fieberhaften Zuständen, langer Dauer der Affection und Harnverhaltung.

Unter diesen Umständen werden Sie gut daran thun, den Kranken vor der Untersuchung Ruhe zu empfehlen, die Strictur bloss zu entriren, und die Sonde sofort wieder zu entfernen. Bei dieser Behandlung, besonders bei Combination derselben mit Instillationen von Lapislösung, werden Sie, selbst in den Fällen, die besonders prädisponirt sind, fieberhafte Reactionen vermeiden.

Während der Operation. — Es kann nicht meine Aufgabe sein, Ihnen hier die Regeln für die Ausführung der einzelnen Operationen in extenso anzuführen. Ich will mich hier nur darauf beschränken, jene allgemeinen Regeln zu erörtern, welche zur Vermeidung des Harnfiebers nicht ausser Acht gelassen werden dürfen.

Ich habe bereits erwähnt, dass jede Gewaltanwendung bei Eingriffen an den Harnorganen schädlich ist. Durch die vorbereitende Cur sind die Schleimhäute wohl an mechanische Eingriffe gewöhnt worden, allein es gibt diesbezüglich eine Grenze der Toleranz, welche sich nicht jeder beliebigen Dauer des Eingriffes accommodirt.

Eine allgemeine Regel lautet: die Dauer des operativen Eingriffes muss so kurz als möglich sein; umso kürzer, wenn er sich in der Blase abspielt. Wenn ich Ihnen früher den Rath ertheilt habe, möglichst langsam vorzugehen, so liegt darin nur ein scheinbarer Widerspruch mit der obigen Regel, denn gerade das langsame aber planmässige Vorgehen wird uns vor unvorhergesehenen Zwischenfällen und Zeitverlust bewahren. Nur Fehler verlängern die Operation. Langsam heisst aufmerksam und methodisch.

Auch die Untersuchung der Blase soll nur kurz dauern; dagegen soll, wie Ihnen ja bereits bekannt ist, deren Entleerung langsam und ganz allmählig vorgenommen werden. Hier folgen wir wieder dem Principe, keine Gewaltmanöver auszuführen und aus der Hyperdistension nicht brüsk in's andere Extrem, die absolute Leere, überzugehen.

Freilich wird man genöthigt sein, unter Umständen von dem Grundsatz der „Kürze" gelegentlich abzugehen. Weniger bei Eingriffen in der Blase, als in der Harnröhre. Sie werden thatsächlich sehen, dass wir uns oft lange plagen werden, um eine Strictur zu passiren, oder einen Weg zwischen den Lappen einer hypertrophischen Prostata zu finden, wenn die gebieterische Nothwendigkeit uns eben keine Wahl lässt. Je länger in solchen Fällen unsere Manipulationen in der Urethra dauern, umso sorgfältiger müssen wir dann jede Gewaltanwendung vermeiden. Thatsächlich werden lang dauernde Manöver ungünstige Chancen geben und besonders den Eintritt des Fiebers begünstigen.

Man hat sogar behauptet, dass die Verletzungen der Harnröhre weit häufiger Fieber erzeugen, als die der Blase, was meiner Ansicht nach eine nicht ganz richtige Deutung ist. Man darf eben nicht vergessen, dass bei gewissen Verletzungen der Harnröhre leichter Harnresorption eintreten kann.

Noch sicherer als die lange Dauer des intraurethralen Eingriffes wird eine besondere Gewaltanwendung das Entstehen des Fiebers begünstigen und es ist ja bekannt, dass auf eine forcirte Sondeneinführung fast regelmässig Fieber folgt. Man möge sich nur an die kläglichen Resultate der unvollständigen Divulsion nach Perrève erinnern.

Man muss aber wohl unterscheiden zwischen einer Operation, welche, sei es durch Zerreissung oder lineare Trennung, die natürliche Function der Harnröhre sofort herstellt, und einer solchen, welche ein schweres Trauma setzt, ohne für den freien Abfluss des Urins zu sorgen und dessen Eindringen in's Gewebe zu verhüten. Im ersteren Falle wird der Harn mit den Wunden bloss in Contact kommen, im letzteren Falle wird aber das Eindringen des Harnes in das Gewebe aus dem Grunde besonders begünstigt werden, weil dasselbe gerade an derjenigen Stelle zerrissen worden ist, wo die Verengerung sitzt und die ganze Harnsäule während des Urinirens ihren vollen Druck ausüben kann. In dem einen Falle wird die Blasenentleerung leicht vonstatten gehen, in dem anderen schwerer, und es wird Retention eintreten. Der Harn kommt in den Kreislauf und kann auf diese Weise schwere, perniciöse Formen von Harnvergiftung erzeugen.

Die unvollständige Zerreissung der Harnröhre zählt daher mit Recht zu den verlassenen Methoden.

Ich habe längere Zeit hindurch sorgfältige Beobachtungen über die Wirkung der lange liegenden Harnröhrensonden bei Stricturen angestellt und theile nunmehr die Ansicht jener Specialisten, welche sich für eine nur momentane Dilatation ausgesprochen haben.[1])

Aber auch hier spielt die „Gewaltwirkung," neben der längeren Dauer eine Rolle; die Sonde ist, mit Rücksicht auf das Fieber, umso schädlicher, je fester sie in der Strictur sitzt.

Das ist ja auch der Grund, warum wir in letzter Zeit für die Verweilkatheter nach der Urethrotomie kein grosses Caliber wählen: sie sollen den Wänden der Harnröhre nicht so innig anliegen. Das gilt auch von den Kathetern, die wir bei Prostatahypertrophie einlegen.

Kurz resumirend sage ich also, suchen Sie stets die Dauer des instrumentellen Eingriffes an den Harnorganen, sowie den Grad seiner mechanischen Einwirkung nach Thunlichkeit zu beschränken ohne dabei das Ziel der Operation aus den Augen zu lassen.

Die Frage, ob es nothwendig ist, bei der Operation Schmerz zu vermeiden, muss natürlich in dieser allgemeinen Form bejaht werden, und viele der angegebenen prophylaktischen Regeln genügen ja auch diesem Postulate.

Allein es wird sich eben meist nur um eine Herabsetzung der Schmerzempfindung handeln können, denn selbst eine ganz sachgemässe Manipulation in der Harnröhre oder Blase wird ja empfunden, wenn auch glücklicherweise die meisten Operationen kaum Schmerz erzeugen.

Hinsichtlich der fieberhaften Reaction hat eine eventuelle Schmerzempfindung während des localen Eingriffes keinerlei Bedeutung; die empfindlichen Kranken brauchen also keineswegs zu fieberhaften Reactionen geneigt zu sein, und wir sehen, dass bei den schmerzhaftesten Affectionen, wie bei den acutesten Formen der Cystitis, das Fieber stets

[1]) Curtis, Du traitement des rétrécissements de l'urêtre par la dilatation progressive. Paris 1873.

fehlt. Desgleichen sind spontane Fieberanfälle bei Steinkranken, deren Blase erkrankt ist, selten, trotzdem die Harnentleerungen hier bisweilen unter so starken Schmerzen erfolgen, dass ihnen die Schmerzen, welche durch intraurethrale oder intravesicale Eingriffe erzeugt werden, an Intensität nicht im entferntesten gleichkommen.

Dennoch will ich hier die Frage erörtern, ob es für die Prophylaxe des Fiebers zweckmässig ist, die Schmerzempfindung während der Eingriffe durch Anaesthesie zu unterdrücken. Wir haben es uns zur Regel gemacht, in allen jenen Fällen unter Chloroformnarkose zu operiren, in denen die speciellen Verhältnisse die nothwendige Einschränkung von Grad und Dauer des Eingriffes nicht gestatten; so bei Steinkranken mit Cystitis, die wir der Lytholapaxie unterziehen. Ohne Chloroform wäre die vollständige Durchführung der Operation unter diesen Umständen ein Ding der Unmöglichkeit. Von diesem Gesichtspunkt aus bietet uns die Narkose, unter deren Schutze wir der Indication der vollständigen Entfernung des Steines gerecht werden, die Gewähr für die Vermeidung secundärer Zufälle post operationem. Genau dasselbe gilt für impressionable, besonders empfindliche Kranke, bei denen die Schmerzen sich in Folge der Reizbarkeit des Nervensystems verzehnfachen. Ein College erkrankte nach der ersten Sondirung an Fieber; fünf Sitzungen der Steinzertrümmerung unter Chloroform wurden ohne Reaction vertragen. Doch trat eine solche abermals ein, als ich zur Controlirung des Operationsresultates eine Steinsonde eingeführt hatte.

Aus denselben Gründen und bei denselben Individuen leisten subcutane Morphium-Injectionen von 1—2 *cgr.* in Verbindung mit Chloroform, eine halbe Stunde vor dem Eingriff, gute Dienste.

Die Wirkung der Injection ist wohl nicht genug gross, um in der entzündeten Blase schmerzlose Excursionen machen zu können, und wir werden genöthigt sein dazu, je nach dem Grade der Empfindlichkeit, Chloroform allein oder in Combination mit Morphin zu verwenden. So hat sich uns die Eliminirung der Schmerzempfindung durch die Narkose praktisch als wirksam bewiesen, ohne dass deshalb bereits ein Antheil des Nervensystems an dem Entstehen der Fieberanfälle, an den einzelne Autoren glauben, angenommen werden müsste. Die Intensität des Schmerzes erzeugt, wie bereits erwähnt, niemals Fieber; der Schmerz ist bloss secundär zu beschuldigen, indem er die Manipulationen während des Eingriffes erschwert und so indirect die Situation ungünstiger gestaltet.

Doch genügt auch diese Betheiligung des Schmerzes um seine Abschwächung oder völlige Ausschaltung durch die Narkose angezeigt erscheinen zu lassen.

Erfahrungsgemäss werden instrumentelle Eingriffe in der Narkose besser vertragen und vom Chirurgen leichter und mit grösserer Sicherheit ausgeführt.

Soll man die bemerkenswerte Toleranz der Blase für die langdauernden Lithotripsien, welche heutzutage die Regel geworden sind, einzig und allein auf diese Ursachen zurückführen?

Bigelow, dessen Arbeit über den Mechanismus der Hüftgelenksluxation bereits berechtigtes Aufsehen gemacht hatte, erregte eine förmliche Revolution, als er die bisher geltende Regel „kurz operiren!“ über Bord warf und die Steinzertrümmerung in einer einzigen prolongirten Sitzung empfahl. Das war eine Umwälzung, gleich segensvoll für den Arzt und für den Kranken, denn die Zufälle der Steinzertrümmerung, namentlich das Fieber, waren bei Anwendung der neuen Methode, trotz der langen Dauer der Operation, seltener geworden, und zwar trotzdem Bigelow noch ohne Antisepsis gearbeitet hatte.

Diese guten Resultate verdankte man dem Chloroform, mit dessen Hilfe es möglich war, die Operation „unter günstigeren Verhältnissen“ zu verlängern und die Steintrümmer sofort zu entfernen. So verschwand mit den Fragmenten eine der häufigsten Veranlassungen für die Verletzungen der Harnröhre und den Eintritt des Harnfiebers, des gewöhnlichen Begleiters der früheren Operationsmethode. Das Ausbleiben der urethralen Verletzungen durch die Steinfragmente lässt die guten Erfolge der modernen Litholapaxie Bigelow's trotz der langen Dauer des Eingriffes begreiflich erscheinen, und mit Hinsicht auf die segensvolle Wirkung der sofortigen Entfernung der Steintrümmer aus der Blase ist die Vernachlässigung der Regel „kurz operiren“ ohne jede Bedeutung, umsomehr als ja auch sie nur der Ausdruck für das Princip ist, das Trauma einzuschränken.

Diese Vorsichtsmaassregeln sind umso wichtiger, als wir meist gezwungen sind, in inficirten Organen zu operiren, ein Umstand, der die Wirkungsfähigkeit antiseptischer Maassnahmen meist sehr in Frage stellt.

Nach der Operation. — Die Behandlung der frisch Operirten wird hauptsächlich den gewöhnlichsten hygienischen Anforderungen zu entsprechen haben; trotzdem wird die Nachbehandlung auch eine chirurgische sein müssen.

Oft ist das Einlegen eines Verweilkatheters unerlässlich, damit der Organismus, durch eine entsprechende Drainage der Blase, gegen Infection geschützt wird. Wie das zu machen ist, darüber sprechen wir noch.

Eine wichtige hygienische Maassregel hat den Schutz vor Erkältung im Auge. Meine Erfahrung lehrte mich, dass eine leichte Erkältung nach der Operation Fieberanfälle hervorrufen kann. Deshalb operire ich die Kranken in ihrem Bett, das man ja für die Vornahme der Lithotripsie und Urethrotomie leicht adaptiren kann. Sowohl der Rumpf, als die Extremitäten, müssen in wollene Tücher eingeschlagen werden und auch nach Beendigung des Eingriffes bleibt der Kranke in Decken gehüllt. Sobald es sein Zustand gestattet, gibt man ihm warme Getränke und setzt zu der ersten Tasse eventuell Cognac oder Rum hinzu. Trotz der Narkose werden solche heisse Getränke in der Regel gut vertragen. Die reichliche Flüssigkeitszufuhr nach einer Operation an den Harnorganen ist wohl begründet. Wir wissen, dass die toxische Kraft des Harnes in geradem Verhältnis zu seiner Verdünnung abnimmt, und verordnen, gestützt auf diese experimentell festgestellte Thatsache, grosse Flüssigkeitszufuhr. Im Verlaufe des ersten Tages sollen die Getränke noch immer lauwarm sein, um die Temperatur nicht herabzusetzen. Vom zweiten Tage an können sie bereits Zimmertemperatur haben. Wir verwenden leicht diuretisch wirkende Infuse, schwache Mineralwässer und schliesslich einfaches Quellwasser. Diese Therapie ist ebenso einfach als wirksam.

Nachdem wir so während und unmittelbar nach der Operation bemüht waren, jede Schädlichkeit von unserem Kranken abzuhalten, ist es dann seine Sache, das Operationsresultat durch Unvorsichtigkeit nicht wieder auf's Spiel zu setzen. So müssen Patienten nach der Lithotripsie und Urethrotomie unbedingt 2—3 Tage im Bett bleiben und in der Rückenlage uriniren. Ich war wiederholt in der Lage Fieber auftreten zu sehen, wenn der Operirte im Stehen Harn gelassen hatte.

Interne Präventivbehandlung. — Ihre Aufgabe wird die günstige Beeinflussung des allgemeinen Kräftezustandes, der Verdauung sowie der Menge und Qualität des Urins sein.

Es ist nicht nur die Aufgabe des Arztes, die Körperkräfte durch entsprechende Diät gehörig zu heben, er wird auch gewisse moralische Depressionszustände, die gerade bei unseren Kranken so häufig sind, entsprechend zu beeinflussen haben. Ob es sich nun um den einfachen Katheterismus, oder um einen schwereren Eingriff handelt, die Kranken sind in gleichem Maasse praeoccupirt, und sprechen nur von der bevorstehenden Operation und deren voraussichtlichen Chancen, die sie sich natürlich möglichst schwarz ausmalen.

Es ist Sache des Arztes, den Kranken das verlorene psychische Gleichgewicht wiederzugeben, da die Resistenz des Körpers zweifellos unter der länger währenden quälenden Angst abnimmt. Vor allem muss der Kranke unbedingtes Vertrauen fassen. Allein auch gewisse Medicamente, wie z. B. die Brompräparate, und protrahirte Vollbäder wirken auf das Nervensystem calmirend. Hauptsache bleibt aber immer die möglichst baldige Vornahme der Operation.

Es is ja eine allgemein giltige Regel, vor einer jeden Operation den Darm zu entleeren, eine Regel, die bei den Operationen an den Harnorganen ganz besonders befolgt werden muss.

Nur genügt es nicht immer, 1—2 Tage vor der Operation Purgantien zu geben, denn wir wissen ja, dass in vielen Fällen Verdauungsstörungen der Ausdruck für eine apyretisch verlaufende Harnintoxication sind. Da müssen wir dann, durch eine längere Zeit hindurch fortgesetzte Behandlung, durch kleine Dosen von Abführmitteln, Darmantisepsis, durch Amara und durch die Beförderung der Ausscheidung durch die Haut (Frottiren, Bäder) einzuwirken trachten.

In solchen Fällen könnte die chemische Analyse über normale Ausscheidungen, und nöthigenfalls die physiologische Analyse über die Toxicität des Harnes Aufschluss geben. Auch die bakteriologische und histologische Untersuchung können von Nutzen sein.

Leider besitzen wir aber kein Mittel, welches durch die Nieren ausgeschieden wird und imstande wäre, inficirten Urin zu desinficiren. Dieses pessimistische Urtheil gebe ich nicht leichthin, sondern erst nach langen erfolglosen Versuchen ab; es bleibt uns nur die intravesicale Application der Antiseptica übrig.

Aseptischen Harn können wir dagegen durch eine Reihe von Medicamenten, über die ich mich bereits ausgesprochen habe, gegen Infection schützen; ich nenne vor allen das Salol. Der Hauptschutz bleibt aber immer strengste locale Antisepsis bei der Operation.

Das Mittel, das sich noch als das wirksamste erwiesen hat, ist die reichliche Zufuhr von Getränken. Ich lasse die Patienten bereits mehrere Tage vor der Operation zwischen den Mahlzeiten viel trinken und zwar leichte diuretische Infuse und Mineralwässer (Eau d'Evian etc.). Die Methode der reichlichen Flüssigkeitszufuhr, die von Gosselin herrührt, ist nicht bloss empirisch erprobt, sondern experimentell wohlbegründet. Schliesslich noch ein Wort über den Gebrauch von Chininum sulfuricum. Die fieberwidrige Eigenschaft des Präparates ist wohlbekannt, doch kann ich demselben in unseren Fällen keine specifische Wirkung zuerkennen. Wenn ich trotzdem an den Tagen vor der Operation 20—30, an dem der Operation unmittelbar vorangehenden Tage 50 *cgr* Chinin verordne, so habe ich die stimulirende, anregende und keineswegs die fieberwidrige Wirkung des Präparates im Auge. Geht man von dem Principe aus, dass Tonica die Resistenz des Körpers gegen Infection steigern, so ist der Gebrauch von Chinin in dosi refracta vor einer Operation gerechtfertigt.

Medicinische Behandlung. — Bei der Wahl der einzuschlagenden Behandlung ist eine aufmerksame Beobachtung des Patienten die beste Führung. Ein acuter Fieberanfall hört oft, unter starken

Schweissen, Diarrhöen und wiederholtem Erbrechen, spontan auf. Diese Beobachtung machen wir uns zunutze und begünstigen die Ausscheidung durch die Haut und den Darm. Es wird also unsere erste Aufgabe sein, die Diaphorese anzuregen, was durch einfache Mittel ermöglicht wird. Sobald der Kranke von Schüttelfrost befallen wird, wickeln wir ihn in 2—3 Wolldecken ein, geben ihm ein grosses Federbett, Wärmflaschen u. s. w. Gleichzeitig bekommt er ein bis eineinhalb Liter Thee mit Rum. Der Kranke erwärmt sich dann bald und beginnt meist heftig zu schwitzen. Sobald das Schweissstadium eintritt, pflege ich alle Stunden 0·2 *g* Chinin, im ganzen 1 *g* oder mehr, zu geben. Ich halte das für zweckmässig, lege aber dennoch das Hauptgewicht auf die reichliche Schweissabsonderung und muss als wirksamstes Mittel hiezu den heissen Thee und den Alkohol bezeichnen. Von letzterem geben wir ziemlich viel (100—120 *g* auf den Liter Thee).

Wir können den Thee eventuell durch ein aromatisches Infus, ja im Nothfalle durch heisses Wasser, dem Alkohol und Zucker zugesetzt werden, ersetzen, doch kommen die letzteren dem Thee und Rum an Wirkung nicht gleich.

Verabsäumen Sie es niemals, selbst bei vollem Wohlbefinden des Kranken, am Tage nach dem Fieberanfalle ein salinisches Abführmittel zu geben.

Es ist dies eine Nachahmung des von der Natur eingeschlagenen Heilungsvorganges, und indem wir die Ausscheidung durch den Darm begünstigen, verhüten wir meist die Wiederkehr des Fiebers. Von der Anwendung drastisch wirkender Mittel möchte ich abrathen; die wiederholte Darreichung milder Purgantien hat sich mir als das empfehlenswerteste Verfahren bewährt.

Vielleicht wird es Ihnen auffallen, warum wir nicht die Darmentleerung während des Anfalles selbst vornehmen, warum wir nicht die Ausscheidung durch die Haut und durch den Darm gleichzeitig hervorrufen. Der einzige Grund ist die Furcht vor Erkältung, und aus demselben Grunde soll sich der Kranke auch einer Leibschüssel bedienen, wenn spontan Stuhl auftritt, um sich nicht abdecken zu müssen.

Meist genügt die einmalige Verabreichung eines Purgans nicht; wenn die Appetitlosigkeit anhält, werden wir ein zweites verordnen, eventuell Amara und Chinarindenextract hinzufügen.

Auf diese Weise wird es uns gelingen, die Fieberanfälle zu bemeistern und eine Behandlung zu einem gedeihlichen Ende bringen zu können, wenn sie auch jäh unterbrochen wurde. Wir werden oft sehen, dass Fieberanfälle, die vor der Operation auftraten, sich nachher nicht wiederholen, oder wenigstens in einer solchen Form, dass die Heilung nicht aufgehalten wird. Dies gilt hauptsächlich von den grossen acuten Anfällen der ersten Form des Harnfiebers.

Wiederholen sich die Anfälle trotzdem, haben wir also den zweiten Fiebertypus vor uns, so hat die Behandlung wesentlich anderen Indicationen zu genügen. Hier herrschen vor allem Verdauungs- und Respirationsstörungen vor, deren Symptome: Anorexie, verminderte Speichelsecretion, disseminirte oder an der Lungenbasis localisirte Rasselgeräusche, häufig beobachtet werden. Bisweilen sind die Nieren druckempfindlich, die Harnmenge nimmt ab, ohne dass aber die 24stündige Ausscheidung weniger als 1000 *g* beträgt. In solchen Fällen erhalten die Kranken flüssige Nahrung und zwar erscheint die Milchdiät ganz besonders angezeigt. Man steigt von einem Liter wenn möglich bis auf zwei. Auch wird es sich empfehlen, die Milch mit Cognac zu versetzen, eventuell Extr. Chin. (4—8 *g* in 24 Stunden,) am besten im schwarzen Kaffee, als Tonicum anzuwenden.

Schliesslich werden milde Abführmittel, erweichende Klystiere, kleine Gaben von Ricinusöl, Bitterwässer, Sinapismen, trockene Schröpfköpfe auf den Thorax, zweckmässig zur Unterstützung der Behandlung herangezogen werden können. Bei Nierenschmerzen Schröpfköpfe auf die Nierengegend, mit nachfolgendem Priessnitzumschlag. Ist der Schmerz besonders heftig und der Kräftezustand ein guter, unter Umständen selbst blutige Schröpfköpfe.

Kommt es im Verlaufe der Milchcur zu übermässiger Säurebildung, so werden kleine Gaben eines alkalischen Mineralwassers (Vichy, Karlsbad) nach dem Milchgenusse am Platze sein. Jedenfalls werden wir aber den Kranken so rasch als möglich zur gemischten Kost zurückkehren lassen und auch den Cognac durch Wein ersetzen.

Kommt es im Verlaufe der Erkrankung, während oder nach dem Fieberanfalle, zu Collaps, sinkt die Hanrnmenge so beträchtlich ab, dass völlige Anurie einzutreten droht, so sind Hautreize, subcutane Injectionen von Coffein und Inhalationen von Sauerstoff angezeigt.

Sie sehen, meine Herren, dass die medicinische Therapie des Harnfiebers durchaus keine specifische, auf die Bekämpfung der Krankheit selbst gerichtete, sondern eine rein symptomatische ist. Wir besitzen kein Mittel, um direct auf das toxische Agens einzuwirken, und müssen uns damit begnügen, dessen Effecte zu bekämpfen. In diesem Sinne dürfen wir nichts unversucht lassen, um die Widerstandsfähigkeit des Organismus nach Kräften zu heben.

C h i r u r g i s c h e  B e h a n d l u n g. — Das Harnfieber erheischt häufig die Einleitung einer chirurgischen Behandlung. Diese letztere wird die besten Resultate ergeben, gefährliche Situationen beenden und wirkliche Heilung herbeiführen, denn sie greift immer dort an, wo das anatomische Substrat der Erkrankung zu finden ist.

Indicationen und Contraindicationen für den chirurgischen Eingriff. — Um die Indication richtig formuliren zu können, muss sich der Arzt über die Form des Fiebers, über dessen Grad über die Dauer und Intensität des Fieberanfalles, vorwiegend aber über die Grundkrankheit Klarheit verschaffen.

Besonders die letztere muss genau in's Auge gefasst werden, denn ohne Rücksicht darauf, ob es sich um acutes oder chronisches Harnfieber handelt, ob man es mit Stricturen oder suppurativen Processen an den Nieren zu thun hat, kann die Vornahme eines Eingriffes gerechtfertigt sein; in anderen Fällen ist ein solcher dagegen durchaus nicht am Platze. Natürlich wird man besonders dann auf einen Erfolg rechnen dürfen, wenn es sich um eine locale Infection handelt, wenn die Infectionsquelle begrenzt und leicht zu erreichen ist.

Die Indicationen sind besonders deutlich ausgesprochen, wenn z. B. ein inficirter Harn mehr oder weniger vollständig retinirt wird; oder aber wenn ein Eiterherd keinen genügenden Abfluss nach aussen findet, und in solchen Fällen bietet die Operation die einzig sichere Gewähr für den glücklichen Verlauf der Erkrankung, mag es sich um einen einfachen Katheterismus, um das Einlegen eines Verweilkatheters, um Urethro-, Cysto- oder Nephrotomie handeln.

Bereits lange bevor die Lehre von der Harninfection diese Verhältnisse genügend klar stellen konnte, hatten wir die guten Resultate der operativen Therapie bei der Bekämpfung des Harnfiebers praktisch erprobt, und nur der eingewurzelte Glaube an den ausschliesslich renalen Ursprung des Harnfiebers lässt es erklärlich scheinen, warum sich die Aerzte so lange gegen dessen operative Beseitigung ablehnend verhielten.

Die vermeintliche Erkrankung der Niere liess einen chirurgischen Eingriff geradezu als verwerflich erscheinen. Ich war der erste, welcher auf günstige Erfolge der chirurgischen Behandlung solcher anscheinend verzweifelter Fälle hinweisen konnte. Ja noch mehr, ich erbrachte auf-Grund weiterer Beobachtungen den Beweis, dass, im Gegensatze zu der früheren Anschauung, die Betheiligung der Niere an dem Krankheitsprocesse häufig genug gerade die Indication für ein actives Eingreifen abgibt. Freilich werden unsere Bemühungen nicht selten erfolglos bleiben, denn die Nierenerkrankung muss immer als eine schwer zu beseitigende Complication betrachtet werden. Wenn die Veränderungen an der Niere bereits einen zu hohen Grad erreicht haben, wenn auf- und absteigende Infectionen mit einander combinirt sind, dann werden wir vergebens die Blase entleeren und die Harnröhre zu schützen trachten.

Solange man aber keinen Grund hat anzunehmen, dass die Niere ihrer secretorischen Function nachzukommen nicht im Stande sei, solange man annehmen muss, dass der erhaltene Gewebsrest noch functionstüchtig ist, muss man trachten, „dort einzugreifen, wo dies thunlich ist“. Nehmen Sie unter solchen Umständen getrost die Urethrotomie vor, evacuiren und reinigen Sie die Blase, eröffnen und drainiren Sie die Niere, und der Stoffwechsel, das Körpergleichgewicht wird wieder hergestellt werden, die Genesung eintreten. Die Nierenfunction kann sowohl durch erworbene Affectionen des Organes, als reflectorisch, von der Blase oder der anderen Niere her, Störungen erleiden und auch die directe Wirkung der Infection kann dabei im Spiele sein. Infolgedessen erscheint es begreiflich, dass die Drüsenelemente durch die septischen Producte in ihrer Thätigkeit gehemmt werden.

Wie dem auch sein mag, so dürfen wir bei Fiebernden in einer bestehenden Nierenaffection nicht sofort eine Gegenanzeige für ein operatives Eingreifen erblicken. Sie kennen ja die Bedeutung der zweiten Form des acuten, sowie jene des chronischen Harnfiebers und wissen ferner, dass die leichte Wiederkehr und längere Dauer der Anfälle den Verdacht auf eine Erkrankung der Niere erwecken muss.

Das oberste Princip der einschlägigen Therapie muss in der Verhütung der Resorption des septischen Harnes gelegen sein, und diesem Principe werden wir dadurch gerecht, dass wir die Blase mit dem Katheter so oft, so vollständig und so andauernd als möglich entleeren und die Blase, wenn sie verletzt ist, durch einen Verweilkatheter schützen.

Das sind die zwei hauptsächlichsten chirurgischen Mittel zur Bekämpfung der Harninfection. Wir werden also zunächst die Blase entleeren, diese Entleerung eventuell durch eine Sonde à demeure, ja selbst durch Anlegung einer Blasenfistel, permanent machen, oder die Urethrotomie vornehmen.

So werden wir finden, dass eine grosse Zahl von Patienten, die während einer Dilatationscur Fieberanfälle gehabt haben, nach der Urethrotomie fieberfrei wurden, oder dass eine Reihe von Fieberanfällen bei anderen Patienten durch die Urethrotomie beendet wurde. Die Operation setzte sie wieder in die Lage, ihre Blase zu entleeren und der Verweilkatheter verhinderte den Urin, durch die Wunde in den Kreislauf zu gelangen.

Thatsächlich ist das häufige Fieber bei manchen Stricturen eine der Indicationen zur Vornahme der Urethrotomie und diese Operation kann unter gewissen Umständen dringend werden.

Ich habe seinerzeit von meinem Schüler Martinet[1]) die Krankengeschichte eines Patienten publiciren lassen, den ich am 18. November 1874 auf der Höhe des Fiebers zu operiren gezwungen war. Der

---

[1]) F. Martinet, Étude clinique sur l'uréthrotomie interne. Th. de Paris 1876.

Kranke war nach Dilatationsversuchen am 7. November fieberhaft erkrankt. Der erste Anfall war äusserst heftig und wiederholte sich einigemale; am 13. betrug die Temperatur in der Achselhöhle 39·9°. Somit war die Indication für die Urethrotomie gegeben; allein die Operation wurde noch aufgeschoben, um, wenn möglich, nich twährend des Fiebers zu operiren.

Da erfolgte am 17. ein neuerlicher Fieberanfall und am 18. zeigte das Thermometer bei der Frühvisite 41·2°. Unter solchen Umständen schien die Operation dringend und wir entschlossen uns, sie auf der Stelle vorzuehmen. Noch am selben Abend fiel die Temperatur um 2° und am nächsten Morgen war das Befinden des Patienten vollständig zufriedenstellend, die Achseltemperatur betrug 37·8°. Bei Entfernung des Verweilkatheters erfolgte noch einmal ein vorübergehender Temperaturanstieg auf 40°, der aber sofort und definitiv zur Norm zurückkehrte. (Fig. 23.)

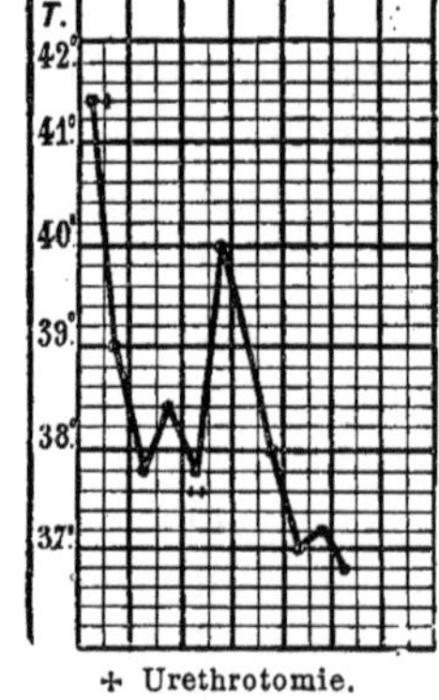


+ Urethrotomie.
++ Entfernung des Verweilkatheters.
Fig. 23.

Bei dieser Gelegenheit sei auch erwähnt, dass der Urin vor der Operation alkalisch war, ein Umstand, welchen wir auch nicht als Gegenanzeige betrachteten. Am 29., d. h. 11. Tage nach der Operation reagirte der Harn bereits wieder sauer und behielt diese Reaction auch ferner bei.

So kann unter Umständen das Fieber an sich einen chirurgischen Eingriff indicirt erscheinen lassen und es kann sich die Nothwendigkeit ergeben, die Operation gerade während des Fieberanfalles vorzunehmen. Als Regel möchte ich dies aber nicht aufstellen; wir sind vielmehr gewohnt, womöglich erst dann zu operiren, wenn der Fieberanfall abgelaufen ist. Leider bringen es die Umstände mit sich, dass diese Regel nicht immer befolgt werden kann.

In dem eben citirten Falle war die chirurgische Intervention von Erfolg gekrönt, obwohl es sich um ein typisches Harnfieber der zweiten, bekanntlich besonders schweren Form handelte. Freilich konnte die Operation die Grundursache des Fiebers, die schwierige und unvollständige Blasenentleerung sofort durch eine einfache und rasch ausführbare Operation, bei welcher das Trauma keine Rolle spielt, dauernd beheben.

Aehnlich liegen die Verhältnisse, wenn ein Prostatiker fieberhaft erkrankt und seine Blase nicht entleeren kann. Auch hier ist die Intervention während des Fiebers nothwendig und berechtigt. Ich habe bereits früher von einem Patienten auf Nr. 12 der Salle Saint-Vincent gesprochen, bei welchem der Katheterismus dreimal täglich ausgeführt wurde. Als man einmal vergass, bei Nacht wie gewöhnlich den Katheter zu setzen, trat wieder hohes Fieber auf, welches durch das Einlegen des Verweilkatheters endgiltig behoben wurde. Auch hier hatte es sich um die gleiche Form des Fiebers gehandelt, und die Beispiele, dass Eingriffe, wie der regelmässige Katheterismus, diesem schweren und heimtückischen Fieber ein Ende bereitet haben, sind ausserordentlich häufig.

Sobald es sich darum handelt, der Indication „Blasenentleerung" zu genügen, darf man unter Umständen vor den schwersten Operationen nicht zurückschrecken, auch während des Fiebers nicht; nur muss man sich bemühen, die Dauer der Operation und den Umfang des Traumas nach Thunlichkeit einzuschränken.

Handelt es sich darum, die Lithotripsie, den Blasenschnitt, oder die Nephrotomie vorzunehmen, so werden wir natürlich trachten, im apyretischen Stadium zu operiren. Der Wiedereintritt des Fiebers kann dahin führen, bei einem Stricturkranken die Sondencur aufzugeben und zur Urethrotomie zu schreiten, bei einem Steinkranken sofort den Steinschnitt, oder die Steinzertrümmerung einzuleiten. Wenn wir uns aber zu einem derartigen Eingriffe gerade wegen des Fiebers entschliessen, so müssen wir ihn dennoch so viel als möglich ausserhalb des Fieberstadiums durchführen.

Die Erfahrung hat aber gezeigt, dass ein Fremdkörper in einer inficirten Blase, selbst wenn diese letztere sich vollständig entleert, Fieber hervorrufen kann.

Das zeigen am besten die Resultate der früheren Lithotripsie, bei welcher die Steintrümmer in der Blase zurückblieben. Damals betrug das Fieberprocent 33, nach Einführung der sofortigen Evacuation der Blase von den Fragmenten nur mehr 5·7.

Die Entfernung der Steintrümmer wirkt also ebenso fieberwidrig, wie die Blasenentleerung, und hätte dazu führen können, die vollständige Extraction des Steines durch den Steinschnitt der Steinzertrümmerung vorzuziehen, wenn nicht Bigelow's Methode die vollständige Räumung der Blase in einer Sitzung gestatten würde.

Es kann somit keinem Zweifel unterliegen, dass acute Fieberanfälle durch die chirurgische Intervention günstig beeinflusst werden können. Es gibt aber Verhältnisse, unter denen Steinschnitt, Litholapaxie, sowie jede andere schwere Operation durch die Art und Weise, in welcher das Fieber auftritt, contraindicirt erscheinen können.

So sind bei der chronischen Form des Fiebers schwerere Eingriffe nicht angebracht, da wir es meist mit ausgebreiteten, tiefgreifenden Veränderungen der Harnorgane zu thun haben. Nur der Katheterismus oder eventuell die innere Urethrotomie können in solchen Fällen noch schadlos angewendet werden. Ich habe bereits erwähnt, dass man bei der chronischen Form des Harnfiebers aus der Berücksichtigung der Menge und Qualität des Harnes, aus der Gesammtheit der Symptome, aus den Verdauungs- und Respirationsstörungen ein Urtheil über die Schwere des Processes und über die Gefahr, mit welcher unter diesen Umständen ein Eingriff verknüpft ist, gewinnen kann.

Die chirurgische Intervention ist dann vollständig berechtigt, wenn sich das Fieber auf locale, Blase oder Harnröhre betreffende Reize zurückführen lässt, wenn die Nothwendigkeit besteht, die Blase zu entleeren oder urethrale Verletzungen vor dem Contact mit Harn zu bewahren. In allen übrigen Fällen ist eine Intervention nicht am Platze.

Je nach der Form der Anfälle, je nach deren Typus, Zahl und Dauer wird der Chirurg genöthigt sein, mit grösserer oder geringerer Raschheit einzugreifen, das einemal eine unblutige, das anderemal eine Operation mit dem Messer vorzunehmen.

Der acute, solitäre Fieberanfall, mag er noch so intensiv sein, wird entweder spontan oder durch eine intensive Behandlung beendigt; doch kann die Häufigkeit des Auftretens, sowie dessen Auftreten bei geringfügigen Anlässen, auch hier eine operative Intervention gerechtfertigt erscheinen lassen. Häufiger jedoch wird dies bei der zweiten Form des acuten, sowie beim chronischen Harnfieber der Fall sein. Trotzdem diese Fälle die eigentliche Domäne erfolgreicher Operationen sind, so haben wir doch auch zahlreiche Momente zu berücksichtigen, welche den Eingriff contraindiciren. Das Krankheitsbild muss in diesen Fällen, falls der Arzt über die Chancen des eventuellen Eingriffes ein Urtheil gewinnen will, in seiner Gesammtheit erfasst werden.

Für gewöhnlich wartet man zur Vornahme der Operation den Eintritt der Defervescenz ab, u. zw. soll sich im allgemeinen die Temperatur bereits mehrere Tage vor der Operation in normalen Grenzen bewegen. Allein die Indication ist oft so drängend, dass man genöthigt ist noch während des Fieberanfalles zu operiren.

## Dreiundzwanzigste Vorlesung.

# Verdauungsstörungen.

### Bedeutung und Häufigkeit.

I. Allgemeine Bemerkungen. — Veränderungen im Bereiche der Mundhöhle Trockenheit und Röthe der Schleimhaut. — Zungenbelag. — Harnzunge (langue urinaire). — Sauere Beschaffenheit des Speichels. — Soor. — Dysphagia buccalis. — Semiotische Bedeutung der Veränderungen im Munde. — Zusammenhang der Verdauungsstörungen mit den verschiedenen Erkrankungen der Harnorgane. — Harnkachexie; ihr Zusammenhang mit quantitativen und qualitativen Veränderungen des Harnes und mit der Infection. — Kachexie bei septischem und aseptischem Zustand der Harnorgane.

II Specielle Symptome. — Dyspepsie. — Migräne. — Diarrhöe. — Erbrechen. — Obstipation.

III. Pathogenese der Verdauungsstörungen, ihr Zusammenhang mit dem Harnfieber. — Directe Resorption des Harnes. — Betheiligung der Niere. — Fehlen einer anatomischen Erkrankung der Verdauungsorgane. — Intoxication und Infection. — Physiologische Versuche. — Schlussfolgerungen. — Diagnose und Prognose.

IV. Therapie. — Hygiene. — Ernährung. — Chirurgische, medicinische Behandlung. — Behandlung der Complicationen.

Verdauungsstörungen findet man bei der Mehrzahl unserer Kranken; sie sind nicht nur häufig, sondern auch vielgestaltig, und wir betrachten sie, wie Sie wissen, als den hauptsächlichsten Ausdruck der Harnvergiftung. Meist kommen die Verdauungsstörungen zugleich mit dem Harnfieber vor, doch sehen wir, dass mitunter die schwersten, ja selbst letal endigende Harnvergiftungen fieberlos verlaufen, und in solchen Fällen sind die Störungen von Seite des Verdauungstractes die einzigen Aeusserungen der bestehenden Harnintoxication.

Diese Thatsache ist wohl seit langem bekant, allein man hat sie, meiner Meinung nach, bisher zu wenig gewürdigt, man hat ihre semiotische Bedeutung nicht in's rechte Licht gesetzt und hauptsächlich bisher noch keine zusammenfassende Darstellung von diesen Verhältnissen gegeben.

Der Arzt, welchem der innige Zusammenhang zwischen Harnfieber und Verdauungsstörung wohl bekannt ist, wird bei Vorhandensein der letzteren häufig genug in der Lage sein, latente Formen des Fiebers aufzudecken und oft hinter einer muthmaasslichen Magen- oder Darmkrankheit ein Erkrankung der Niere, Blase oder Harnröhre versteckt finden.

Es ist also nothwendig, die Digestionsstörungen, welchen wir bereits als Theilsymptomen des acuten Harnfiebers unsere volle Aufmerksamkeit geschenkt haben, noch einmal, und zwar gesondert zu studiren, wenn sie die einzige Manifestation der Harnvergiftung bilden und apyretisch verlaufen. Wir dürfen nie vergessen, dass hinter den leichten oder schweren Formen stets Fieber verborgen sein kann, oder dass sie dessen drohenden Ausbruch vorherverkünden können.

I. Ich habe bereits bemerkt, dass die fieberlos verlaufenden Verdauungsstörungen, welche Erkrankungen der Harnwege begleiten, die verschiedensten Formen und Grade zeigen.

Einfache Dyspepsien, Migräne, Gastricismus, Nausea, Widerwillen gegen Speise, Erbrechen, Diarrhoe, Obstipation, alle diese Symptome können isolirt oder combinirt auftreten und sind alle nur die verschiedenen Aeusserungen eines und desselben pathologischen Zustandes. An und für sich haben sie keine pathognomische Bedeutung, denn es sind ja Erscheinungen, die wir bei den verschiedensten Zuständen tagtäglich zu beobachten Gelegenheit haben.

Nur ihr constantes Auftreten, ihre progressive Zunahme und anhaltende Dauer, im Verein mit gewissen localen Complicationen wird unserem Verdacht eine ganz bestimmte Richtung geben, ein Verdacht, welchen die klinische Krankenuntersuchung bestätigen oder entkräften wird.

Unter diesen Symptomen fallen durch ihr constantes Auftreten besonders die Veränderungen der Mundgebilde auf. Jene, deren Dauer und Intensität semiotische Bedeutung gewinnt, sind: habituelle Nausea, wiederholtes Erbrechen, hartnäckige Diarrhöen und chronische Stuhlverstopfung; schliesslich bekommen wir häufig eine locale Complication zu sehen, nämlich den Soor.

Bei jeder Erkrankung der Harnorgane soll man es sich zur Regel machen, täglich die Zunge zu besichtigen; nicht etwa weil alle Harnkranke an Verdauungsstörungen leiden, sondern vielmehr deshalb, weil auch die leichtesten gastrischen Störungen das Aussehen der Zunge sofort verändern und wir so die geringste Indigestion von der Zunge ablesen können.

Der Zungenbelag ist bei unseren Kranken nicht charakteristisch und nur die lange Dauer und Intensität dieser Veränderung sind von besonderer Wichtigkeit. Man beobachtet den Belag bekanntlich besonders nach einem Fieberanfall, er hat aber auch praemonitorische Bedeutung und lässt das Auftreten von Harnfieber voraussehen, wenn er, besonders nach einem Katheterismus oder sonstigen Eingriff, an Intensität sichtlich zunimmt.

Wenn dieser Zustand der Zunge, wie bereits erwähnt, nichts Charakteristisches an sich hat, so gilt dies nicht auch von dem folgenden, welchen man mit Recht als „Harnzunge“ (langue urinaire) bezeichnen könnte.

Es ist dies die Röthung und Trockenheit. Die Röthung zeigt alle Nuancen vom Hellrosa bis Scharlachroth und zeigt sich entweder nur an der Zungenspitze und an den Rändern, oder sie erstreckt sich über die ganze Zunge.

In dem letzteren Falle gleicht sie der frischrothen Scharlachzunge (Himbeerzunge). Oft zeigt eine solche Zunge überdies einen Belag, nur die Zungenspitze und die Zungenränder sind roth, und das ist jenes charakteristische Aussehen, welches ich als langue urinaire bezeichnen möchte, denn es ist, besonders in Verbindung mit auffallender Trockenheit, eine für Erkrankungen der Harnorgane ganz typische Veränderung.

Wenn die Röthung fehlt, kann die Trockenheit der Zunge umsomehr auffallen; die Schleimhaut ist klebrig oder vollkommen trocken. Die Zunge, schwer beweglich, haftet am Gaumen, ihre Oberfläche ist gefurcht, in ultimis geschrumpft. Wegen der Schwierigkeit der Bewegung bestehen Schling- und Sprachstörungen. Die letzteren sind von jenen wohl zu unterscheiden, welche im fieberhaften Stadium der Harnvergiftung auftreten. Sie sind von rein mechanischen Ursachen bedingt, haben nur relative Bedeutung. Ist dagegen der Stimmtimbre verändert, die Stimme schwach, heiser, wie gebrochen, die Sprache zögernd, abgerissen, so deutet das auf tiefe Störungen des gesammten Organismus hin.

In unserem Falle ist die Flüssigkeitsaufnahme nicht erschwert, allein das Schlingen und Kauen ist so beschwerlich, dass der Kranke einen Widerwillen gegen alle feste Nahrung, besonders gegen Brod und Fleisch empfindet.

Dagegen ist der Durst, oder vielmehr das Bedürfnis, die Zunge anzufeuchten, sehr gross. Kaum hat der Kranke Flüssigkeit zu sich genommen, so begehrt er wieder zu trinken.

Röthung und Trockenheit sind aber nicht auf die Zunge allein beschränkt, sondern erscheinen auch am Gaumensegel und an den Gaumenbögen, sowie an der hinteren Rachenwand.

Trotz alledem können solche Kranke, wie gesagt, flüssige Nahrung nicht nur gut zu sich nehmen, sondern sie verdauen sie auch ganz gut, können also mit Suppen, Schabfleisch, rohen oder weich gekochten Eiern und Milch ernährt werden. Der beschriebene Zustand der Mundgebilde braucht also nicht auch auf Verdauungsstörungen von Seite des Magendarmtractes schliessen zu lassen, und auch etwaige Verstopfung oder Diarrhöe ist nur vorübergehend.

Der Zustand der Mundgebilde ist nur der Ausdruck einer localen Affection und hauptsächlich durch Störungen in der Speichelsecretion bedingt. Der Speichel wird anfangs zähflüssig, viscid und verschwindet schliesslich ganz. Mit grosser Mühe gelingt es, ein Lackmuspapier anfeuchten zu lassen, um sich davon zu überzeugen, dass der Speichel sauer reagirt.

Unter diesen Umständen tritt oft über Nacht Soor auf, die Zunge, die noch am Abend roth war, ist vollständig weiss, dasselbe gilt von den Gaumenbögen, dem weichen Gaumen und der hinteren Rachenwand, nur dass an letzteren Gebilden der Soor kleine Punkte oder Plaques bildet, was die Diagnose erleichtert.

Ich muss an dieser Stelle wiederholen, was ich bereits im Capitel über das Harnfieber erwähnt habe: das Auftreten von Soor ist durchaus kein Zeichen einer besonders ernsten Erkrankung oder einer Verschlimmerung der Situation, wenn es auch richtig ist, dass wir diese Affection bei Harnkranken meist nur im Verlaufe von schweren Zuständen beobachten. Diese Affection weicht übrigens einer einfachen Localbehandlung.

Diese Dysphagie besteht nur für diejenigen Nahrungsmittel, welche gekaut und eingespeichelt werden müssen und ist dadurch als eine rein locale, eine *Dysphagia buccalis*, charakterisirt.

Wenn auch die unteren Theile des Verdauungsapparates, wie gesagt, nicht in dem Maasse wie der Rachen und die Mundhöhle afficirt sind, so sind sie immerhin meist in Mitleidenschaft gezogen; darauf deuten das Erbrechen, die Diarrhöen und ähnliche Begleiterscheinungen hin. Die Ernährung leidet natürlich im allgemeinen unter dieser buccalen Dysphagie. Die Kranken magern ab, die allgemeinen Decken zeigen ein blassgelbes Colorit, die Kräfte verfallen. Die Patienten, welche anfangs bloss gegen feste Nahrung Widerwillen empfanden, refusiren nunmehr auch Flüssigkeiten, so dass es oft unserer ganzen Ueberredungskunst und Autorität bedarf, um die Kranken überhaupt zur Nahrungsaufnahme zu bewegen. Sie sind moralisch tief deprimirt und in Gefahr, neben der Harnvergiftung auch noch der Inanition zum Opfer zu fallen.

In solchen Fällen wird es sich natürlich darum handeln, ehe man an die chirurgische Behandlung des Grundübels denken kann, die *Körperkräfte* durch entsprechende *Ernährung zu heben*.

*Das Erbrechen* und *die Diarrhöen* können zu dominirenden Symptomen werden, wenn sie hartnäckig wiederkehren, plötzlich verschwinden und wieder auftreten und der üblichen Therapie widerstehen. In solchen Fällen wird sich der Arzt fragen müssen, ob denn solche nicht hinlänglich aufgeklärte Erscheinungen thatsächlich auf Veränderungen des Verdauungsapparates zurückzuführen seien, oder ob sie nicht vielmehr der Ausdruck für Störungen an einem andern Organcomplex sind. Wir finden beide Erscheinungen sowohl in chronischen als in acuten Fällen und besonders intensiv bei den schweren Fieberanfällen. Im allgemeinen ist die Diarrhöe prognostisch nicht so ungünstig, als das Erbrechen. Beide Symptome werden aber umso ernster genommen werden müssen, je intensiver sie auftreten und je länger sie anhalten. Besonders gefährlich ist das anhaltende Erbrechen, wenn buccale Dysphagie besteht, und die ohnedies schon erschwerte Ernährung ganz unmöglich wird. Solche Kranke gehen ohne Fieber an raschem Kräfteverfall zugrunde. Sie erliegen einer dreifachen Schädlichkeit: der Intoxication, Infection und Inanition.

Chirurgische Eingriffe pflegen mitunter gerade Erbrechen auszulösen oder aber dessen Intensität zu steigern. Der Zustand wird oft so heftig, dass er jeder Behandlung trotzt. Ich erinnere mich an Operirte, die nicht bloss nach der kleinsten Nahrungsaufnahme, nachdem sie einen Löffel Milch oder Bouillon zu sich genommen, erbrachen, sondern einen förmlichen Brechkrampf bekamen, wenn man auch nur im Nebenzimmer mit dem Löffel klapperte.

Diese üblen Folgen eines, wenn auch noch so methodisch ausgeübten Eingriffes sprechen nur noch mehr für die Nothwendigkeit, in derartigen Fällen vor allem die Ernährung der Patienten zu heben, um ihnen einen möglichst grosse Widerstandskraft zu geben, besonders wenn es sich um den evacuatorischen Katheterismus handelt.

Thatsächlich begegnen wir den ausgesprochensten Digestionsstörungen bei Kranken, die ihre Blase schlecht entleeren, und die beiden Symptome „schwere und langdauernde Verdauungsstörungen“ auf der einen Seite, „chronische Harnverhaltung“ auf der anderen, hängen so innig miteinander zusammen, dass man sich in der Praxis stets vergewissern muss, ob sie nicht nebeneinander bestehen.

Die digestive Form der Harnvergiftung ist bei jenen Kranken besonders ausgeprägt, welche an Polyurie leiden und täglich 3—4 Liter limpiden oder trüben Harnes entleeren, und deren Blase gleichzeitig distendirt ist. Auf diese Fälle von incompleter Harnverhaltung mit chronischer Drucksteigerung und deren grossen Neigung zu Harnfieber wurde bereits hingewiesen. Allein das Auftreten von Verdauungsstörungen bei der Harnkachexie zeigt, dass die Harnvergiftung auch ohne Fieber ablaufen kann. Thatsächlich gehen Kranke mit ausgebreiteten Laesionen am Harnapparate und besonders an den Nieren meist fieberlos zugrunde.

Die gleichen Erfahrungen machen wir aber bei leichten Erkrankungen der Harnwege. Auch hier sehen wir nicht selten Verdauungsstörungen fieberlos verlaufen, mit dem Grundleiden an Intensität zunehmen, und nach Vornahme des operativen Eingriffes schwinden.

Auch solche Fälle liefern den stricten Beweis von dem causalen Zusammenhange zwischen Harnvergiftung und Verdauungsstörung.

An dieser Stelle muss ich noch auf einen Zustand zu sprechen kommen, den ich als grosse und kleine Harndyspepsie bezeichnet habe.

Bei der kleinen Dyspepsie besteht keine nennenswerte Veränderung des Allgemeinbefindens; die Kranken sind wenig oder gar nicht abgemagert. Fieber besteht trotzdem, denn dieses Symptom steht ja zu der Schwere der Verdauungsstörungen in keinem Verhältnisse. Bei der grossen Dyspepsie und bei der dyspeptischen Kachexie ist das Fieber gering, ohne dass sich deshalb die Patienten wohler befinden würden.

Bei der kleinen Harndyspepsie finden wir das acute Harnfieber; das chronische dagegen bei jenen Kranken, welche an ausgesprochenen Verdauungsstörungen, an chronischer Diarrhöe oder Obstipation oder an Erbrechen leiden und deren gesammte Ernährung herabgesetzt ist. Diese Zustände äussern sich besonders in zwei Symptomen: in der Abmagerung und im Gelbwerden.

Die Abmagerung geht meist allmählig, oft rapid vor sich.

Die Haut ist trocken, schlaff, leicht abschilfernd, die Hautthätigkeit gering. Auch Schweisse werden hie und da beobachtet und dürften auf latent verlaufene Fieberanfälle zu beziehen sein.

Die gelbe Farbe erstreckt sich über den ganzen Körper. Es ist nicht der subicterische Ton der Pyaemischen; die Conjunctiven sind frei. Die Gelbfärbung geht mit einer Entfärbung der Gewebe einher, die besonders an den Falten im Gesichte beobachtet wird zu einer Zeit, wo die übrigen Digestionsstörungen der Harnvergiftung noch gering sind.

Wenn wir uns dieser „grossen Harndyspepsie“ gegenüber befinden, und bei derartigem Aussehen der Kranken, müssen wir befürchten, dass die Veränderungen der Harnröhre oder Prostata, Blase oder Niere bereits zu weit vorgeschritten sind, um Aussicht auf Besserung zu gewähren. Und das gilt selbst für den Fall, dass die Patienten noch herumgehen, oder eine Reise unternehmen, um einen Badeort aufzusuchen, oder uns zu consultiren.

Bei derartigen Kranken besteht häufig der Verdacht auf Carcinose und viele Kranke, bei denen thatsächlich Harnkachexie besteht, werden als Carcinomkranke behandelt.

Das Einschlägige über Harnkachexie findet sich in den Capiteln von der Pyurie, chronischen Harnverhaltung und dem chronischen Fieber.

Die Digestionsstörungen sind im Bilde der Harnkachexie von so markanter Bedeutung, dass sie hier geradezu pathognomonisch gelten können.

Meist enthält der Harn derartiger Kranker seit langem Eiter in grossen Mengen, hellt sich beim Sedimentiren entweder auf, oder bleibt trotz der Bildung eines reichlichen Sedimentes, selbst nach 24 Stunden noch trübe. Im ersteren Falle ist die Harnmenge nicht vermehrt, oft sogar verringert. Der Harn der zweiten Kategorie ist charakteristisch für die Polyurie.

Bei der Harnkachexie kann sich wohl auch einmal ammoniakalischer Harn vorfinden, allein dieses Vorkommen ist durchaus nicht so charakteristisch als die Eiterbeimengung und Polyurie bei trübem Harne.

Die Harnkachexie zeichnet sich im allgemeinen nicht durch das Prädominiren vesicaler Symptome aus; dies gilt eher von den Nierensymptomen. Thatsächlich beobachtet man täglich starke Eitersecretion und Polyurie, mit oder ohne Fieber, mit oder ohne acuten Anfall und selbst ohne jene abendlichen Temperatursteigerungen, welche der Ausdruck für das chronische Harnfieber sind. Diese Erscheinungen, im Vereine mit intensiven und andauernden Verdauungsstörungen, lassen eine Betheiligung der Niere nicht unwahrscheinlich erscheinen.

Ist der Harn bei vorhandener Polyurie klar, und haben wir dennoch das Bild der Kachexie vor uns, so handelt es sich meist um interstitielle Veränderungen in der Niere und um Pyelitis geringen Grades.

Endlich gibt es Kranke mit Nephritis, bei denen Polyurie mit klarem Harn, ohne Eiter oder Mikroorganismen besteht, und welche dennoch das typische Bild der Harnkachexie darbieten. Hier lässt sich jede Infection mit Sicherheit ausschliessen. Wir sehen also, dass die Intoxication allein bereits zur Kachexie führen kann, trotzdem die Mehrzahl der Kachektischen allerdings inficirt ist. Wir müssen somit zwischen der septischen und aseptischen Form der Harnkachexie unterscheiden.

Sich selbst überlassen, verläuft die Harnkachexie nicht immer rapid. Wir sehen an der Klinik häufig genug derartige Kranke mit chronischen, tiefgreifenden, weit vorgeschrittenen Veränderungen der Harnorgane, die einige Zeit in Spitalspflege verbleiben, das Spital wieder verlassen und nach einiger Zeit anscheinend in demselben Zustande wiederkehren, ohne deshalb ihrem Leiden sofort zu erliegen. Der Patient auf Bett Nr. 19 war 18 Monate lang bei uns, ehe er seiner Kachexie erlag. Sie war die Folge einer Pyelonephritis mit merklicher Abnahme der Harnmenge und starker Eiterung. Es muss bemerkt werden, dass bei diesem Manne während der ganzen Zeit seines Spitalsaufenthaltes, trotz genauer Temperaturmessungen, kein Fieber constatirt wurde.

Werden an derartigen Kranken locale Eingriffe vorgenommen, so pflegen sie rasch zugrunde zu gehen, wenn sie auch, wie die meisten unter ihnen, seit langem gewohnt sind, sich zu katheterisiren. Sie vertragen den Choc eines neuartigen chirurgischen Eingriffes nicht mehr, ihre Widerstandskraft ist bereits gebrochen. Das gilt ausschliesslich von den Kranken mit schweren Ernährungsstörungen, bei welchen alle Bemühungen, den Kräftezustand durch ein entsprechendes Regime zu heben, erfolglos geblieben sind. Immerhin wird es eine schwierige Aufgabe sein, alle Umstände genau gegeneinander abzuwägen, um die Entscheidung treffen zu können, ob man in dem concreten Falle eine Operation vornehmen darf oder nicht.

II. Nach diesen allgemeinen Erörterungen will ich die einzelnen Digestionsstörungen gesondert besprechen. Die einfache Dyspepsie tritt bei vielen Erkrankungen der Harnorgane auf. Sie äussert sich in Appetitlosigkeit, Schwere im Magen, langsamer und beschwerlicher Verdauung, im Verein mit Obstipationen, Ballonnement, Aufstossen, Somnolenz etc. Bei dem Stricturkranken auf Bett Nr. 2 fehlte keines der erwähnten Symptome von Dyspepsie. Ohne mich daher mit denselben eingehend beschäftigen zu wollen, will ich nur den Verlauf seiner Krankheit näher in's Auge fassen. Im Jahre 1873 traten angeblich die ersten Harnbeschwerden auf. Nach Verlauf eines Jahres begann Patient den Appetit zu verlieren, ohne jedoch diesem Umstande anfangs grosse Aufmerksamkeit zu schenken. Nach und nach nahmen aber die Verdauungsstörungen an Intensität zu, desgleichen die Harnbeschwerden, bis er sich im Mai 1875 wegen seiner Strictur in's Hospital du Midi aufnehmen liess. Es war nicht zu eruiren, welche Behandlung dort eingeleitet worden ist, denn der Kranke sprach von einer Operation, war aber nicht intelligent genug, um eines der vorgezeigten Instrumente wiederzuerkennen, oder verständliche Angaben zu machen. Jedenfalls ist das Eine sicher, dass er nach 5 Wochen das Spital geheilt verlassen hat und dass damals sowohl die Verdauung als auch die Harnentleerung gut von statten gieng. So vergiengen 2—3 Monate; der Kranke unterliess es, sich zu sondiren, es traten wieder Harnbeschwerden auf und mit ihnen zunächst Appetitlosigkeit, Schwere im Magen und schliesslich Regurgitation. In diesem Zustande kam er im Jahre 1876 an unsere Klinik. Es fanden sich multiple, enge Stricturen (Charrière Nr. 7), ausgedehnte Induration der Harnröhre, partielle Harnverhaltung und ausgesprochene Dyspepsie.

Unter diesen Umständen liess sich der intime Zusammenhang zwischen dem Auftreten der Verdauungsstörung und dem Bestehen eines Hindernisses für die vollständige Harnentleerung nicht verkennen. Die Härte der Strictur, sowie das rasche Wiederauftreten der Beschwerden, trotz der vorangegangenen Behandlung, liess die Urethrotomie angezeigt erscheinen. Deren Resultat entsprach unseren Erwartungen vollkommen, denn mit dem normalen Ablauf des Urines trat auch wieder Appetit auf, und drei Wochen nach der Operation erklärte der Patient, dass er auch wieder gut verdaue. Der vorliegende Fall ist nur eines von vielen Beispielen, welche beweisen, dass Harnbeschwerden Verdauungsstörungen erzeugen, dass mit der Besserung der ersteren auch die letzteren schwinden und wiedererscheinen, sobald eine Verschlimmerung eintritt.

Diese „schlechte Verdauung" findet man nicht nur bei Stricturkranken, sondern auch bei den Prostatikern. Hier sind die Oscillationen zwischen guter und schlechter Verdauung von der Stagnation des Urins direct abhängig. So verdankt der alte Mann auf Bett Nr. 10 die Wiederkehr des verlorengegangenen Appetites nur dem Umstande, dass er seit seiner Aufnahme regelmässig katheterisirt wird.

Nicht immer ist der Symptomencomplex der Verdauungsstörungen ein derartig einfacher. Bei einem Kranken unserer Klinik ist neben Dyspepsie auch Diarrhöe und häufiges Erbrechen vorhanden. Letztere beiden Symptome sind allerdings passager und treten in Intervallen auf. Fügen wir gleich hinzu, dass der junge Mann, dessen Verdauungsstörungen bereits mehrere Monate bestehen, seit 3 Wochen hie und da leicht fiebert. Wieder ein Beweis für den Zusammenhang von Harnfieber und Verdauungsstörungen.

Eine eigenthümliche Aeusserung der Verdauungsstörungen stellt die Migräne dar. Sie werden erstaunt sein, dass ich diese Erkrankung hier zur Sprache bringe, allein es unterliegt keinem Zweifel, dass die typische Migräne unter dem Einfluss von Harnstörungen entstehen kann. Diese auf den ersten Blick befremdende Coincidenz wird uns begreiflich erscheinen, wenn wir uns erinnern, dass Kranke, die seit langem an Migräne leiden, deren Erscheinen erfahrungsgemäss stets mit Verdauungsstörungen in Zusammenhang bringen.

Das erstemal beobachtete ich diese Aeusserung der Harnintoxication bei einem Stricturkranken, zu welchem ich wegen einer Harnverhaltung gerufen wurde. Trotzdem sie sehr schwierig war, gelang die Dilatation vollständig, und zum grössten Erstaunen des Patienten verschwand mit den Harnbeschwerden gleichzeitig die Migräne, an welcher der Arme jahrelang gelitten hatte. Ein zufälliges Zusammentreffen dieser Erscheinungen liess sich ausschliessen, als mit der neuerlichen Zunahme der Strictur und der zunehmenden Beeinträchtigung der Harnentleerung auch die Migräne, in gleicher Form und Intensität wie vorher, wiedererschien. Nunmehr entschloss ich mich zur Vornahme der Urethrotomie, welche den Kranken von seinen Harnbeschwerden und von seiner Migräne endgiltig befreite.[1]) Bei diesem Sachverhalte ist der Zu-

[1]) Patient ist mir seit dem Jahre 1874 nicht aus dem Gesichtskreise verschwunden und ich war in der Lage, die thatsächliche definitive Heilung zu controliren

sammenhang von Ursache und Wirkung wohl über jeden Zweifel erhaben.

Ein ähnliches Verhalten zeigte der folgende Fall, bei welchem Diarrhöe isolirt bestand.

Im Jahre 1869 lag ein alter Officier auf der Klinik, welcher ein Jahr vorher, durch einen Sturz vom Pferde, eine traumatische Strictur acquirirt hatte. Er litt seit einigen Monaten an hartnäckigen Diarrhöen, welche fast gleichzeitig mit den Harnbeschwerden aufgetreten waren. Vergebens bemühten wir uns, sie durch alle möglichen Obstruentien zu stillen, und erst als als wir die innere Urethrotomie vornahmen, stellten sich nach einigen Tagen normale Stühle ein. Die Stuhlentleerung blieb wieder so lange normal, als die Harnentleerung frei von statten gieng. Im Jahre 1871 nahm der Officier wieder Kriegsdienste und unterliess es während des Feldzuges, sich regelmässig zu sondiren. Ich sah ihn im Jahre 1872 wieder. Die Strictur hatte zugenommen und mit ihr hatten sich auch wieder die Diarrhöen eingestellt. Neuerliche Operation, neuerliche Heilung der Harn- und Darmbeschwerden.

Ebenso wie die Diarrhöe kann auch das Erbrechen das Hauptsymptom der Verdauungsstörung bilden. Es tritt in kurzen Intervallen, ohne nachweisbare Ursache, mehrmals im Verlaufe eines Tages auf, und das Erbrochene kann entweder aus Nahrungsmitteln oder aus schleimig-galligen Massen bestehen.

Eduard P., 29 Jahre alt, hatte im Jahre 1869 seine erste und einzige Gonorrhöe acquirirt. Ernstliche Harnbeschwerden traten erst im Jahre 1873 auf, allein schon Ende 1872, bevor noch die Harnentleerung auffallend beeinträchtigt war, trat anfangs seltener, später täglich Erbrechen auf. Als Patient im Juli 1875 an die Klinik kam, war er bei ziemlich gutem Appetit, kein Druck nach der Mahlzeit, dagegen hartnäckige Stuhlverstopfung und fast unstillbares Erbrechen. Zu verschiedenen Stunden, oft 3—4 mal täglich, erbrach der junge Mann theils Ingesta, theils schleimige, gallige Massen. Seine starke Abmagerung im Verein mit der Härte seiner Strictur, veranlasste uns, die Urethrotomie vorzunehmen, das einzige Mittel, um die Urethra rasch durchgängig zu machen und die Harnverhaltung sicher zu beheben. Ich muss hier bemerken, dass die ausgedehnte Blase über der Symphyse zu palpiren war. Bereits am Tage nach der Operation trat eine auffallende Besserung ein: Der Kranke erbrach nur ein einzigesmal und während der nächsten vier Wochen, die er noch an der Klinik zubrachte, wiederholte sich das Erbrechen nicht wieder.

Ich behielt den Kranken im Auge und nahm die Gelegenheit wahr, ihn nach Ablauf eines Jahres meinen Hörern wieder vorzustellen.

Seine Harnröhre hat ihr Caliber, dank der regelmässigen Sondeneinführung (alle 8—14 Tage) beibehalten. Was seine Verdauung anbetrifft, so stellten sich, nachdem er das Spital verlassen hatte, von Zeit zu Zeit noch Ueblichkeiten und Magenbeschwerden ein, allein seit 6 Monaten sind auch die letzten Spuren verschwunden, der Embonpoint ist wiedergekehrt und auch die Obstipation gewichen.

Ich muss endlich auch von der habituellen Obstipation sprechen, zu welcher alle Kranken mit incompleter Harnverhaltung hinneigen. Sie ist die Regel, während Diarrhöe nur ausnahmsweise vorkommt. Die meisten Patienten haben ohne Lavements überhaupt keine Entleerung, und dieser Zustand besteht oft schon lange, bevor die Harnbeschwerden auffällig werden, gleichzeitig mit Dyspepsie. Unter 10 Kranken, die ich genau ausfragte, klagten nur drei über Diarrhöe im Beginne der Erkrankung, und wir haben allen Grund anzunehmen, dass dieses Symptom nicht, wie die Stuhlverstopfung, ein Initialsymptom ist.

Auf der Höhe der Erkrankung besteht fast immer absolute Obstipation; nur unter Zuhilfenahme von Irrigationen entleert der Kranke mit Mühe spärliche, eingedickte, harte, schwärzlich verfärbte Kothmassen. In anderen Fällen welchselt die Obstipation mit diarrhoischen Entleerungen. Sobald Diarrhöe auftritt, verspüren die Kranken mitunter eine leichte Besserung, die Verdauungsstörungen nehmen ein wenig ab. Ja, ich habe sogar unter solchen Umständen bemerkt, dass die Harnentleerung weniger häufig und weniger schmerzhaft war. Dasselbe Verhalten wird übrigens von den Kranken auch nach der Einnahme von Abführmitteln angegeben. Mitunter besteht in den letzten Tagen hartnäckige Stuhlverstopfung, häufiger jedoch macht sie einer profusen Diarrhöe Platz.

Bei einer derartigen terminalen Diarrhöe findet man bei der Section den Dickdarm und das Rectum leer, oder sie enthalten nur wenig halbflüssigen Darminhalt, keine alten eingedickten Kothmassen. Diese letzteren fanden wir dagegen stets, wenn bis zum Tode Obstipation vorhanden war, ohne dass deshalb eine mechanische Obstruction des Darmlumens bestanden hätte. Die Obstipation kann in den leichten, wie in den schweren Fällen von Dyspepsie, im Beginne, sowie auf der Höhe oder in den Endstadien der Erkrankung beobachtet werden. Bei Prostatikern mit Retention besonders häufig, kann sie aber auch jede andere Erkrankung des Harnapparates compliciren.

In einem Falle, den ich lange zu beobachten Gelegenheit hatte, sah ich nach langjährigem Bestande schwerer Diarrhöen absolute Obstipation auftreten, und es ist immerhin denkbar, dass die Elemente des Harnes, welche bei der Retention durch den Darmtract zur Ausscheidung gelangen, dieselbe Austrocknung der Schleimhaut bewirken, die wir unter ähnlichen Umständen an der Schleimhaut der Mundhöhle und des Rachens wahrgenommen haben.

Ich habe bereits erwähnt, dass mitunter nach Ausheilung des Grundübels (Strictur) normale Stühle auftreten. Dies gilt auch von kachektischen Patienten, wenn man das Glück hat, durch entsprechende allgemeine und locale Behandlung ihren Zustand zu bessern.

III. Die Verdauungsstörungen sind in der Regel mit anderen Symptomen combinirt, sowohl wenn sie fieberlos verlaufen, als wenn sie mit Fieber einhergehen.

Auf die innigen Beziehungen des Harnfiebers zu den Digestionsstörungen habe ich bereits wiederholt hingewiesen.

Der nachfolgende Fall wird dazu beitragen, das Fieber der Harnkranken ebenfalls als Aeusserung der Harnvergiftung erscheinen zu lassen.

M. D., Bruder eines Collegen, erkrankte im Jahre 1842 zum erstenmal an Gonorrhöe. 1858 entstanden periurethrale Abscesse und scrotale Harnfisteln, welche im Jahre 1860 durch die Divulsion einer Strictur geheilt wurden. Die Heilung hielt bis zum Jahre 1866 an, als von neuem Harnbeschwerden auftraten. Zugleich nahm der Appetit ab und die Verdauung wurde erschwert. In den folgenden Jahren verschlimmerte sich sowohl der Zustand der Harnröhre, als der des Verdauungsapparates. Die Urethra war nur mehr für Nr. 5 passirbar, die Zunge war häufig trocken, das Kauen fester Nahrung erschwert, es bestand chronische Diarrhöe und die Kräfte nahmen ab. Erst zwei Jahre nach Beginn der Verdauungsstörungen trat Fieber auf, u. zw. in Form spontaner irregulärer Anfälle.

Diarrhöe und Fieber blieben die Hauptsymptome der Harnvergiftung. Als ich den Kranken im Jahre 1874 zum erstenmal zu Gesicht bekam, war er stark abgemagert, die äusseren Decken auffallend gelb, der Harn eiterhältig und alkalisch. Die Harnröhre zeigt multiple Stricturen in der pars pendula, welche der Explorateur Nr. 8 vollständig passirt; er wird jedoch bei der ersten Einführung in der Prostata zurückgehalten.

Der Kranke pflegte sich selbst zu sondiren und that dies ziemlich geschickt. Oefters, aber immer erfolglos, hatte er versucht, die Stricturen zu erweitern. Wir nahmen also die Urethrotomie in Aussicht, gestatteten ihm jedoch die vorläufige Fortsetzung seiner Dilatationsversuche. Das war am 11. April und bis zum 25. Mai war er thatsächlich bis auf Nr. 12 gekommen. Das war das beste bisher erreichte Resultat; weiter gieng es aber nicht.

An dem genannten Tage entschloss ich mich endlich zur Vornahme der Operation. Mit Recht war der Eintritt von Fieberanfällen zu befürchten; sie blieben aber aus. Bald verschwand auch die Diarrhöe, der Urin wurde nach wenigen Tagen sauer, und das Sediment verschwand nach und nach. Ich sah den Kranken im Juli 1877 wieder und konnte zu meiner grossen Befriedigung constatiren, dass seine Harnröhre für Béniqué Nr. 40 durchgängig war, dass er sich des besten Wohlbefindens erfreue, dass sowohl die Blase als auch der Verdauungsapparat regelmässig functionirten und Kräfte, Embonpoint und Hautfarbe normal geworden sind.

An der Hand dieser Beobachtung können wir die allmählige Zunahme der Vergiftungssymptome studiren. Die Verdauungsstörungen durchlaufen alle Grade, von der einfachen Appetitlosigkeit bis zur buccalen Dysphagie und chronischen Diarrhöe; die anfänglich seltenen Fieberanfälle nehmen in der letzten Zeit an Häufigkeit und Intensität zu.

Wir ersehen aus dem Studium dieses instructiven Falles, dass die Harnvergiftung lang andauern kann, und dass sich trotzdem die Heilung durch chirurgische Hilfe noch in vollem Maasse erzielen lässt. Der Fall ist uns ein neuer Beweis dafür, dass der menschliche Organismus gegen die im Harn enthaltene toxische Substanz eine gewisse Resistenz zeigt, und dass die toxischen Erscheinungen eigentlich schon in dem Momente aufhören, in welchem, mit der Behebung der Stagnation, der Resorption des Harnes ein Ziel gesetzt wird.

Der Verlauf dieser und ähnlicher Fälle gestattet die Annahme, dass bei der Harnstauung eine Aufsaugung des Harnes durch die erkrankte und veränderte Blasenschleimhaut stattfindet.

Was die Betheiligung der Niere an dergleichen Processen anbelangt, so lässt sich wohl nicht annehmen, dass es sich um tiefgreifende anatomische Veränderungen handeln könne bei dem Umstande, als nach der Operation die vollständige Heilung so rasch erfolgt. Wohl aber können wir uns vorstellen, dass die eliminatorische Function der Niere einigermaassen beeinträchtigt war.

Die klinische Beobachtung bietet uns die Handhabe, dazu in prägnanten Fällen das Vorwiegen der einen oder der anderen Störung, der vesicalen Resorption auf der einen, der Secretionsanomalien der Niere auf der anderen Seite, mit Sicherheit zu erkennen. Die rasche Heilung, die wir selbst nach langem Bestande der Harnintoxication durch locale Eingriffe erzielen, sprechen deutlich dafür, dass in solchen Fällen die Krankheitsursache in der Aufsaugung des Harnes durch die erkrankte Blasenwand zu suchen sei.

Aber noch häufiger sind auf der anderen Seite jene Fälle, in welchen trotz des chirurgischen Eingriffes, ja selbst in Folge desselben, die Verdauungsstörungen zunehmen und sich verschlimmern, was darauf hindeutet, dass eine Beeinträchtigung der Nierenfunction und in weiterer Folge eine mangelhafte Elimination das Andauern der Anfälle begünstigen. Für diese Auffassung liefern die Sectionsbefunde ein weiteres unwiderlegliches Beweismaterial. Die Patienten mit „grosser Harndyspepsie" erliegen ihrer Krankheit zu oft, als dass wir nicht häufig in die Lage kämen, eine Nierenerkrankung nachweisen zu können. Die Nieren vermögen es nicht mehr, die im Harne normalerweise enthaltenen toxischen Substanzen zu eliminiren, und die Toxine der Mikroben zur Ausscheidung zu bringen. Unter solchen Umständen können die Verdauungsstörungen weder geringer werden, noch schwinden, denn sie werden sowohl durch die Infection als durch die Intoxication immer auf's neue hervorgerufen und unterhalten. Nur will es uns scheinen, als ob bei der grossen Harndyspepsie die Rolle der Intoxication immer überwiegen würde. Sollte die Menge der „Toxine" geringer sein, als die der im Harne normalerweise enthaltenen toxischen Substanzen (nicht mikrobischen Ursprunges)?

Wie dem auch immer sei, so überwiegt bei der grossen Harndyspepsie meist das chronische, bei der kleinen das acute Harnfieber. Im ersten Falle kann das Fieber oft gänzlich fehlen, ja selbst subnormale Temperatur bestehen. Das lässt sich darauf zurückführen, dass die im Körper angehäuften toxischen Substanzen die Wärmeproduction hindern.

Diese und ähnliche Erscheinungen weisen auf eine gewisse Analogie mit der Urämie hin. Trotzdem können unsere Kranken mit Brightikern nicht in eine Kategorie gestellt werden, denn die verminderte Ausscheidung der toxischen Substanzen des Harnes und deren Anhäufung im Blute kann hiefür keineswegs als Kriterium dienen und auch die Therapie lässt sich von ähnlichen Gesichtspunkten leiten; sie beschränkt sich nicht, wie bei Morbus Brightii, auf ein entsprechendes Regime, sondern greift hauptsächlich zur chirurgischen Hilfe.

Das Gesammtbild ist ja der Ausdruck einer combinirten Einwirkung von Infection und Intoxication, und jeder dieser beiden grossen Processe erfordert in der Therapie seine volle Berücksichtigung.

Ich will es nicht versuchen zu bestimmen, welcher Antheil der einen und welcher der anderen Schädlichkeit zukommt, nur das Eine steht fest, dass diese Verdauungsstörungen von Störungen des Harnapparates herrühren. Die Physiologie hat uns über den Mechanismus ihrer Entstehung aufgeklärt, und ich habe die einschlägigen instructiven Arbeiten von Claude Bernard und Barreswill bereits ausführlich besprochen. Die experimentelle Pathologie hat bereits den Nachweis gebracht, dass die Darmschleimhaut im Verlaufe einer Infection sich an der Ausscheidung der gebildeten Toxine betheiligt. Wir dürfen uns nicht wundern, dass die pathologisch-anatomischen Befunde an der Darmschleimhaut bisher negativ waren, denn die schwersten dyspeptischen Erscheinungen sind nach der Operation so rasch verschwunden, dass man nicht annehmen kann, das Harngift hätte sichtbare Spuren hinterlassen. Dennoch müssen die einschlägigen Untersuchungen fortgesetzt werden, besonders mit Rücksicht auf den Umstand, dass Lancereaux gewisse Veränderungen am Darme Uraemischer beschrieben hat.

Die Diagnose der urogenen Verdauungsstörungen kann sich natürlich nicht bloss auf das Vorhandensein dieses oder jenes Symptomes stützen, das Symptom gewinnt erst im Zusammenhalte mit den Störungen der Harnentleerung seine semiotische Bedeutung.

Oft genug klagen die Kranken über Magenbeschwerden, hartnäckige Obstipation, Erbrechen und erwähnen mit keinem Worte eine etwa bestehende vermehrte Harnfrequenz oder sonstige Harnbeschwerden. Die Kranken halten diese Erscheinungen im Vergleiche zu den Störungen der Digestion für nebensächlich und schenken ihnen umsoweniger Beachtung, als sie den Sitz der Erkrankung in die Verdauungsorgane verlegen.

Sache des erfahrenen Arztes wird es sein, bei suspecten Darmsymptomen die Harnentleerung, namentlich bei alten Leuten stets in Berücksichtigung zu ziehen. Vergessen Sie niemals, meine Herren, dass die incomplete Harnverhaltung, in Folge von Hypertrophie der Prostata, im Greisenalter nichts weniger als selten ist, und dass diese Retention sich meist nur in vagen, kaum merkbaren Symptomen äussert. Der Kranke urinirt vielleicht etwas häufiger als sonst, steht nachts mehrmals auf, leidet aber sonst nicht und schenkt dieser Belästigung keine weitere Beachtung. Infolgedessen pflegt er darüber auch nicht zu klagen und lenkt unsere Aufmerksamkeit einzig und allein auf die Verdauungsstörungen.

Mitunter, allerdings minder häufig liegen die Verhältnisse selbst bei Stricturkranken ganz ähnlich. Bei einiger Erfahrung wird der Arzt trotzdem richtigen Verdacht schöpfen und auch zwischen anscheinend disparaten Symptomen einen Zusammenhang herausfinden. Er wird hiebei bald durch eine eingehende Anamnese, bald durch die Palpation des Abdomens, nöthigenfalls durch den Katheterismus auf die richtige Spur geleitet werden.

Allerdings gibt es Fälle, in welchen die Diagnose erheblichen Schwierigkeiten begegnen kann. Ein solcher Fall ist der folgende:

Im October 1884 wurde auf unser Abtheilungszimmer für allgemein chirurgische Fälle ein Mann gebracht, bei welchem man eine incarcerirte Hernie muthmaasste. Seit drei Tagen litt er angeblich an

Unterleibsbeschwerden und Ueblichkeiten und hatte keinen Stuhl. Am Morgen war galliges Erbrechen aufgetreten. Bei der Visite war er in einem Zustande leichter Benommenheit, welche ihn verhinderte, uns genaue Aufschlüsse geben zu können; wir waren daher gezwungen, uns an den objectiven Befund zu halten. Der Gesichtsausdruck des Kranken war angsterfüllt, das Antlitz leicht gefärbt und durchaus nicht „hippokratisch“ Die Athmung war beeinträchtigt und es bestand fortwährender Singultus. Abdomen aufgetrieben, etwas gespannt. Die rechte Scrotalhälfte wird von einer umfangreichen Geschwulst eingenommen, die bis zum Leistenring hinaufreicht, und deren Bedeckung leicht geröthet ist. Bis hieher passt das Krankheitsbild, von dem Gesichtsausdrucke abgesehen, vollständig auf den Zustand bei einer Brucheinklemmung. Bei weiterer Untersuchung aber fanden wir bald ebenso unerwartete als unzweideutige Symptome, die unserer Diagnose eine andere Richtung gaben.

Der Hodentumor reichte thatsächlich nicht in den Leistencanal hinauf und war, um es gleich zu sagen, nichts anderes als eine Hydrokele funicularis. Die Auftreibung des Bauches rührte, wie die Palpation ergab, nicht nur von den mit Gasen angefüllten Därmen, sondern auch von einer bis an den Nabel reichenden Blase her. Die Mundhöhle zeigte die bekannten Veränderungen der chronischen Harnvergiftung, Trockenheit, Röthung und Soorbildung.

Mit einem Worte, es handelte sich ganz einfach um eine Harnverhaltung, die unter schweren Allgemeinsymptomen verlief. Mit der Diagnose war auch der Gang der Therapie vorgezeichnet: man musste dem Harn, der in Folge einer Prostatahypertrophie in der Blase stagnirte, freien Abfluss verschaffen. Bei regelmässiger Ausführung des evacuatorischen Katheterismus giengen die schweren Symptome rapid zurück.

Man darf es daher nie verabsäumen, bei Vorhandensein gewisser Verdauungsstörungen, dem Zustande des Harnapparates seine volle Aufmerksamkeit zu schenken, denn in Folge einer fehlerhaften Auslegung der Symptome können sich excessive Grade von Blasenausdehnung etabliren, und so lange anstehen, bis bereits Veränderungen im Nieren-Parenchym den Erfolg einer Intervention in Frage stellen, oder gefährlich erscheinen lassen.

Ich habe Fälle gesehen, in welchen selbst der Nachweis der Blasendistension die irrige Diagnose nicht verhindert hatte; man hatte einfach eine Neubildung angenommen. Ich erinnere mich, noch vor kurzem einen derartigen Patienten glücklich geheilt zu haben, der nach der Ansicht seines Arztes an Darmcarcinom litt, an welchem angeblich auch ein älterer Bruder des Kranken zugrunde gegangen war. Ich musste meine ganze Autorität aufwenden, um den evacuatorischen Katheterismus durchführen zu dürfen.

Es erscheint wohl überflüssig, daran zu erinnern, dass wir bei Constatirung von andauernden und zunehmenden Verdauungsstörungen nie vergessen dürfen, auf ein etwa vorhandenes Fieber zu achten.

Für die Prognose eines Falles ist das Auftreten von Verdauungsstörungen höchst beachtenswert, denn ein Harnkranker, welcher schlecht verdaut, steht bereits unter dem Einflusse der Harnvergiftung, und wir müssen jederzeit auf das Auftreten anderer schwerer Vergiftungserscheinungen gefasst sein. Dabei droht noch der Ausbruch von Fieber, und jeder locale Eingriff kann das Gleichgewicht empfindlich erschüttern. Ich wiederhole es: einerseits besteht nicht gerade bei den Kranken mit scharf ausgeprägten Verdauungsstörungen die Neigung zum Fieber, wenigstens nicht zu der acuten Form desselben. Anderseits ist das Fehlen des Fiebers noch keineswegs als ein signum boni ominis zu betrachten, denn wir wissen ja, dass Harnvergiftung schwer, ja selbst letal verlaufen kann, ohne dass auch nur ein einzigesmal Fieber aufgetreten wäre. Das Vorhandensein oder Fehlen des Fiebers ist also nicht jenes Moment, aus welchem der voraussichtliche Ausgang eines Falles erschlossen werden könnte. Der Kranke kann mit oder ohne Fieber von seinen dyspeptischen Erscheinungen genesen, mit oder ohne Fieber einer anhaltenden Verschlimmerung erliegen. Dennoch weist das Fieber in der Mehrzahl der Fälle auf eine hochgradige Harnvergiftung hin und ist gerade in dieser Beziehung von prognostischer Bedeutung. Bedeutungsvoll für die Prognose werden natürlich auch die Dauer und Intensität der Verdauungsstörungen sein.

Schwere Harndyspepsie verläuft meist ungünstig; der Organismus steht unter der dauernden Einwirkung eines Giftes, und ob es sich nun um eine Intoxication, das heisst, um einen aseptischen Zustand, oder ausserdem noch um eine Infection handelt, wird jede Gelegenheitsursache, welche den Zustand des Harnapparates verschlimmert, schwere, oft tödtliche Erscheinungen auslösen können. In solchen Fällen wird man auf den Organismus durch eine entsprechende Therapie einzuwirken haben und sich auch über die Nierenfunction und die Ernährung genau unterrichten müssen, ehe man einen Eingriff vornimmt.

IV. Die Principien der Therapie fussen zum Theil auf der Lehre von der Harnvergiftung im allgemeinen, zum Theil sind sie dem speciellen Falle angepasst. Sie gehören theils der internen Medicin, theils der Chirurgie an.

Im ersten Augenblicke mag es sonderbar erscheinen, Verdauungsstörungen chirurgisch behandeln zu wollen. Allein im Verlaufe unserer Untersuchungen haben wir ja gesehen, dass die Urethrotomie Migräne,

Diarrhöe, Erbrechen, Fieber und Verstopfung curiren kann, und dass die Blasenentleerung durch den Katheterismus, die Lithotripsie oder den Steinschnitt zum gleichen Ziel führt. Sublata causa tollitur effectus. Die Wohlthaten der chirurgischen Intervention sind unwiderleglich, ihre Anwendung erfordert aber eine feine Ausführung und ist oft mit Gefahr verbunden.

Sowohl der richtige Zeitpunkt als auch die Opportunität eines Eingriffes lassen sich nicht immer leicht beurtheilen, und infolgedessen ist der Erfolg oft in Frage gestellt, wenn diesen Vorbedingungen nicht exact Rechnung getragen werden kann. Ueberdies fällt es bei der Indicationsstellung ebenfalls in's Gewicht, dass es schwer, ja fast unmöglich ist, den Grad einer vorhandenen Insufficienz der Niere genauer zu bemessen. Die operative Behandlung findet eine zweckmässige Unterstützung in einer entsprechenden internen Medication und diese letztere kann ebenso wohl auf die eigentliche Ursache der Erkrankung, als auf deren Folgen günstig einwirken.

Die Indicationen, welche sich aus der Erkrankung selbst ergeben, sind klar und präcis. Man muss die Ausscheidung der im Blute angehäuften Harnbestandtheile durch den Darm befördern.

Im allgemeinen wird man diesen Indicationen durch die Darreichung von Laxantien gerecht werden. Ich spreche mit Absicht nicht von Purgantien, weil es sich nicht um die einfache Ausräumung des Darmes, nicht um heftige, rasch vorübergehende Einwirkungen auf denselben handelt. Wollen wir also eine lange andauernde Harnvergiftung erfolgreich bekämpfen, so müssen wir deren Aeusserung, die Verdauungssymptome, durch eine entsprechend lange durchgeführte therapeutische Einwirkung zu beseitigen suchen. In diesem Sinne sind wiederholte Gaben von milden Abführmitteln in erster Reihe zu nennen. Mineralwässer von purgirender Wirkung, wie die Bitterwässer Püllna, Birmensdorf, Ofen, sind ebenso wie das Ricinusöl für unsere Fälle zweckentsprechend. Wir erzielen auf diese Weise eine gleichmässige ausreichende Entleerung des Darmes. Eine energischere Action ist nur dann angezeigt, wenn wir einer acuten, wenn auch fieberlosen Manifestation der Harnvergiftung, etwa nach localen Eingriffen, zu begegnen haben. In solchen Fällen zögern wir nicht mit der Darreichung von Purgantien, doch geben wir auch da den salinischen Abführmitteln vor den Drasticis entschieden den Vorzug. Diese gegen die Grundursache der Krankheitserscheinungen gerichtete Therapie ist von unleugbarer Wirkung. Unter ihrer Mitwirkung können operative Eingriffe gelingen, die von vorne herein auf fast unüberwindliche Hindernisse gestossen waren. Die hartnäckigste Obstipation, welche häufig genug als Symptom der Harnvergiftung beobachtet wird, lässt ebenfalls den Gebrauch abführender

Medicamente angezeigt erscheinen; hier müssen wir unsere Zuflucht zu intensiver wirkenden Mitteln nehmen. Dennoch soll nicht eine heftige Diarrhöe an Stelle der Obstipation treten, und es empfiehlt sich eher durch öftere Darreichung kleinerer Dosen, als durch drastisch wirkende Einzelgaben die Ausscheidung zu beeinflussen.

Auch Irrigationen mit den üblichen Zusätzen von Salz und Glycerin werden ganz zweckmässig verwendet werden können. Leider stehen uns keine Medicamente zur Verfügung, welche imstande sind, das Harngift im Blute zu neutralisiren, oder welche dadurch auf die Zusammensetzung des Harnes einzuwirken vermögen, dass sie die Nieren passiren. Ich habe zu wiederholtenmalen Salol, Salicylsäure und salicylsaures Natron versucht und sah, dass in manchen Fällen das letztere Mittel die Diarrhöe zum Stillstand bringt, allein das war die Ausnahme. In der Regel war ein vollständiger Misserfolg zu verzeichnen. Die Benzoesäure, so rationell auch ihre Anwendung sein mag, wird nicht vertragen.

Besser verträgt man die Borsäure; es ist gewiss, dass sie in den Harn übergeht, allein trotzdem sah ich bei ihrer Anwendung keinerlei positiven Erfolg. Wir werden uns daher darauf beschränken müssen, die Heilwirkung der Abführmittel noch durch eine entsprechende Darmantisepsis zu unterstützen. Zu diesem Zwecke hat Bouchard besonders das Naphtol empfohlen.

Eine weitere Unterstützung findet die Behandlung in der Verwendung der Bittermittel, wie der Gentiana, Colombo, Chamomilla und besonders des Chinins. Trockene oder aromatische Abreibungen des Körpers, Massage, einfache oder medicamentöse Bäder, hydriatische Proceduren werden sicher zur Hebung des Allgemeinzustandes beitragen. Die Anregung der Hautthätigkeit, welche bei der Harndyspepsie stets darnieder liegt, kann ebenfalls nur von Vortheil sein, und wir haben ja den Wert der profusen Schweisse für die kritische Beendigung des acuten Fieberanfalles gesehen. Alle Pforten zur Elimination des Harnfiebers müssen geöffnet werden, allein immer nur unter specieller Berücksichtigung des betreffenden Krankheitsfalles. Wenn wir auch nicht in allen Fällen ohne Unterschied schablonenmässig Douchen, einfache oder medicamentöse Bäder, oder Frottirungen verordnen können, so werden wir dennoch an dem Principe festhalten, durch regelmässige Muskelarbeit und Bewegung eine vermehrte Haut- und Darmthätigkeit herbeizuführen.

Namentlich Individuen, welche bei anscheinend geringfügigen Erkrankungen der Harnorgane, durch schwere Dyspepsien in ihrer Ernährung ausserordentlich herabgekommen sind, sollen vor der Operation in der eben besprochenen Weise gekräftigt werden. Das Regime muss die Ernährung heben, ohne dabei die Darmfunction zu beeinträchtigen. Das erreicht man mitunter am besten durch die Milchdiät. Man verwendet zweckmässig frisch gemolkene, am Wasserbade leicht angewärmte Milch. Kann man sich keine frische Milch verschaffen, so muss sie abgesotten und abgerahmt werden. Man lässt, in wiederholten aber kleinen Gaben, bis zu 2 Liter in 24 Stunden nehmen. Weiter kann man wohl nicht gehen und muss daher die Ernährung durch Fleisch, Eier und Fische vervollständigen. Rohes Fleisch, Fleischpulpa in Bouillon, ausgepresster Fleischsaft, Beeftea-Bouillons und sonstige Suppen sind leicht assimilirbar. Auch Wein und Cognac kann man nicht von vorneherein verbieten. Das gilt nur von den Fällen acuter Harnverhaltung, in Folge von congestiver Prostata-Hypertrophie. Bei chronischer Harnverhaltung, besonders bei solcher, die niemals acute Exacerbationen gezeigt hat, haben wir keinen Grund, darauf zu verzichten, den in seiner Ernährung herabgekommenen Kranken durch alkoholische Stimulantien wieder in die Höhe zu bringen. Natürlich dürfen in einem solchen Falle die Verdauungsstörungen keine so hochgradigen sein, dass Wein überhaupt nicht vertragen wird. In allen andern Fällen ist der Weingenuss dagegen direct anzuempfehlen.

Die Ernährung wird sich überhaupt stets nach dem Zustande des Verdauungstractes zu richten haben, und mit Rücksicht darauf werden wir die Wahl zwischen reiner Milchdiät, Fleischnahrung oder gemischter Kost treffen müssen. Die ausschliessliche Milchnahrung ist also nicht in allen Fällen dringend angezeigt, denn wir haben es ja — ich wiederhole es hier nochmals — trotz der vorhandenen Intoxicationserscheinungen nicht mit Morbus Brightii zu thun.

Ueber Darmantisepsis, Tonica amara u. ä. haben wir bereits gesprochen. Diese interne Behandlung muss mit der chirurgischen immer Hand in Hand gehen, besonders in jenen Fällen schwerer Dyspepsie, in welchen das Ergebnis eines eventuellen Eingriffes gerade von den Erfolgen der internen Behandlung abhängig ist.

Bleiben die Verdauungsstörungen durch die medicamentöse oder diätetische Behandlung gänzlich unbeeinflusst, lässt sich durch dieselben eine Hebung des Allgemeinbefindens nicht erzielen, so ist die Aussicht für einen operativen Eingriff ausserordentlich gering. Trotzdem lassen sich präcise Indicationen nur schwer stellen, denn wenn in einem Falle Eingriffe, wie der Blasenschnitt oder die Lithotripsie, unangebracht erscheinen, so können doch andere, wie die Urethrotomie oder der Katheterismus, noch gut ertragen werden.

Wenn man auf alles gefasst ist und alle nothwendigen Vorsichtsmaassregeln getroffen hat, so ist man berechtigt, bis an die Grenzen des Erlaubten zu gehen, und das umsomehr, als derartige Kranke unbedingt zugrunde gehen, wenn sie sich selbst überlassen bleiben.

Dagegen werden wir zu unserer Freude durch eine Operation mitunter selbst in verzweifelten Fällen, bei welchen erfahrungsgemäss die Chancen für den Erfolg des chirurgischen Eingriffes gering waren, noch Heilung erzielen können. Ich habe bereits erwähnt, wie sehr die Möglichkeit, bei incompleter chronischer Harnverhaltung mit Blasendistension Infection zu verhüten oder local zu bekämpfen, die Indication für die chirurgische Intervention erweitert habe. Hier gibt die lege artis ausgeführte Blasenentleerung meist recht gute Erfolge.

Noch einige Worte über die Behandlung der Complicationen der Harnvergiftung.

Sowohl um die Entstehung von Soor zu verhindern, als um ihn zum Schwinden zu bringen, sobald er sich gezeigt hat, müssen locale Mittel zur Verwendung kommen.

Die abnorme Acidität in der Mundhöhle muss neutralisirt werden, und das geschieht am besten durch alkalische Mundwässer und Gargarismen, wie z. B. Karlsbader- oder Vichywasser. Natürlich kann man auch eine Bicarbonatlösung verwenden.

Diese Mineralwässer werden natürlich bei derartigen dyspeptischen Zuständen auch innerlich mit vielem Erfolge verabreicht.

Der Vorwurf, dass das Trinken alkalischer Wässer durch Präcipitation phosphorsauser Salze in der kranken Blase Steinbildung begünstige, ist nicht zutreffend; vielleicht kann dies bei längerem Abusus der Fall sein, allein bei mässigem und rationellem Gebrauch werden diese Wässer, besonders $\overline{aa}$ p. aequal. mit Milch genommen, gute Dienste leisten. Dasselbe gilt von den alkalischen Säuerlingen.

Auch die übrigen Symptome müssen Gegenstand einer besondern Behandlung werden, sobald sie excessive Formen annehmen; so die Diarrhöe, wenn sie zu intensiv wird. In solchen Fällen darf man aber nicht etwa die Purgativa weglassen; gerade dann muss man sie, allerdings in dosi refracta, verabreichen.

Das habituelle Erbrechen wird man am zweckmässigsten in der Weise bekämpfen, dass man vor der Nahrungsaufnahme ein Narcoticum per os verabreicht, Eis und kohlensaure Wässer während der Mahlzeit nehmen lässt, nux vomica und Ableitung auf den Darm versucht.

---

## Vierundzwanzigste Vorlesung.

# Directe Untersuchung.

Die directe Untersuchung bestimmt die Diagnose in letzter Linie. — Sie umfasst Inspection, Palpation, Percussion und den Katheterismus. — Die Inspection und Palpation können sich auf die Körperoberfläche oder das Innere der Organe beziehen, mit Hilfe der blossen Hand oder der Finger, oder aber mit Hilfe von Instrumenten vorgenommen werden. — Ihr relativer Wert. — Ihre Anwendungsweise.

Die Inspection soll sich auf die Flanken, das Hypogastrium, Orificium, Praeputium, das Glied, Scrotum und Perineum beziehen. — Flecken in der Wäsche. Palpation der Flanken, des Hypogastrium, der regio iliaca, des Scrotum, Penis. Perineum. — Vorschriften. — Tiefe, simultane, abwechselnde, kneifende, reibende Palpation. — Palpation der Nieren, Harnleiter, der Blase. — Blasenscheitel. — Rectaluntersuchung; Lagerung des Kranken; Zustand des Blasengrundes, der Prostata, der Samenblasen, der Harnröhre und der Harnleiter. — Combinirte Untersuchung vom Rectum her. — Scheidenuntersuchung. — Percussion. — Fehlerquellen.

Das letzte Wort bei der Stellung der Diagnose behält immer die directe Untersuchung. Sie bestätigt oder entkräftet die Wahrscheinlichkeiten des klinischen Raisonnements und vervollständigt dasselbe in der Mehrzahl der Fälle.

Die directe Untersuchung verfügt über dreierlei Methoden, welche alle in der Pathologie der Harnwege ihre Anwendung finden. Es sind dies die Inspection, Palpation und Percussion.

Die Harnorgane entgehen in Folge ihrer Lage sowohl der directen Inspection als der directen Palpation. Dennoch ergeben die „Inspection und Palpation der Körperoberfläche“ gewisse Anhaltspunkte, die wir bei der Beurtheilung der Harnkrankheiten wohl zu verwerten in der Lage sind.

Trotzdem wäre diese Art der Untersuchung unzureichend, wenn sie nur an der Oberfläche und nicht auch im Inneren der Organe selbst vorgenommen werden könnte.

Aus diesem Grunde spielt in dem vorliegenden Theile der Chirurgie die instrumentelle Untersuchung eine so grosse Rolle. Die entsprechenden Verfahren und Handgriffe sind natürlich äusserst verschieden und complicirt und erfordern ein genaues Studium und besondere Fertigkeit.

Es ist der modernen Technik gelungen, dem Lichte Eingang in die Tiefe der Organe zu verschaffen, und diese neue Entdeckung hat sowohl der Diagnose als auch der Therapie neue und wunderbare Wege eröffnet. Das Ophthalmoskop und Laryngoskop haben für die Untersuchung des Auges und Kehlkopfes so wertvolle Resultate ergeben, dass sie heutzutage die wichtigsten Hilfsmittel zur Erkennung der Erkrankungen dieser Organe geworden sind.

Das war anfangs bei der Endoskopie der Blase und Harnröhre leider nicht der Fall. Sie blieb lange Zeit für den Fortschritt in der Diagnose der Harnkrankheiten ziemlich unfruchtbar. Allein wie dies bei allen Wissenschaften der Fall ist, welche auf Beobachtung beruhen, so haben auch hier die allmähligen Fortschritte die Situation verändert, und heutzutage ist die Endoskopie einer der wertvollsten Behelfe der Diagnose. Die Verbesserung der Instrumente und besonders die Verwendung der elektrischen Beleuchtung haben die Hoffnungen, welche man anfangs auf diese Methode gesetzt hat, nunmehr realisirt.

Freilich ist die Endoskopie mit der Ophthalmoskopie oder Laryngoskopie nicht in eine Reihe zu stellen. Denn wenn die Palpation bei der Augenuntersuchung eine ziemlich beschränkte Anwendung findet, beim Kehlkopf nur schwierig oder überhaupt nicht ausführbar ist, so gibt der Tastsinn dagegen so zahlreiche, präcise und feine Aufschlüsse über die Verhältnisse in der Harnröhre und Blase, und zwar auf so rasche und einfache Weise, dass man kühnlich behaupten kann, sowohl in der allgemeinen, als auch in der Chirurgie der Harnorgane bleibt die Untersuchung mit Hilfe des Tastsinnes die wichtigste Untersuchungsmethode.

Was wüssten wir z. B. von der Consistenz, der Ausdehnung und den Grenzen eines Mammatumors, von seinem Zusammenhang mit den Nachbarorganen — trotzdem die Brust, wie kein anderes Organ, der Inspection zugänglich ist — ohne die Palpation? Wie weit wären wir noch in der Diagnose der Uterinleiden zurück, wenn wir uns auf die Untersuchung mit dem Speculum beschränken müssten! Wie könnten wir die Empfindlichkeit aller Theile des Körpers prüfen, wie die genaue Localisation des Schmerzes vornehmen und auf diese Weise den Weg, welchen er nimmt, gewissermassen nachzeichnen; wie uns über die verschiedenen Grade der Consistenz, von der weichen Fluctuation bis zur Härte des Holzes, ohne den Tastsinn orientiren?

Diese physikalischen Zeichen sind die hauptsächlichsten Elemente der chirurgischen Diagnose. Freilich gibt das Gesicht meist positive und genaue Resultate. Was man sieht, das glaubt man, u. zw. in den meisten Fällen mit vollem Recht. Allein in der Medicin muss man selbst dann noch auf der Hut sein, die Ergebnisse der Inspection müssen immer noch durch den Tastsinn controlirt werden. Ich will nicht so weit gehen, eine einzige Zeugenschaft als nichtig zu betrachten, allein jedenfalls ist sie nicht ausreichend; erst das Ensemble der verschiedenen Eindrücke wird der Diagnose die nöthige Sicherheit geben.

Weil ich gerade von Ensemble spreche, so muss ich bemerken, dass noch bis zur Stunde die Endoskopie der Blase kein Ensemble, kein Gesammtbild, zu geben vermag.

Allein es gelingt einem unter günstigen Bedingungen, successive alle Theile des Blaseninneren zu betrachten und recht gut zu sehen. Wenn es sich aber um ein umfangreiches Neoplasma handelt, so werden wir es es nicht vollständig, nicht von allen Seiten, zu Gesicht bekommen, und häufig werden wir nicht in der Lage sein, uns ein richtiges Urtheil über die Art seiner Insertion zu bilden; das zeigt sich, wenn die Blase eröffnet wird, bei der Vergleichung mit dem endoskopischen Befund. Das Neoplasma kann aber auch durch sein Volumen und durch seinen Sitz die Endoskopie erschweren, oder unmöglich machen. Mit dem Endoskop lässt sich auch „die Gegenwart“ von Steinen ganz genau constatiren. Allein eine noch so gewissenhafte und langdauernde Untersuchung wird nicht imstande sein, das zu leisten, was die Untersuchung mit der Steinsonde „in einem Augenblick“ ergibt. Davon können Sie sich an der Klinik jeden Tag überzeugen.

Sobald die Sonde in die Blase kommt, hat sie den Stein auch schon berührt, seine Lage und Grösse erkannt, ermittelt, ob wir es mit einem einzigen oder mit mehreren Concrementen zu thun haben: ob die Blase regelmässig oder irregulär geformt, ob sie tief, ob breit, ob sie in dem einen oder in allen Durchmessern verengt ist; ob ihre Wände verdickt oder elastisch, regelmässig oder unregelmässig gestaltet sind; wie es mit der Toleranz und Sensibilität beschaffen ist. Durch ein einfaches und rasches Manöver erhalten wir also ein ganzes Ensemble von wichtigen Ergebnissen. Ich will damit nicht sagen, dass man nicht zufällig einmal mit dem Endoskop einen Stein entdecken kann, der einem bei der Sondenuntersuchung entgangen ist. Solche Ausnahmsfälle kommen in der Praxis vor. Allein es wäre ein grosser Fehler, wollte man daraus eine Regel machen und jene Diagnosen „mit dem Auge“ stellen, welche ausschliesslich „das Gefühl“ zu machen hat.

Ich könnte noch viele Beispiele aus der täglichen Praxis anführen, die sich auf die Harnröhre und Blase beziehen, wünsche aber weder die Sondenuntersuchung in den Himmel zu erheben, noch die Endoskopie herabzusetzen. Man muss mit beiden gleich gut umzugehen und sie im gegebenen Augenblicke richtig anzuwenden verstehen.

Es gibt nur einen sicheren Weg, um zur Diagnose zu gelangen, das ist die Methode.

Nur die bewusste Anwendung aller uns zur Verfügung stehenden

Mittel wird es uns ermöglichen, die Diagnose über den Sitz und die Natur der Erkrankungen mit möglichster Genauigkeit zu machen. Das Gesicht und das Gefühl spielen aber bei der directen Untersuchung die Hauptrolle; sie ergänzen und berichtigen einander unaufhörlich, und man wird je nach den Umständen, dem einen oder dem anderen Sinne die Führung überlassen. Besonders verlässlich ist eine Untersuchung dann, wenn sie sich auf beiderlei Sinneseindrücke stützt.

Es wird sich aber zeigen, dass die Diagnose in gewissen Fällen ohne das Endoskop gar nicht zu stellen ist, dass man gewisse Verhältnisse mit Hilfe des Endoskops frühzeitig klar stellt, oft geradezu entdecken kann. Freilich gibt es auch wieder Fälle, wo es sich als unnütz oder gar schädlich erweist, und endlich Fälle, in welchen dessen Anwendung zwar erwünscht, aber nicht durchführbar ist. Thatsächlich lässt sich das Endoskop nur unter gewissen, durchaus nicht immer gegebenen Bedingungen anwenden, so dass man oft darauf verzichten muss. Dagegen gibt es keine Verhältnisse, wo man nicht mit der Sonde oder mit dem Finger untersuchen könnte. In der Chirurgie, und besonders in der Chirurgie der Harnwege, hat man nur dann gut gesehen und genug gesehen, wenn man viel gefühlt hat. In dieser Beziehung, wie in mancher anderen, hat unsere Specialität mit der Geburtshilfe und mit der Gynaekologie vieles Gemeinsame. Das Touchiren ist übrigens ein wichtiger Theil der chirurgischen Erziehung.

Trotzdem wir erst in einer folgenden Vorlesung über die Untersuchung mit den Instrumenten sprechen wollen, so müssen wir doch schon jetzt deren Principien erörtern, da dieselben auch für die manuelle Untersuchung maassgebend sind.

Die Instrumente sollen ja thatsächlich nur „die Finger des Chirurgen verlängern“. Es ist wichtiger als man glaubt, dass jedermann, welcher mit einer Explorativsonde hantirt, von dieser Anschauung über den Zweck und die Wirkung der Instrumente durchdrungen sei. Der Chirurg, welcher ein Explorativinstrument in irgend eine Körperhöhle einführt, muss auf dem Weg, welchen das Instrument durchläuft, alle Theile, wie mit dem Finger abtasten. Trotzdem das Instrument der führenden Hand vorangeht, soll thatsächlich das Instrument die Führung haben. Die Sonde recognoscirt das Terrain, sie gibt an, ob die Passage frei und leicht durchgängig, ob der Weg gewunden ist, ob ein vorhandenes Hindernis umgangen werden kann, oder Einhalt gebietet. Das ist die Art und Weise, in welcher die „tiefe Palpation“ ausgeführt werden soll, wenn es sich um die Erforschung eines accidentellen Weges handelt, in welcher die Sonde auf Entdeckung ausgeht und nothwendigerweise die Hand des Chirurgen leitet.

Dieselben Regeln gelten auch für die Sondirung natürlicher Canäle und Höhlen.

Freilich ist die anatomische Kenntnis von der Form und Ausdehnung eines Canales, von der Capacität einer Höhle so wichtig, dass man stets bei der instrumentellen Untersuchung dieser Theile deren Bild vor Augen haben muss. Doch diese Kenntnis allein würde nicht ausreichen, und es wäre sehr gefährlich, wenn sich der Chirurg bloss auf seine anatomische Erinnerung verlassen und vergessen wollte, dass die Sonde „die führende Hand leiten und derselben fortwährende Eindrücke vermitteln soll". Die Summe aller gewonnenen Eindrücke bildet das Resultat der Untersuchung.

Man kann den Satz aufstellen: je mehr der Arzt fühlt, destoweniger fühlt der Kranke, und wer es sich zum Princip macht, das Instrument erst dann weiter vorzuführen, wenn er die Empfindung hat, dass dies leicht und vollständig sicher geschehen kann, der wird zu seiner Befriedigung von Seite der Patienten häufig das Compliment zu hören bekommen, er habe „eine leichte Hand".

Es gibt aber keine leichten, es gibt nur aufmerksame Hände.

Man darf aus dem eben Gesagten nicht den Schluss ziehen, dass es für die Einführung von Instrumenten keine Regel gäbe. Diese Regeln existiren thatsächlich, und wir werden auf sie noch zu sprechen kommen. Sie alle aber entspringen dem einen Grundprincipe, das man, soweit es sich auf die Einführung von Explorativinstrumenten bezieht, dahin formuliren könnte: Die Sondenuntersuchung soll das Touchiren mit Hilfe eines Instrumentes bezwecken.

Darum haben wir auch diese Principien bereits jetzt erörtert, trotzdem wir vorläufig nur über die Digitaluntersuchung sprechen.

Inspection. — Sie eröffnet stets die klinische Untersuchung und wenn sie bei unseren Kranken mitunter auch erst in vorgerückten Stadien ein Ergebnis liefert, so kann dasselbe dafür sehr wichtig sein.

Die Inspection wird sich auf das ganze Abdomen, besonders die Regio hypogastrica und die vordere Flankengegend, auf die Lumbalgegend, das Glied und den Hodensack beim Manne, die Vulva und die obere Scheidenwand beim Weibe, beziehen.

Bei grosser Volumzunahme der Niere oder Anschwellungen des perirenalen Gewebes, die allein dem Gesichte zugänglich sind, zeichnet sich das anormale Relief in der Flanke ab. Sind diese Anschwellungen nicht beträchtlich, so ist diese Gegend verbreitert, und besonders bei mageren Individuen tritt nach vorne eine Vorwölbung (Voussure) vor. Handelt es sich um einen grossen Tumor, so wird das ganze Abdomen in geringerer oder grösserer Ausdehnung deformirt, die Hautvenen treten hervor und schwellen an. Dagegen findet man nur selten eine Deformation in der Lendengegend, fast nie bei Tumoren, höchstens bei Ansammlungen im perinephritischen Zellgewebe und zwar erst dann wenn sich der Eiter bereits einen Weg nach aussen zu bahnen beginnt. Die Vorwölbung erscheint dann im unteren Abschnitte der Regio lumbalis, im sogenannten Petit'schen Dreieck, muss aber Zweifel über ihre Provenienz erwecken, wenn sie zu sehr vorspringt. So habe ich einmal eine Eiteransammlung mit grosser Vorwölbung der Lendengegend eröffnet, die nicht von der Niere ausgieng, sondern ein Senkungsabscess von der zweiten Rippe war. Nach Le Dentu soll das Fehlen einer Niere die normalen Contouren der Flanken auffällig verändern. Ich habe leider keine Gelegenheit gefunden die Richtigkeit dieser Angabe zu prüfen, allein die Autorität unseres Collegen lässt jedesmalige genaue Untersuchung wünschenswert erscheinen.

Die Inspection der Regio hypogastrica ist ergiebiger. Auf Nr. 6 liegt ein Kranker, dessen ausgedehnte Blase in der regio hypogastrica scharf vorspringt. Der kugelige Tumor reicht in der Medianlinie bis an den Nabel. Man braucht nur das Hemd aufzuheben, um zu erkennen, dass eine Harnverhaltung vorliegt.

Diese Vorwölbung der Blase kann man bei vielen mageren Individuen mit schwachen Bauchdecken leicht constatiren, doch liegt sie nicht immer median und häufig genug weicht der Contour nach rechts oder links ab, was leicht Irrthümer veranlassen könnte. Ich muss sie aber von allem Anfang an darauf aufmerksam machen, dass, so wichtig das Vorhandensein dieses Symptomes sein mag, dessen Fehlen nichts beweist, denn die volle Harnblase pflegt meist mehr oder weniger im Becken versteckt zu sein.

Bei der Untersuchung der Harnröhrenmündung haben wir auf dreierlei zu achten: auf deren Sitz, Dimension und etwaige Ausflüsse. Die oberflächlichste Untersuchung wird, wofern sie nur eine vollständige ist, verhindern, dass man eine anscheinend wohlgeformte, aber blind endigende Oeffnung für das Orificium ansieht, welches sich thatsächlich an der unteren Fläche der Eichel (Hypospadia balanis) oder des Gliedes (Hypospadia penis) oder selbst am Hodensack (Hypospadia scrotalis) vorfindet. Ebenso leicht entdeckt man eine congenitale, oder erworbene (Schanker) Atresie.

Die blosse Inspection der Harnröhrenmündung täuscht oft über deren Grösse; ein anscheinend enges Orificium kann thatsächlich ganz normal sein und umgekehrt. Erst die Sondeneinführung wird darüber Aufklärung schaffen.

Die Ausflüsse aus der Harnröhre können sehr verschieden sein. Ich brauche Sie nicht erst an den eitrigen Ausfluss des acuten Trippers mit Röthung und Schwellung des Orificium zu erinnern; das Bild ist zu bekannt, um dabei länger zu verweilen. Allein man muss vor den Behauptungen der Patienten auf der Hut sein, die über mehr weniger chronische Ausflüsse klagen. Nosophoben halten oft die normalen Secrete der Harnröhre und besonders der Bulbourethraldrüsen für pathologisch. Wir müssen daher das Wesen und Aussehen der normalen Harnröhrensecrete etwas näher in's Auge fassen.

Es ist ebenso wichtig zu wissen, wie ein solcher Ausfluss auftritt, als wie er aussieht, woher er stammt und unter welchen Umständen er an der Harnröhrenmündung erscheint. Zu diesem Zweck müssen wir ein wenig auf die Anatomie und Physiologie der Harnröhre eingehen.

Am häufigsten kann man das Corpus delicti zu Gesicht bekommen; doch wenn es sich um einen leichten Ausfluss handelt, wenn der Kranke gerade urinirt hat, kann man das Secret nicht mehr in situ wahrnehmen und in solchen Fällen muss man das Hemd genauer untersuchen als das Genitale.

Man muss sich daran gewöhnen, die Flecken in der Wäsche zu erkennen, denn ihr Aussehen genügt meist allein zur Lösung der Frage. Blut- und Eiterflecke sind leicht zu erkennen, selbst dann wenn der Eiter dünnflüssig und das Blut mit Eiter oder Harn vermischt ist. So etwas muss man eben sehen, und die beste Beschreibung ist nicht so viel wert, als eine öftere Besichtigung.

Häufig werden Urinflecke von den Kranken für Eiterflecke gehalten, besonders wenn es sich nicht um wirkliche isolirte oder zusammenfliessende Flecke handelt, — wie beim Blute oder Eiter, deren Contouren man selbst dann noch erkennt, wenn sie über einander liegen — sondern wenn die Wäsche nicht so sehr *gefleckt* als vielmehr *gefärbt* erscheint. Samenflecke sind ausgebreitet und gut contourirt; sie machen die Wäsche steif, ohne sie zu färben. Die Secrete aus der Harnröhre und Prostata machen ebenfalls die Wäsche steif, sind aber im pathologischen Zustand mehr weniger gefärbt, was von dem beigemengten Eiter herrührt. Ein Eiterfleck ist gelblich und nimmt nicht die ganze Ausdehnung der beschmutzten Stelle ein. Diese Flecke sind im allgemeinen wenig umfangreich, wenn sie aus der Harnröhre stammen, viel ausgedehnter, wenn sie pathologisches Prostatasecret darstellen. Doch darf man diesen Grössenverhältnissen nicht zuviel Bedeutung beimessen; auf diese Weise unterscheidet man Prostata- und Harnröhrensecret nicht von einander. Das Secret der vorderen Harnröhre bildet „polycyklische“ Flecken, dadurch dass ein Tropfen auf den anderen „hinaufsecernirt“ wird; das der hinteren Harnröhre, trotz der grösseren Dimensionen, gewöhnlich einfach contourirte Flecken. Wirklich auseinanderhalten lassen sie sich nur mit Hilfe (Bd. I. Taf. XII und XIII) des Mikoskropes.

Der Zustand der *Vorhaut* verdient unsere volle Aufmerksamkeit. Besteht eine Phimose, so handelt es sich darum zu wissen, ob sie angeboren oder erworben ist. Die allmählige Verengerung des Mündung des Vorhautsackes kann unter anderen Ursachen auch durch den langdauernden Contact mit zuckerhältigem Urin hervorgerufen werden, indem der Rand des Praeputium gereizt, roth und entzündet wird und sich allmählig verdickt. So wurde ich neulich zu einem Kranken gerufen, der über Harndrang und Brennen beim Uriniren klagte. Findet man in solchen Fällen ein Praeputium, das sich nicht mehr, oder nur unvollständig zurückschieben lässt, so muss man sofort die nöthigen Fragen stellen, um zu erfahren, ob kein Diabetes vorliegt. Man wird also nicht die Harnröhre, sondern den Harn untersuchen und häufig genug erfahren, dass man es nicht mit einer Erkrankung des Harnapparates, sondern mit Glykosurie zu thun habe. Es handelt sich um einen ganz analogen Process, wie man ihm oft bei diabetischen Frauen findet, bei welchen die Reizung durch den zuckerhältigen Harn ein Erythem und heftiges Jucken an der Vulva hervorruft.

Endlich muss man auch noch das Glied, den Hodensack und das Mittelfleisch in Augenschein nehmen. Dabei werden uns gewisse Zustände, wie Urininfiltrationen mit phlegmonösen Abcessen, sofort in die Augen fallen; nach anderen, wie z. B. Fisteln oder Narben, werden wir erst suchen müssen. Ein derartiger Anblick erzählt oft mehr als der Kranke und wird auch die Therapie häufig auf den richtigen Weg leiten. Hiefür ein Beispiel. Ein Patient wird an die Klinik gebracht, weil plötzlich Harnverhaltung aufgetreten ist, die, beiläufig gesagt, auf eine rein interne Behandlung zurückgegangen ist. Am Abend bevor er zu uns kam, hatte man in der Stadt versucht, ihn mit einem Katheter, dergleichen man in den Taschenbestecken findet, zu katheterisiren. Der Versuch war missglückt und hatte eine starke Blutung erzeugt.

Hätte man bloss das Perineum angesehen, an welchem sich eine, offenbar von einer Fistel herrührende Narbe befand, so hätte man weder ein falsches Manöver noch einen falschen Weg gemacht; die Narbe allein hätte eine alte Strictur erkennen lassen, die man durch methodische Untersuchung der Urethra bestimmt nachweisen konnte.

Bei der Inspection des Scrotum entdeckt man, besonders wenn der Patient aufrecht steht, eine etwa vorhandene Varicocele. Mitunter kann die Ausdehnung der Venen so hochgradig sein, dass der angeschwollene, von blauen Strängen durchzogene Hodensack bis zur Mitte des Oberschenkels herab hängt. In solchen Fällen kommen die Patienten selbst, um sich operiren zu lassen. Wie bereits früher bemerkt, habe ich mehrmals gefunden, dass eine derartige Varicocele mitunter nur symptomatisch, als Ausdruck für einen bestehenden Nierentumor auftritt.

Beim Weibe wird die Inspection der Harnröhrenmündung, zur Diagnose von Urethritis führen und auch Harnröhrenpolypen entdecken lassen, welche so häufig an der Innenwand des Orificium sitzen. Mitunter sieht man auch die Schleimhaut etwas evertirt. Die Untersuchung der vorderen Scheidenwand wird uns darüber Aufschluss verschaffen, ob sie unversehrt oder leicht prolabirt ist. Zur genauen Untersuchung der Harnröhrenmündung und ihrer Ausflüsse muss man die hintere Scheidenwand mit einem Löffelspeculum zurückdrängen.

Palpation. — Sie kann auf der ganzen Oberfläche des Abdomens, in den Flanken und in der Lendengegend sowie in inguine, an den äusseren Geschlechtstheilen und am Perineum ausgeübt werden. Meist handelt es sich darum, einen Druck in die Tiefe auszuüben, allein mitunter kann man auch durch eine Art „Kneipen" oder durch Berührung im Vorbeigleiten" besser zum Ziele gelangen.

Da man sich durch die Palpation des Abdomens über das Verhalten der Blase, u. zw. hauptsächlich über deren untere Hälfte orientiren will, wird man besonders die regio hypogastrica und die Beckenhöhle abtasten und gleichzeitig per rectum touchiren müssen. Diese „combinirte Palpation" ist überaus wichtig und kann nicht oft genug vorgenommen werden. Bei grösserer Uebung lässt sich auch der Ureter abtasten und schliesslich wird man in der regio iliaca entzündliche Anschwellungen oder harte vergrösserte Lymphdrüsen finden können, welch letztere meist auf degenerative Processe in der Prostata hinweisen.

Die Palpation der Leistengegend dient zur Constatirung angeschwollener Lymphdrüsen; die der Flanke und Lendengegend ausschliesslich der Nierenuntersuchung. Dieselbe wird sowohl durch Druck als durch Kneipen und durch die Berührung im Vorbeigleiten vorgenommen. Ausser der Combination dieser drei Methoden wird auch noch das „Ballottement" zwischen der in der Lendengegend und der auf die Bauchwand aufgelegten Hand gute Resultate ergeben.

Mit Hilfe der Palpation der äusseren Geschlechtstheile und des Perineum beim Manne untersucht man den Zustand des Corpus cavernosum, fahndet nach etwaigen Verdickungen und tastet die Urethra, Hoden und Nebenhoden, sowie die Samenstränge ab. Um die Geschmeidigkeit und Gestalt der Harnröhre zu controliren, fährt man mit der Fingerkuppe über dieselbe hin und lässt sie nachher zwischen den Fingerspitzen durchgleiten. Auf dieselbe Weise untersucht man den Samenstrang, Hoden und Nebenhoden. Am Perineum untersucht man durch Druck, und zum Aufsuchen des Samenstranges setzt man die Fingerspitzen leicht auf den Damm auf und lässt sie unter schwachem Druck hin und hergleiten.

Bei der Palpation durch Druck legt man die ganze Hand auf die Region oder den Punkt, welchen man untersuchen will, flach auf, und nur wenn die ganze Hand keinen Platz findet, begnügt man sich mit den Fingerspitzen. Je grösser die Contactfläche, desto besser die Untersuchung, und es ist unchirurgisch, bloss mit den Fingerspitzen zu untersuchen, wenn hiezu kein zwingender Grund vorhanden ist. Der Druck in die Tiefe darf nicht plötzlich und brüsk ausgeübt werden, weil sonst der Widerstand der Muskulatur schwer zu überwinden ist. Das erreicht man auf zweierlei Weise. Zunächst dadurch, dass man den Kranken in eine entsprechende Lage bringt, „im Takt" untersucht und, wenn dies nicht zum Ziele führt, durch Einleitung der Narkose.

Furchtsame Individuen lassen sich schlecht untersuchen, und selbst wenn man die aufgelegte Hand ruhig liegen lässt und nur allmählig in die Tiefe drückt, regelmässig athmen lässt und ihnen wiederholt anempfiehlt „sich gehen zu lassen", kommt man oft nicht zum Ziele. Besonders wird das aber der Fall sein, wenn es sich um ein Organ handelt, das auf Druck schmerzempfindlich ist; in diesem Falle soll man vor der Chloroformnarkose nicht zurückschrecken.

Die passive Rückenlage ist diejenige Stellung, in welcher die Muskulatur am besten entspannt ist. Es ist nicht die einzige, welche wir verwenden; um die Nieren zu palpiren, lassen wir z. B. den Kranken mitunter die Seitenlage einnehmen. Theoretisch sollten eigentlich die Resultate der Untersuchung noch besser sein, wenn man die Oberschenkel an den Leib andrückt und den Stamm durch ein Kissen aufrichtet, weil auf diese Weise die Enden der Musc. recti einander näher gebracht werden. Allein in der praktischen Ausführung zeigte es sich dass die geraden Bauchmuskeln sich dennoch contrahiren, mag man ihre Insertionen einander noch so nahe bringen, und man muss es mit sehr intelligenten und aufmerksamen Patienten zu thun haben, damit bei der Contraction der Muskeln der unteren Extremitäten, welche diese grosse Beugung hervorbringen, nicht auch die Muskeln der Bauchwand synergisch zur Contraction gebracht werden. Wenn der Kranke dagegen flach auf dem Rücken liegt, so braucht er nur „passiv" zu sein, um den grossen Widersacher der Abdominaluntersuchung, die Bauchpresse, auszuschalten. Wenn die Recti contrahirt sind, sind sie so hart, dass die Abtheilungen der oberen Hälfte knollenförmigen Tumoren zum Verwechseln ähnlich sind.

Der Arzt muss dem Patienten so nahe als möglich stehen, damit er die Kraft des Armes nur dazu verwendet, um die Hand in die Tiefe dringen zu lassen, nicht aber, um sie auszustrecken. Das Minimum an Kraft wird die feinste Palpation ermöglichen.

Am besten legt man den Kranken auf ein schmales Bett, um ganz nahe an ihn herantreten zu können, was besonders bei der Nierenuntersuchung von Wichtigkeit ist. Er soll nicht sprechen, weil dies ohne Contraction der Muskeln nicht geschehen kann. Ich halte es daher für einen Fehler, den Kranken auszufragen und die Hände dabei ohne Methode, und wie zufällig, über den Bauch gleiten zu lassen.

Die Untersuchung im Takt (exploration en mesure) richtet sich nach den Athembewegungen. Nur während der Exspiration wird der Bauch entspannt und nur dann kann die Hand vordringen. Versuchen wir das dagegen während der Inspiration, so leisten die Muskeln Widerstand. Man wird sich wundern, wie weit man auf diese Weise in die Tiefe vordringen kann; das geht bei manchen Individuen bis an die Vorderfläche der hinteren Bauchwand.

Auf diese Weise dringen wir vertical soweit als möglich in die Tiefe. Haben wir das gefunden, was wir suchen und wollen es noch näher abtasten, oder haben wir es nicht gefunden und müssen erst weiter suchen, so führen wir ein anderes Manöver aus. Wir drehen nämlich die Hand, ohne sie zu heben, nach den verschiedensten Richtungen, um sie auf diese Weise eine möglichst grosse Fläche bestreichen zu lassen.

In der Regel nimmt man die tiefe Palpation des Abdomens nur mit einer Hand vor; allein man kann auch beide Hände verwenden, entweder indem man sie nebeneinander, oder aufeinander legt. Das letztere ist besonders praktisch, wenn man eine grosse Distanz bis zu dem zu untersuchenden Organe (z. B. der Niere) zu durchlaufen hat, welche Distanz vielleicht noch durch einen besonders entwickelten Panniculus adiposus und ein fettreiches Netz und Mesenterium verlängert wird. In solchen Fällen ist eine solche Hand „als Vorspann“ sehr nützlich; sie soll nicht den Kraftaufwand vergrössern, sondern nur die vorliegende Hand in der erreichten Tiefe festhalten.

Mitunter muss man allerdings brüsk eindringen, besonders wenn es sich darum handelt, durch Flüssigkeiten hindurch zu palpiren.

Bei Ascites z. B. muss man gewissermassen „untertauchen“.

Auch muss man mitunter „ausser dem Takt“ (à contre-temps), also nicht während der Exspiration, sondern während der Inspiration untersuchen. So z. B. bei der Untersuchung der Niere, welche bei tiefer Inspiration herabsteigt und unter den Rippen zwischen den Fingern hindurchgleiten kann.

Die Palpation durch Kneipen (par pincement) geschieht in der Weise, dass man die zu untersuchende Partie zwischen die Finger oder in die volle Hand fasst. So überzeugt man sich bei abgemagerten Personen von der Schlaffheit der Haut, oder bei Fettleibigen von der Dicke des Panniculus adiposus. Auch feinere Untersuchungen lassen sich auf die Weise vornehmen, z. B. kann man so die Hoden vom Nebenhoden und vom Samenstrang abgrenzen. Natürlich darf diese Untersuchung keinen Schmerz verursachen und gibt auch nur dann ein Resultat, wenn sie an der Oberfläche vorgenommen wird, ohne tief einzudringen. Eine Ausnahme macht nur die Untersuchung der Niere, bei welcher man die Hand mit dem Daumen nach vorn an die Flanke legt und in die Tiefe dringt. Wir werden aber später hören, dass sie hier nicht immer ausführbar ist.

Die Palpation durch Berührung im Vorbeigleiten (par frôlement) vermittelt sehr feine Tastempfindungen, kann aber nur durch dünne Wände und bei oberflächlich liegenden Objecten angewendet werden, so zum Abtasten von dicht unter der Haut liegenden Drüsen oder voluminösen Tumoren, oder selbst einer besonders stark ausgedehnten Blase. Auch die Sensibilität wird auf diese Weise geprüft, was für die Localisation des Schmerzes natürlich von Wichtigkeit ist.

Palpation der Niere. — Sie wird durch den Lumbaltheil der Bauchwand und durch die vordere Bauchwand vorgenommen. Die erstere wird durch eine dicke und resistente Muskelschichte gebildet; die letzere ist dünner und leichter eindrückbar, allein der Weg, den die tastende Hand zu durchlaufen hat, ist viel grösser. Die Niere liegt der hinteren Bauchwand unmittelbar an und ist nach vorne von der Masse der Därme verdeckt, speciell vom Colon, ist also immer von der suchenden Hand weit entfernt. Dabei wird sie zum Theil auch noch von den Rippen verdeckt, so dass normalerweise, sowohl vorn als rückwärts, nur ein Theil der Niere getastet werden kann.

Wir sehen also, dass, mit Rücksicht auf die gegebenen Schwierigkeiten, das Resultat der Untersuchung nur ein relatives Vertrauen verdient. Trotzdem wird man durch methodische Untersuchung immerhin gewisse Verhältnisse klarlegen können.

Was wir von der Lagerung des Patienten gesagt haben, bezieht sich hauptsächlich auf die Nierenuntersuchung.

Bei der Lendenpalpation gleitet die untersuchende Hand, indem sie die Matratze etwas niederdrückt, zwischen dieser und dem Rücken des Patienten, an die Dornfortsätze der ersten Lendenwirbel und an die letzte Rippe. Diese Stützpunkte gestatten die leichte Orientirung auf dem Untersuchungsterrain. Dasselbe ist sehr beschränkt und wird nur von dem Triangulum costo-vertebrale gebildet. Hier, und nicht zwischen der Crista iliaca und der letzten Rippe, muss man in die Tiefe drücken, sonst drückt man unterhalb der Niere. Daraus ergibt sich bereits die Nothwendigkeit, nicht mit der ganzen Hand zu tasten, man wird höchstens ein bis zwei Finger dazu verwenden können. Man drückt, und zwar ziemlich stark, mit der Spitze des Fingers oder der Finger, die man eventuell hakenförmig krümmen kann, damit sie besser in die Tiefe dringen, nach vorne und hat damit auch bereits der vorderen Hand die Direction gegeben.

Ich lege auf die genaue Beobachtung dieser Vorschriften ein grosses Gewicht, denn von ihrer exacten Beobachtung hängt der Wert der Untersuchung der kranken oder gesunden Niere ab und deren Vernachlässigung führt leicht zu Irrthümern. Die vordere Hand liegt, wenn sie der rückwärtigen diametral gegenüber gestellt wird, auf dem äussern Rand des Rectus auf. Diese Stellung wurde durch Durchstechung eines Cadavers ermittelt. Rechterseits genügt es, wenn sie die Rippen berührt, links muss die Hand ein wenig unter den Rippenrand eindringen. Natürlich muss dieses Eindringen „im Takt“ vorgenommen werden.

Man soll also bimanuell untersuchen; nur so gelangt man in die Tiefe der Lendengrube. Die Palpation mit einer Hand wird die Niere oft nicht auffinden lassen, wenn die letztere nicht sehr voluminös ist. Auch die Palpation durch Kneipen, indem man die Flanke mit einer Hand umgreift, kann selbst bei jugendlichen Individuen nur zufällig ein Resultat ergeben und die Palpation im Vorübergleiten verwendet man nur dann, wenn es sich darum handelt, Contouren eines besonders stark hervorspringenden Tumors zu fühlen. Man darf auch nicht vergessen, dass die meisten Patienten in dieser Gegend sehr kitzlig sind, und muss daher ruhig untersuchen.

Diese Vorschriften beziehen sich natürlich nur auf die Niere, wenn sie in situ und nicht vergrössert ist. Besteht eine Vergrösserung oder Lageveränderung, so muss natürlich die vordere Hand einen grösseren Bezirk abtasten; allein die hintere Hand muss an ihrem Fixpunkt festhalten, den Angulus costo-vertebralis aufsuchen, weil sich die Niere normalerweise hier befindet und hier auch noch anliegt, wenn sie vergrössert ist.

Der Contact zwischen Niere und hinterer Bauchwand geht nur bei beträchtlicher Lageveränderung verloren. In solchen Fällen empfiehlt sich meiner Meinung nach wiederum die Untersuchung „im Takt“, weil man bei diesem Manöver das Durchgleiten der Niere zwischen beiden Händen, oder wie man es genannt hat das, „Échappement“ am besten fühlt.

Es wurden noch andere gute Verfahren für die Palpation vorgeschlagen und sowohl die Untersuchungen von Glénard in Lyon als die von Israel in Berlin sind von grossem praktischen Interesse.

Die Methode von Glénard[1]) bezweckt hauptsächlich die verschiedenen Grade der Lageveränderungen der Niere, der Nieren-„Ptosis“,

[1]) F. Glénard, Province médicale 23. Aug. 1886, Lyon.

wie er sie nennt, zu constatiren. Ohne mich auf die geistreichen Manöver des genannten Autors näher einlassen zu wollen, bemerke ich nur, dass die Weichtheile unter dem Rippenbogen mit einer Hand breit und fest gefasst werden und zwar auf der rechten Seite mit der linken, auf der linken mit der rechten Hand, den Daumen nach vorne, den Mittelfinger nach rückwärts. Es wird auf diese Weise ein enger Ring gebildet, der nach rückwärts durch die Wirbelsäule, nach vorn durch die rechte Hand geschlossen wird. Diese letztere drückt thatsächlich die vordere Bauchwand gegen den linken Daumen, welcher sich unter dem Ende der neunten Rippe befindet. Ist die Niere beweglich, so wird sie durch die Respiration deplacirt und gleitet durch obgenannten Ring, dessen beweglichen Theil der Daumen bildet. Man wird die Niere auf diese Weise sogar fangen können und sie gleitet wieder an ihren Platz zurück, wenn man sie loslässt. Glénard benennt die drei Tempi als Affût (auf der Lauer, auf dem Anstand), Capture (Fang) und Échappement (Entrinnen, Entgleiten).

Der Arzt aus Lyon lässt den Patienten die passive Rückenlage einnehmen, welche wir oben beschrieben haben, während der Berliner Chirurg eine ganz andere Stellung angibt[1]).

Der Kranke liegt in der Seitenlage, die zu untersuchende Seite nach oben. In dieser Stellung ist die Muskulatur entspannt, die Niere hängt in Folge ihrer Schwere nach vorn und unten. Die unteren Extremitäten sind leicht gebeugt. Bei Untersuchung der linken Seite steht der Chirurg am rechten Bettrand, dem Kranken gegenüber, legt die Finger der rechten Hand flach auf die linke Lendengegend auf, die rechte Hand auf den correspondirenden Theil der vorderen Bauchwand, so zwar, dass die Spitze des Zeige- und Mittelfingers zwei Finger breit unter der Vereinigungsstelle des neunten und zehnten Rippenknorpels zu liegen kommt.

Durch die Athembewegungen erhält auch die Niere einen Impuls, und bei dem gleichzeitig und rhytmisch ausgeübten Druck der beiden Hände legt sich dieses Organ während und besonders am Anfange der tiefen Inspiration an die vordere Hand an. Natürlich muss auch hiebei die Palpation „ausser“ dem Takte, d. h. während der Inspiration vorgenommen werden.

Israel benützt also den Lagewechsel der Niere bei der eigenartigen Lagerung und bei der Inspiration und zieht auch daraus Vortheil, dass die Bauchmuskulatur gerade in dieser Lage besonders entspannt ist. Glénard hingegen benützt hauptsächlich die Athembewegungen und die Muskelentspannung bei der Exspiration. Er will aber auch nichts

---

[1]) Israel, Ueber die Palpation gesunder und kranker Nieren, Berl. Klin. Wochenschr. 1889, Nr. 7 u. 8, pag. 125 u. 126.

nachweisen als die Lageveränderungen, die er auch thatsächlich in ihren Anfängen entdeckt. Israel dagegen ist imstande, mit seiner Methode das untere Drittel oder selbst die Hälfte einer normalen Niere abzutasten.

Ich habe Gelegenheit gefunden, die Methode von Glénard zu discutiren und nachzuweisen, dass sie alle von ihrem Erfinder angeführten Resultate nur bei Individuen mit weichen Bauchdecken und geringem Fettansatz ergibt. Ich habe gezeigt, wie störend selbst bei solchen Personen die elfte Rippe wirkt, und verweise diesbezüglich auf die Arbeit meines Schülers Récamier.[1])

Von der Methode Israels, sagt er: Man könne weder in der Rücken- noch Seitenlage die Niere erreichen, wenn sie weder herabgetreten noch vergrössert ist.

Zu diesem Schlusse kam auch ich, nachdem ich bei jeder Gelegenheit die Seitenlage versucht hatte. Man kann mit dieser Methode eine normale Niere nicht fühlen. Ist sie thatsächlich nicht vergrössert, dann muss wenigstens ihre Beweglichkeit pathologisch sein, damit man sie fühlt.

Wenn die Niere zugleich etwas vergrössert und beweglich ist, vermag man allerdings mit Hilfe dieser Methode gewisse Veränderungen wahrzunehmen, welche man in der Rückenlage nicht entdecken kann, welche aber, wie ich später bemerken werde, auch das Ballottement erkennen lässt. Trotzdem ist die Seitenlage eine jener Lagen, welche die Bauchwand am besten entspannen. Bei tiefer Inspiration macht eine bewegliche Niere auf diese Art die grössten Excursionen und man ist imstande, die Beweglichkeit der Niere zu prüfen.

So brauchbar sich auch die Palpation für jene Fälle erweist, wo es sich um grosse Lageveränderungen, um feste oder flüssige Nierentumoren mittlerer Grösse, oder um die Ermittelung der Empfindlichkeit der Niere handelt, so lässt sie uns leider oft gerade in wichtigen Fragen ganz im Stiche. Wir können durch die Palpation einen Nierentumor von mittleren Dimensionen, dessen Grenzen und Beziehungen zu den Nachbarorganen, dessen Beweglichkeit, Gestalt und Volumen erkennen; allein wenn er sehr gross ist, dann lassen sich Irrthümer in der Diagnose nicht vermeiden. Auch erhalten wir keine Aufklärung über die Consistenz und sind überhaupt nicht imstande, kleine Volumszunahmen ausfindig zu machen. Selbstverständlich entgehen Verkleinerungen der Niere, oder gar deren Fehlen, der Palpation vollständig.

Durch das Chloroform wird allerdings eine bessere Palpation ermöglicht, aber nur insoweit die Muskelcontraction oder die Dicke der

[1]) Récamier, Étude sur les rapports du rein et son exploration chirurgicale, Thèse de Paris 1889.

Gewebe ein Hindernis für die Betastung abgegeben hatten. Auch mit Hilfe der Narkose ist es unseres Wissens nie gelungen, geringe Zunahmen oder Abnahmen des Volumens, oder das Fehlen der Nieren nachzuweisen.

Diesen Mängeln wird zum Theil durch das Ballottement der Niere abgeholfen, mit dessen Hilfe man deren Vorderfläche genau und präcise untersuchen kann, wofern sie nur die Rippen überragt. Die Tasteindrücke, welche man auf diese Weise erlangt, sind thatsächlich ganz vorzügliche und gestatten nicht nur, die Lage der Niere zu erkennen, sondern auch deren Contouren zu fühlen, sie zu messen und begrenzen, zu erkennen, ob die Oberfläche glatt oder buckelig ist und wie es mit der Consistenz steht.

Um das Ballottement der Niere hervorzurufen, muss der Kranke wie bei der Palpation gelagert werden und man muss sich auf die zu untersuchende Seite des Kranken stellen. Die Hand, welche auf dem Abdomen aufliegt, braucht keinen Druck auszuüben; es genügt, wenn sie die Bauchwand sanft niederdrückt. Ein zu energischer Druck wäre zweckwidrig, denn es muss der Niere ein Spielraum zu ihrer Bewegung frei gelassen werden und man darf die Muskelthätigkeit nicht herausfordern. Nunmehr führt man in dem beschriebenen Dreieck, und nur hier, durch wiederholte Beugung der Phalangen, nicht mit den ganzen Fingern, an Ort und Stelle kleine Erschütterungen aus. Nur wenn die Erschütterung in dem Trigonum costo-vertebrale als Choc verspürt wird, wird dieser auch wirklich durch die Niere verursacht.[1]) Man darf nicht vergessen, dass von allen Bauchorganen gerade nur die Niere in der Lendengrube liegt, und zwar subperitoneal, dass sie beweglich werden, aus ihrer Nische herauswandern, aber immer wieder leicht dahin zurückgeführt werden kann. Untersuchungen über das Wachsthum der Nierentumoren haben überdies gezeigt, dass wenn sie sich auch gegen das Abdomen zu entwickeln, sie doch immer „lumbal“ bleiben. Nur solche Neubildungen, die in einer bereits ektopischen Niere entstanden sind, findet man nicht mehr in der Lendengrube. Tumoren, welche in der Lendengend liegen oder dorthin zurückgebracht werden können, sind also mit grösster Wahrscheinlichkeit als Nierentumoren anzusprechen.

Als ich zum erstenmal auf das Ballottement aufmerksam wurde und constatirt hatte, dass man den Anschlag der Niere an die vordere Hand bei Volumsvergrösserungen dieses Organes stets hervorrufen könne, war ich natürlich der Ansicht, dass die Vorbedingung für dieses Ballottement die Beweglichkeit der Niere sein müsse, und in

[1]) F. Guyon, Sémiologie et examen clinique des tumeurs du rein. Ann. des mal. des org. gén.-urin. 1888, p. 650.

dieser Voraussetzung habe ich auch im Jahre 1886 auf dem französischen Chirurgencongress[1]) auf dieses neue Symptom aufmerksam gemacht. Ich hielt mich für berechtigt zu sagen, dass die Niere bei jeder Volumszunahme auch beweglich werde. Allein bald wurde ich durch Sectionsbefunde belehrt, dass dieses Ballottement auch bei nicht beweglichen Tumoren der Niere, selbst wenn sie noch obendrein durch Adhäsionen an die hintere Bauchwand fixirt waren, hervorgerufen werden konnte. Das Ballottement beweist somit nur, dass es sich um eine Vergrösserung der Niere handelt und eine Mobilisation im antero-posterioren Durchmesser möglich ist. Von einer Beweglichkeit der Niere kann man aber nur dann sprechen, wenn sie sowohl in transversaler, als in verticaler Richtung bewegt werden kann.

Es handelt sich hier um die Gesammthebung dieser Region; die Niere wird nicht etwa nach vorne geworfen, um dann auf den stossenden Finger zurückzufallen, es ist also nicht wie bei dem Ballottement des Fötus ein Gegenchoc ein Rückstoss, zu verspüren. Wenn aber auch der Mechanismus verschieden ist, der Gefühlseindruck ist derselbe und deshalb habe ich auch den geburtshilflichen Terminus beibehalten. Näheres findet sich in der Monographie meines Schülers Clado[2]).

Bis zu welchem Grade die directe Untrersuchung der Niere durch das Ballottement vervollkommnet wird, lässt sich natürlich nicht genau feststellen. Man kann aber gewiss auf diese Weise bereits geringe Lageveränderungen und Grössenzunahmen entdecken. Das habe ich häufig bei der Untersuchung von Kranken während und nach einer Nierenkolik, bei acuter Nephritis oder beginnender Nephroptose erproben können. Im ersteren Falle war die Niere während der Krise unterhalb der Rippen zu fühlen, nach dem Anfalle aber nicht mehr zu tasten.

Anderseits konnte ich mich durch wiederholte Untersuchung davon überzeugen, dass man die Niere im normalen Zustande nicht spüren kann; selbst bei Frauen und auf der rechten Seite nur ausnahmsweise. Somit ist der Schluss berechtigt, dass stets eine kleine Volumszunahme oder Lageveränderung vorliegt, wenn beim Ballottement die Spitze oder vordere Fläche der Niere gefühlt wird.

Das Ballottement lässt sich also nur dazu verwerten, um einerseits Lageveränderungen bereits in ihren Anfängen zu erkennen und um anderseits eine Vergrösserung zu constatiren. Diese Untersuchungsmethode wird besonders die frühzeitige Diagnose von Nierentumoren ermöglichen, natürlich im Verein mit anderen Symptomen.

Wichtig ist sie in differentialdiagnostischer Beziehung. Guillet aus Caen kam in Folge eingehender Untersuchungen zu dem Schlusse, dass

---

1) F. Guyon, Congrès français de Chirurgie 2. Sitzung, Oct. 1886, p. 571, Bd. II.

2) Clado, Bulletin médical 27. Juli 1887.

nur Nierentumoren ballottiren, wenn man Erschütterungen der Lendengegend ausübt. Er citirt einen Fall, in welchem sowohl die Niere als auch die Leber vergrössert waren und die Leber- und Nierendämpfung ineinander übergiengen. Durch das Ballottement habe er erkennen können, was der Niere und was der Leber angehörte. Bei methodischer Untersuchung der Milztumoren konnte ich bisher noch kein Ballottement zustande bringen. Allein die Leber kann genau so ballottiren wie die Niere, und ich habe gesehen, dass partielle Vergrösserungen des rechten Leberlappens, nicht Tumoren dieses Organes, „mit dem Trigonum costovertebrale in Contact standen“. Solche Fälle führen zu Irrthümern, wenn man sich auf das Ballottement allein verlässt. Da entscheidet die Configuration des Tumors, der fühlbare Leberrand etc.

Jedenfalls ist das Ballottement in der Mehrzahl der Fälle ein Symptom, welches gestattet, einen Tumor, der sich in der Flanke entwickelt hat, als Nierentumor zu erkennen. Allein die Nierentumoren zeigen das Ballottement nicht in allen Stadien ihrer Entwicklung; auftretende Verwachsungen können da Veränderungen erzeugen. Albarran, mein damaliger Chef de clinique, hat im Februar 1890 der Societé anatomique einen Fall mitgetheilt, welchen er auf der Abtheilung des Collegen Rigal beobachtet hatte. Eine sehr exacte Constatirung des Nierenballottement hatte die irrthümliche Diagnose Nierenkrebs veranlasst. Die Section ergab ein Carcinom des Jejunum, welches mit der Vorderfläche der linken Niere Verbindungen eingegangen und von derselben durch das breitgedrückte Colon getrennt war.[1]) Man begreift, dass unter diesen Bedingungen ein reguläres Manöver Ballottement der Niere hervorrufen musste. Dasselbe gilt von einem anderen Falle, über welchen Tuffier in derselben Sitzung berichtete. Eine Hydatidencyste nahm man wegen des Ballottements als der Niere angehörig an. Thatsächlich sass sie unmittelbar oberhalb der intacten Niere. Hier war der Tumor deshalb mit dem Lendentheile der Bauchwand in directem Contact, weil er sich zufälligerweise gerade in der Lendengrube entwickelt hatte. Vielleicht könnten ähnliche Erscheinungen auch bei einer ausgedehnten und adhärenten Gallenblase zur Beobachtung gelangen.

Diese Eigenschaft der Nierentumoren, sich immer gegen die Lende hin zu entwickeln, ist sozusagen congenital und unterscheidet sie leicht von Abdominaltumoren, welche von Haus aus keinen Contact mit dem Lendentheile der Bauchwand besitzen. Begreiflich, denn diese letzteren sind intraperitoneal, daher ursprünglich „abdominal“ und können nur zufällig und ziemlich selten in der Lendengegend gefühlt werden. Die Bedeutung des Ballottements, als einer „renalen“ Erscheinung, muss also immer mit den Einschränkungen, welche die vorhergehenden Aus-

[1]) Albarran, Bulletin de la Soc. anat. p. 113.

nahmen ergeben, gewürdigt werden. Aber auch „ein Ballottement“ im allgemeinen, d. h. ein solches, das nicht einzig und allein beim Aufsetzen der Fingerspitzen auf die bereits so oft erwähnte Stelle zustande kommt, beweist das Bestehen eines Nierentumors durchaus nicht und ich erinnere mich sehr genau an einen in der linken Flanke ballottirenden Tumor, den Collegen von Autorität für einen Nierentumor gehalten hatten. Ich theile diese Ansicht nicht, weil die Erschütterung des Trigonum nicht nur nicht fortgeleitet wurde, sondern vielmehr den Mangel eines jeden Zusammenhanges zwischen Lendengegend und Tumor erkennen liess. Meine Diagnose: Carcinom des Colon descendens wurde in weiterer Folge durch die Gesammtsymptome bestätigt.

Das Ballottement lässt sich, wie wir bereits bemerkten, auch dann nicht hervorrufen, wenn die Niere unter den Rippen liegt; auch selbst bei einer Vergrösserung lässt sich in solchen Fällen die Vorderfläche nicht abtasten. Aber auch wenn Nierentumoren bereits zu gross sind, gelingt das Ballottement nicht. Wenn sie bereits die ganze Lendengegend ausfüllen, sind sie nicht mehr beweglich. Das sah ich bei einem Russen, der mich das erstemal im April 1887 consultirte. Damals war sein Tumor so gross wie der Kopf einer reifen Frucht und ballottirte ausserordentlich gut. Die Beweglichkeit war nicht nur in der Sagittalen, sondern auch in der Frontalen und Verticalen ziemlich beträchtlich. Der Kranke liess sich nicht operiren, und als ich ihn nach einem Jahre wiedersah, hatte der Tumor sein Volumen verdreifacht, seine Beweglichkeit aber nach allen Richtungen hin vollständig eingebüsst.

Die Druckempfindlichkeit ist eine der bezeichnendsten Symptome von Nierenentzündung und ihr semiotischer Wert übertrifft jenen der spontanen Empfindlichkeit bei weitem. Die normale Niere ist für den Druck unempfindlich, und wenn ein solches Manöver Schmerz erzeugt, dann besteht auch immer ein pathologischer Zustand. Um sich auf dieses Symptom verlassen zu können, muss man natürlich wieder die Gewissheit haben, an der richtigen Stelle zu drücken, und diesbezüglich gilt das oben Gesagte. Diese Untersuchung wird uns oft dort Nierenschmerzen entdecken lassen, wo wir nichts von spontanen Schmerzen erfahren.

Das trifft bei gewissen Nierenentzündungen zu, und wir können mit Hilfe dieser Untersuchungsmethode den Nachweis erbringen, dass die Niere nicht bei jeder Nephritis auf Druck schmerzhaft sein muss, so z. B. nicht in der Mehrzahl chronischer Fälle, oft sogar selbst dann nicht, wenn ein fieberhafter Zustand auf eine acute Entzündung hinweist. Im letzteren Falle spricht wohl das Fieber für die Diagnose, ohne aber erkennen zu lassen, welche Niere erkrankt ist.

In solchen Fällen muss man die Untersuchung täglich wiederholen und es wird sich zeigen, dass die Krankheit alle ihre Phasen durchläuft, ohne dass man irgend einmal Schmerzhaftigheit nachzuweisen vermochte. Wenn aber diese pathologische Empfindlichkeit in acuten Fällen selten ist, so halte ich sie in chronischen für die Regel, und der Schmerz wird uns über die Schwere der Veränderungen der Niere keinen Anhaltspunkt geben.

Wir wollen bei dieser Gelegenheit das wichtige Symptom Schmerz etwas näher in's Auge fassen und zunächst die Frage erörtern, ob denn dieses Symptom nicht bei anderen Krankheiten ausser bei acuten Nierenentzündungen beobachtet wird, und wollen noch einiges über den spontanen Schmerz und den Schmerz im Ureter anführen.

Es gibt nichtentzündliche Zustände, bei welchen man sowohl spontane als auch Druckschmerzen beobachtet. Der Schmerz tritt dann in zwei verschiedenen Formen auf: entweder heftig, excessiv, und in diesem Falle anfallsweise, oder aber als dumpfer Schmerz und ist dann meist habituell und von langer Dauer.

Zur ersteren Kategorie gehören die Nierenkoliken mit ihren bekannten Irradiationen; zur zweiten gewisse congestive Zustände ohne Läsion und solche, welche durch einen chronischen Reiz, wie z. B. Steine im Nierenbecken hervorgerufen, oder bei der Entwickelung von Neugebilden beobachtet werden.

Bei Vorhandensein von Steinen pflegt die Niere druckempfindlich zu sein, allein auch das ist nicht constant. Bei acuten Krisen ruft man gewiss Schmerz hervor, u. zw. nicht nur an der Niere, sondern auch ausstrahlende Schmerzen.

Selbst bei dumpfen Schmerzen kann man mitunter beim Druck auf die Niere erkennen, dass thatsächlich dieses Organ das erkrankte ist; allein ein positives Resultat ergeben meist nur die Gesammtsymptome.[1])

Jedenfalls muss man, wenn die Niere nicht entzündet ist, nach der hinteren auch die vordere Fläche untersuchen. Das gilt besonders dann, wenn man einen Stein vermuthet und durch Druck auf denselben

---

[1]) Nierentumoren sind nicht druckempfindlich, sie erzeugen spontanen Schmerz. Nach Guillet sollen diese Schmerzen häufig sein. Dieser Autor hat sie 63mal in 79 Fällen beobachtet; er bemerkt aber, dass sie 1. nur dann stärker hervortreten, wenn das Neugebilde bereits sehr gross ist und dass 2. die Anfälle häufig im Verlaufe oder als Vorläufer von Blutungen auftreten. Das haben auch meine zahlreichen Beobachtungen ergeben. Selten kündigt sich die Bildung eines Neoplasmas der Niere durch Schmerzen an, und man kann nur die Anfälle bei einer Blutung oder bei der Ausstossung eines Gerinsels derartig deuten. Solche Anfälle können sehr intensiv sein, wenn selbst der Tumor noch sehr klein ist; dagegen treten neuralgiforme Schmerzen, wenn sie überhaupt beobachtet werden, erst sehr spät auf.

Schmerz erzeugen will. Der Druck muss dann gegen den Hilus gerichtet sein, und es empfiehlt sich in solchen Fällen die Israel'sche Seitenlage.

Palpation des Ureters. — Sie wird durch die vordere Bauchwand, durch das Rectum beim Manne und die Vagina beim Weibe vorgenommen.

Der Harnleiter ist dort am besten zu palpiren, wo er in's kleine Becken eintaucht. Der Durchschnittspunkt zweier Linien, deren eine die beiden Spin. iliac. anter. super. verbindet, während die andere vom Tub. pubis senkrecht aufsteigt, hat uns oft gestattet, auf der Bauchwand mit ziemlicher Genauigkeit den Punkt anzugeben, wo der Ureter in die Tiefe dringt. Diese Hallé'schen Linien sind thatsächlich die besten Orientirungspunkte. Bei Individuen, deren Bauchwand weich und nachgiebig ist, kann man die Art. iliaca leicht durchtasten und so zum Ureter gelangen. Natürlich muss man in die Tiefe dringen, u. zw. „im Takt" bis zu dem oberen Rand und kann dort durch gleitende Bewegungen in loco die Empfindlichkeit oder Härte des Harnleiters constatiren.

In pathologischen Fällen kann man auf diese Weise Schmerzhaftigkeit constatiren oder einen Strang nach aufwärts verfolgen; noch häufiger erkennt man die cylindrischen voluminosen Anschwellungen einer Periureteritis. Ich habe dergleichen oft beobachtet. Eine solche periphere Entzündung braucht nicht eitrig zu sein und kann durch das Steckenbleiben eines Steines hervorgerufen werden.

„Bisher zur Diagnose der Ureteritis wenig in Verwendung, ist die Rectal- und Vaginaluntersuchung", schrieb Hallé, „dazu berufen, ihren Platz unter den brauchbaren Methoden zur Untersuchung des Ureters einzunehmen". Diese Voraussicht ist eingetroffen, und ich glaube nichts Besseres thun zu können, als an dieser Stelle die seither classisch gewordenen Regeln zum Touchiren des Ureters nach Hallé anzuführen.

„Der beim Manne in's Rectum, beim Weibe in die Scheide eingeführte Finger kann den Verlauf des Ureters eine gewisse Strecke weit verfolgen. Wenn das Becken eng und das Perineum dünn ist, so kann ein nicht zu kurzer Finger durch das Rectum nach hinten und aussen an die rückwärtige, seitliche Beckenwand dringen und dort die hypogastrischen Gefässe, sowie den Ureter tasten. Diese Untersuchung ist aber nur unter ganz bestimmten, ziemlich seltenen Verhältnissen möglich. Dagegen kann der Finger sowohl beim Manne als beim Weibe das Endstück des Ureters, den convergirenden Theil seines Verlaufes erreichen.

Die Untersuchung durch's Rectum besteht darin, dass man den Finger soweit als möglich nach rückwärts stösst, hierauf die Fingerkuppe nach aussen und oben dreht, und die vordere Wand des Mastdarmes hebt, indem man sie gegen die seitliche Beckenwand drückt Auf diese Weise gelangt der Finger immer auf den Verlauf des Ureters, und zwar dort, wo er die Samenblase erreicht. Beim Weibe ist die Untersuchung noch einfacher. Nichts leichter, als den Verlauf eines intacten Ureters durch das seitliche und dann vordere Laquear der Scheide bis zur Blase zu verfolgen. Es ist mir sogar gelungen, bei einer Phlegmone des Ligamentum latum, welches das Laquear zurückdrängte, einen wahrscheinlich gesunden Ureter genau durchzutasten. Eine mässige Füllung der Blase und Druck auf das Hypogastrium erleichtern die Untersuchung in cadavere, indem der Ureter nach unten gedrückt wird."

Ich will mit Hallé noch bemerken, dass man nur den kranken Ureter fühlen kann, dass man sich dagegen nicht damit begnügen darf, denselben bloss zu fühlen, sondern dessen Sensibilität prüfen muss. Ich habe bereits auf diesen Umstand hingewiesen [1]) und mein Schüler Legueu [2]) hat die Frage genau studirt. Um exact palpiren zu können, muss man den Ureter mit der gleichnamigen Hand untersuchen und begreiflicherweise einmal rechts und einmal links stehen.

Palpation der Blase. — Nur die combinirte Untersuchung hat einen Wert, denn man kann die Blase, wenn sie nicht ganz besonders ausgedehnt ist, bei Prüfung mit einer Hand kaum fühlen, geschweige denn, sich über deren Zustand genau unterrichten. Mit einer Hand kann man sich höchstens über das Volumen und, bis zu einem gewissen Grade, über die Sensibilität orientiren.

Nur diejenigen Volumsveränderungen, welche auf Ansammlung von Urin beruhen, lassen sich durch das Hypogastrium durchtasten; diejenigen hingegen, welche durch Verdickung der Wände, durch einen Tumor oder Stein hervorgerufen werden, übersieht man bei dieser Art der Untersuchung gewöhnlich. Diese Veränderungen, welche man im Gegensatz zu den vorhergehenden als „solide" bezeichnen könnte, lassen sich dagegen durch die combinirte Untersuchung recht gut und mitunter sehr genau wahrnehmen. Ganz genau trifft das allerdings nur bei sehr ausgesprochener entzündlicher Verdickung der Wände und besonders bei Neubildungen zu. Beim Erwachsenen fühlt man selbst den grössten Stein nicht, beim Kinde dagegen ist es ein Leichtes selbst mittlere, ja sogar kleine Steine zwischen Zeigefinger und Hand zu fühlen, und das gelingt auch beim Weibe, wenn der Stein sehr voluminös ist. Man muss also principiell aussprechen: Wenn die einfache Palpation durch

---

1) Guyon, Diagnostic des affections chirurgicales du rein. Journ. de médecine et chir. prat. 25. März 1891.

2) F. Legueu, Calculs du rein et de l'uretère etc. 1891.

die Bauchdecken eine mehr oder weniger umfangreiche Masse erkennen lässt, welche als die Blase imponirt, so muss man sich hüten, leichthin anzunehmen, dass dies thatsächlich die Blase sei, oder der Blase angehöre, und man wird umso misstrauischer sein müssen, wenn diese Masse eine solide Consistenz besitzt. Auf diese Weise lassen sich nur „juxtavesicale“ Tumoren oder Anschwellungen wahrnehmen, wie Pericystitis oder Neubildungen des Darmes, welche häufig mit der Blasenwand verwachsen sind. Ich will ja nicht behaupten, dass Blasentumoren niemals eine derartige Grösse erreichen, dass man sie nicht beim Auflegen der Hand auf's Hypogastrium spüren könnte, allein solche Fälle sind gewiss selten und mir in meiner Praxis noch nicht vorgekommen.

Das Gegentheil ist mir aber in der Praxis häufig untergekommen, dass man nämlich die vorgewölbte Blase für einen Tumor gehalten hat. Das ist umso bedauerlicher, als man auf diese Weise Blasenkrebs diagnosticirt und nicht behandelt, wenn man es ganz einfach mit einer alten Retention und Kachexie zu thun hat. Wir müssen also vor allem andern die Kennzeichen der vorgewölbten Blase, der Blasenkugel (globe vésical) kennen lernen.

Die ganz volle Blase stellt eine kugelige, geschmeidige Masse mit abgerundeten, sehr regelmässigen Contouren dar, deren Scheitel bis an den Nabel, manchmal bis über den Nabel reicht. Der Blasengrund verliert sich hinter der Symphyse, die Vorder- und Seitenflächen, lassen sich, soweit sie das Schambein überragen, leicht untersuchen. Diese Masse liegt in der Mittellinie, ist unbeweglich oder nur wenig beweglich.

Die beiden letzten Charaktere sind modificirbar, die „kugelige Form und Regelmässigkeit der Contouren“ dagegen permanent. Sie lassen sich immer genau constatiren, denn die Umgebung einer Blase, mag die letztere noch so ausgedehnt sein, ist nie verdickt. Das einzige Hindernis für die Untersuchung kann ein zu stark entwickeltes Fettpolster abgeben, allein mit Hilfe der combinirten Untersuchung werden sich die Contouren der Blase ebenso genau als durch eine dünne Wand erkennen lassen.

Wir können die vordere Blasenwand, soweit sie die Symphyse überragt, abtasten, denn sie liegt fast unmittelbar der Bauchwand an. Die Blase lässt sich aber auch vom Rectum her untersuchen; je nach ihrer Ausdehnung und nach individuellen Verschiedenheiten tritt sie mehr oder weniger in das Becken herab. Sie kann dann nicht nur die ganze Ausbuchtung des Kreuzbeines ausfüllen, sondern den aufsteigenden Schambeinast überragen. Wenn man den Finger in das Rectum einführt, so trifft man in geringer Tiefe auf diesen hinteren Abschnitt der

Blase und man könnte im ersten Augenblicke annehmen, dass man eine enorme Prostata touchirt. Ich habe mich überzeugt, dass dieser Fehler, der übrigens leicht zu vermeiden ist, oft gemacht wird.

Ich habe vorher bemerkt, dass die mediane Lage und anscheinende Unbeweglichkeit keine feststehenden Eigenschaften seien. In der Praxis zeigt es sich dagegen, dass sich die Blase thatsächlich ziemlich selten nach rechts oder links hin entwickelt, noch seltener nach oben, obwohl dies beim Manne, wie beim Weibe beobachtet werden kann. Ebenso selten ist die Blase beweglich und weicht beim Drucke aus. Solche seltene Erscheinungen muss man trotzdem ad notam nehmen, um fehlerhafte Diagnosen zu vermeiden.

Mitunter trifft man also eine nach rechts oder links entwickelte Blase. Sie ist gegen die Fossa iliaca gerichtet, ohne ihr jedoch aufzuliegen, und nähert sich mehrweniger der Beckenwand und der Linea innominata. Meist lässt sie sich leicht reponiren. Solche Lageveränderungen sieht man häufig, wenn man die Blase fühlt, nachdem man das Rectum mit dem Petersen'schen Ballon ausgedehnt hat, und man muss oft diese Deviation mit der Hand ausgleichen, um die Blase genau in der Mitte zu eröffnen.

Es ist ja nicht zweifelhaft, dass in diesem Falle die Füllung des Rectums die Ursache der Lageveränderung ist. Ein gleiches Resultat kann auch durch das Vorhandensein von Faecalmassen im Mastdarme veranlasst werden. Die interessanteste Lageveränderung kann aber die Blase bei sehr grosser Volumszunahme der Prostata erfahren.

Ich pflege mich immer so auszudrücken, dass die Blase dann gewissermaassen auf einem „Piedestal“ ruht und es genügt, eine verhältnismässig geringe Flüssigkeitsmenge, um dann eine Vorwölbung im Hypogastrium zu erzeugen. Diese Vorwölbung ist oft so ausgeprägt, dass man sie nicht nur durch die einfache Palpation, sondern auch durch die Inspection wahrnehmen kann. Daran muss man sich erinnern. Wenn man also eine Vergrösserung der Prostata constatirt hat und zugleich eine, mit dem Füllungsgrade der Blase nicht im Einklang stehende hypogastrische Vorwölbung findet, so wird man wissen, dass die Vergrösserung der Prostata ganz aussergewöhnliche Dimensionen erreicht hat, was für etwa vorzunehmende Eingriffe wissenswert sein wird.

In solchen Fällen bleibt die Blase in der Mittellinie und die Verschiebung erfolgt nur nach aufwärts, gegen oder über den Nabel.

Bei frisch entbundenen Frauen erleidet die Blase sehr leicht gewisse Lageveränderungen und steigt, wenn sie voll ist, aus dem Becken heraus. In solchen Fällen drängt sie auch den Uterus nach aufwärts, und ich habe einmal gesehen, dass in einem solchen Falle der Fundus uteri die untere Fläche der Leber berührte; es handelte sich um eine

Retention nach der Entbindung. Die Schlaffheit der Mutterbänder und Bauchdecken ist um diese Zeit nämlich so gross, dass die Gebärmutter überallhin dislocirt werden kann. Findet man also den Uterus soweit nach oben verlagert, so muss man sofort an eine Harnverhaltung denken. Die Verschiebung der Blase erfolgt sowohl nach oben als nach der Seite, meist in einer schiefen Linie. Die Blase folgt darin dem Gesetze für die Verschiebung der Beckentumoren und der schwangeren Gebärmutter; sie legt sich auf die rechte Seite. Die Gründe hiefür habe ich an anderer Stelle mitgetheilt.[1]) Man findet thatsächlich in einigen Fällen die Blase in der rechten Fossa iliaca; aber nur nach der Entbindung kann sie dergestalt aus dem Becken heraussteigen.

Die Genauigkeit, mit welcher sich die Contouren der Blase stets durchtasten lassen, ist für die Diagnose gewisser prävesicaler Flüssigkeitsansammlungen im Cavum Retzii äusserst wichtig. Solche Ansammlungen gleichen der Blase zum Verwechseln; ihre Form, Grenzen und Dimensionen sind die gleichen, allein es fehlt die Nettigkeit und Regelmässigkeit der Contouren. Mit Ausnahme der Fälle von serösen, nicht entzündlichen Flüssigkeitsansammlungen, welche ich als „prävesicales Hygrom“ beschrieben habe, sind die Contouren nicht so regelmässig wie bei der Blase, weniger nachgiebig, dichter und an einigen Stellen resistenter. Den besten Aufschluss gibt natürlich der Katheterismus: Wenn nach der Blasenentleerung der Tumor persistirt, so ist ein Zweifel über dessen Localisation ausgeschlossen. Allerdings darf keine Communication des Ergusses mit der Blase bestehen, wie das mitunter bei subperitonealen Rupturen vorkommt. In solchen Fällen darf man den Katheterismus nicht fortsetzen, sondern man muss die Incision vornehmen. Erinnern wir uns schliesslich noch einmal daran, dass eine noch so gespannte Blase nur selten so stark vorgewölbt ist, dass man sie bereits bei der Inspection vorspringen sieht. Prävesicale Flüssigkeitsansammlungen können dagegen auffällig vorgewölbt sein.

Zur Abtastung der Blase kann man das gewöhnliche Manöver der Palpation dergestalt modificiren, dass man den Ulnarrand der Hand an die obere Blasengrenze anlegt und allmählig in die Tiefe drückt. So kann man nach und nach den Scheitel der Blase umgreifen und, bei dünnen Bauchwänden, allerdings nur sehr theilweise, „auf der Hand“ einem Auditorium demonstriren.

Die Sensibilität der Blase manifestirt sich bei der einfachen Palpation nur dann, wenn sie sehr lebhaft ist; sie wird dann stärker verspürt, wenn man die Hand zurückzieht, ist übrigens nicht pathognomonisch.

---

[1]) F. Guyon, Sur la cause de l'inclinaison de l'utérus à droite pendant la grossesse. Journ. d. physiol. de Brown Sequard, Pag. 75 Jan. 1870.

Ueber die Palpation der Leistengegend haben wir bereits gesprochen.

Am Penis und Perineum kann man mit Hilfe der Palpation mehrweniger entzündliche Tumoren oder Fremdkörper entdecken.

Es vergeht kein Tag, an welchem wir nicht an der Klinik durch die Palpation Veränderungen an der Harnröhre nachweisen. Bald ist es eine mehrweniger ausgebreitete, mehrweniger schmerzhafte Anschwellung, die eine Harninfiltration befürchten lässt, bald ein phlegmonöser Abscess, bald erscheint die ganze Urethra als rigider Strang mit dicken Wänden, bald endlich handelt es sich um isolirte Knoten von verschiedener Grösse.

Solche Knoten können zwar bei allen Stricturen, ja selbst mitunter bei Urethritis ohne Strictur vorkommen, haben aber in der Regel eine traumatische Ursache.

Weil wir gerade von Stricturen sprechen, so will ich gleich hier vorwegnehmen, dass die Palpation gleichzeitig mit der Sondirung vorgenommen, besonders gute Aufschlüsse gibt. Man kann den Weg, welchen die Olive nimmt, genau verfolgen, spüren wie sie zurückgehalten wird u. s. w.

Ich habe früher bemerkt, dass Fremdkörper durch die Palpation wahrgenommen werden können; doch muss ich darauf aufmerksam machen, dass sie ihre Gegenwart nicht immer, wie man glauben sollte, durch eine gewisse Resistenz, oder durch eine Vorwölbung, sondern meist nur durch eine umschriebene Schmerzempfindlichkeit ankündigen, die besonders in dem Augenblick gross ist, in welchem der Finger auf sie drückt. Diese Thatsache ist sehr wichtig und wird es ermöglichen, Steinfragmente, welche sich nach der Lithotripsie in der Harnröhre engagirt haben, aufzufinden. Anders verhält es sich natürlich bei periurethralen Fremdkörpern. Bei diesen können wir uns auf die eigene Tastempfindung verlassen und brauchen nicht die Schmerzempfindung des Patienten zu Hilfe zu nehmen. Das war der Fall bei einem jungen Manne, dem ich vor kurzem einen kleinen Stein aus dem Penis entfernt habe. Der Fremdkörper hatte sich in einer Art Blindsack entwickelt. Solche Gebilde sind aber selten.

Die Pars pendula und scrotalis der Harnröhre sind der einfachen Palpation besonders zugänglich. Weniger leicht lässt sich die Pars perinealis untersuchen. Die Pars membranacea und prostatica, d. h. die tiefe Harnröhre, entgeht der eigentlichen Palpation vollständig; da muss man zur Rectaluntersuchung schreiten. Man wird aber nur dann im Stande sein die Urethra durch das Rectum zu erkennen, wenn vorher ein Instrument in dieselbe eingeführt worden ist; dann spüren wir aber das Instrument und nicht die Urethra.

Die Gebilde, welche der Hodensack einschliesst, gehören zwar streng genommen nicht zu den Harnwegen, allein es wird sich empfehlen, auch sie genau zu untersuchen. So ist der Zustand des Nebenhodens besonders wichtig. Seine Integrität beweist zwar nichts, dagegen ist seine Verdickung nicht ohne Bedeutung. So weist sie einmal auf eine frühere alte Gonorrhöe hin, welche der Kranke verschweigen wollte, ein andermal wird sie einen Verdacht auf Tuberculose stützen. Ueber Varicocele habe ich bereits gesprochen.

Rectaluntersuchung. — Sie ist für die Diagnose der Erkrankungen der Harnwege von ganz besonderer Wichtigkeit.

Der unterste Abschnitt des Dickdarmes steht mit dem Endstücke der Ureteren, den Samenblasen, der Prostata, der hinteren Harnröhre in Beziehung. Die Vorderfläche des Rectum liegt diesen verschiedenen Partien an. Besonders intim sind seine Beziehungen zu der Blase, den Samenblasen und der Prostata; es ist von diesen Gebilden nur durch eine Zellgewebeschichte getrennt und lässt daher die obgenannten Gebilde alle genau durchtasten.

Die Rectaluntersuchung ist bei Erkrankungen der Harnwege des Mannes ebenso wichtig, als die Scheidenuntersuchung bei Gebärmutterleiden. Auch sie muss immer eine combinirte Untersuchung sein.

Man nimmt allgemein an, dass die richtige Lage für diese Untersuchung die Seitenlage sei. Das ist für unsere Zwecke geradezu ein Fehler. So kann man vorgehen, wenn es sich um Fisteln, Fissuren, Analtumoren handelt, d. h. wenn es sich darum handelt zu sehen. Oder aber man kann diese Lagerung für gewisse Fälle von organischen Veränderungen des Rectum, Carcinom oder Stenose wählen, wenn man die ganze Innenfläche des Rectum abtasten will, und lässt dann die Kranken erst auf die rechte, dann auf die linke Seite legen und schliesslich die Knieellenbogenlage einnehmen. Anders liegt die Sache dagegen bei Erkrankung des Harnapparates, wo man einzig und allein die vordere Wand des Mastdarmes zu palpiren hat. Hiebei muss der empfindlichste Theil des Fingers, d. h. die Fingerbeere nach vorn, respective nach oben, gerichtet sein. Es ist aber hiefür noch ein anderer Grund maassgebend. Zur Untersuchung der genannten Gebilde ist auch die Palpation von der Bauchwand her, d. h. die combinirte Untersuchung, nothwendig und diese lässt sich nur in der Rückenlage richtig vornehmen.

Wir lassen also unseren Kranken auf den Rücken legen und führen den Zeigefinger sofort in der richtigen Stellung ein. Ohne uns um die Gebilde, welche wir durchgleiten, zunächst zu kümmern, führen wir den Finger an der vorderen Darmwand entlang, langsam, nach Maassgabe der Entfaltung des Darmes so hoch hinauf, als es der Widerstand der äusseren Weichtheile überhaupt gestattet. Dann erst beginnt man Punkt für Punkt, von innen nach aussen, die Gebilde abzutasten. Um leicht möglichst hoch hinaufzugelangen, empfiehlt es sich, nicht nur den eigenen Finger, sondern auch den Anus des Patienten reichlich einzufetten, und zwar mit Oel, Coldcream oder noch besser mit Vaseline. So wird jede Schwierigkeit, jeder Schmerz und dadurch jede vorzeitige Unterbrechung vermieden und auf diese Weise lässt sich das Perineum gut niederdrücken. So kann jeder Chirurg zu einem langen Finger kommen, umso länger, je mehr demselben die zu untersuchenden Partien durch die äussere Hand entgegengedrückt werden.

Bei Einführung des Fingers spüren wir zunächst an der Prostata longitudinale Falten der Darmwand, welche oft dick vorspringen. Diese leistenförmigen Vorsprünge sind etwas ganz Normales.

Am höchsten Punkt treffen wir auf die Blase, die je nach dem Alter des Patienten mehr oder weniger zugänglich ist. In den ersten Lebensjahren kann man die ganze Hinterfläche leicht abtasten, während zur Zeit der Pubertät nur der Blasengrund leicht zugänglich ist. Man wird daher einen Stein beim Kinde fühlen können und begreift so die Vorschrift des Celsus, den Stein mit dem in's Rectum eingeführten Finger anzuhaken und gegen das Perineum vorzudrängen. Beim Erwachsenen muss man im Stande sein, wenn keine Prostatahypertrophie vorliegt, den ganzen Blasengrund mit Einschluss der Einmündung der Harnleiter und einen guten Theil des Blasenkörpers zu fühlen. Dazu muss man aber geübt sein und sich genau an die angeführten Regeln halten.

Das sind die Grenzen, welche der Finger erreichen kann, allein wir können noch viel mehr erforschen, denn was der Finger nicht erreicht, kann man ihm leicht entgegendrücken. So bringt die äussere Hand die höchsten Punkte der Blase mit dem tastenden Finger in Berührung, und auf diese Weise kann das leere Organ vollständig abgetastet, die Dicke und Geschmeidigkeit seiner Wände genau controlirt werden.

Gewöhnlich kaum fühlbar, kann der Blasengrund nach dem 35. oder 40. Jahre aus zwei verschiedenen Gründen stärker hervortreten: Entweder wegen einfacher Distension oder wegen Structurveränderungen.

Wenn ein Individuum einige Stunden lang nicht urinirt hat, so wird die Rectaluntersuchung ziemlich hoch oben, also fast an der Grenze der erreichbaren Theile, einen elastischen, glatten, mehrweniger vorspringenden Tumor fühlen lassen, der einem nur dann als etwas Pathologisches imponiren kann, wenn man nicht weiss, dass es sich um eine rein physiologische Tension handelt. Wichtiger ist dagegen ein Zustand, welcher auch durch den Urin hervorgerufen wird, aber in diesem Falle ist der Blasengrund nicht mehr auf seinem Platz, er ist herabgerückt, deformirt, der Finger erreicht ihn leicht und, je nach der Füllung der Blase, ist die Vorwölbung mehr oder weniger ausgesprochen. Bei Retention mit starker Distension kann die Geschwulst, welche durch den Blasengrund gebildet wird, so beträchtlich werden und dem Anus so nahe gerückt sein, dass man fast sofort darauf stösst. Wenn man diesbezüglich über keine Erfahrung verfügt, so kann man leicht irregeführt werden und glaubt einen grossen Tumor oder wenigstens eine enorme Prostatahypertrophie vor sich zu haben.

Wenn die Blase unvollständig entleert wird und nur einen gewissen Füllungsgrad zeigt, so kann uns die Rectaluntersuchung allein nicht aufklären, wir müssen combinirt untersuchen und fühlen dann zwischen der äusseren Hand und dem Finger, am Blasengrund, einen kugeligen, resistenten Tumor, der sich durch den Druck anspannt.

Bei partieller Retention, wenn die Distension nur allmählige Fortschritte macht, so dringt die Blase thatsächlich gegen die Kreuzbeinhöhlung vor, und es ist in solchen Fällen eine grosse Harnmenge erforderlich, damit die Blase nach oben steigt. Solche Fälle sind gewöhnlich, und ich habe Ihnen gerade früher den Kranken auf Bett Nr. 2 gezeigt, welcher thatsächlich seine Blase nicht entleerte, trotzdem uns die Palpation im Hypogastrium einen negativen Befund ergab und auch die Percussion hellen Schall bis an die Symphyse erkennen liess. Bei der combinirten Untersuchung dagegen constatirten wir sofort eine umfangreiche und resistente Vorwölbung, welche durch den evacuatorischen Katheterismus verschwand. Die Blase enthielt 300 *ccm* Harn.

Durch das einfache Manöver den Zeigefinger in das Rectum einzuführen und die andere Hand auf die Bauchdecke aufzulegen, können wir uns bei jedem Individuum, ob fett ob mager, ob jung ob alt, davon überzeugen, ob die Blase voll oder leer ist. Ja man kann sogar deren Inhalt bis auf 50 *ccm* genau schätzen.

Die Möglichkeit durch die combinirte Untersuchung, das Volumen der Blase zu ermitteln ist aber nicht nur für die Diagnose der Retentionen von grosser Wichtigkeit, sondern auch für die Erkennung von Neoplasmen. Bei einem Haematuriker, dessen Blutungen auf ein Neugebilde des Harnapparates schliessen lassen, werden wir die Blase entleeren und hierauf die combinirte Untersuchung vornehmen. Finden wir dann, dass die Blase noch immer voluminös geblieben ist, so sind wir berechtigt anzunehmen, dass sie ein Neugebilde enthalte. Zeigt sich hiebei keine Verdickung der Wände und eine gewisse Weichheit bei der Berührung, so werden wir an einen gestielten Tumor denken. Finden wir dagegen eine gewisse Resistenz, eine Induration und buckelförmige Hervorragungen, so darf man nicht daran zweifeln, dass das interstitielle Gewebe der Blasenwand ergriffen ist. Ich habe unlängst eine Dame operirt, welche an der linken Blasenwand ein haselnussgrosses Neugebilde sitzen hatte. Bei der endoskopischen Untersuchung konnte ich dasselbe genau zu Gesicht bekommen und auch ein sehr competenter College hatte es gefunden. Nur war er der Ansicht, dass die Neubildung die Blasenwand infiltrirt habe, und thatsächlich hob sie sich im Bilde von derselben nicht ab. Gestützt auf das vollständig negative Resultat der Palpation, theilte ich diese Ansicht nicht und in der That sahen wir nach der Eröffnung der Blase einen schmalen Stiel, welchen der Körper des Tumors vollständig verdeckt hatte. Das vorliegende Beispiel zeigt am besten, wie viel man bei der Diagnose von der combinirten Untersuchung erwarten muss, und ich halte mich für berechtigt zu sagen, dass sowohl die negativen, als auch die positiven Ergebnisse wichtig sind. In diesem, wie in vielen anderen Fällen habe ich gerade aus dem negativen Befunde geschlossen, dass der Tumor wahrscheinlich gestielt sei.

Was die Rectaluntersuchung bei Steinkranken anbelangt, so spielt sie wohl zumeist nur in der Kinderpraxis eine Rolle. Allein in einigen Fällen wird man bei Erwachsenen, oder auch bei Greisen, die Gegenwart eines Steines auch auf diese Art nachweisen können. Dazu muss aber einerseits der ausgebauchte Blasengrund herabgetreten sein und mehrweniger Flüssigkeit enthalten, und man muss ferner ein eigenes Manöver vornehmen. Man geht so zu Werke, dass man den Finger an die Blase legt und den dort vermutheten Stein durch einen Ruck fortschnellt. Ist der Stein genug gross, schwer und beweglich, so ergibt er ein ähnliches Gefühl wie beim Ballottement des kindlichen Schädels. Diese Procedur gelingt aber sehr selten, hat keinen rechten Zweck und ich erwähne sie nur als klinisches Curiosum. Keinesfalls kann man durch die Rectaluntersuchung die Grösse eines Steines bemessen.

Man braucht nur nach rechts und links von der Mittellinie zu tasten, um auf die Samenblasen zu stossen.

Ihre Untersuchung ist fast immer möglich, selbst wenn sie sich infolge von Prostatahypertrophie weniger leicht ausführen lässt, und wird am Krankenbette unter verschiedenen Bedingungen ausgeführt. Bald handelt es sich darum, sich über die Natur einer bestehenden Hodenaffection näheren Aufschluss zu verschaffen; bald hingegen sind Nebenhoden und Vas deferens gesund, doch bestehen besondere Harnbeschwerden, die einen eigenartigen Verdacht erwecken. Die Tuberculose des Harnapparates tritt nämlich an den Samenbläschen ziemlich frühzeitig auf und macht sich dort entweder durch umschriebene Knötchen oder durch ein diffuses, hartes Infiltrat bemerkbar. Das habe ich durch klinische Beobachtung in Erfahrung gebracht und Lancereaux bestatigte dieselbe durch pathologisch-anatomische Befunde. Zur genauen Untersuchung ist es mitunter nöthig, jede Samenblase mit dem gleichnamigen Zeigefinger gesondert zu untersuchen.

Das Hauptobject der Rectaluntersuchung ist aber die Prostata. Durch deren combinirte Untersuchung trachten wir uns auf dieselbe Weise, wie beim Uterus, über Volum, Consistenz, Form und Sensibilität zu orientiren; doch ist es angezeigt zuvor die Blase zu entleeren, wenn man genaue Resultate erlangen will. In diesem Falle fühlt man, wenn die Bauchwände weich sind und die Palpation richtig vorgenommen wird, ganz genau, in welcher Weise die Drüse gegen die Blase vorspringt, oder man fühlt das „intravesicale Relief". Dagegen kann man so nicht erkennen, ob es sich um Vergrösserung der mittleren oder der Seitenlappen handelt und die Aufschlüsse, welche man durch das Touchiren über Volum und Form erhält, sind nicht absolut verlässlich. Die Drüse kann nach der Urethra oder Blase hin stark vorspringen, die Harnentleerung stark beeinträchtigen und trotzdem wenig oder gar nicht in's Rectum hineinragen. Will man sich von der Länge der Prostata und dem „Relief" der Lappen überzeugen, so muss man intraurethral touchiren, d. h. mit der Sonde untersuchen.

Andere Veränderungen der Form und Consistenz können wieder nur durch den Finger entdeckt werden. Ist die Prostata voluminös, hart wie Holz, mit vorspringenden Buckeln versehen, so muss man an Carcinom denken. Primärer Krebs der Prostata ist selten, aber doch relativ häufiger als man gedacht hat. Zum erstenmal wurde ich darauf durch einen Kranken aufmersam, welchen ich 1869 mit Nelaton gemeinschaftlich sah. Gestützt auf die angeführten Symptome hatte mein illustrer Lehrer die Diagnose auf Krebs gestellt, die ich, aufrichtig gesagt, damals nicht theilte; drei Jahre später erfolgte der Tod unter paraplegischen Erscheinungen und die Section ergab ein ausgebreitetes Carcinom, welches das ganze Becken erfüllte. Diese Neoplasmen haben einen rapiden Verlauf und greifen rasch um sich. Doch habe ich bei mehreren Kranken eine verhältnismässig lange stationäre Periode beobachtet. Ein bis zwei Jahre, bevor das Carcinom diffus wurde, hatte man bereits eine Verhärtung der Prostata constatirt und man kann nicht frühzeitig genug auf diesen Rectalbefund achten.

Die excessive und vollständige Verhärtung, die Form der Buckel, das oft ganz beträchtliche Volumen der Prostata, die Antecedentien und Begleiterscheinungen, verhindern eine Verwechselung eines beginnenden Carcinoms mit Tuberkelknoten, welche letzteren immer rundlicher, weicher, zerstreuter und vom umgebenden Gewebe, dessen Consistenz normal geblieben ist, gut zu differenziren sind.

Die gewöhnlich indolente Drüse kann durch Entzündung sehr

empfindlich werden, u. zwar sowohl spontan als auf Druck. Eine derartige Prostatitis kann entweder „rein entzündlichen“ Verlauf nehmen, oder in Phlegmone und Eiterung übergehen.

Das war der Fall bei dem jungen Manne auf Bett Nr. 15. Bei seinem Eintritt, vor 10 Tagen, klagte er über Dysurie, lebhafte Schmerzen im After und am Damme; die Prostata, besonders der linke Lappen, war vergrössert, druckempfindlich und heute morgens war ich genöthigt, einen deutlich fluctuirenden Abscess per rectum zu eröffnen. Bei dieser Gelegenheit möchte ich Sie darauf aufmerksam machen, dass die Arterien der Rectalwand mitunter stark entwickelt sind und unter Umständen einen förmlichen Rectalpuls erzeugen. Darauf wird man bei der Incision gebürende Rücksicht zu nehmen haben. Eine derartige erhöhte arterielle Circulation ist immer eine Begleiterscheinung acuter Entzündungen.

Die normale Urethra lässt sich beim Touchiren von den übrigen Weichtheilen nicht unterscheiden; natürlich gilt dies nicht mehr, für den Fall dass sie durch einen Fremdkörper, sei es durch einen zufällig eingedrungenen (Stein, Fragment von einem Katheter) oder durch einen vom Chirurgen eingeführten (Explorateur, Bougie, Sonde) ausgedehnt ist.

Das ist besonders wichtig, wenn es sich um einen schwierigen Katheterismus handelt, denn wir werden durch das Touchiren per rectum nicht nur erkennen können, ob der Katheterschnabel die Symphyse umgangen hat oder nicht, ob das Hindernis im Bulbus oder in der Regio prostatica sitzt, sondern wir werden auch den Katheterismus bimanuell leichter ausführen können. Vor einigen Wochen hatten Sie an meiner Klinik einen Patienten mit Cystitis pseudomembranacea sehen können, den man nur katheterisiren konnte, wenn man jedesmal den Katheterschnabel per rectum sozusagen in die Blase hinein geleitete.

Ueber die Empfindlichkeit der Blase beim Manne gibt bereits das einfache Touchiren den nöthigen Aufschluss. Man braucht dazu nur auf den Blasengrund zu drücken, wenn die Cystitis bereits ausgesprochen ist; im Beginne der Entzündung kann man sich durch combinirte Untersuchung ganz genau orientieren und entscheiden, ob wirklich die Blase der Sitz des Schmerzes ist. Auf dieselbe Weise lässt sich beim Manne die Empfindlichkeit der hinteren Harnröhre und der Pars membranacea (durch Andrücken an den Schambogen) prüfen.

Touchiren per vaginam. — Durch diese Untersuchung lässt sich die Urethra in ihrem ganzen Verlaufe und der grösste Theil der Blase abtasten. Es gibt keinen Punkt, den man bei der combinirten Untersuchung nicht zwischen beide Hände bringen könnte. Bei nervösen wehleidigen Frauen wird man die Empfindlichkeit so localisiren können, dass man unter der Decke die einzelnen, auch nicht schmerzhafte Punkte der Vagina betastet. Dass man Neoplasmen und mitunter auch die Einmündung von Blasenscheidenfisteln erkennen kann, sei nur beiläufig bemerkt. Desgleichen, dass es möglich ist, in gewissen Fällen Blasensteine durch die Scheide zu tasten. Das gelang einmal meinem hochverehrten Lehrer Richet bei einer Frau, die angeblich an einer Neuralgie des Uterus litt; beim Touchiren constatirte er einen Blasenstein.

Auch ich habe Ihnen unlängst eine Frau gezeigt, bei welcher man den Stein, welchen ich durch den Blasenschnitt entfernte, durch die Vagina leicht tasten konnte.

Um die Wichtigkeit dieser Untersuchungsmethode in's rechte Licht zu setzen, will ich einen Fall aus meiner Praxis anführen. Eine bejahrte Frau war aus der Provinz zugereist, um sich lithotribiren zu lassen, und die Sondirung liess nicht nur einen Stein, sondern auch einen sehr grossen und harten Stein erkennen, so dass ich genöthigt war zu erklären, die Lithotripsie sei unmöglich. Ich schlug den vaginalen Blasenschnitt vor. Es gelang mir nur mit grosser Mühe die Kranke zu bewegen, diese Operation vornehmen zu lassen und sie wollte von einer Scheidenuntersuchung ohne Narkose nichts wissen. Zu unserem grossen Erstaunen fanden wir beim Touchiren eine Perforation der oberen Scheidenwand. Die Perforation hatte die Grösse eines Einfrancstückes und man konnte durch dieselbe mit freiem Auge den Stein erblicken. Er verschloss die Oeffnung nahezu vollständig, so dass die geringe Incontinenz bis dahin als blosse Steigerung der Harnfrequenz, resp. als blosser Harndrang gedeutet werden konnte.

Percussion. — Sie dient zur Bestimmung der normalen und pathologischen Nierendämpfung, sowie zur Bestimmung des jeweiligen Füllungsgrades der Blase.

Man percutirt die Niere in der Lendengegend und auf der Bauchwand. Die letztere Percussion dient dazu, die Beziehungen der Niere mit der Bauchwand oder mit dem Darme klarzustellen. Es ergibt sich aus der Anatomie, dass der Darm zwischen der Bauchwand und der Niere liegt und hellen Schall gibt, selbst wenn diese Niere so voluminös ist, dass sie die vordere Bauchwand berührt. Das ist ein wichtiges Merkmal zur Unterscheidung retroperitonealer Tumoren von intraperitonealen. Die letzteren treten thatsächlich direct mit der Bauchwand in Berührung, indem sie die Därme zurückdrängen; so die Tumoren der Milz, Leber, der Ovarien und des Uterus. Allerdings muss man mit der Möglichkeit rechnen, dass eine Darmschlinge durch Adhäsionen an der Oberfläche des Tumors festgehalten wird und sich zwischen diesen und die Bauchwand legt, wie dies bei Ovariencysten häufig vorkommen kann. Auch pathologische Entwicklung der Niere bringt gewisse Veränderungen der normalen Dämpfungsverhältnisse mit sich. So citirt Guillet in Caen[1]) drei Sectionsbefunde, aus welchen die Möglichkeit eines directen Contactes der Niere mit der Bauchwand hervorgeht. Weiters fand er bei der Vergleichung von 36 Krankengeschichten, dass nur elfmal über der vorderen Fläche des Tumors heller Schall und fünfundzwanzigmal vollkommene Dämpfung bestand. Auf der linken Seite sind die Verhältnisse durch das Colon descendens etwas verschieden. Unter 24 rechtseitigen Tumoren bestand 18 mal Dämpfung und nur 6 mal lag eine helle Zone vor ihnen, während bei 12 linkseitigen 7 mal Dämpfung, 5 mal heller Schall beobachtet wurde. Es war somit in der Mehrzahl der Fälle Dämpfung vorhanden.

Die Percussion durch die vordere Bauchwand hat somit nicht jene Wichtigkeit, die man ihr geben wollte, doch ist sie für die Tumoren auf der linken Seite nicht ganz ohne Bedeutung. Auf der rechten Seite dient die Percussion nur dazu, um den Nierentumor nach oben durch hellen Darmschall von der Bauchwand abzugrenzen, wenn nicht der Tumor übergrosse Dimensionen hat.

Durch die Percussion in der Lendengegend bestimmt man die normale Nierendämpfung. Sie geht in die Dämpfung der Wirbelsäule über. Trotzdem man meinen sollte, dass man durch sie jede Volumsveränderung der Niere, sowie deren Fehlen oder Vorhandensein, am genauesten zu bestimmen in der Lage wäre, lässt sie einen aber in der Praxis oft im Stiche.

So habe ich einen Kranken ein Jahr nach einer rechtseitigen Nephrectomie percutirt, ohne einen Unterschied in der Dämpfung herausfinden zu können, und doch war das Volumen der linken Niere offenbar vergrössert, die rechte Nische leer. Auch Récamier vermisst in seiner Dissertationsschrift Schalldifferenzen bei einem Patienten, dessen Sectionsbefund auf der rechten Seite, um einen Stein herum, eine so hochgradig atrophische Niere zeigte, dass man fast von einer fehlenden Niere sprechen konnte.

Man kann sich leicht davon überzeugen, dass bereits eine Contraction der Lendenmuskeln die Dämpfungslinie verschiebt, und auch die Leberdämpfung lässt sich von jener der rechten Niere nicht sondern, so dass unsere geringe Meinung von dem Werte der Nierenpercussion im allgemeinen gerechtfertigt erscheint.

Aber auch die Percussion des Hypogastrium ist lange nicht so ergiebig als man meinen sollte, wenn man liest, dass es genügt, die Blase zu percutiren, um zu wissen, ob sie voll ist. Freilich wird man eine enorme Blase percutorisch nachweisen können, allein bei geringem Füllungsgrade wird einen die Percussion im Stiche lassen. 5—600 *gr*

[1]) Guillet, Des tumeurs malignes du rein, p. 51, 1888.

Urin werden übersehen, weil sie noch keine Dämpfung geben und können so Ursache werden, die richtige Behandlung zu versäumen. Das kommt, wie ich bereits angeführt habe, daher, dass eine gesunde Blase sich gegen die Bauchhöhle erhebt, wenn eine Retention acut eintritt, aber gegen das kleine Becken ausdehnt, wenn sich die Harnverhaltung langsam und allmählig etablirt. In solchen Fällen wird nur die combinirte Untersuchung genaue Aufklärung geben. Vom Katheterismus wollen wir noch schweigen.

Thatsächlich ergibt die Percussion in solchen Fällen nur relative Dämpfung, oder überhaupt keinerlei Schalldifferenzen und wir waren wiederholt in der Lage, mit Hilfe des Katheters percutorische Irrthümer nachzuweisen. Der Schenkelschall „tamquam percussi femoris" ist gewiss das beste Paradigma einer Dämpfung; wenn man aber statt am vollen Oberschenkel beispielsweise unmittelbar unter dem Leistenbande percutirt, so findet man auch bereits vollen Schall. Das heisst nichts anderes, als dass die Percussion des Schenkels in diesem Falle eine Resonanz der Nachbarschaft erzeugt und zugleich den gedämpften Schenkelschall und den hellen Schall der benachbarten Darmschlingen erzeugt. So darf man sich denn nicht wundern, dass die unter Darmschlingen versteckte Blase auf die Percussion nicht immer mit einer wahrnehmbaren Dämpfung reagirt. Um in zweifelhaften Fällen ganz sicher zu gehen, muss man combinirt untersuchen.

Trotzdem wir also über die Resultate der Percussion nicht viel Gutes gesagt haben, haben wir doch die Verpflichtung anzugeben, auf welche Weise dieselbe am besten vorgenommen wird. Man legt die Hand, fast an der Symphyse, auf's Hypogastrium und dringt so tief als möglich ein, um der vorderen Blasenwand möglichst nahe zu kommen. Dann hat man die Aussicht den Blasenschall und nicht den Darmschall oder dessen Resonanz zu erhalten. Man percutirt auf den einzelnen Fingern ohne sie zu verschieben und misst auf diese Weise den Hochstand der Blase nach Fingerbreiten.

## Fünfundzwanzigste Vorlesung.

# Anatomische und physiologische Betrachtungen über die männliche Harnröhre.

### Anatomie.

Eintheilung der Harnröhre: anatomische Eintheilung. — Chirurgische Eintheilung nach Velpeau und Richet; des Autors Eintheilung in regio navicularis, pendula (penis), scrotalis, perineo-bulbosa, membranacea und prostatica.

Verlauf: normale Curve; Möglichkeit eines Redressements; Mechanismus desselben; fixe und bewegliche Theile; Biegung und Knickung; verschiedener Verlauf und Form der oberen und unteren Wand: Die erstere ist regelmässig gekrümmt, die zweite eine gebrochene Linie.

Länge: Einfluss des Alters; selbst genaue Messungen gestatten nicht zu erkennen, wie tief ein Instrument eingedrungen ist.

Bevor wir zu dem Studium der „Inspection und Palpation mit Hilfe von Instrumenten“ übergehen, muss ich Ihre Aufmerksamkeit auf einige anatomische und physiologische Verhältnisse der Harnröhre und Blase hinlenken.

Ich habe bereits erwähnt, dass die instrumentelle Palpation das Touchiren der Harnröhre und Blase bezweckt. Hiezu ist es nöthig, Instrumente durch die Urethra in die Blase einzuführen; das Gleiche gilt von der Inspection. Die hiezu erforderlichen Manöver, welche die gleichen sind, wie diejenigen bei Vornahme des Katheterismus, setzen die Kenntnis gewisser anatomischer oder, wie man sie genannt hat, chirurgischer Verhältnisse voraus. Wir müssen aber auch genau wissen, in welcher Weise die Organe reagiren, welche wir mit den Instrumenten in Berührung bringen, wir müssen also auch deren physiologisches Verhalten kennen, um normale von pathologischen Erscheinungen unterscheiden zu können und die Sprache der Functionsstörungen zu verstehen.

Die Einführung von Instrumenten kann aber auch dann Zufälle veranlassen, wenn wir keinen Fehler in der Technik begangen haben, wie wir bereits in früheren Capiteln, bei Besprechung der Infection und Disposition erwähnt haben, und darüber wird die pathologische Physiologie Aufschluss geben.

Anatomie und Physiologie lassen sich eben von klinischen Untersuchungen nicht trennen. Sie bedingen nicht nur die Gestalt, das Caliber und die Länge unserer Instrumente, die Art und Weise ihrer Einführung, sondern auch die Sicherheit der Diagnose, Prognose und Therapie. Anatomie nnd Physiologie werden aber auch durch die Klinik wertvolle Erweiterung erfahren und ich war stets überzeugt, dass man diese beiden Wissenschaften erst dann gründlich kennt, wenn man sie, nach dem Hörsaal und Laboratorium, am Krankenbette studirt hat.

Nur weil ich nie aufgehört habe am Lebenden, wenn ich mich so ausdrücken darf „klinische Anatomie und Physiologie" zu treiben, war es mir vergönnt zu dem, was bereits vor mir so gut gesagt und geschaffen worden war, Einiges hinzu zu fügen. Nur auf diesem Wege war ich beispielsweise in der Lage die „Dualität" der Harnröhre nachzuweisen. Heute, wo die Unterscheidung zwischen vorderer und hinterer Harnröhre bereits allgemein angenommen ist, hat man vergessen, dass sie hier zuerst gelehrt wurde, dass ich sie sowohl in diesem Hörsaale, an dieser Klinik, als auch in meinen Publicationen, besonders in der ersten Auflage dieser Vorlesungen, seit langem gelehrt habe. Ich kann kein anderes Gefühl als das der Befriedigung empfinden, wenn ich sehe, dass diese Unterscheidung allgemeinen Eingang gefunden und selbst von jenen verstanden und gewürdigt worden ist, welche deren Ursprung nicht kennen.

Beruhigen Sie sich, ich habe weder die Absicht von mir zu sprechen, noch mich auf die Wiedergabe meiner eigenen Erfahrungen zu beschränken; ich werde mich vielmehr bemühen, Ihnen dadurch zu dienen, dass ich bei jeder Gelegenheit meine eigenen Beobachtungen, soweit dies nothwendig ist, durch Anleihen bei anderen ergänze.

## I. Anatomie.

Eintheilung der Harnröhre in Regionen. — Für den Chirurgen bedeutet die Harnröhre nicht allein den Canal für den Abfluss des Urins, sondern vorzüglich den Weg, welchen man durchlaufen muss, um in die Blase zu gelangen, den Canal, welchen man frei zu machen hat, wenn er obstruirt ist, den man heilen soll, wenn er erkrankt ist und vor allem den man methodisch, Punkt für Punkt, in allen seinen Partien zu untersuchen verstehen muss.

Die Anatomen theilen die Urethra in drei Theile, und diese Eintheilung ist auch vom anatomischen Standpunkte aus vollständig gerechtfertigt und ganz ausreichend. Die Portio spongiosa, membranacea und prostatica sind durch ihre Lage und die Natur der umgebenden Gewebe von einander vollkommen geschieden.

Allein vom Standpunkte der Chirurgie ist diese Eintheilung unzureichend, wenigstens bezüglich des ersten Abschnittes der Harnröhre. Wir haben keinen Grund die bestehende Eintheilung der tieferen Abschnitte in Pars membranacea und prostatica umzustossen. Beide zusammen bilden aber kaum ein Viertheil der ganzen Harnröhre, während die lange Strecke vom Orificium bis zum Bulbus, die bekanntlich eine grosse Strecke weit beweglich und oberflächlich, hierauf fixirt und relativ tief liegend verläuft, deren Länge verschieden ist, unbedingt in chirurgische Regionen eingetheilt werden musste.

Mehrere Autoren, unter ihnen Velpeau, unterschieden eine Pars bulbosa und eine eigentliche Pars spongiosa. Richet fasst als Eintheilungsgrund die Beweglichkeit der Pars pendula in's Auge, um sie von der Pars perinealis zu trennen. Von anatomischen und klinischen Gesichtspunkten geleitet und in dem Bestreben, dem eindringenden Instrumente ganz präcise Orientirungspunkte zu geben, mit deren Hilfe man die durchlaufenen Etappen und die Ruhepunkte genau bezeichnen kann; mit einem Worte, von dem Wunsche durchdrungen, die Untersuchung der Harnröhre „nach Regionen und nicht nach Centimetern" zu ermöglichen, pflege ich die Pars spongiosa in vier Regionen abzutheilen: In die R. navicularis, in die eigentliche R. (pendula) penis, die R. scrotalis und R. perineo-bulbosa.

Diese vier Regionen lassen sich anatomisch leicht von einander scheiden. Die erstere entspricht jenem Theile der Harnröhre, welcher in die Eichel eingelassen ist. Die zweite erstreckt sich bis zur Wurzel des Gliedes, d. h. bis zum Eintritt der Harnröhre in das Scrotum; die dritte begreift jenen Theil der Harnröhre, welcher das Scrotum durchzieht; der vierte endlich reicht von der hinteren Grenze des Hodensackes bis zu jener Stelle, wo die Urethra unter den Schambogen tritt, wo die R. spongiosa in die R. membranacea übergeht.

Diese Eintheilung ist auch klinisch gerechtfertigt. Man weiss, dass in der Pars navicularis Fremdkörper stecken bleiben können, Narbenstricturen und jene harten Stricturen nach Balanoposthitis mit Phimose auftreten; dass in diesem Abschnitt der Urethra feine Instrumente nicht, wie in allen anderen Harnröhrenabschnitten, an der oberen, sondern an der unteren Wand entlang geführt werden müssen.

Die Pars penis ist die beweglichste, oberflächlichste, ihre Längendimension am variabelsten. Ihre Stricturen und Fisteln zeigen ein eigenartiges pathologisches Verhalten und ergeben specielle operative Indicationen. Ein Instrument, das diese Partie durchläuft, ein Fremdkörper, der hier eingeklemmt ist, sind der Palpation ganz zugänglich.

Die R. scrotalis unterscheidet sich von der vorhergehenden; sie ist bereits ziemlich fix und bereits tiefliegend; selten findet man hier Stricturen, doch lässt sich bei methodischer Untersuchung hier eine pathologische Verringerung des Calibers mitunter bei Individuen mit gonorrhoischen Stricturen nachweisen. Fremdkörper bleiben hier selten stecken. Gewöhnlich lassen sich Instrumente gut durchtasten; nur bei entzündlichen Verdickungen des Scrotums, infolge von Harninfiltration oder Abscessbildung, ist das erschwert. Infolge Fixation liegt dieser Theil der Urethra stets in der Medianlinie.

Die R. perineo-bulbosa ist der Lieblingssitz von gonorrhoischen Stricturen und wir können noch hinzufügen, dass in dieser Gegend auch jene traumatischen Stricturen beobachtet werden, welche die Folge von tiefen Contusionen und ausgedehnten Zerreissungen der Harnröhre sind. Hier muss bei Harninfiltrationen meist eingeschnitten werden und hieher lenkt sich auch die ganze Aufmerksamkeit des Chirurgen, wenn die Umstände ihn dazu zwingen, die Urethrotomia externa ohne Leitsonde vorzunehmen. In dieser Region ist die Urethra thatsächlich fixirt und muss ausschliesslich in der Medianlinie gesucht werden; doch liegt sie in der Tiefe und kann durch die Weichtheile nicht direct gefühlt werden. Zu diesem Behufe muss man erst ein Instrument einführen und fühlt bei Personen, die weder Fisteln noch Harninfiltration gehabt haben, selbst eine kleine Olive durch das Perineum, bis an den Schambogen genau durch.

Die Eintheilung, die ich vorschlage, ist also durch mannigfache Gründe gerechtfertigt. Dennoch sind die Unterschiede der vier Abschnitte derselben Region gegen einander nicht so scharf accentuirt, wie die, welche den ersten Harnröhrenabschnitt von der Pars membranacea und prostatica scheiden. Diese letzteren sind so bedeutend, dass sie mich dahingeführt haben eine Dualität der Harnröhre anzunehmen.

Verlauf der Harnröhre. — Die klinische Beobachtung hat zur Genüge bewiesen, dass starre Instrumente der verschiedensten Gestalt in die Urethra eingeführt werden können; besonders die Lithotripsie erbringt uns fast täglich den Beweis dafür, dass die Harnröhre ein vollkommen gerades Instrument leicht verträgt, denn während der ganzen Blasenoperation steckt der Stiel des Lithotriptors in der Harnröhre und diese adaptirt sich demselben in ihrer ganzen Ausdehnung.

Und doch ist die Harnröhre nicht geradlinig, Sie wissen vielmehr, dass sie gekrümmt ist; aber am Krankenbette erfahren wir, dass sie ohne Schaden redressirt werden kann. Um diese wichtige Thatsache zu demonstriren, glaubte Amussat die Irrthümer der Anatomen corrigiren zu müssen, welche die Urethra beschrieben, wie sie sie sahen, d. h. mit einer wahrnehmbaren Biegung. Das gelang ihm nur mit Hilfe von Sections-Kunststücken; trotzdem aber die Beschreibung dieses geschickten chirurgischen Neuerers nicht exact war, so brachte sie doch grossen Nutzen.

Für klinische Zwecke müssen wir ebensowohl wissen, dass die Harnröhre gekrümmt ist, als dass diese Krümmung nichts Feststehendes ist. Wir müssen somit sowohl die normale Krümmung der Urethra in's Auge fassen, als die Bedingungen, unter welchen sich diese Krümmung modificiren lässt.

Die Krümmung der Harnröhre lässt sich schwer genau bestimmen und die gebräuchlichsten anatomischen Methoden, einfache Sectionen, Gefrierschnitte, Einspritzungen erstarrender Injectionsmasse, Moulagen, Härtungen durch Säuren etc. ergaben nur mangelhafte Resultate. Der tüchtige und gewissenhafte Anatom unserer Facultät Sappey musste erst ein eigenes Verfahren ersinnen, um die Krümmung der Harnröhre zu studiren und zwar musste dieses Verfahren vor allem dahin gerichtet sein, diese Curve zu fixiren.

Sie lässt sich am Cadaver thatsächlich leicht verändern, trotzdem ihr die Ligamenta pubio-prostatica, die Prostata, die mittlere Aponeurose des Perineum, das Lig. suspensorium penis, sowie die Weichtheile, welche von der Harnröhre durchbohrt werden, ebensoviele Stützpunkte bieten.

Die Krümmung ist auch in vivo leicht veränderlich, doch gibt es pathologische Verhältnisse, die ein Redressement der Harnröhre schwer oder gefährlich machen können. Es ist daher nicht ohne Belang, dass man die Krümmung der Harnröhre genau kenne, um die Form der Instrumente deren Verlauf möglichst genau anpassen zu können. Ja, wenn es sich um einen schwierigen Katheterismus handelt, kann dies sogar unerlässlich werden.

Die beiden Harnröhren: die vordere oder Urethra praepubica und die hintere oder Urethra retropubica, d. h. die Pars spongiosa auf der einen Seite und Partes prostatica und membranacea auf der andern vereinigen sich am Schambogen. Die anatomische Vorschrift für den Katheterismus besteht also darin, die Urethra praepubica zu verlassen, die Pars retro-pubica zu entriren und von da in die Blase zu gelangen. Zu diesem Zwecke muss der Chirurg die Richtung und den Verlauf dieser beiden Theile genau kennen.

Hält man die Harnröhre in chirurgischer Stellung, indem man sie aufrichtet und sanft anspannt, so bringt man den Knickungswinkel des Gliedes zum Schwinden und richtet die Pars spongiosa fast gänzlich gerade. Führt man in dieser Stellung ein gerades Instrument ein, so dringt es direct und sehr leicht bis an den Blindsack des Bulbus vor und wird dort zurückgehalten. Dieses unterste Ende der Pars spongiosa ist zugleich der abhängigste Punkt der ganzen Harnröhre.

Von hier an dreht sich die Harnröhre um die Symphyse, tritt unter ihr hindurch, um in regelmässig aufsteigender Curve die hintere Fläche des Schambeines zu erreichen.

Von dem Schambogen durch einen auf 18 *mm* geschätzten Zwischenraum getrennt, steigt sie bis an die Grenze des unteren und mittleren Drittels der Symphyse empor, erreicht so den Blasenhals in der angegebenen Höhe und ca. 3 *cm* von der hinteren Fläche der Symphyse entfernt.

In diesem Theile ihres Verlaufes ist die Urethra verhältnismässig fix. Die mittlere Aponeurose des Perineum fixirt die Pars membranacea, und die Ligamenta pubio-prostatica mit allen Fascien der Prostata, verleihen der Harnröhre, von welcher sie durchbohrt werden, die eigenthümliche Festigkeit. Wenn es wahr ist, dass die Richtung der Urethra, je nach der Völle oder Leere von Rectum und Blase, Modificationen erleidet, so haben anderseits alle Anatomen und Chirurgen übereinstimmend angegeben, dass der Theil der Harnröhre von der Symphyse bis zum Blasenhals gekrümmt ist und bleibt und an dieser Krümmung participirt auch die Pars perineo-bulbosa.

Die Beschreibungen von Blandin und Gély aus Nantes sind anatomisch richtig. Für diese Autoren beginnt die Harnröhrenkrümmung vor der Symphyse, am Lig. suspensorium penis und endigt am Blasenhalse. In einer auf zahlreiche Untersuchungen gestützten Monographie, deren Publication mir nach dem Tode des Verfassers anvertraut worden ist, wollte mein Lehrer Gély[1]) den Nachweis erbringen: „Dass die Harnröhrenkrümmung sich einem Kreisabschnitt vom Radius von 6 *cm* nähert und dass sie etwas weniger als ein Drittel des Kreisumfanges beträgt.“ Vom anatomischen Gesichtspunkte aus lassen sich diese Angaben bestreiten, denn die einschlägigen Befunde der Autoren sind äusserst widersprechend. Wie wir aber sehen werden, ist die Ansicht Gély's klinisch, besonders für den Katheterismus, wichtig und nutzbringend.

Nichtsdestoweniger genügt die Besichtigung einiger Präparate, um sich davon zu überzeugen, dass die Harnröhrenkrümmung variabel ist und sich nicht auf einen einheitlichen Typus zurückführen lässt. Die beiden Zeichnungen (Fig. 24 und 25), welche ich Ihnen vorlege, zeigen beträchtliche Unterschiede des Krümmungshalbmessers bei einem jungen Manne und bei einem Greise. Bei dem 25 jährigen Individuum beträgt der Radius der Krümmung 31 *mm*, bei dem Greise 60 *mm*, ein Unterschied, der theils in dem Alter, theils in der in diesem Falle stark ausgesprochenen Prostatahypertrophie begründet ist. Besonders wichtig ist es, den Grad und die Länge der Harnröhrenkrümmung beim bejahrten Manne genau zu kennen, um Harnröhre und Instrumente einander adaptiren zu können.

---

[1]) Gély, Études sur le cathétérisme curviligne et l'emploi d'une nouvelle sonde évacuatrice, Paris 1861.

Bei Greisen ist die Harnröhrenkrümmung zugleich lang und tief. Man dürfte kaum fehl gehen, wenn man mit Gély einen durchschnittlichen Halbmesser von 6 *cm* und eine Länge von etwas weniger als ein Drittel des correspondirenden Kreisumfanges annimmt. Um aber die klinischen Verhältnisse nicht aus den Augen zu verlieren, darf der Chirurg, welcher den Katheterismus bei Greisen mit entsprechenden

**Sagittalschnitt durch die Harnröhre eines 25jährigen Mannes.**[1])

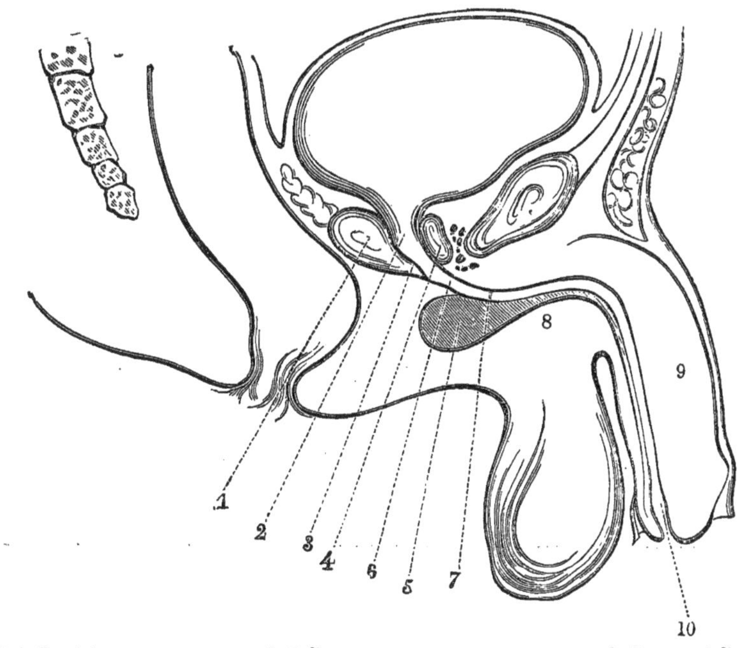


1. und 4. Prostata.
2. Pars prostatica urethrae.
3. Wulst des Caput gellinaginis.
5. Bulbus.
6. Pars membranacea, normal verengt.
7. Pars perineo-bulbosa.
8. Pars scrotalis.
6. Pars (pendula) penis.
10. Pars navicularis.

Fig. 24.

[1]) Figur 24 und 25 sind nach der Natur gezeichnet und stammen von eigens angefertigten Schnitten. Sie sind $^3/_5$ der natürlichen Grösse dargestellt. Die Leichen wurden aufrechtgestellt, Blase und Urethra durch zwei Spiesse fixirt, deren einer die Symphyse in der Höhe des zweiten Kreuzwirbels durchbohrte, während der andere vom Ligamentum subpubicum zum Steissbein verlief. Beim ersten Präparate, das von einem 25jährigen Manne stammt, ist die Harnröhrenkrümmung (von den Winkeln der unteren Wand abgesehen) ziemlich regelmässig und entspricht einem Kreisbogen von 62 *mm* Durchmesser, dessen Mittelpunkt ganz nahe an der hinteren Symphysenfläche und in deren Mitte gelegen ist.

Die Länge des gekrümmten Theiles der Urethra vom Lig. suspensorium an gerechnet, beträgt ein bischen weniger als ein Drittel der Circumferenz.

Beim zweiten Präparat hingegen sehen wir, dass die Prostatahypertrophie eine brüske Knickung des Canales erzeugt hat, welcher sich in der Höhe des Caput gallinaginis plötzlich aufrichtet und gegen den Blasenhals zieht. Die Harnröhren-

Instrumenten ausführen will, daran nicht vergessen, dass die Harnröhre nicht nur gekrümmt, sondern auch geknickt ist. Legen wir unsere beiden Präparate nicht bei Seite, ohne darauf zu achten, dass bei beiden die Länge der Krümmung um ein Geringes kleiner ist, als der dritte Theil der mit so verschiedenen Radien beschriebenen Kreise.

Aber auch das Studium der Harnröhrenkrümmung in toto genügt nicht, man muss jede ihrer Wände gesondert betrachten und dabei

Sagittalschnitt bei einem 65jährigen Manne.

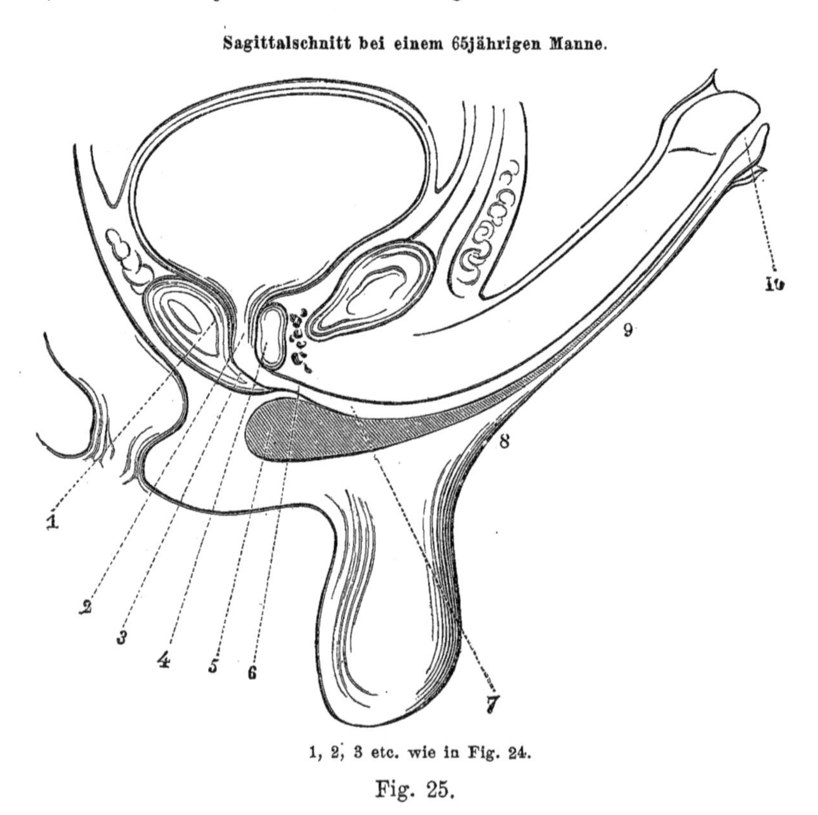


1, 2, 3 etc. wie in Fig. 24.

Fig. 25.

stellt sich, wie bereits Gely nachgewiesen hat, die Thatsache heraus, dass sich das Meiste, was über die Krümmung der Harnröhre geschrieben wurde, nur auf ihre obere Wand bezieht.

---

krümmung lässt sich also nicht mehr auf eine regelmässig concentrische Curve zurückführen. Die Harnröhre ist nicht gekrümmt, sondern knieförmig gebogen. Zieht man aber die virtuelle Axe dieses deformirten Canales, so constatirt man, dass sie an jener Stelle, an welcher sie am stärksten ausgebaucht ist, einem Kreisabschnitt von 12 *cm* Durchmesser entspricht, dessen Centrum etwas hinter der Mitte der Symphyse an der Grenze des oberen und mittleren Drittels liegt. Dieser regelmässig gekrümmte Abschnitt reicht vom Lig. suspensorium bis zum Prostataknie. Die Gesammtlänge der gekrümmten und geknickten Partie dieser Urethra misst auch etwas weniger als ein Drittel des Umfanges.

„Nicht weniger wichtig und constant ist der Unterschied der Krümmung zwischen der oberen und der unteren Wand (s. Fig. 26). Die erstere beschreibt eine fast einförmige, sich allmählig entwickelnde Curve, die ziemlich an den Kreis erinnert. Die untere Wand hingegen zeigt weit eher die Anlage eines Polygons, einer gebrochenen Linie. Sie wird von drei Abschnitten mit verschiedener Krümmung gebildet, die durch zwei Knie von einander getrennt sind, deren Form und Anlage übrigens ebenfalls nichts weniger als constant sind. Der erste Abschnitt dieser geknickten Curve wird von demjenigen Theil der Prostata gebildet, welcher sich oberhalb der Oeffnungen der Ductus ejaculatorii befindet und misst 2 *cm.*

**Vergleichung der Gestalt beider Wände.**

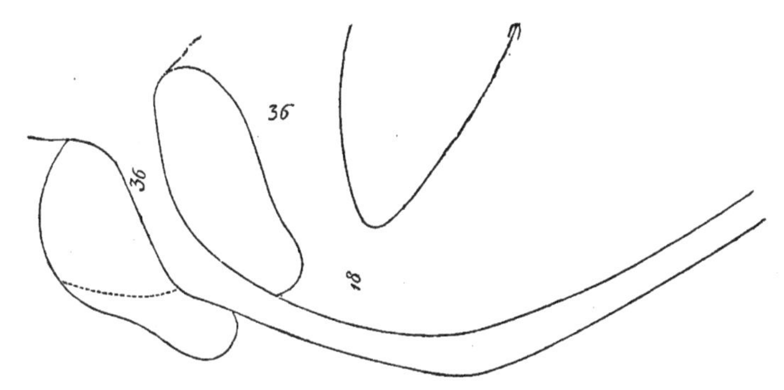


70 Jahre mittleres Caliber. Stark ausgesprochene Krümmung. Erweiterung des Bulbus mässig markirt: Mittelstellung. Eckiges Prostataknie 25 *mm* vom Blasenhals. Part prostatica sehr lang, krummlinig, schief stehend. Kurze, fast horizontale Pars membranacea. Die Harnröhre zieht unter dem Schambogen in geringer Entfernung (18), steigt aber nach rückwärts wieder in die Höhe (36) und entfernt sich dabei auffällig von der Symphyse (36). Durch diese beiden Umstände wird der Bogen nach rückwärts besonders weit. Der hintere Abschnitt misst 52 *mm*, die ganze Krümmung 100 *mm*. Enorme Prostata; nierenförmige Hypertrophie nach rückwärts mit einem super-urethralen Lappen, der allein fast so gross ist, wie die hintere Partie. Stark markirte Portio sub-gallinacea (Gély).

Fig. 26.

Der zweite wird von dem oberhalb des Caput gallinaginis gelegenen, mehr oder weniger entwickelten Theile der Prostata und von der ganzen Pars membranacea der Harnröhre gebildet. Sie zeigt grosse Varietäten sowohl was ihre Länge als ihre Form anbelangt. Die dritte wird von der Pars bulbosa gebildet, welche in ihrer Anlage mehr Einförmigkeit zeigt. Als Berührungspunkte zwischen diesen drei krummen Linien findet man zweierlei Knie oder Erweiterungen, welche die Richtungsänderung je zweier benachbarter Partien bedingen. Man muss die erste Knickung mit dem Namen prostatisches Knie bezeichnen, die zweite wird durch die Erweiterung des Bulbus urethrae gebildet.[1])

Die untere Wand der Urethra ist weich ausdehnbar, lässt sich niederdrücken, wird nicht emporgehalten und ist derartigen Form- und

[1]) Gély loc. cit. p. 57.

Grössenveränderungen unterworfen, dass sie dem Chirurgen nicht alle vor Augen stehen können. Wir werden darauf noch bei der Besprechung der Einführung von Instrumenten, sowie bei der Aufstellung der Regeln und Principien, welche für Operationen in der Harnröhre zu gelten haben, zurückkommen müssen.

An dieser Stelle wollen wir nur das Eine hervorheben: „Beim Katheterismus muss man sich entweder mit peinlicher Genauigkeit an die obere Wand der Harnröhre halten, oder aber die Direction der letzteren verändern.“

Gély hat das Princip der exacten Uebereinstimmmung der Form der Instrumente mit jener der Harnröhre verfochten. Er hat die Anwendung der Instrumente erleichtert, indem er sich bemühte, mit der Urethra „concentrische“ zu schaffen, welche zu dieser letzteren in demselben Verhältnisse stehen „wie der Säbel zur Scheide.“

Allein die Sondirung der Urethra ist mitunter nur der Vorläufer einer Manipulation in der Blase und in Folge dessen muss der Chirurg im Stande sein, die Harnröhre je nach der Form der eingeführten Instrumente „façoniren“ zu können.

Darin besteht eben das ganze Geheimnis eines guten Katheterismus, dass man im Stande sei, ohne Gewaltanwendung diese nothwendige aber anormale Adaptirung zwischen der Harnröhre und ihrem Inhalte vorzunehmen. Wir werden uns bald über die Art und Weise, wie diese Manöver auszuführen sind, näher aussprechen. Es ist aber unerlässlich, dass wir uns aus der Anatomie darüber Aufklärung verschaffen, welches der normale Verlauf der Harnröhre und wo die Grenze der Veränderungen ist, welche die Urethra ohne üble Folgen ertragen kann.

Der erste Abschnitt der Harnröhrencurve, das ist jener, welcher sich vom Lig. suspensorium bis zum Beginne der Pars membranacea erstreckt, verträgt das Redressement und die Richtungsveränderung von allen Theilen der Harnröhre am besten. Auch hat man ihn deshalb beim Studium der Krümmung am häufigsten vergessen. Die Aufhängebänder verhindern nur selten das vollständige Redressement und die Senkung dieses ganzen Harnröhrenabschnittes bis unter die Horizontale. Die mittlere Aponeurose hält die Pars membranacea nicht so fest, dass sie nicht gehoben werden könnte, während der Plexus Santorini, dessen Venen sich durch den Druck entleeren und collabiren, die obere Wand dem Schambogen leicht nähern lässt. Damit ist die nothwendige Erhebung des Katheterschnabels fast beendet und wenn nicht das Prostataknie pathologisch abgebogen ist, so dringt man durch einfache Hebung en masse der oberen Wand der Pars membranacea und prostatica leicht in die Blase ein.

Man begreift daher wie es möglich ist, dass Instrumente von

verschiedenen Formen die Harnröhre vollständig durchlaufen können. Aber wenn sich die anatomischen Verhältnisse auch bis zu einem gewissen Grade chirurgischen Nothwendigkeiten accommodiren, so darf man daraus noch nicht schliessen, dass die Harnröhre für die Form der Instrumente unter allen Umständen indifferent bleibt.

Die Chirurgie der Harnwege hat an jenem Tage einen immensen Fortschritt gemacht, an welchem man vor der Einführung gerader Instrumente nicht mehr zurückzuschrecken brauchte. Allein wir würden manche Enttäuschungen erleben, wollten wir am Krankenbett vergessen, dass endlich und schliesslich „die Harnröhre nicht aufgehört hat gekrümmt zu sein“ und dass diese Krümmung in vielen Fällen gesteigert und unregelmässig sein kann. Auch dürfen wir nicht vergessen, dass der oberen Harnröhrenwand die Aufgabe zugefallen ist, die Integrität und normale Form der Harnröhre zu erhalten.

Seitliche Verbiegungen der Harnröhre sind nicht beschrieben worden. Sie liegt fast median und zeigt weder Abknickungen noch Abbiegungen. Thatsächlich lassen sich solche in der ganzen Pars spongiosa und besonders in der Pars bulbosa leicht erzeugen; aber diese Stellungsanomalien sind immer leicht zu redressiren, sind nur an der unteren Wand wahrzunehmen. Der Chirurg muss wissen, dass in Folge der Unregelmässigkeiten und des geringen Widerstandes der unteren Wand das Intrument leicht Deviationen ausgesetzt ist.

Länge der Harnröhre. — Diese Frage ist anatomisch so eingehend studirt worden, dass man sie füglich als erledigt ansehen darf. Wie in so vielen Punkten so haben auch in diesem die kritischen Untersuchungen Malgaigne's mit veralteten Ansichten aufgeräumt. Sappey[1]) fand bei Messungen von 54 Harnröhren die mittlere Länge 0,133 *m* oder 6 Zoll. Das hiess die zu liberale frühere Ansicht, nach welcher die Harnröhre bis zu 12 Zoll betragen sollte, auf die Hälfte reduciren, und Malgaigne's Anschauungen, welcher die Länge auf 15,5 *cm* angesetzt hatte, ziemlich nahe kommen.

Jedenfalls ist die Länge der Harnröhre je nach dem Alter und Individuum sehr verschieden. Diese Verschiedenheiten sind mitunter sehr beträchtlich und so hat Sappey einmal eine Länge vom 0,233 *m* gefunden. Allein neben diesen Ausnahmen berücksichtigt man zweckmässig Mittelzahlen von Individuen zwischen 20 und 45 und zwischen 45 und 70 Jahren. Da hat nun Sappey gefunden, dass mit dem Alter das Glied ca. um einen Centimeter länger wird und er nimmt an, dass diese senile Verlängerung auf der Stase des venösen Blutes in den Aräolen der Schwellkörper beruhe und das diese Stase durch die abnehmende Contractilität der Muskelbalken bedingt sein. That-

[1]) Sappey Traité d'anatomie déscriptive, 4. Aufl. 1879, IV. Bd., p. 667.

sächlich zeigt die Anatomie, dass bei Greisen das Volumen des Bulbus eigenthümlich zunimmt; wie die Prostata erleidet auch er eine Art Hypertrophie.

Diese individuellen Verschiedenheiten der Länge der Urethra und die Differenzen in Folge des Altersunterschiedes sind den Klinikern wohl bekannt. Wenn man häufig katheterisirt, sondirt oder lithotribirt, muss einem diese Thatsache auffallen und in der Praxis erweisen sich Katheter, Steinsonden und Lithotriptoren mit langen Stielen als besonders nützlich. Die Länge der gewöhnlichen Instrumente steht zu denjenigen Dimensionen, welche die Anatomie lehrt, in keinem Verhältnis. Dieses Missverhältnis verdient unsere Aufmerksamkeit und lässt sich nicht gut leugnen.

Nicht nur zur Erleichterung intravesicaler Manöver, und damit die Instrumente gewissermaassen einen vesicalen und einen extraurethralen Theil haben, sind ihre Grössenverhältnisse mit jenen der normalen Harnröhre so gar nicht in Uebereinstimmung, sondern auch deshalb, weil bei vielen bejahrten Individuen mit Prostatahypertrophie d i e H a r n- r ö h r e t h a t s ä c h l i c h v i e l l ä n g e r i s t, a l s e s d i e A n a t o m i e l e h r t. Bei mehr als einem Kranken wird der Lithotriptor erst dann über die Prostata hinwegkommen, wenn wir den ganzen Stiel ausgenützt haben, und bei mehr als einem Kranken wird der Urin erst dann fliessen, wenn das Katheterende fast in der Harnröhrenmündung verschwindet.

Deshalb werden wir die wissenschaftlich festgestellten Ziffern nicht umstossen, sondern nur daran festhalten, dass man beim Gebrauche eines Instrumentes von Zahlenwerten ganz abstrahiren muss.

Nichts ist meiner Meinung nach so illusorisch, als die „mathematischen“ Angaben über eine Strictur, deren Sitz man nach Centimetern genau bestimmen zu können glaubt. Das ist eine falsche Genauigkeit. Ich würde selbst sagen, dass dies unchirurgisch ist, wenn diese Gewohnheit, gegen die ich unaufhörlich predige, nicht noch bei Chirurgen von unbestreitbarem Verdienste eingebürgert wäre.

Der Chirurg, welcher einen Katheterismus vornimmt, hat sich um gar nichts zu kümmern, als darum, wo sich das versteckte Ende des Instrumentes befindet, und nicht um wieviel Centimeter es eingedrungen ist. Sein Gefühl und die gewissen anatomischen Orientirungspunkte, werden ihm zu diesem Zwecke viel brauchbarer sein, als der Zollstab.

## Sechsundzwanzigste Vorlesung.

(Fortsetzung.)

Caliber: Orificium. Fossa navicularis. Pars pendula. Blindsack des Bulbus; des Autors Untersuchungen über dessen Entstehung. Pars membranacea. Pars prostatica. Messungen von Otis und Sappey. — Normales und künstliches (Dilatation) Caliber. — Untersuchungen des Autors über die Dehnbarkeit der Harnröhre. Sitz und Ausdehnung der Zerreissungen durch Bersten. — Die ziffermässigen Befunde der normalen lassen sich nicht auf die kranke Harnröhre übertragen. — Dehnbarkeit des Blasenhalses.

Innere Oberfläche der Urethra: Falten. Mündungen.

Structur der Urethra: Schleimhaut (Wichtigkeit der elastischen Fasern). — Submucöses Muskellager. — Drüsen der Schleimhaut. — Bulbo-Urethraldrüsen. — Venen, Lymphgefässe. — Umgebende Organe und Gewebe (Prostata, deren glatte Muskelfasern, glatter Sphincter des Blasenhalses, glatte und quergestreifte Muskelscheide der Pars membranacea, Harnröhrensphincter, Schwellgewebe.).

Vergleich der oberen und unteren Wand: Unterschied in der Dehnbarkeit und Elasticität, Untersuchungen und Experimente. — Unterschiede der Länge, Configuration, Krümmung, Fixirung und Resistenz. — Unterschiede in der Structur, Vascularisirung etc.

Caliber der Harnröhre. — Das Caliber der Urethra ist nicht gleichförmig, sondern zeigt in seinem Verlaufe eine Aufeinanderfolge von verengten und erweiterten Partien. Der Chirurg muss dieselben genau kennen, denn diese oft brüsken Aenderungen des Calibers können mitunter für die Einführung von Instrumenten Schwierigkeiten ergeben.

Das Orificium ist der engste und zugleich am wenigsten dehnbare Punkt der Harnröhre. Man kann sagen, wenn einmal ein Instrument durch das Orificium eingeführt ist, dann muss es „eine gesunde Harnröhre“ ohne jedes Hindernis durchlaufen. Oft wird man genöthigt sein das Orificium zur Vornahme der Lithotripsie erst zu incidiren. Dicht hinter der Mündung erweitert sich die Harnröhre progressiv bis an's Frenulum und selbst ein wenig darüber hinaus. Diese Erweiterung bildet die Fossa navicularis. Von da an verengt sich die Urethra wieder und behält ein ziemlich gleichmässiges Caliber bis zur Regio perineobulbosa.

Hier am Bulbus, erreicht sie, nach der übereinstimmenden Angabe aller Anatomen, ihre grösste Weite. Das hat umso grössere Bedeutung, weil auf diese „weiteste“ sofort und sehr brüsk die „engste“ Stelle folgt und weil hier der abhängigste Punkt der Curve liegt, der die Instrumente veranlasst diese bisherige Richtung zu ändern.

Diese beiden Regionen der Harnröhre, welche unmittelbar ineinander übergehen und zu einander in intimen Beziehungen stehen, sind an der Grenze der Pars membranacea und Pars spongiosa durch ein Faserbündel getrennt, das einen halbkreisförmigen Bindenzügel darstellt und von Amussat unter dem Namen des collet fibreux des Bulbus beschrieben wurde. Dieser Zügel springt nur an der unteren Wand vor. Darüber bemerkt man den Eingang der Pars membranacea, darunter die Depression der unteren Wand, welche den Blindsack des Bulbus bildet. Man begreift also, dass das Instrument auf seinem Wege durch die Urethra an dieser Stelle auf ernste Schwierigkeiten stossen kann, wenn es den Eingang der hinteren Harnröhre entriren soll. Hiezu kommt noch die normale Resistenz der Pars membranacea; allein im Gegensatz zum Eingang der vorderen Harnröhre, ist jener der hinteren erweiterungsfähig, wenn auch resistent.

Auch ist der Blindsack des Bulbus unter allen Punkten der Harnröhre Gewaltwirkungen am meisten ausgesetzt und hier findet man, und zwar an der unteren Wand, die meisten falschen Wege.

Beim ersten Anblick könnte man durch Messungen dieser Gegend anderer Meinung werden. Durchschneidet man nämlich eine Urethra in situ und misst die Pars scrotalis und bulbosa genau mit dem Zirkel, so findet man keine auffallenden Unterschiede der Maasse. Trotzdem scheint für das Auge die Urethra am Bulbus erweitert zu sein. Das ist eine optische Täuschung, von welcher man sich leicht überzeugen kann, wenn man irgend einen Theil der Pars spongiosa durch einen quer gespannten Faden von unten her aufhebt. Dann scheint es sofort, als wenn vor und hinter dem künstlich verengten Punkte, eine leichte Erweiterung bestünde.

Thatsächlich war ich nie der Ansicht, dass das Grübchen am Bulbus beim Erwachsenen, in vorgerückterem Alter oder bei Greisen mit festem magerem Perineum stark ausgesprochen sei, dagegen ist diese Depression des Bulbus bei Greisen, deren Perineum dick und fett ist, sehr auffällig.

Mit einem Worte, die charakteristische Eigenschaft der Regio bulbosa ist die leichte Ausdehnbarkeit und folgerichtig auch die grosse Eindrückbarkeit. Wir haben dafür Beweise.

Eröffnet man die Harnröhre von vorn nach hinten, nach Einspritzung einer erstarrenden Injectionsmasse, so lässt sich thatsächlich das Vorhandensein eines Blindsackes am Bulbus genau constatiren und die Depression, durch welche er gebildet wird, ist umsomehr markirt,

Wichtige frühere Erkrankungen.
u. d. daraus folg. Krankheiten.

[illegible]ennorrhoe: chron. Blennorrhoe, Strictur, Prostatitis, [illegible]titis, Pyelitis, Pyonephrose.

[illegible]eumatismus: Stein.

[illegible]cht: Stein, Nephritis interstit.,

[illegible]philis: Spinale Gummi, Blasenlähmung, Nieren-[illegible]philis,

[illegible]berculose:

[illegible]abetes: Häufigere Calculose,

[illegible]ferominatose: /

[illegible]ervenkrankheiten:

mit je grösserem Drucke die Flüssigkeit eingespritzt, respective die Urethra ausgedehnt worden ist. Bei näherer Untersuchung kann man constatiren, dass die untere Wand der Harnröhre am Vereinigungspunkt der Corpora cavernosa nachzugeben beginnt, und dass die Depression bis zum membranösen Sphincter mehr und mehr zunimmt. Auch die Seitenwände haben, wenn auch in geringem Grade nachgegeben; nur die obere Wand hat, weder in ihrer Form noch in ihrer Verlaufsrichtung, eine Veränderung erlitten. Davon kann man sich durch Besichtigung des Ausgusses überzeugen.

Es ist übrigens leicht, die Bildung des Blindsackes) der Ausbauchung des Bulbus) zu controliren. Man braucht zu diesem Zwecke nur Quecksilber an der unteren Wand entlang rinnen, oder noch einfacher eine Knopfsonde darüber gleiten zu lassen. Um dieses Experiment anzustellen, fixirt man das vor der Symphyse gelegene Knie der Harnröhre mit einer queren Heftnadel, um es in situ zu erhalten. Man entfernt dann das Schambein und schlitzt die obere Wand in ihrer ganzen Ausdehnung. Fährt man dann mit einer senkrecht aufgesetzten Sonde über eine dergestalt präparirte Urethra hinweg, so bemerkt man, dass die Sonde über die ganze Pars pendula leicht hinüber gleitet, von der Pars scrotalis angefangen aber eine Art Furche gräbt. Diese Furche nimmt an Tiefe zu, je mehr man sich der Pars bulbosa nähert, und ohne dass man den Druck vergrössert, kann die Sonde bis zu einem Centimeter eindringen. Hält man die Sonde fast parallel mit der Harnröhrenwand, so drückt sie die Schleimhaut mehr oder weniger ein, je nachdem sie in mehr oder weniger eindrückbare Gegenden kommt. Am Bulbus wird sie geradezu eine „Kappe“ bekommen und kann nicht mehr vordringen.

Dasselbe Experiment an der oberen Wand ausgeführt, ergibt ein negatives Resultat. Die Sonde gleitet ohne Hindernis fort, weil sie nirgends eindrücken kann.

Wenn man also auch die Ausbauchung am Bulbus nicht an allen Präparaten findet, so kann man doch sagen, dass sie virtuell besteht und auftritt, sobald ein Zug oder Druck auf die untere Wand ausgeübt wird. Es ist also leicht zu verstehen, dass bei einem schlaffen und fetten Perineum die schlecht gestützte Urethra sozusagen von selbst jene accidentelle Form annimmt, welche man als „cul-de-sac bulbaire“ (Ausbauchung oder Blindsack) beschrieben hat. Besonders das Eine ist erwiesen und für den Chirurgen die Hauptsache, „dass jede ausschliesslich auf die untere Harnröhrenwand gerichtete instrumentelle Einwirkung eine Deformation der Harnröhre mit ihrem Maximum im Bulbus erzeugen wird.“ Ebenso wie die Sonde, wird auch der Katheter eine „Kappe“ bekommen und nicht mehr vorrücken können.

Die Ausdehnbarkeit der Harnröhre in longitudinaler Richtung, von der wir bald zu sprechen haben werden, gibt uns einen neuen Beweis für diese unangenehme Eigenschaft der unteren Harnröhrenwand.

Wenn ich bei diesem Punkte etwas länger verweilt habe, so geschah es deshalb, weil diese Verhältnisse für den Katheterismus, sowie für alle Operationen in der Harnröhre, äusserst wichtig sind und mir in chirurgischer Beziehung nicht genügend untersucht zu sein schienen.

Das Interesse für diese Verhältnisse wird noch grösser, wenn man daneben die eigenartigen Dimensionen der benachbarten Pars membranacea in's Auge fasst; da wird der Contrast noch augenscheinlicher.

Wenn die Pars bulbosa weniger resistent und leichter eindrückbar ist als alle übrigen Theile der Harnröhre, wenn sie in ihren Dimensionen am leichtesten zunimmt und am leichtesten deformirt werden kann, so ist hingegen die membranöse Harnröhre in Folge ihrer reichen Muskelschicht und besonderen Contractilität am meisten befähigt, ihre normalen Dimensionen zu verringern, dem Drucke der Instrumente oder des Urines Widerstand zu leisten und ihre normale Physiognomie beizubehalten.

Trotzdem ist die Pars membranacea dehnbar, sucht aber immer wieder auf ihr ursprüngliches Volumen zurückzukehren. De norma ist die Pars membranacea vollständig gleich weit und 12—14 *mm* lang.

In der Regio prostatica beginnt eine neue Erweiterung u. zw. an der Grenze des unteren und mittleren Drittels und diese Erweiterung nimmt wieder ab, sobald die Harnröhre den Blasenhals erreicht. Diese relative Verengerung, die noch immer ziemlich weit ist, wird für den Katheterismus niemals in Betracht kommen.

Dasselbe gilt nicht auch von den Dimensionen des vorderen und hinteren Orificiums, d. h. von der Mündung der vorderen und hinteren Harnröhre. Vom chirurgischen Standpunkte aus sind das enge Stellen der normalen Harnröhre. Um genau zu sein registriren wir auch noch, dass das Caliber der Pars pendula und scrotalis etwas weniges geringer ist.

Das hintere Orificium bildet trotz seiner Dehnbarkeit das hauptsächlichste Hindernis für die Einführung von Instrumenten. Das vordere ist nicht erweiterungsfähig, lässt sich aber leicht durch eine kleine Incision vergrössern, während man sich, um in die hintere Harnröhre einzudringen, nur auf die richtige Ausführung des Manövers verlassen darf.

Die Harnröhre besitzt also an drei Stellen ausgesprochene Erweiterungen, das sind: Die Fossa navicularis, die Ausbauchung im Bulbus und in der Pars prostatica. Die beiden letzteren zeigen mannigfältige individuelle Verschiedenheiten; es muss bemerkt werden, dass alle drei Ausbauchungen der unteren Harnröhrenwand angehören, während die obere Wand brückenförmig über diese Vertiefungen hinwegsetzt (s. Fig. 26). Das resultirt aus dem Unterschied in der Form und Verlaufsrichtung der beiden Wände und diese Depressionen, von der Fossa navicularis abgesehen, sind thatsächlich nichts anderes als Vorwölbungen zwischen den Knickungswinkeln der unteren Wand.

Da nur die obere Wand der Harnröhre regelmässig gekrümmt ist, so werden die Depressionen am Bulbus und in der Prostata umso stärker hervortreten, je grösser diese Krümmung ist, und da mit der grösseren Krümmung immer ein gewisser Grad von Verlängerung der Harnröhre Hand in Hand geht (da beide auf einer Vergrösserung der Prostata und des Bulbus beruhen) so können wir sagen: „Je grösser die Krümmung einer Harnröhre ist, desto länger und winkeliger wird sie sein.“

Am schwersten sind daher Männer mit sehr langem Glied zu sondiren; bei ihnen ist die Hauptschwierigkeit im Bulbus gelegen.

Das normale Caliber der einzelnen Harnröhrenabschnitte kann nur approximativ bestimmt werden, und wie Sappey so richtig bemerkt, weder durch Moulage noch durch Messung der auseinandergefalteten Urethra lässt sich ein absolut genaues Resultat erzielen. Trotzdem sind seine Maasse so genau als möglich und er findet, vom Orificium abgesehen, für die Harnröhre einen Umfang von 15—18 *mm* und schliesst daraus, dass man einen Katheter von 5 *mm* Durchmesser in die Harnröhre einführen kann, ohne mit ihrer Dehnbarkeit rechnen zu müssen.

Das sind ungefähr die gleichen Resultate, wie sie auch die klinische Beobachtung ergibt. Thatsächlich werden die Explorateurs à boule, welche wir einzig und allein zur Messung des Harnröhrencalibers verwenden, nur beim Eintritt in die Pars membranacea wahrnehmbar zurückgehalten und in der gesunden Harnröhre „bildet die Pars membranacea das einzige Hindernis,“ wenn man vom Orificium absieht, dessen Dimensionen normaler Weise äusserst variabel sind. Bei den meisten Individuen dringen 5—6 *mm* dicke Instrumente ohne Reibung ein und geben nur das Gefühl des Contactes. Allerdings dringt bei vielen Individuen mit gesunder Harnröhre auch eine Olive von 6—7 *mm* Durchmesser ein ohne zu scheuern.

Ich will zunächst das Verhalten metallener Instrumente nicht in Betracht ziehen, denn sie können oft in gesunden Harnröhren, selbst wenn sie 7—8 *mm* und noch dicker sind, die Pars membranacea unter geringem Druck nnd ohne ernstlichen Widerstand passiren. Allein sie dringen ganz gewiss nur deshalb ein, weil sie die Harnröhre ausdehnen

u. zw. stärker, als dies die Flüssigkeitssäule des Urins unter normalen Umständen mit der Harnröhre, wenigstens mit deren Sphincterantheil, zu thun pflegt. Es ist bedauerlich, dass man nicht in der Lage ist, das Caliber des Harnstrahles zu ermitteln, welchen eine junge und genügend gefüllte Blase durch eine vollständig entwickelte und intacte Harnröhre treibt, denn auf diese Weise hätte man die wirkliche Lösung, die Frage von der normalen Dimension der Urethra. Jedenfalls ist man auch ohne experimentellen Beweis berechtigt, daran zu zweifeln, dass der schönste Harnstrahl 9—13 *mm* Durchmesser besitzen kann.

Indes ist Otis in New-York durch sorgfältige Messung von 100 Harnröhren zu dem Schluss gelangt, dass der mittlere Umfang zwischen 28 und 40 *mm* liegt, was einem Durchmesser von 8·9 und 12·73 *mm* entsprechen würde. Otis meint sogar, dass das Verhältnis des Umfanges der Urethra und des schlaffen Gliedes ein constantes sei und 1 zu 2·25 betrage. So entspricht nach Otis einem Penisumfange von 75 eine Harnröhre von 30 *mm.*[1]) Diese interessanten Ziffern repräsentiren die äussersten Grenzen für die Dehnbarkeit der Harnröhre.

Es ist nicht unsere Sache, an dieser Stelle zu untersuchen, ob die Schlüsse, welche der genannte Autor aus seinen Untersuchungen für die Behandlung von Stricturen zieht, einen solchen klinischen Wert besitzen, wie er meint. Was ich von der Dehnbarkeit einer pathologischen Urethra halte, will ich sofort sagen und mich vorläufig nur mit jener der normalen Harnröhre beschäftigen und das Resultat der Untersuchungen, welche ich in Gemeinschaft mit meinem Freunde und Collegen Campenon über die Anatomie der Harnröhre ausgeführt habe, in dem Nachfolgenden wiedergegeben.

Ich habe diese Versuche mit der vorgefassten Absicht unternommen, zu sehen, wie weit die Dehnbarkeit der Harnröhre geht, ohne dass eine Zerreissung eintritt.

Man muss ja thatsächlich einen Unterschied machen zwischen dem normalen Caliber der Harnröhre und jenem künstlichen Caliber, welches die Dehnbarkeit der Harnröhre, Dank ihrem Reichthum an elastischen Fasern erreichen lässt. Wie es eine normale Krümmung der Harnröhre gibt, so gibt es auch ein normales Caliber dieses Canales und beide können momentan durch die Passage von Instrumenten verändert werden. Die Praxis erheischt es so, aber darum verlieren weder Krümmung noch Caliber ihre anatomische Autonomie.

Ich habe gefunden, dass die Angaben von Sappey über das normale Caliber vollständig exact sind und wenn man die aufgeschnittene Harnröhre nicht auseinanderzerrt oder vor der Incision durch eine Ein-

[1]) N. Otis, Stricture of the male urethra, its radical cure. 1878.

spritzung oder Sondirung übermässig dehnt, wird man gewiss in der Lage sein, die Resultate dieses Autors zu bestätigen.

Es handelte sich nun darum, das künstliche Caliber, d. h. die Grenze der Dehnbarkeit der Urethra zu bestimmen. Nach mehreren fruchtlosen Versuchen mit forcirten Einspritzungen erstarrender Injectionsmasse habe ich ganz einfach die Zinnsonden von Béniqué benützt, die bekanntlich nach Sechstel-Millimetern calibrirt sind. Ich habe Nr. 59 bis 64 verwendet, d. h. Instrumente, deren kleinstes $9^{5}/_{6}$ *mm*, deren grösstes $10^{4}/_{6}$ *mm* stark ist.[1])

Meine Nachforschungen bezogen sich auf 37 Harnröhren von Erwachsenen oder Greisen, ich lasse 9 andere Fälle bei denen Nr. 22 nicht mehr passirte beiseite, weil ich sie nicht für normal hielt.

Während des Katheterisirens fanden 13 mal Zerreissungen der Harnröhre statt u. zw.:

3 mal bei Nr. 59 ( $9^{5}/_{6}$ *mm*)
2 „ „ „ 60 (10 „ )
1 „ „ „ 61 ($10^{1}/_{6}$ „ )
4 „ „ „ 62 ($10^{2}/_{6}$ „ )
2 „ „ „ 63 ($10^{3}/_{6}$ „ )
1 „ „ „ 64 ($10^{4}/_{6}$ „ )

Diese Zerreissungen sind ihrer Länge, Sitz und Zahl nach äusserst variabel.

15 mal wurde die Serie der 6 Sonden eingeführt, ohne dass die Hand auch nur die geringste Empfindung eines überwundenen Widerstandes gehabt hätte. In 4 dieser Fälle fand sich keine Laesion; in dreien eine leichte Fissur von weniger als 2 *cm* Länge, die vom erweiterten Orificium (Débridement) ausgieng; in 8 Fällen ausgebreitete und multiple Zerreissungen.

Neunmal war die Einführung infolge einer fast absoluten Resistenz der Wände unmöglich und es ist interessant, dass wir in dieser Serie nur eine einzige Urethra von einem Greise finden. Die Einführung wurde unmöglich:

4 mal bei Nr. 60 (10 *mm*)
3 „ „ „ 61 ($10^{1}/_{6}$ „ )
2 „ „ „ 63 ($10^{3}/_{6}$ „ )

In diesen 9 Fällen gab es 6 mal Zerreissungen, 3 mal konnten solche nicht entdeckt werden. Von diesen 3, bis zu einem gewissen Grade unpassirbaren, aber nicht zerrissenen Harnröhren hatte 1 Nr. 60 und 2 Nr. 62 passiren lassen.

---

[1]) Ich hatte mich vorher an 15 Cadavern überzeugt, dass die unteren Nummern ohne Schwierigkeit, mithin aller Wahrscheinlichkeit nach auch ohne Verletzungen zu erzeugen, eine normale Harnröhre passiren.

Wir haben also bei diesen 37 Versuchen 30 mal Zerreissungen erzeugt. Man darf sich aber mit dieser summarischen Constatirung nicht begnügen und wird die Resultate in 3 Gruppen eintheilen können.

Die erste Gruppe umfasst die 7 Fälle, bei welchen die Urethra ganz geblieben ist, trotzdem die Erweiterung 4 mal bis auf $10^4/_6$, 3 mal auf $10^2/_6$ *mm* getrieben wurde. Weiter konnten wir nicht gehen und können versichern, dass die gefundenen Ziffern für die untersuchten Harnröhren die äusserste Grenze der Dehnbarkeit ohne Zerreissung darstellen.

Die zweite Gruppe zeigt uns 19 Zerreissungen, 10 davon zwischen Nr. 61 und 64 ($10^1/_6$—$10^4/_6$ *mm*) und 9 zwischen Nr. 58 und 61 ($9^4/_6$ und $10^1/_6$ *mm*). Allerdings muss ich bemerken, dass sich unter letzteren drei Zerreissungen befinden, welche beim ersten Versuch erzeugt wurden, was sich vielleicht hätte vermeiden lassen, wenn man bei kleineren Nummern begonnen und die Harnröhre erst nach und nach ausgedehnt hätte. Solches haben wir thatsächlich bei anderen Versuchen gesehen.

Die dritte Gruppe umfasst 11 Fälle von Berstung, bei welchen wir den Moment ihres Eintrittes, respective den Grad der Ausdehnung der Harnröhre nicht bestimmen konnten; in vier Fällen waren diese Zerreissungen sehr begrenzt, trotzdem die Dilatation bis auf $10^4/_6$ *mm* getrieben worden war.

Die Grenze der Erweiterungsfähigkeit, welche unsere Versuche mit $10^4/_6$ *mm* ansetzen liessen, konnte also 4 mal ohne Zerreisungen erreicht werden. In den drei übrigen Fällen, in welchen es keine Zerreissung gab, war nur die Einführung von Nr. 60 und 62 (10 und $10^2/_6$ *mm*) möglich gewesen. Wir können also ohne von der strengen Wahrheit abzuweichen, sagen, dass wir eigentlich nur 26 mal unter 37 Fällen Zerreissungen gesehen haben.

Wir müssen nunmehr diese Zerreissungen pathologisch-anatomisch studiren.

Sie zeigen nahezu immer dasselbe Aussehen.

Die obere Wand der Harnröhre wird nicht betroffen.

Selten werden die Seitenwände zerrissen und in diesem Falle bestehen immer gleichzeitig Zerreissungen an der unteren Wand, welche ihr Lieblingssitz ist.

In der Hälfte der Fälle, findet man sie im vorderen Harnröhrenabschnitt; sie gehen von dem „debridirten“ Orificium aus, sind verschieden lang, manchmal bis zu 5 oder 6 *cm*.

Selten findet man sie nur im hintersten Abschnitt der Pars spongiosa oder in der Pars membranacea. Fast immer sind sie multipel, 2—3 oder noch mehr an Zahl; sie sind parallel oder gleich gerichtet und stehen oft eine hinter der anderen.

Ihre Tiefe ist verschieden; 5 mal handelte es sich nur um einfache Ritze. Aber in allen übrigen Fällen reichten sie durch die ganze Dicke der Schleimhaut. Nur 2 mal war ich in der Lage eine Laesion des spongiösen Gewebes zu constatiren. In der Pars muscularis ist die ganze quergesreifte Muskelschicht zerrissen, da ist der Sphincter thatsächlich geborsten.

Nie fanden wir Zerreissungen der unter der Schleimhaut befindlichen Gewebe, wenn die erstere intact war.

Wir sehen somit, dass die Untersuchung der experimentell erzeugten Zerreissungen der Harnröhre interessante Thatsachen zu Tage fördert.[1])

Es lässt sich nicht bestreiten, dass die anatomischen Grenzen des normalen Calibers vom Chirurgen überschritten werden können und sollen. Er darf ganz gewiss die Dimensionen des Canals verändern und vergrössern, ebenso wie er sich nicht immer genau an die normale Verlaufsrichtung der Harnröhre zu halten braucht.

Die eben angeführten Versuche werden uns gewiss nur ermuthigen, uns die Erweiterungsfähigkeit der Urethra zunutze zu machen, wenn die praktische Nothwendigkeit es erfordert. Wir haben gesehen, dass sich der Chirurg in den Grenzen, welche uns als die des künstlichen Harnröhrencalibers erschienen, ich will nicht sagen, ohne alle Unzukömmlichkeiten bewegen kann, aber wenigstens ohne tiefe bis in's spongiöse Gewebe reichende und besonders schwere Lacerationen zu erzeugen. Wir haben sogar constatirt, dass die Urethra in cadavere Instrumente von 9 *mm* Dicke, und selbst etwas darüber, mit Leichtigkeit eindringen liess und, obwohl das nicht verificirt werden konnte, wahrscheinlich ohne Zerreissungen zu erleiden.

Aus diesen Untersuchungen ergibt sich aber trotzdem die dringende Nothwendigkeit, solche chirurgische Manöver nur mit der grössten

---

[1]) Ein Präparat aus meiner Privatsammlung gestattete mir, die pathologische Erweiterung der verschiedenen Harnröhrenabschnitte genau zu studiren. Der Kranke hatte lange Zeit einen Stein in der Pars penis herumgetragen und war wenige Tage nach dessen Extraction gestorben.

Die Maasse der Harnröhre waren die folgenden:

| | | |
|---|---|---|
| Mitte der Pars penis | 20 *mm* | 6,3 *mm* |
| 4 *cm* vor dem Bulbus | 32 „ | 10,6 „ |
| 2 *cm* vor dem Bulbus | 38 „ | 12,5 „ |
| Am Bulbus | 40 „ | 12,6 „ |
| Pars membranacea | 35 „ | 11,6 „ |
| Basis der Prostata | 26 „ | 8,6 „ |
| Pars prostatica urethrae | 35 „ | 11,6 „ |
| Blasenhals | 42 „ | 13,0 „ |

Ohne diese pathologische Dilatation mit der experimentellen oder therapeutischen irgendwie vergleichen zu wollen, ist es doch interessant zu sehen, wie stark sich die Harnröhre ohne Ruptur nach und nach ausdehnen lässt.

Umsicht vorzunehmen. Die Ergebnisse unserer Experimente sind nicht darnach geartet jene Chirurgen, welche die Erweiterungsfähigkeit der normalen Harnröhre übermässig in Anspruch nehmen wollen, zu ermuthigen, sich über jene Principien und Regeln hinwegzusetzen, welche ihnen gebieten, „gegen die Harnröhrenwände nie mit roher Gewalt vorzugehen.“ Trotzdem ich mich bei meinen Untersuchungen genau an diese Vorschrift gehalten habe, war es mir doch nicht immer möglich, Zerreissungen zu vermeiden, denn trotz der grössten Aufmerksamkeit, entstanden sie ohne jede vorherige Warnung. Ich glaube somit resumirend sagen zu dürfen: So oft man das normale Caliber der Harnröhre beträchtlich überschreitet, setzt man sich trotz aller Vorsichtsmaassregeln in der Mehrzahl der Fälle der Gefahr aus, Laesionen zu erzeugen. Dahingegen wissen wir, dass diese Laesionen nicht so intensiv sind, dass man nicht berechtigt wäre, eine allmählige Dilatation, wenn nöthig, selbst eine etwas beträchliche, vorzunehmen: Das ist die nothwendige Correctur unseres Résumés.

Unser Raisonnement berücksichtigt freilich weder den Zustand der Nieren, noch den Allgemeinzustand, noch individuelle Verschiedenheiten. Das Experiment lehrt uns, sowie die klinische Untersuchung, dass die normale Urethra bei verschiedenen Individuen verschieden dehnbar ist und dass alle Abschnitte der Harnröhre weder ein gleiches normales, noch ein gleiches künstliches Caliber besitzen.

Pathologische Zustände der Harnröhre ergeben noch auffälligere und wichtigere Unterschiede. Anatomische Untersuchungen[1]) haben nämlich gezeigt, dass die erkrankte Urethra „ihre ganze oder einen Theil ihrer normalen Elasticität“ einbüsst. Selbst wenn jene Ringe, von welchen die Harnröhre an verschiedenen Stellen eingeengt wird, noch nicht definitiv vorhanden sind, hat die Lichtung der Urethra eine Veränderung erlitten. Man weiss, dass das Lumen der Harnröhre ein virtuelles ist und dass ihre Wände normaler Weise an einander liegen. In pathologischen Fällen findet man dann an Stelle eines Spaltes mit tiefgefalteten, festonnirten aneinander liegenden Wänden ein klaffendes Rohr mit gradlinigen, glatten, wie angespannten Wandungen.

Der Chirurg wird sich daher in der Praxis nicht einzig allein nach den Ergebnissen der Versuche über die Dehnbarkeit der normalen Harnröhre richten können. Neben diesen anatomischen und experimentellen Resultaten, wird die klinische Untersuchung von Fall zu Fall den Ausschlag geben müssen und diesbezüglich muss man sich bei seinen Eingriffen auf das beschränken, was zur regelmässigen Harnentleerung unbedingt nothwendig ist und die leichte Einführung der

[1]) Melville Wassermann und Noël Hallé, Contributions à l'anatomie pathologique des rétrécissements de l'urètre. (Ann. des mal. génito-urinaires 1891.)

Instrumente bedingt. Man wird die Dehnbarkeit der normalen Harnröhre nur soweit benützen, als es nothwendig ist, mit derselben niemals Missbrauch treiben und bei pathologischen Verhältnissen mit der nöthigen Umsicht zu Werke gehen.

Im übrigen würden die Resultate der Praxis bereits genügen, um aus ihnen die gleichen Folgerungen zu ziehen.

Ich habe unter Beobachtung aller gebotenen Vorsichtsmaassregeln versucht, die Dilatation von normalen und pathologischen Harnröhren so weit als möglich zu treiben. Es gelang mir so, eine Strictur, welche 14 Monate nach der Urethrotomie recidivirt war, bis auf Nr. 59 zu erweitern; und es war mir auch möglich, bei Steinkranken mit gesunder Harnröhre ausnahmsweise dasselbe Resultat zu erzielen. Die Mehrzahl der erkrankten Harnröhren kann über 7 *mm* ausgeweitet werden und ohne zu grosse Schwierigkeit und Zeitverlust selbst bis auf 8 *mm*. Weiter kann man ohne Unzukömmlichkeiten und Gefahren in der Mehrzahl der Fälle nicht gehen.

Die pathologische Harnröhre lässt sich aber, selbst wenn die Structur ihrer Wände grosse Veränderungen erlitten hat, dennoch stark erweitern; das ist aber nur eine gewisse Nachgiebigkeit und nur von momentaner Dauer. Durch mechanische Einwirkung und selbst durch tiefe und multiple Einschnitte kann man keine andauernde Ausweitung erzielen.

So mache ich fast täglich Lithotripsien bei alten, multiplen, resistenten und relativ engen Stricturen, nachdem ich den Verweilkatheter mehrere (24—48) Stunden liegen gelassen habe; diese Erweiterung hält nur einige Stunden an und es empfiehlt sich die Sonde à demeure erst unmittelbar vor der Operation zu ertfernen, weil es einem sonst begegnen kann, dass sich der Lithotriptor nicht mehr einführen lässt. Mit dieser Thatsache muss man rechnen, damit einerseits Individuen, die auf den ersten Anblick für die Vornahme der Steinzertrümmerung nicht mehr geeignet scheinen, davon profitiren können; anderseits damit man sich über das Schicksal einer durch die Urethrotomie erreichten Erweiterung, sobald man den Verweilkatheter entfernt, keine Illusionen macht. In jenen Fällen, in welchen ich die Urethrotomie mit dem Instrument von Otis vorgenommen hatte, sah ich, dass sich das neue Caliber der Harnröhre von heute auf morgen, ja selbst vom Morgen bis zum Abend ganz gewaltig verengert hatte. Die Erweiterungsfähigkeit ist also von dem pathologischen Zustand der Harnröhrenwände ausserordentlich abhängig und ist umso geringer, je ausgedehnter und älter die Strictur ist. In einer grossen Zahl von Fällen kann man nur eine temporäre Erweiterung erzielen, gleichgiltig welcher Mittel und Operationen man sich bedient hat.

Die normale Harnröhre lässt sich über 8 *mm*, ganz leicht bis auf 9 *mm*, ausdehnen und ich habe in Ausnahmsfällen mitunter selbst 10 *mm* erreicht. Allein ich glaube nicht fehl zu gehen, wenn ich 9 *mm* als Grenze für den Durchmesser grosscalibriger Instrumente ansehe und ich würde eher rathen sich unter dieser Grenze zu halten, als sie zu überschreiten.

Thatsächlich sind Instrumente mit grossem Caliber nur für die Lithotripsie oder für die Evacuation von grossen und zahlreichen Blutgerinnseln zweckmässig. Der dickste Evacuationskatheter, welchen ich verwende, ist Nr. 26 und entspricht einem Durchmesser von $8^2/_3$ *mm*; mein stärkster Lithotriptor ist Nr. 3 mit einem Durchmesser von 8 *mm*. Ich darf aber wohl annehmen, dass ich bis heute (1895) die grössten und härtesten Steine zu Gesicht bekommen habe und, wie Sie wissen, in der überwiegenden Mehrzahl der Fälle die Lithotripsie vornehme. Ich will noch hinzusetzen, dass ich mich zwar gewöhnlich der Evacuationskatheter Nr. 25 und 26 bediene, dagegen den Lithotriptor Nr. 3 nur sehr selten verwende, fast immer genügt mir Nr. 2 (7 *mm*).

Wenn ich von diesen klinischen Bemerkungen wieder zu den Ergebnissen des Experimentes zurückkehre, so geschieht dies nur, um das Eine nochmals zu betonen: „Die Zerreissungen sind auf die untere Harnröhrenwand localisirt", folglich werden alle Versuche, die Grenze der normalen Dehnbarkeit der Harnröhre zu überschreiten, ihre Wirkung gerade auf sie ausüben. Gerade diese Wand wird am meisten unter den bedauerlichen Folgen forcirter oder unrichtiger Manöver, oder fehlerhafter Operationen zu leiden haben. Sie ist das Rendezvous der Risse und Fausses routes.

Wir haben bisher noch nicht von dem Blasenende der Urethra, d. h. vom Blasenhalse gesprochen, doch ist es für den Chirurgen von Interesse, auch über dessen normalen und künstlichen Durchmesser orientirt zu sein.

Die Sondirung einer normalen Urethra mit dem Explorateur à boule gibt darüber keinen Aufschluss und selbst mit einer Olive von 7 *mm* oder darüber, hat man selten beim Passiren des Blasenendes der Harnröhre ein bestimmtes Gefühl. Nur bei wenigen Individuen und bei grosser Aufmerksamkeit wird man das Gefühl eines schwach Widerstand leistenden Ringes haben, doch ist dieses Gefühl nur kurz und wenig ausgesprochen und lässt sich niemals mit jenem vergleichen, welches einem beim Entriren der Pars membranacea vermittelt wird. Sappey nimmt den mittleren Blasenhals in der Ruhe mit 5 *mm* und während des Durchtrittes von Harn mit 7—8 *mm* an.

Dieser Theil der Harnröhre ist normaler Weise dehnbarer als die Pars membranacea. Seine künstliche Erweiterungsfähigkeit durch mechanische Einwirkung wurde mit grösster Sorgfalt von unserem unvergesslichen Collegen Dolbeau studirt. Nach der Angabe dieses tüchtigen Chirurgen lässt er sich ohne zu zerreissen bis zu einem Durchmesser von 20 *mm* ausdehnen. Sappey gibt dafür nur 12—15 *mm* an. Jedenfalls kann man Dolbeau's Resultate nur erreichen, wenn man, wie er betont hat, mit der grössten Vorsicht zu Werke geht und man kann sagen, dass die Risse, dank dieser Vorsicht, nicht zu tief sind. Leider haben wir darüber keinerlei experimentelle Erfahrungen und müssen uns auf die Bemerkung beschränken, dass die grösste Ausdehnung des Blasenhalses meist ungenügend ist, wenn es sich darum handelt, die Blase auf dem perinealen Wege von Steinen zu befreien und dass dieser Weg daher wenig benützt wird.

Innenfläche der Harnröhre. — Die Harnröhre bildet nur dann ein Rohr, wenn sie vom Harn durchflossen wird oder wenn ein Instrument durchgleitet; sonst hat sie kein Lumen und ihre Wände liegen der ganzen Länge nach aneinander. Die Flüssigkeitssäule muss daher genug Kraft besitzen um die Harnröhrenwände zu entfalten und diese letzteren müssen so geschmeidig sein, dass sie sich gleichmässig und regelmässig entfalten lassen. Unter dem Einflusse der Harnentleerung erleidet die Urethra somit eine Art physiologischer Dilatation, auf welche sogleich wieder eine Annäherung und wirkliche Retraction der ganzen Innenfläche folgt. Diese Dilatation, diese physiologische Entfaltung, muss auch der Katheter erzeugen, um nach und nach zwischen die Wände eindringen zu können. Allein auf diesem Wege, welchen er, vom physiologischen Gesichtspunkt gegen den Strom zurücklegt, muss der Chirurg normaler Weise andere Hindernisse zu finden erwarten, als diejenigen, welche wir bisher besprochen haben.

Die Innenfläche der Harnröhre zeigt im normalen Zustande Rinnen, Furchen und zahlreiche Mündungen.

Die Rinnen haben nur eine secundäre Bedeutung. Die Mehrzahl liegt in den Furchen und verschwindet gleich diesen durch eine leichte Distension. Nur zwei Rinnen müssen wir erwähnen, welche man rechts und links von dem Caput gallinaginis findet, und zwei oder mehrere Rinnen, welche in die Ausbauchung des Bulbus münden. Wir finden weiters longitudinale Furchen, welche zur Erweiterung der Harnröhre dienen; in der Pars spongiosa zahlreich und constant, sind sie in der hinteren Harnröhre weniger ausgesprochen. Sie sind übrigens in klinischer Beziehung ohne Belang. Es ist aber bemerkenswert, dass, nach Sappey, alle diese Falten longitudinal gerichtet sind und dass man auf der Harnröhrenwand weder quere noch schiefe, noch jene klappenartigen Falten vorfindet, mit denen, wie der genannte Autor meint, einige Anatomen so grossen Missbrauch getrieben haben und noch treiben werden.

Die Innenfläche der Urethra zeigt zahlreiche Mündungen,

welche wegen ihrer Form und Lage unsere besondere Aufmerksamkeit verdienen. In der Pars spongiosa befinden sich Grübchen, welche unter den Namen der Lacunae Morgagni oder Halleri beschrieben werden und deren Ausführungsgänge man als Foramina oder Foraminula bezeichnet hat. Sie durchbohren die Schleimhaut, in deren Dicke sie eingelagert sind. Die grösste dieser Lacunen sitzt an der oberen Wand ungefähr 26 *mm* vom Orificium entfernt; man kennt sie unter dem Namen A. Guerin'sche Klappe. Alle diese Grübchen endigen blind und besitzen eine Art Ausführungsgang, der bis 8 oder 10 *mm* lang sein kann und dessen gegen die Harnröhrenmündung gerichtete Ausmündung an jene der Harnleiter in der Blase erinnert. Sie sitzen alle an der oberen Wand und beim Manne hauptsächlich in der Pars spongiosa.

Weniger constant findet man sie in der Pars membranacea und prostatica; doch kommen sie thatsächlich vor und sind bei manchen Individuen sogar sehr zahlreich, bei anderen wieder sehr selten. In der unteren Wand der Pars prostatica befinden sich auf der Spitze des Caput gallinaginis die Mündungen der Ductus ejaculatorii; zwischen ihnen und etwas tiefer gelegen die des Utriculus prostaticus. Der letztere stellt einen Längsspalt dar, dessen Ränder meist aneinander liegen, doch lassen sie sich leicht auseinder falten und geben Raum für einen Stecknadelkopf. Es ist daher nicht undenkbar, dass sich eventuell das Ende einer Bougie fine darin fangen könnte. Von diesen Lacunen oder Sinus muss man nach Robin und Cadiat die Urethraldrüsen unterscheiden, welche mitunter mit der Harnröhre verwachsen, meist aber vollständig isolirt sind.

Trotz der relativen Weite ihrer Ausmündungen können die Lacunen kein ernstliches Hindernis für den Katheterismus abgeben. Die Valvula Guerini hemmt allerdings oft Bougies fines am weiteren Vordringen und diese Instrumente können sich auch an den übrigen genannten Mündungen festhaken, allein mit einem Instrumente mittleren Calibers und mit abgerundetem Ende braucht man gar nicht auf sie zu achten. Dasselbe gilt von den Cowper'schen oder Bulbo-Urethraldrüsen, welche mit einem ausserordentlich engen Ausführungsgang an der unteren Fläche der Pars bulbosa münden, von der Littre'schen der Pars membranacea und von den Orificien der übrigen zahlreichen Urethraldrüsen. Beiläufig bemerkt ist die Guerin'sche Klappe auf Berührung sehr empfindlich.

Es gibt sehr seltene Fälle, in welchen diese Ausführungsgänge klappenartig erweitert werden und in diesem pathologischen Falle Berücksichtigung verlangen.

Structur der Harnröhre. — Allein betrachtet und von den verschiedenen Schichten isolirt, mit denen sie auf ihrem Wege in

Beziehung tritt, besteht die Harnröhre aus einer Schleimhaut, einer elastischen Schicht, einer Muskelschicht und einer vasculären Schicht, die man Corpus spongiosum nennt. Das scheinen wohl getrennte Schichten zu sein, allein thatsächlich bilden alle diese Elemente der Harnröhrenwand, vom Epithel bis zur Faserschicht, welche die Spongiosa umgibt, ein anatomisches Ganze. Diese anatomische Solidarität der Elemente, aus welchen die Urethra aufgebaut ist, manifestirt sich am klarsten bei pathologischen Processen. Da participiren, natürlich in relativen Verhältnissen, alle Gewebselemente am Krankheitsprocesse. Das geht aus der pathologischen Anatomie der Urethritis und der Stricturen hervor, wie sich besonders aus den trefflichen Arbeiten von Wassermann und Hallé[1]) entnehmen lässt.

Nach Robin und Cadiat[2]) besitzt die Urethralschleimhaut von allen Schleimhäuten die meisten elastischen Fasern, und zwar in ihrer ganzen Ausdehnung, besonders aber in der Pars membranacea. Dieser Theil der Schleimhaut zeigt auch jene mattgelbe Farbe, welche man an der Innenfläche der Arterien findet. Die weisslichgelbe Farbe der ganzen Schleimhaut rührt daher, dass die Capillaren infolge der Retraction der elastischen Fasern leer werden. Den elastischen Fasern verdankt auch die Harnröhrenschleimhaut ihre bemerkenswerte Elasticität und verträgt Dehnung und Erweiterung des Calibers ohne zu zerreissen; dank den elastischen Fasern zieht sie sich auch wieder zusammen, wenn sie durch den Harnstrahl oder durch Instrumente ausgedehnt wurde.

Diese Elasticität geht durch die Dilatation nicht verloren und man kann somit mit Recht sagen, dass das künstliche Caliber, das die normale Harnröhre durch Einführung grosser Instrumente erlangt, nur ein virtuelles ist. Die Urethra ist nach einer solchen Procedur ebenso wenig weiter geworden, als es ein Gummirohr geworden wäre; wie dieses zieht sie sich wieder zusammen.

Die Elasticität der Harnröhrenwände lässt sich durch ein einfaches Experiment nachweisen. Man braucht sie zu diesem Zwecke nur zu incidiren. Sowohl bei querer als bei longitudinaler Incision weichen die Wundränder auseinander, und zwar permanent. Bei einem Längsschnitt klaffen die Wundränder in der Mitte mehr, als an den Enden des Schnittes, die Wunde nimmt eine spindelförmige Gestalt an; sie erinnert an jene bei der Urethrotomie.

---

[1]) W. und H. loc. cit. und Urétrite chronique et rétrécissements. Ann. d. mal. gén. ur.. 1891 und 1894.

[2]) Robin und Cadiat. Sur la structure intime de la muqueuse et des glandes urétrales de l'homme et de la femme. (Journ. d'anat. et de phys. Sept. und Oct. 1875, p. 514.)

Auf dieser vollkommenen Elasticität der Harnröhrenschleimhaut beruht das Klaffen aller Längs- und Querschnitte und es ist überflüssig, die Wundränder eigens auseinanderzuhalten, damit die Narbenbildung sie einander nicht wieder nähere. Die Wirkung der elastischen Fasern genügt, um eine breite Narbe zu bilden. Auf diese Weise kommt die Erweiterung der Harnröhre nach dem Längsschnitt der internen Urethrotomie zustande, ohne dass man einen dicken Verweilkatheter einzulegen braucht.

Die Elasticität der Harnröhrenschleimhaut rechtfertigt die Angaben Reybard's, welcher meint, dass man in die Harnröhre einen Fleck einsetzen muss. Nur war es verfehlt, dieses Resultat auf mechanischem Wege erreichen zu wollen.

Die elastischen Fasern der Schleimhaut setzen sich in jene der Muskelschicht und des spongiösen Gewebes fort; die Schleimhaut ist mit den Organen, welche sie auskleidet, enge verwoben, umso enger, als unter der Schleimhaut der Harnröhre nicht, wie beim Oesophagus oder bei der Blase, ein weitmaschiges Zellgewebe, sondern ein straffes bindegewebiges Netzwerk liegt. Auch gleitet die Schleimhaut der Urethra nicht über die darunter liegenden Schichten und kann nicht vor der Harnsäule oder vor dem Katheter jene Verschiebungswülste bilden, die man an anderen Canälen findet. Trotzdem ist die Schleimhaut so wenig consistent, dass man sie mit einer Sonde in cadavere leicht zerreissen und unter ihr fortgleiten kann. Auch in vivo können sich dergleichen unangenehme Zufälle leider ereignen und verhältnismässig biegsame Instrumente, wie Bougies fines, können leicht falsche Wege machen.

Das ist umso wichtiger, als die Schleimhaut durch das Instrument nicht einfach abgehoben wird, sondern da die Sonde direct in das spongiöse Gewebe, oder die darunter liegenden Schichten eindringt. Auch folgt auf jede noch so kleine Schleimhautverletzung beim Katheterismus eine Blutung. Die Blutung ist immer verhältnismässig reichlich und kann bei tieferem Eindringen ganz beträchtliche Dimensionen annehmen. Zerreissungen erzeugen besonders starke Blutungen.

Die allgemeine Anordnung der Muskelschichte ist in klinischer Beziehung nicht minder interessant. Die submucösen Muskelfasern der Harnröhre sind in Längs- und Kreisbündel angeordnet. In der Pars spongiosa gibt es keine eigentliche Muskelschichte. Man sieht nur vereinzelte dünne Bündel und in der Fossa navicularis findet man auch diese nicht mehr. Die Muskelelemente spielen demnach in diesem Theile der Harnröhre nur eine untergeordnete Rolle.

Anders ist es in der Regio prostatica und membranacea; da gibt es ein vollständig organisirtes Lager von glatten Muskelfasern. Die Längsfaserschicht hat eine Dicke von 0·5—0·8 *mm.* An ihrer Aussenseite kreuzen sich mit ihr ähnliche, aber circuläre Faserbündel, die noch weiter nach aussen die äussere circuläre Schichte bilden. Sie ist ursprünglich fast einen Millimeter dick, nimmt bis an das Ende des Bulbus um die Hälfte ab und verliert sich dann plötzlich vollständig. (Robin und Cadiat.)

Die Pars membranacea ist also besonders reich an glatten Muskelfasern. Allein wir werden bald hören, dass ihr Reichthum an quergestreiften Muskelfasern noch grösser ist

In der Pars prostatica finden wir wieder eine Faserschicht, aber keine quergestreiften Muskelfasern. Diese Schichte, welche am oberen Theile der Urethra prostatica besonders markirt ist, hat beim Erwachsenen in der Nachbarschaft der Blase eine Dicke von 2—3 *mm* und nimmt im vorderen Theile an Dicke um die Hälfte ab. Die tiefstliegenden Fasern sind longitudinal, die anderen circulär. Ueberall wo die Urethra von Prostatalappen umgeben ist, an den Seiten und nach rückwärts, mit einem Wort überall, wo sie von der Drüse fest umschlossen wird, ist die Harnröhre nicht von einem Muskellager, sondern direct von dem Drüsengewebe umgeben. Wenigstens ist das die Ansicht von Robin und Cadiat, deren Beschreibung wir auch die übrigen Details entnommen haben.

Sappey[1]) schreibt zwar, dass die Pars prostatica der Harnröhre von einer Längsfaserschicht umgeben ist, allein die vollständige Beschreibung, welche der berühmte Anatom von dem Sphincter prostaticus gibt, lässt erkennen, dass diese Muskelschicht nur an der oberen Wand vom Prostatagewebe unabhängig ist. Wenn wir also von den umgebenden Muskelschichten absehen und nur von den eingelagerten Muskelfasern sprechen wollen, so sehen wir, dass die Pars prostatica und membranacea, was ihren Reichthum an Muskelfasern betrifft, selbst an glatten Muskelfasern, grosse Verschiedenheiten zeigen.

Wir wollen Robin und Cadiat nur noch einige Details über die Urethraldrüsen entlehnen. Wir haben schon weiter oben über die Lacunen und Drüsenmündungen an der Innenfläche der Harnröhre gesprochen. Die genannten Autoren, deren Autorität unbestritten ist, halten diese Sinus nicht für eigentliche Drüsen, sondern blos für Schleimorgane, welche in die Dicke der Schleimhaut eingelassen sind. Sie besitzen wie diese ein Pflasterepithel. Die wahren Drüsen sind entweder einfache oder zwei- und dreilappige Follikel, oder beerenförmige Drüsen; die letzteren können wieder einfach beerenförmig, oder wirklich traubenförmig sein; die Mehrzahl besitzen unregelmässige, schiefliegende, selten regelmässige Blindsäcke. Die Anzahl dieser mikroskopischen Drüsen ist individuell sehr verschieden: In manchen Harnröhren sehr zahlreich, in

[1]) Sappey, Anat. descript., 3. édit., t. IV., p. 689, fig. 913.

anderen sehr selten, fehlen sie doch niemals gänzlich. Ihre Orificien beginnen beim Manne 12—27 *mm* von der Harnröhrenmündung und man findet die Follikel in allen drei Theilen der Urethra, die beerenförmigen Drüsen in der Pars spongiosa und membranacea, und sie verschwinden am Uebergang in die Pars prostatica. In der Pars membranacea kennt man sie unter den Namen der Littre'schen Drüsen.

Die histologische Untersuchung dieser Follikel und Drüsen, das Vorhandensein von mikroskopischen Steinchen, welche den Prostatasteinen ähnlich sind, zeigen nach Sappey und Robin, dass die Urethraldrüsen nichts anderes sind, als zerstreute Drüsenelemente der Prostata, oder umgekehrt, dass die Prostata aus einer Anhäufung von verhältnismässig einfachen Elementen dieser Art besteht. Wir wollen diese wenigen Mittheilungen über den Secretionsapparat der Harnröhre nicht beschliessen, ohne zu bemerken, dass diese Drüsen unter der Schleimhaut und zwar oft sehr tief sitzen.

Von den Drüsen, welche in die Harnröhre secerniren, nach der Prostata am wichtigsten, sowie am tiefsten gelegen, ist die Bulbo-Urethraldrüse; sie verdient eine besondere Beschreibung.

Die Bulbo-Urethraldrüse (Mery'sche oder Cowper'sche Drüse) von Gubler genau studirt, liegt an der Basis des Bulbus, in dem einspringenden Winkel, welcher ihn von dem membranösen Theil der Harnröhre trennt. Eine derartige Drüse befindet sich sowohl rechts als links. Haller hat ihre Grösse mit der einer Erbse, Winslow mit der einer Kirsche verglichen; doch gibt es auch Drüsen, die kaum linsengross werden, oder ausnahmsweise haselnussgrosse Drüsen. Ihre dünnen Ausführungsgänge münden gesondert mit unsichtbarem Orificium, nach einem schiefen Verlauf von 3—4 *cm*, an der unteren Wand der Pars bulbosa. Sie sind beerenförmige Drüsen und interessiren den Chirurgen nicht nur deshalb, weil sie der Sitz von sehr seltenen chirurgischen Erkrankungen sind, sondern besonders deshalb weil ihr, übrigens charakteristisches Secret von den Kranken oft für Prostatasecret gehalten wird. Von ihren physiologischen Eigenthümlichkeiten sprechen wir noch.

Die Harnröhre besitzt ein geschichtetes Cylinderepithel von verschiedener Dicke. Dasselbe wird einfach erscheinen, je nachdem die Schnitte an einer relaxirten, oder gespannten Urethra gemacht wurden. Pflasterepithel findet man normaler Weise nur in der Eichel; unter pathologischen Verhältnissen finden wir ein geschichtetes Pflasterepithel, das sogar an einzelnen Stellen eine Hornschicht bildet.

Je nach den Bedingungen, unter welchen es untersucht wird, kann das normale Epithel gewisse Veränderungen erleiden und so erklären sich vielleicht die verschiedenen Angaben der Autoren. So beschreiben

z. B. Koelliker, Klein und Finger ein einfaches Cylinderepithel, welches aus ein oder zwei Reihen basaler (polygonaler oder cubischer) und einer darüber liegenden Reihe pallisadenförmiger Cylinderepithelien mit hellem hyalinen Zelleib, besteht. In Frankreich ist man, nach den Beschreibungen von Robin, Cadiat, Baraban, Charpy, Cornil und Ranvier, eher geneigt, ein geschichtetes Cylinderepithel anzunehmen. Diese Autoren beschreiben, genau so wie ihre deutschen Collegen, eine basale Schichte, an welche sich dann zwei oder drei Schichten von grossen Zellen anreihen.

Diese Beschreibungen beziehen sich auf die vordere Harnröhre; aber auch über die Epithelien der hinteren Harnröhre sind die Ansichten getheilt. Die Einen beschreiben ein einfaches Cylinderepithel, die Anderen ein geschichtetes Cylinderepithel, welches sich am Blasenhalse mit dem Blasenepithel vermengt.

Die Lymphgefässe der Harnröhrenschleimhaut ziehen zu den Leistendrüsen. Die Venen sind zahlreich und voluminös und ihre Anordnung ist nach Sappey, in jedem Theil der Harnröhre verschieden. Sie sind in der Pars spongiosa intramusculär, in der Pars membranacea meist submusculär und bilden dort selbst einen Plexus, dessen Bestreben dahin geht, den Durchmesser dieser ohnehin engen Region noch zu verkleinern, wenn sich in Folge eines Reizes, daselbst „eine Congestion“ etablirt. In der Pars prostatica sind die Venen sowohl intra- als submusculär; auch sie bilden einen Plexus, allein einen viel weniger dichten, der nach rückwärts mit dem so stark entwickelten Plexus des Blasenhalses in Verbindung steht.

Mein Schüler und Freund Segond hat die venöse Vascularisation der Prostata genau studirt und die Anastomosen des submucösen und periprostatischen Plexus genau beschrieben.[1])

Die Arteriolen sind zu spärlich, als dass wir sie vom chirurg. Gesichtspunkte aus, zu berücksichtigen hätten. Allein wie man sieht, lässt uns der Reichthum des Venenplexus die „congestiven Symptome“ verstehen, auf welche wir bei der Besprechung gewisser Formen von Harnverhaltung so grosses Gewicht gelegt haben. Die Anatomie erklärt auch die schnelle Resorption des Harnes bei Verletzungen der Harnröhre und besonders bei solchen, welche durch Steinfragmente erzeugt werden. Ausser der Zerreissung kommt auch noch der Umstand in Betracht, dass in Folge der unvollständigen Passagestörung der Seitendruck des Urins und somit die Gewalt, mit welcher er eindringt, erhöht wird.

Es muss an dieser Stelle auch, im Zusammenhange mit den

[1]) P. Segond, Des abcès chauds de la prostate et du phlegmon périprostatique. Th. inaug. Paris 1880, pl. 104 et p. I.

Structurverhältnissen der eigentlichen Harnröhre, einiges über die Gewebe gesagt werden, welche sie umgreifen und mit ihr in organischem Zusammenhange stehen. Indem ich diesbezüglich nur das Wichtigste hervorhebe, verweise ich bezüglich näherer Details auf die Lehrbücher.

Was ich über die Prostata, den Verlauf der Pars prostatica urethrae und deren pathologische Erweiterungsfähigkeit gesagt habe, würde mit Rücksicht auf den Katheterismus hinreichen, wenn ich nicht gewisse Verhältnisse der Harnröhre und der Drüse noch näher in's Auge fassen müsste. Speciell der Ausspruch bedeutender Anatomen, wie Sappey's: Dass, trotz allen Widerspruches, die Urethra von der Prostata vollständig umgeben wird und zwar sowohl an der oberen, als an der unteren und den Seitenwänden, kann den Klinikern nicht gleichgiltig sein. Das ist umso wichtiger, als nach Ansicht des genannten Autors auch die obere Wand der Prostata den Folgen der Hypertrophie nicht entgeht.

Zunächst muss ich jedoch bemerken, dass ich an allen Präparaten meiner pathologischen Sammlung immer nur eine Vergrösserung des mittleren und der Seitenlappen gefunden habe. Dasselbe gilt von allen meinen Sectionsbefunden.

Ferner muss ich mich auf eine Angabe Sappey's selbst beziehen, welche mir ausserordentlich wichtig erscheint. Er fand bei der Messung der Prostata von 18 Individuen zwischen 25 und 45 Jahren, in welchem Alter die Drüse fast gar keine Veränderung zeigt, für die obere oder Symphysen-Fläche der Prostata eine Länge von 24 *mm*, für die rectale oder untere Fläche von 30 *mm*. Sappey sagt weiter, dass bei Männern zwischen 60 und 65 Jahren, bei welchen die mittlere Grösse der Prostata beträchtlicher ist, die Länge der Symphysenfläche kaum variirt, die rectale Fläche in der Medianlinie auch keine merklichen Veränderungen zeigt, jedoch an der Seite auffallend zunimmt und dass schliesslich der Querdurchmesser und der antero-posteriore Durchmesser die grösste Verlängerung zeigen. Diese Angaben stimmen mit den klinischen Beobachtungen zu genau überein, als dass wir sie hier nachdrücklich registriren sollten. Dem gegenüber müssen wir allerdings zwei exceptionelle Beobachtungen Sappey's anführen, bei welchen zahlreiche und voluminöse Steine der vorderen Prostatawand für die Existenz von Drüsen in dieser Region sprechen.

Nach den Untersuchungen des berühmten Anatomen lässt sich das Vorhandensein dieser Drüschen der vorderen Wand nicht in Zweifel ziehen, allein ebenso gewiss nimmt der oberhalb der Urethra gelegene Theil der Prostata nur sehr ausnahmsweise an jenen hypertrophischen Veränderungen theil, welche an den Seiten- und Mittellappen so gewöhnlich vorkommen.

Diese Untersuchungen erbringen aber auch den unwiderleglichen Beweis für die senile Verlängerung der Pars prostatica urethrae und besonders den ausschliesslichen Antheil, welchen die untere Wand an dieser Veränderung nimmt, durch welche die Harnröhre zugleich breiter, länger und gebogener wird.

Wir sind aber auch verpflichtet, der Vollständigkeit wegen zu erwähnen, dass nach der Ansicht von Robin und Cadiat die Prostata nicht bei allen Individuen einen förmlichen Canal bildet, welcher die Harnröhre von allen Seiten umschliesst. Diese Autoren glauben sogar, dass bei jungen Kindern die Prostata unter vier Fällen einmal eine nach vorne offene Rinne bildet. Sie ist übrigens mehr weniger schmal und bei gewissen Individuen auf ein am Blasenhalse liegendes 8—10 *mm* breites Bändchen reducirt.

Aber nicht nur der Zusammenhang des Drüsengewebes der Prostata mit der Harnröhre interessirt den Kliniker, sondern auch die von den Anatomen beschriebenen Muskelfasern dieses Abschnittes, verdienen unsere Aufmerksamkeit.

Die glatten Muskelfasern, welche, wie bereits erwähnt, an der oberen Wand mit der Schleimhaut enge zusammenhängen, werden durch eine Lage von quergestreiften Fasern verstärkt, welche letztere Sappey als Sphincter prostaticus beschrieben hat. Er fand diesen Muskel bei einigen gesunden jungen Leuten ziemlich dunkelroth gefärbt, bei der Mehrzahl aber hellroth. Seine Dicke beträgt im mittleren Abschnitte 6—7 *mm* und nimmt nach den Seiten hin ab. Er erstreckt sich vom Blasensphincter bis zur Pars membranacea urethrae und vom linken Rand der Rectalfläche der Prostata bis zum correspondirenden Punkt der anderen Seite und stellt eine dreieckige, vorne convexe, hinten concave Fläche dar, deren Scheitel nach unten in die Ringfasern der Pars membranacea übergeht und dessen Basis sich in der Mittellinie an den Blasensphincter anlehnt.[1])

Wie man sieht, nimmt der Sphincter prostaticus somit nur die

---

[1]) Der Blasensphincter ist auch von Sappey beschrieben worden und seine vorzüglichen Präparate haben die strittige Anlage dieses Muskelringes endgiltig klargestellt. Der Sphincter bildet einen breiten Ring, welcher das ganze hintere Drittel der Pars prostatica urethrae umfasst. Seine äussere Fläche entspricht unten und an den Seiten dem mittleren Lappen der Prostata, mit welchem er innig verwoben ist. Nach oben ist sie von den vorderen Längsfasern der Blase, welche sie rechtwinklig kreuzen, und ein wenig durch den Schliessmuskel der Pars prostatica urethrae bedeckt. Seine Innenfläche entspricht den Längsfasern der Urethra und der Harnröhrenschleimhaut. Sein hinteres Ende vereinigt sich mit den untersten Querfasern der Blase, sein vorderes Ende liegt unten dem Caput gallinaginis, oben dem bereits genannten Schliessmuskel an. Er ist 10—12 *mm* lang, 6—7 *mm* breit und besteht aus glatten Muskelfasern.

vordere Wand der Harnröhre ein. Hier befindet sich schon die der Schleimhaut benachbarte Schichte glatter und quergestreifter Muskelfasern. Dieses schmale Muskelband „kann nicht wie ein Ring wirken". Der Sphincter der Prostata hat nach Sappey keinen anderen Zweck als den, die vordere Wand der Pars prostatica gegen die hintere Wand anzudrücken und tritt im Moment der Ejaculation in Wirksamkeit.

Die seitlichen und unteren Wände des ersten Theiles der Urethra prostatica besitzen keine eigenen Muskelfasern. Mit der Prostata innig verwachsen, können sie keinen anderen Muskelapparat haben, als den, welcher die Drüse umgibt. Sie ist gewissermaassen zwischen die glatten Muskelfasern eingeschaltet, welche im Anschluss an die Muskelfasern der Blase mit jenen der oberen Wand eine wirkliche Continuität zwischen dem Schliessapparat der Pars membranacea und jenen Fasern herstellen, aus welchen der Blasensphincter gebildet ist. Die Muskelfasern, von denen wir sprechen, gehören thatsächlich der Prostata an, welche sie, ausser in ihrem oberen Antheile, vollständig von der Urethra trennt; sie wirken direct nur auf diesen Abschnitt der Urethra prostatica.

Viel wichtiger ist die Anlage des Muskelapparates der Regio membranacea. Hier liegen die Muskeln unmittelbar an der Harnröhrenwand, auf welche sie wirken sollen, und hüllen diese letztere vollständig ein.

Sobald sie die Fascie durchdringt, wird die Urethra sofort von einem complicirten Faserwerk umsponnen, welches gewöhnlich unter der Bezeichnung des Wilson'schen oder Guthrie'schen Muskels oder des Musculus transversus perinei profundus beschrieben wird. Von dem verhältnismässig „glatten Muskelring" der Schleimhaut der Pars membranacea habe ich schon gesprochen. Die Muskeln von Wilson und Guthrie sind quergestreifte Muskeln; ihre Beziehungen zu der Pars membranacea urethrae wurden von allen Anatomen anerkannt; wenigstens jene des Wilson'schen Muskels, welcher sogar den Namen Constrictor urethrae erhalten hat.

Cadiat,[1]) welcher diesen Muskel am Foetus unter dem Mikroskop studirte, hat nachgewiesen, dass die Muskeln von Wilson und Guthrie keine besondere Beschreibung verdienen und dass der gesammte Muskelapparat, aus welchem sie — nach der Präparirung der genannten Autoren — bestehen sollen, die Harnröhrenschnürer, in höchst einfacher Weise um die Harnröhre gelagert sind. Ohne mich auf nähere Details einzulassen, bezüglich deren ich auf die vorzügliche Arbeit Cadiat's hinweise, citire ich nur die Stelle über die Muskeln von

[1]) Cadiat, Étude sur les muscles du périnée et en particulier sur les muscles de Wilson et de Guthrie. (Journal de l'anatomie et de la physiologie, de M. Ch. Robin, Januar 1877.)

Guthrie und Wilson: Die gesammten Muskelfasern und besonders diejenigen, welche man als Wilson'sche Muskel bezeichnet, unterstützen und verstärken hinter dem Bulbus den Ursprung der Pars membranacea urethrae und bilden, wie sich Sappey ausdrückt, „einen contractilen Fussboden, welchen die Harnröhre durchzieht."

Mag man von den Guthrie'schen und Wilson'schen Muskeln auch verschiedene Beschreibungen finden, das Eine steht fest, dass die Harnröhre in der Pars membranacea nicht nur zahlreiche in die Schleimhaut eingelagerte glatte Muskelfasern besitzt, welche wir bereits beschrieben haben, sondern auch einen „eigenen dicken, vollständigen Muskelring aus quergestreiften Fasern", welcher dieselbe in ihrem ganzen Verlaufe einschliesst, und schliesslich Verstärkungsbündel, welche den vorderen Antheil, d. h. deren Ursprung einhüllen.

Schnitt durch den Bulbus.

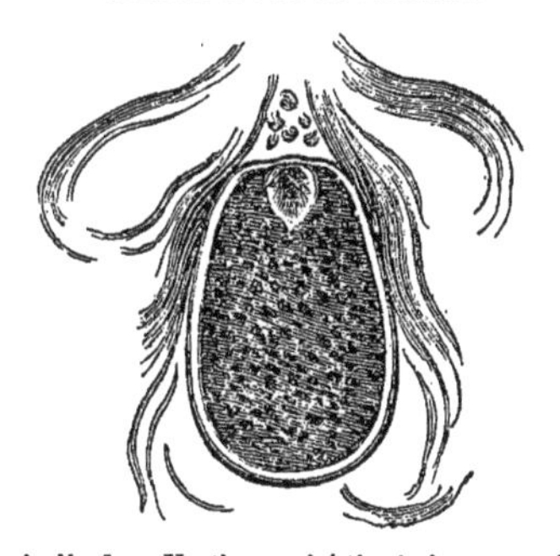

Oberhalb der Urethra giebt's kein spongiöses Gewebe. Ihre obere Wand steht mit einem fibrös elastischen Blatt, das sie vom Plexus Santorini trennt, in engem Zusammenhange.

Fig. 27.

Schnitt 1 cm. vor dem Bulbus.

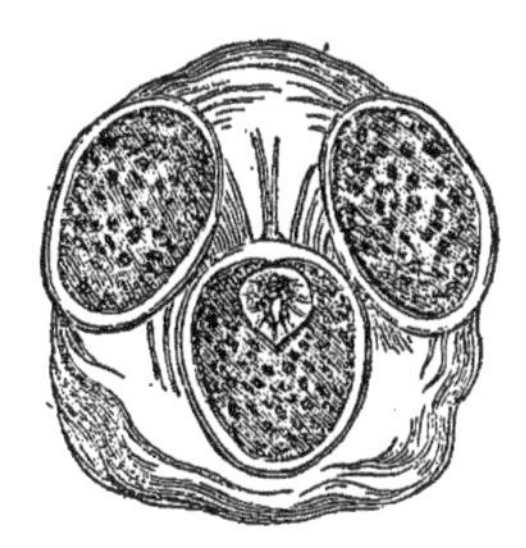

Das spongiöse Gewebe beginnt oberhalb der Urethra zu erscheinen, besteht aber in der Mittellinie noch nicht.

Fig. 28.

Diese anatomischen Daten stimmen vollkommen mit dem überein, was uns die Untersuchung der Urethra am Lebenden lehrt, und erklären so manche pathologische Verhältnisse.

In der vorderen Harnröhre ist der quergestreifte Muskelapparat von der Harnröhre selbst scharf getrennt. Er umhüllt den Bulbus, d. h. die Anschwellung der spongiösen Bekleidung der Harnröhre und seine physiologische Rolle interessirt den Kliniker nur indirect. Auch will ich nicht auf diesen Punkt näher eingehen, sondern vielmehr auf die Beziehungen der Harnröhre zu ihrer erectilen Hülle, d. h. zu jenem araeolären, elastischen, dehnbaren, vasculären Gewebe, welches die spongiöse oder cavernöse Hülle der Urethra bildet. Alle Blutgefässe der Harnröhre münden oder entspringen in diesen breiten Vacuolen und bilden einen integrirenden untrennbaren Theil ihrer Wände.

Man pflegt zu sagen, dass das erectile Gewebe eine vollständige Scheide über die Harnröhre bildet, vom Bulbus bis zur Harnröhrenmündung. Da es nun vom chirurgischen Gesichtspunkte wichtig ist, die Dicke dieser vasculären Schicht in den verschiedenen Abschnitten der Harnröhre genau zu kennen, so habe ich zu diesem Zwecke eine Serie von Querschnitten durch die Urethra angelegt und folgende Resultate erhalten.

In der Höhe des Bulbus besitzt die obere Harnröhrenwand (Fig. 27) überhaupt kein Schwellgewebe, sondern liegt direct einem fibrös-elastischen Gewebe an, welches zwischen ihr und der Wurzel der Schwellkörper eingeschaltet ist. Ein Centimeter weiter nach vorn ist der Querschnitt noch ziemlich unverändert (Fig. 28). Kaum bemerkt man über der Harnröhre eine leichte Spur röthlichen Gewebes. Dieses Verhältnis bleibt unverändert bis zu dem Augenblick, wo die Urethra

**Schnitt knapp vor dem Scrotum.**

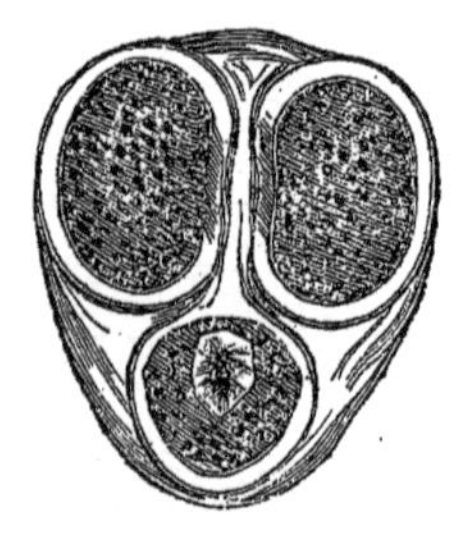

Harnröhre auf allen Seiten von spongiösem Gewebe umgeben; die obere Schicht noch sehr dünn.

Fig. 29.

**Schnitt durch die Mitte des Gliedes.**

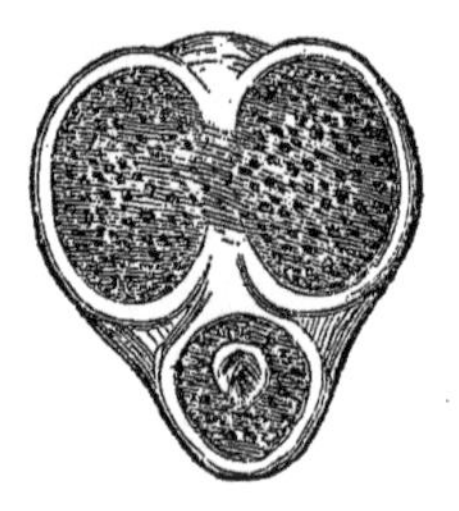

Die Urethra wird vom Schwellgewebe, aber noch immer vorherrschend an der unteren Fläche, eingeschlossen.

Fig. 30.

in jene Rinne aufgenommen wird, welche durch die Aneinanderlagerung der Corpora cavernosa entsteht. Erst von diesem Punkte an (Fig. 29) zeigt auch die obere Wand der Urethra ein ausgesprochen araeoläres Gewebe als Bedeckung. Dieses Gewebe stellt aber noch eine sehr schmale und dichte Schichte dar, welche weit weniger vascularisirt ist als das spongiöse Gewebe der seitlichen und unteren Partien der Harnröhre, an welchem Theil das Schwellgewebe seine grösste Ausdehnung erreicht. Von hier bis zur Glans nimmt die spongiöse Schichte an der Oberfläche der Urethra immer mehr zu. Noch habe ich zu bemerken, dass in der Höhe der Harnröhrenmündung und in der Verlängerung ihrer Achse eine fibröse, mediane, 8—10 *mm* hohe Raphe besteht. Diese anatomische Eigenthümlichkeit könnte eigentlich dazu Veranlassung geben, das Debridement nach oben vorzunehmen, allein in der Regel geschieht dies nach unten zu hin.

Vergleich zwischen der oberen und unteren Harnröhrenwand. — Wir haben im Verlaufe unserer anatomischen Auseinandersetzungen auf den Unterschied der beiden Wände bereits hingewiesen. Dieser Unterschied ist in klinischer Beziehung so wichtig, dass die Bezeichnung chirurgische Wand, welche Sie mich für die obere Wand häufig gebrauchen hören, vollständig gerechtfertigt erscheint.

Der Verlauf der beiden Wände, ihre Länge, Gestalt, ihre Dehnbarkeit zeigen wesentliche Unterschiede. Wir wollen uns zunächst mit der Dehnbarkeit befassen, welche für den Chirurgen am wichtigsten ist.

Man weiss, dass die Urethra dehnbar ist und diese Dehnbarkeit hauptsächlich der Pars spongiosa verdankt. Die Erection liefert dafür einen stricten Beweis. Studirt man diese Eigenschaften der Urethra etwas genauer, so wird man sich bald davon überzeugen, dass die untere Wand mit der grössten Leichtigkeit ihre Dimension und Gestalt verändert. Während die obere Wand den Versuchen, sie einzudrücken oder zu verlängern, einen gewissen Widerstand entgegensetzt, gibt die untere Wand dagegen sehr leicht nach. Ich verweise diesbezüglich auf alles das, was ich über Zerreissungen, über Moulagen, Injectionen von erstarrenden Massen gesagt habe. Immer ist die obere Wand viel resistenter, viel weniger nachgiebig als die untere.

Um das noch klarer zu machen, habe ich die Harnröhre von den Weichtheilen lospräparirt, rechts und links von der Mündung bis zum Blasenhalse aufgeschnitten und dort, zum Zwecke der Fixation in ihrer Verbindung gelassen. Wenn ich nun die beiden herabhängenden Theile mit Gewichten belastete, so sah ich zunächst, dass bei einer Belastung von mehr als 350 *g* die Elasticität dieser Theile so ziemlich vollständig verloren ging, dass sich die Urethra dann nur mehr unvollständig zusammenzog.

Die obere Wand beginnt sich erst bei einem relativ hohen Gewicht, z. B. 200 *g* merklich zu verlängern und diese Verlängerung ist dem Zuge proportional. Die untere Wand dagegen reagirt sehr deutlich auf verhältnismässig schwache Kraftanwendung. Sie verlängert sich beispielsweise bereits bei einer Belastung von 100 *g* ganz beträchtlich. Sobald aber diese erste Verlängerung rasch aufgetreten ist, lässt sie sich im selben Verhältnisse wie die obere Wand ausdehnen. Die Messungen, welche ich an der Harnröhre eines Greises vorgenommen habe, ergaben folgendes Resultat:

| | Obere Wand | Untere Wand |
|---|---|---|
| Vor der Ausdehnung . . . . . . | 20 *cm* | 20·7 *cm* |
| Zug mit Belastung von 100 *g* . . . | 20·5 „ | 23 „ |
| „ „ „ „ 150 „ . . . | 20·9 „ | 24·2 „ |
| „ „ „ „ 200 „ . . . | 21·6 „ | 25·1 „ |

| | Obere Wand | Untere Wand |
|---|---|---|
| Zug mit Belastung von 250 „ . . . | 22·4 „ | 26 „ |
| „ „ „ „ 400 „ . . . | 24 „ | 27·2 „ |
| „ „ „ „ 500 „ . . . | 25·5 „ | 28·5 „ |
| „ „ „ „ 1 *kg* . . . | 26·3 „ | 30 „ |

Während also ein Zug von 150 *g* an der oberen Wand nur eine Verlängerung von 9 *mm* erzeugt, nimmt die untere um $3^1/_2$ *cm* zu. Je mehr der Zug zunimmt, desto weniger ausgesprochen ist der Unterschied in der Dehnbarkeit. Bei 250 *g* beträgt sie nur 2·9 *cm* und von da an ist die Längenzunahme bei Zunahme des Zuges fast die gleiche. Dennoch ist die Dehnbarkeit der unteren Wand auch dann noch grösser, als die der oberen.

Diese Eigenschaft muss in chirurgischer Beziehung umso mehr berücksichtigt werden, als sie bereits bei kleinem Kraftaufwande in Rechnung kommt. Es ist klar, dass der Chirurg, selbst wenn er einen mässigen Druck ausübt, auf den Widerstand der unteren Wand nicht rechnen kann. Sie weicht vor den Instrumenten aus, kann ihnen nicht zur Führung dienen, sie dagegen aufhalten, indem sie sich um deren Endstück herumlegt. Sie lässt sich nicht mit Präcision einschneiden und reisst leicht ein.

Mit den Jahren nimmt der Unterschied in der Dehnbarkeit beider Wände zu und zwar umsomehr, je älter das Individuum ist. Im Zusammenhalt mit den Altersveränderungen des spongiösen Gewebes ändert sich auch die Nachgiebigkeit der unteren Wand.

Ich will übrigens hinzufügen, dass diese Verlängerung der Urethra einzig und allein auf Kosten der vorderen Harnröhre zu Stande kommt. Wenn man nicht Gewichte von 500 *g* bis zu 1 *kg* auflegt, so werden die Pars prostatica und muscularis nur ganz unbedeutend in Mitleidenschaft gezogen. Anderseits ist die Pars spongiosa nicht in allen ihren Theilen gleich nachgiebig. Theilt man sie mit Hilfe von kleinen Zeigern in drei Theile, entsprechend der Pars pendula, scrotalis und perineo-bulbosa, so überzeugt man sich, dass die Verlängerung hauptsächlich die letztere betrifft.

Man kann also annehmen, dass normaler Weise die untere Harnröhrenwand länger ist, als die obere. Dieses Resultat wird bereits bei der blossen Einführung der Instrumente erzeugt und nimmt ohne Zweifel bei Druck noch zu. Allein die normale Anatomie zeigt, dass eine solche Längendifferenz thatsächlich besteht.

Betrachten wir aber die leere Harnröhre bei einem Individuum mit normaler Prostata, so sind beide Wände des Canals unter einander augenscheinlich gleich, trotzdem die Krümmung der unteren Wand von jener der oberen abweicht. Der Längenunterschied fällt besonders dann auf, wenn man die Messung an einem Abguss, also bei Ausdehnung der Urethra vornimmt; dann findet man, dass die untere Wand bedeutend länger ist, als die obere. Diese Längendifferenz wird mithin stets vorhanden sein, wenn man ein Instrument von einem gewissen Caliber einführt und man wird immer einen längeren Weg zurück zu legen haben, um in die Blase zu gelangen, wenn man sich an die untere Wand hält. In Folge von Altershypertrophie der Prostata ist die untere Harnröhrenwand, wie ich zu constatiren Gelegenheit hatte, stets um 1—1,5 *cm* länger und wir fanden thatsächlich, dass sich die Prostata in ihrem oberen Antheile, im Verlaufe der Jahre kaum verändert, während ihre dem Rectum zugewendete Fläche sowohl im Quer-, als Längendurchmesser bedeutend zunimmt. Sie sind übrigens bereits normaler Weise länger als die übrigen.

Diese Veränderungen der Dimensionen der Harnröhre haben natürlich auch auf ihre Configuration, respective auf ihre Krümmung grossen Einfluss. Ein Blick auf Fig. 25 zeigt klar und deutlich, dass die untere Wand sich erhebt und abknickt in dem Maasse, als die Prostata an Volumen zunimmt. Diese Altersveränderungen beziehen sich hauptsächlich oder ausschliesslich auf die untere Wand. Wir haben bereits gesehen (Fig. 26), dass die Krümmung der unteren Wand keine regelmässige Curve darstellt, wie die der oberen Wand, die man fast geometrisch berechnen kann. Was über die normale Form der Urethra gesagt wurde, bezieht sich auch ausschliesslich auf diese letztere. Sie allein ist fix genug und vermag dem Zug und Druck genug Widerstand zu leisten, um ihre Lage und Configuration fast unverändert beibehalten zu können. Der Chirurg muss also diese wichtigen Verhältnisse stets im Auge behalten, um seine Instrumente gut führen zu können. Er muss nicht nur die anatomische Anlage und Verlaufsrichtung der oberen Wand genau kennen, sondern sich auch daran erinnern, dass sie bei einer gewissen Gewaltanwendung Veränderungen erleidet, dass sie von den Altersveränderungen nur unmerklich betroffen wird, und ebenso von pathologischen Deformationen nur wenig zu leiden hat. Diese Deformationen, welche von der Prostatahyperthrophie herrühren, treten auch fast ausschliesslich an der unteren Wand im hohen Grade auf. Bei den grössten Veränderungen, welche der Verlauf und die Gestalt der Pars prostatica erleiden, bleibt die Länge und Gestalt der oberen Wand stets unverändert und bildet nach wie vor die directe Fortsetzung der Pars membranacea. Das ist der gerade und sichere Weg, auf welchem der Chirurg, ohne Rücksicht auf die an der unteren Wand angehäuften Hindernisse, ohne üble Zufälle in die Blase gleitet.

Die untere, unregelmässige, mobile Wand ist immer geneigt, vor den Instrumenten zurückzuweichen, oder aber sie aufzuhalten und sie verliert bei dem geringsten Druck ihre normale Gestalt. Durch das Alter wird sie noch mehr verändert und deformirt. An ihr sind Altersveränderungen der Urethra am schärfsten ausgeprägt. Die Depression der prostatischen Urethra, sowie das, was man als Blindsack des Bulbus bezeichnet, sitzen alle an der unteren Wand. Nirgends lässt sich die Harnröhrenwand so leicht zurückdrängen als in diesem Theile der Urethra, und die Verlängerung durch den Zug findet, wie wir gesehen haben, gerade hier statt. Auch die Sinus der Prostata, wofern solche vorhanden sind, sowie die Mündung des Utriculus, sitzen an der unteren Wand.

Bemerken wir noch, dass die Pars membranacea der einzige Theil der Harnröhre ist, welcher von den verschiedenen Laesionen, von welchen die Urethra befallen wird, sowie von den Altersveränderungen verschont bleibt. Das ist für den Chirurgen sehr wichtig, denn die Pars membranacea wird demzufolge unter allen Verhältnissen, in jedem Alter und bei den complicirtesten pathologischen Zuständen als Orientirungspunkt dienen können.

Was die Structur der Harnröhre anbetrifft, so haben wir durch unsere Schnitte (Fig. 27—30) gezeigt, wie verschieden dieselbe im oberen und unteren Theile des Schwellkörpers ist. Dort wo die Harnröhre zum Bulbus anschwillt und wo sich gewissermaassen die untere Wand entfaltet, nimmt das erectile Gewebe in der oberen Wand bis auf einige unbedeutende Gewebszüge ab; in der Pars perinealis bildet es eine sehr schmale Schichte. Gerade in diesen Regionen findet man die Stricturen, welche so häufig die Urethrotomie erheischen.

Die genaue Kenntnis der anatomischen Verhältnisse hat nun aber gerade darum einen so grossen praktischen Wert, weil sie uns in die Lage setzt, den Punkt der Harnröhre, gegen welchen wir die Schneide unserer Messers richten wollen, mit Bewusstsein auszuwählen. Wir wissen, dass wir an der oberen Wand, gerade dort wo die Incision so oft nothwendig wird, vor jeder Verletzung von Gefässen geschützt sind; thatsächlich wird die stricturirte Stelle in der Pars perinealis und bulbosa incidirt, und zwar stets vor dem Schambogen, nie unter demselben; vor der Schneide befindet sich nur eine dünne spongiöse Schichte und die dicke Scheidewand der Corpora cavernosa. Die Venen, welche den Plexus Santorini bilden und unter der Symphyse verlaufen, sind von der oberen Wand der Pars membranacea urethrae durch sehr dicke Gewebe getrennt. Sie könnten nur durch eine tiefe Incision erreicht werden, welche die Pars membranacea trifft. Dieser Theil der Harnröhre ist aber niemals verengt, es sei denn bei traumatischen Laesionen der Harnröhre, wie sie nach Beckenfracturen auftreten. Das ist der einzige Fall, in welchem man die Urethrotomie zweckmässiger Weise nach unten vornimmt.

Die Möglichkeit der Wahl des Punktes, an welchem die Harnröhre von dem Instrument getroffen werden wird, ist einer der Vortheile der Urethrotomie. Man kann dagegen bei der Divulsion die Stelle, wo die Urethra reissen wird, nicht wählen, dagegen lässt es sich voraussagen, dass der Einriss an der unteren Wand, d. h. an einem reich vascularisirten Gewebe erfolgen wird. Das haben meine Versuche zur Evidenz gebracht.

Man kann sich täglich an meiner Klinik davon überzeugen, dass eine methodisch an der oberen Wand vorgenommene Urethrotomie ohne Blutung verläuft. Es gehen kaum einige Tropfen Blut verloren, wenn man keinen übermässig tiefen Schnitt führt, noch einen übermässig dicken Verweilkatheter einführt, welcher eine noch so gut berechnete Incision durch Einriss erweitert. Wir wissen dagegen, dass ein Katheterismus, wenn er selbst mit dünnen Bougies vorgenommen wird, grosse Blutungen erzeugen kann, wofern man genöthigt war, seinen Weg durch die Regio bulbo-perinealis mühsam zu suchen. Die Bougies sind dann einfach in das spongiöse, vasculäre Gewebe der unteren Wand eingedrungen. Ebenso wichtig ist es, mit Hinblick auf Operationen, dass die untere Wand der Harnröhre in ihrer ganzen Ausdehnung keine anderen Verbindungen hat, als ihre spongiöse Scheide und an ihrem hinteren Ende den Bulbus; die Urethra und die Scheide haben mit Ausnahme der Pars bulbosa keinen anderen Halt als die äussere Bedeckung. Die untere Wand hat also hier keine Festigkeit. Die obere Wand hingegen ist mit der Rinne der Corpora cavernosa fest verwachsen, und zwar ihrer ganzen Länge nach. In der Medianlinie, dort wo bei der inneren Urethrotomie der Einschnitt erfolgt, ist sie, wie gesagt, mit der breiten fibrösen Scheidewand durch dichtes und resistentes Bindegewebe fest vereint.

Durch diese enge Verwachsung mit den Schwellkörpern gewinnt die obere Wand einen guten Halt und wird gewissermaassen so angespannt, wie die Finger eines guten Gehilfen die Haut anspannen.. Sie kann keine Falten werfen, noch vor dem Instrument ausweichen. So wird denn der Schnitt des Urethrotoms rein sein, nicht auf einer Falte sitzen und daher keine Unterbrechungen zeigen und an der passenden Stelle liegen, ohne dass man andere Theile vor das Instrument bekommt, als die, welche man eben einschneiden soll. Anders verhält sich die Sache an der unteren Wand.

Die Anatomie zeigt uns also klar, in welcher Richtung die laufende Klinge geführt werden muss, wenn man die Urethrotomie auf dem Conductor, von vorn nach hinten, mit dem schönen Instrument von Maisonneuve ausführt. Aus denselben anatomischen Gründen empfehle ich die Extraction von Fremdkörpern stets der oberen Wand entlang vorzunehmen und diese Gründe sind auch bei der Ausführung eines schwierigen Katheterismus maassgebend.

Die obere Wand verdient thatsächlich die von mir vorgeschlagene Bezeichnung chirurgische Wand, denn sie bietet den kürzesten, regelmässigsten, sichersten und der Form und Richtung nach, constantesten Weg; die glatteste, festeste Fläche, welche sich beim Druck durch Instrumente am wenigsten verändert und am wenigsten ausweichen kann; welche den Einrissen und dem Eindringen den grössten Widerstand entgegensetzt und welche schliesslich am wenigsten vascularisirt ist.

# Siebenundzwanzigste Vorlesung.

(Fortsetzung und Schluss.)

## II. Physiologie.

Der Harnröhrensphincter ist contractil und empfindlich (Untersuchung mit dem Explorateur à boule.) — Er verschliesst die Harnröhre in den Intervallen zwischen den Harnentleerungen. (Versuch mit vorderen und hinteren Instillationen.) — Er ist ausserordentlich contractil. (Directe Elektrisirung der Harnröhre; Schwierigkeit des Katheterismus am Cadaver.)

Der Harnröhrensphincter bildet eine scharfe Grenze zwischen der vorderen und hinteren Harnröhre. Physiologisch, anatomisch, pathologisch, ja selbst chirurgisch gibt es zwei Harnröhren. — Schlussfolgerungen mit Rücksicht auf die Urethrorrhagie, die Ausflüsse aus der vorderen und hinteren Harnröhre, die Circulation der physiologischen Flüssigkeiten, welche von den verschiedenen Drüsenapparaten secernirt werden. — Der Harnröhrensphincter vervollständigt und verbessert den Schliessapparat des Blasenhalses, welcher sich bis zum Ligamentum Carcassonnii verlängert. Er ist dessen activster Bestandtheil, der einzige, welcher dem Willen untersteht und welcher den Blasencontractionen activen Widerstand zu leisten vermag. — Der Blasensphincter genügt nur so lange, als keine Blasencontractionen vorhanden sind. — Der Harnröhrensphincter ist der vorzüglichste Sitz der sogenannten Contractionen und Spasmen „des Blasenhalses.“ — Der Krampf und die Contractionen sind immer symptomatisch. — Sie können durch Hindernisse, welche gewisse Zustände der vorderen Harnröhre für den Abfluss des Urins bilden, hervorgerufen werden; sie können von einer Affection der Niere, des Anus oder des Rückenmarkes herrühren. — Sie hängen vor allem von den Blasencontractionen ab. — Sie sind meist die Folge eines schmerzhaften Blasenleidens. — Reizblase. — Die normale Harnröhre des Mannes schützt die Blase vor Infection.

Empfindlichkeit der Harnröhre. — Grosser Unterschied in der Empfindlichkeit der Pars membranacea und der übrigen Harnröhrenschleimhaut. — Analogie der Empfindlichkeit der hinteren Harnröhre und der Blase. — Gesteigerte Empfindlichkeit der Pars membranacea bei Neurasthenikern. — Sie lässt sich dann durch die Rectaluntersuchung nachweisen. — Die ganze Harnröhre ist gegen Spannung sehr empfindlich.

## III. Pathologie.

Eine inficirte Urethra schützt die Blase nicht mehr vor der Infection. — Trotzdem die normale Harnröhre pathogene Keime enthält, heilen ihre Verletzungen ohne Eiterung, sie wird nicht spontan inficirt. — Die Urethra wird am häufigsten durch den Gonococcus primär inficirt. — Derselbe präparirt auch das Terrain für secundäre Infectionen. — Der Colibacillus scheint sich in der Harnröhre nicht zu vermehren. — Die Infection der vorderen Harnröhre ist mit jener der Blase nicht solidarisch; dasselbe gilt nicht von der hinteren Harnröhre, denn wenn es eine hintere Urethritis ohne Cystitis gibt, so gibt es dagegen keine Cystitis ohne hintere Urethritis. — Die tuberculösen Laesionen breiten sich oft nach der hinteren Harnröhre aus, selten findet man sie in der vorderen; sie erreichen dieselbe nie isolirt. — Trotzdem die normale Urethra toxische Substanzen resorbirt, so bleiben doch ihre Infectionen localisirt, solange weder Trauma noch Harnentleerung unter Druck besteht.

## II. Physiologie.

Es wäre ebenso schwer, die Physiologie der Urethra ohne klinische Experimente zu studiren und zu verstehen, als es unbequem wäre, die Harnröhre ohne genaue Kenntnis gewisser functioneller Eigenthümlichkeiten zu untersuchen.

Die Harnröhre nimmt an den Erscheinungen der Miction und Ejaculation activen Antheil; sie ist nicht nur ein Rohr, welches von den Flüssigkeiten durchflossen wird, nachdem diese durch die Contractionen der Hohlräume, welche sie enthielten, vorwärts getrieben wurden. Sie öffnet und schliesst sich und reagirt. Sie öffnet sich, um den Harn durchtreten zu lassen, schliesst sich, um die Vorwärtsbewegung des Spermas zu ermöglichen; ihre Wände reagiren, um an der Harn- und Samenentleerung Antheil zu nehmen. Ich habe hier nicht auf den Mechanismus der Ejaculation einzugehen, allein wir müssen uns über die physiologische Rolle der Harnröhre Rechenschaft ablegen, sowohl wenn sie vom Harn durchflossen wird, als wenn sie ein Instrument umschliesst. Meiner Ansicht nach wird der erstere Punkt durch die Betrachtung des zweiten dem Verständnis am besten nahe gerückt.

Führt man in die Harnröhre einen Explorateur à boule mit biegsamem Stiel, z. B. Nr. 15 oder 16, ein, welcher Gefühlseindrücke ermöglicht, ohne dieselben durch zu harten Contact zu vergrössern, so merkt man, dass man ohne Hindernis und ohne eine lebhafte Empfindung hervorzurufen, bis an den Schambogen gelangen kann. An dieser Stelle reagirt die normalste und gesündeste Harnröhre regelmässig auf zweierlei Weise u. zw. treten diese beiden Reactionen zugleich ein. Der Kranke gibt eine „lebhaftere Empfindlichkeit“ zu erkennen und das Instrument wird „einen Augenblick angehalten“. Fährt man mit dem Druck sanft fort, so dringt die Olive ein, berührt aber den Harnröhrenabschnitt, welchen sie durchläuft, an allen Punkten und geht eine Strecke weit etwas „strenger“. Gleichzeitig steigt die Empfindlichkeit und ist vielleicht einen Augenblick besonders lebhaft; bald jedoch hören Widerstand und Empfindlickeit auf, das Instrument durchläuft die Pars prostatica und dringt in die Blase, ohne andere Gefühlseindrücke zu vermitteln. Mitunter wird am Blasenhalse eine kleine Resistenz und schwache Empfindlichkeit wahrgenommen. Die gleichen Beobachtungen macht man auf dem Rückwege.

Diese ersten klinischen Versuchsresultate können noch durch jene vermehrt werden, welche sich bei der Vornahme von intraurethralen Instillationen, einfachen Injectionen und bei Elektrisirung der Harnröhre ergeben.

Wenn die Instillationsflüssigkeit in die Harnröhre dringt, nachdem die Olive des durchbohrten Explorateurs jenen engen und empfindlichen Punkt passirt hat, von dem wir gerade sprachen, so wird, gleichgiltig wie viele Tropfen man instillirt hat, kein einziger an der Harnröhrenmündung erscheinen, wenn man das Instrument wieder herauszieht. Die Untersuchung des ersten Harnstrahles ergibt, dass die Flüssigkeit durch die Urethra prostatica in die Blase geflossen ist; bei Verwendung einer Höllensteinlösung findet man thatsächlich weissliche Bröckel, die nichts anderes sind als Praecipitate von Chlorsilber. Wenn dagegen die Instillationsflüssigkeit eingetropft wird, während das Instrument sich an die Vorderseite dieses normalen Hindernisses anlehnt, ohne dasselbe zu passiren, so erscheint die ganze Flüssigkeit wieder an der Mündung. Bereits nach der Injection von 2—3 Tropfen sieht man bald an der Harnröhrenmündung die Flüssigkeit erscheinen, welche ziemlich entfernt, d. h. am Bulbus und am Eingang der Pars membranacea entleert wurde.

Sie wissen Alle, dass Injectionen, die man durch Verschliessung der Mündung in der Harnröhre festhält, ausgestossen werden, sobald man den Weg frei lässt. Damit die Flüssigkeit in die Tiefe dringt, muss man den Druck verstärken oder das machen, was mein Freund Dr. B e r t h o l l e ein „Lavement“ der Blase, ein Blasenklysma, genannt hat. Man erreicht thatsächlich das Eindringen der Flüssigkeit bei gleichem Druck durch Vergrösserung der Wassersäule.

Die Urethra kann sich also durch einen Impuls öffnen. Sie öffnet sich täglich durch den Druck der Harnsäule, allein die angeführten Thatsachen genügen, um zu beweisen, dass sie *in den Intervallen zwischen den Harnentleerungen geschlossen ist* und dass der Punkt, wo dieser Schluss besonders vollständig erfolgt, der Pars membranacea entspricht. Wir werden übrigens diese Thatsachen noch durch klinische Experimente und Experimente am Cadaver zu erhärten in der Lage sein.

Ich habe bereits bei der Besprechung der elektrischen Behandlung der kindlichen Incontinenz darauf hingewiesen, dass die Metallkugel, welche als Harnröhrenelektrode dient, an einem bestimmten Punkte der Urethra festgehalten wird. Dieser Punkt ist wieder die Pars membranacea und die Unterbrechung des Stromes genügt, damit diese Umklammerung momentan aufhöre, ebenso wie sie sofort wieder eintritt, sobald man den Strom schliesst. Ich wiederhole es, dass diese

Zusammenziehung der Harnröhre um die Metallkugel in den tieferen Partien nicht in demselben Maasse empfunden wird; das soll nicht heissen, dass diese tieferen Partien, nämlich die Pars prostatica und der Blasenhals, sich nicht auch contrahiren, allein das erfolgt viel weniger energisch, als in der Pars membranacea.

Der „glatte“ Schliessmuskel der Blase und der „quergestreifte“ der Harnröhre reagiren nicht auf dieselbe Weise; das ist aber nicht ihr einziger physiologischer Unterschied.

Der Katheterismus an der Leiche gibt nach 48 Stunden noch ganz dieselben Resultate. Die Sonde durchläuft die Pars penis und scrotalis mit Leichtigkeit, dringt in das Perineum ein und wird brüsk angehalten. Fixirt man das Instrument an dieser Stelle und secirt man diese Region, so constatirt man, dass das Ende der Sonde an die hermetisch geschlossene Pars membranacea stösst. Führt man die Sonde von der Blase her ein, so durchläuft sie ebenfalls ohne Schwierigkeit den Blasenhals und die Pars prostatica. Kaum hat sie aber das vordere Ende der Prostata passirt, so wird sie auch hier aufgehalten. Das Resultat ist somit dasselbe, ohne Rücksicht auf die Richtung der Sondeneinführung. An der rigiden und geschlossenen Pars membranacea wird die Sonde arretirt und nur ein hinreichend festes Instrument kann unter einem gewissen Druck passiren. Hat man aber diesen Widerstand einmal überwunden, so tritt er nicht wieder auf; jeder weitere Katheterismus erfolgt ohne die geringste Schwierigkeit. Der Leichenwiderstand der Pars membranacea der Harnröhre zeigt offenbar denselben Charakter, als die Leichenstarre der quergestreiften Muskeln. Die Schwierigkeiten des ersten Katheterismus am Cadaver sind bekannt; Richet und besonders Sappey haben sie besprochen. Ich hatte umsomehr Interesse daran, diese Erscheinung in Erinnerung zu bringen, als sie die klinischen Erfahrungen nur noch bestätigt. Sie erklärt sich übrigens durch die anatomischen Verhältnisse vollauf und man darf sich nicht wundern, dass ein Schliessapparat, der mit Muskelfasern so reichlich versehen ist, wie der Harnröhrensphincter, auch seinen Dienst thut.

Was wir aber besonders hervorheben müssen, das ist der Umstand, dass der Sphincter der Pars membranacea durch seine Contraction die Harnröhre in zwei vollkommen getrennte Abschnitte theilt. Das muss man sich vor Augen halten, nicht nur wenn man Instrumente in die Blase einführen oder die Urethra methodisch untersuchen will — in welchem Falle man einen ausserordentlich präcisen Orientirungspunkt zur Verfügung hat — sondern auch zur Erklärung jener pathologischen Symptome, deren Sitz die Urethra ist. Schliesslich müssen wir sie auch zur Erklärung der normalen physiologischen Erscheinungen in Rechnung ziehen.

Thatsächlich sind diese beiden Theile der Urethra, welche im Schambogen in einander übergehen, sowohl in pathologischer als physiologischer Beziehung, sowohl durch ihre Structur, als durch ihre Entwicklung, scharf von einander getrennt.

Um diese Wahrheit möglichst prägnant auszudrücken, pflege ich zu sagen, dass der Mann zwei Harnröhren besitzt, eine vordere und eine hintere oder tiefe.

Die vordere Harnröhre reicht vom Orificium bis zur Symphyse; die hintere oder tiefe von dort bis zum Blasenhals.[1])

Sie kennen die Eintheilung der vorderen Harnröhre bereits, die ja nichts Anderes ist, als die Pars spongiosa und wissen, aus welchen zwei Portionen die hintere Harnröhre besteht. Ich will also zu der alten keine neue Eintheilung hinzufügen, sondern nur die pathologischen, anatomischen und physiologischen Unterschiede der vorderen und hinteren Harnröhre durch ein klinisches Schlagwort fixiren.

Schon bei der Besprechung der Urethrorrhagie und Haematurie habe ich Gelegenheit gefunden, die Wichtigkeit dieser Unterscheidung für die Diagnose hervorzuheben. Ist die vordere Harnröhre verletzt, so dringt das Blut naturgemäss an die Mündung und fliesst, je nach dem Grade der Verletzung, tropfenweise oder rasch aus, niemals aber nimmt es seinen Weg gegen die Blase zu. Ist die tiefe Harnröhre getroffen worden, so vermischt sich das Blut mit dem Harne; er wird mit dem Blaseninhalt, d. h. nur bei der Harnentleerung, aber niemals ausserhalb derselben, nach aussen befördert. Das ist dann keine Urethrorrhagie mehr, sondern eine Haematurie.

Sie können täglich beobachten, dass bei der Exploration einer erkrankten Harnröhre, wenn wir den Explorateur bis in die Blase führen, nach dessen Entfernung eine pathologische Flüssigkeit ausrinnt, deren Vorhandensein sich vor der Einführung des Instrumentes nicht erkennen liess. Der Ausfluss, welcher in der Regio prostatica angesammelt war, benützte die momentane Eröffnung des Schliessmuskels beim Passiren des Instrumentes, um die Stelle, an welcher er secernirt worden war, zu verlassen, um nach aussen zu gelangen. Man kann thatsächlich beide Theile der Urethra gesondert untersuchen, wenn man die physiologischen Verhältnisse berücksichtigt und das soll die Regel sein. Auf diese Weise gelingt es einem, den Sitz der unter dem Namen chronische Urethritis bekannten Affectionen zu ermitteln. Man führt den Explorateur

---

[1]) Ich glaube, daran erinnern zu müssen, dass die Thatsachen, welche die Dualität der männlichen Harnröhre erweisen, sowie die Unterscheidung zwischen vorderer und hinterer Urethra, heute allgemein angenommen, von mir bereits in der ersten Auflage dieser Vorlesungen (1881) angegeführt worden sind und dass ich sie damals bereits seit einer Reihe von Jahren in meinen öffentlichen Vorlesungen lehrte.

zunächst bis an jene Stelle, wo er an den Eingang der Pars membranacea stösst und zieht ihn dann zurück; er reisst dabei die in der vorderen Harnröhre secernirten Tropfen mit und diese unschädliche Untersuchung kann in derselben Sitzung so oft wiederholt werden, als es zur vollständigen Reinigung dieses Theiles der Harnröhre nothwendig erscheint. Erst nach dieser Untersuchung und der vollständigen „Auskehrung“ der Harnröhre, passirt man den Sphincter und lässt das Secret aus der Pars prostatica auslaufen. Man kann diese Erscheinung dadurch noch besser sichtbar machen, dass man den Zeigefinger in das Rectum einführt, während man die Sonde zurückzieht.[1])

Der Ausfluss, welcher aus der Pars prostatica stammt, ob normal oder pathologisch, wird gewöhnlich mit dem ersten Strahl oder während des Stuhlganges entleert, er sei denn so abundant, dass er sich gewaltsamen Ausgang verschafft, indem er den Sphincter forcirt. Man darf jene farblosen, fadenziehenden, speichelähnlichen Tropfen, welche unter dem Einflusse von erotischen Gedanken oder Reizen, oder bei nervöser Abspannung, mehrweniger reichlich an der Harnröhremündung erscheinen, nicht als Prostataflüssigkeit bezeichnen, wie dies häufig geschieht.

Diese Flüssigkeit zeigt alle Eigenschaften des normalen Secretes der Cowper'schen oder Bulbo-Urethraldrüsen, welche in den Blindsack des Bulbus, d. h. vor dem membranösen Sphincter einmünden. Das Secret dieser Drüsen ist thatsächlich viscid und nur schwach opalescirend, während das normale Prostatasecret nicht viscid, sondern milchig ist und ausgesprochen opalescirt. Ihm verdankt das Sperma seine eigenthümliche Farbe und dieses Secret kann unter den oben erwähnten Bedingungen nicht ausfliessen.

Dagegen erscheint es bei chronischer Obstipation, bei starkem Pressen beim Stuhlgang häufig an der Harnröhrenmündung und man begreift, dass unter solchen Umständen der Sphincter gewaltsam geöffnet werden kann. Man begreift auch, wie die Ejaculationsflüssigkeit den Harnröhrenverschluss öffnet. Sie wird nämlich zu diesem Zweck nicht nur mit hinreichender Gewalt und genügend reichlich vorwärts getrieben, sondern die Harnröhre wird überdies hinter ihr noch genügend verschlossen, nach Sappey durch die Wirkung des Sphincter prostaticus, nach Kobelt durch die Erection des Caput gallinaginis, welches sich eng an die obere Wand legt. Dieser Mechanismus scheint nach meinen

---

[1]) Ich habe mich hier nicht mit der Differentialdiagnose der Urethritis anterior und posterior zu befassen. Ich will nur bemerken, dass keines der verschiedenen vorgeschlagenen Mittel ganz fehlerfrei ist (Zweigläserprobe, einfache oder gefärbte Irrigationen); darum halte ich es nicht für überflüssig, in dieser neuen Auflage anzuführen, was man zur Bestimmung des Sitzes einer Secretion von der physiologischen Untersuchung der Harnröhre erwarten darf.

eigenen Untersuchungen die Harnröhre hinter den Ductus ejaculatorii vollständig abzuschliessen. Während der Erection und je nach dem Grade derselben ist die Harnentleerung schwer oder unmöglich; der momentane Verschluss durch Aneinanderlagerung, im Verein mit der Contraction der Muskelschicht, dient zur Erklärung dieser Thatsache.[1])

Sowohl zum besseren Verständnis der Circulation pathologischer als auch physiologischer Flüssigkeiten dürfen wir die „contractile Trennung" beider Harnröhren nicht aus dem Auge verlieren.

Ich habe bereits Gelegenheit gehabt zu bemerken, dass sowohl acute als auch chronische Urethritis häufig nur eine Entzündung der vorderen Harnröhre darstellen und dass die Localisation dieser Laesionen zum grössten Theil durch jene anatomischen und physiologischen Verhältnisse bedingt ist, auf welche wir in dem Vorhergehenden hingewiesen haben. Auch waren wir in der Lage anzugeben, unter welchen mechanischen Bedingungen der Process sich nach der Tiefe ausbreitet. Ich glaube, ich darf mir an dieser Stelle die Bemerkung erlauben, dass die anatomischen und physiologischen Verhältnisse, welche ich mich bemüht habe klar zu legen und bekannt zu machen, wie dies voraus zu sehen war, es ermöglichten, den Verlauf und die Localisation der Urethritis besser zu studiren und die Bedingungen, unter welchen ihre Localbehandlung vorgenommen werden soll, genauer zu begreifen. Ich bin übrigens durch die scharfe Trennung der vorderen und hinteren Harnröhre dahingeführt worden, die Instillationen zu ersinnen, mit deren Hilfe eine gesonderte Behandlung der Urethra anterior und posterior möglich wird.

Es sei mir gestattet an einigen Beobachtungen aus meiner Klinik zu zeigen, wie verschieden, je nach dem Sitze der secernirenden Stelle

---

[1]) Die Frage von den normalen Harnröhrensecreten ist für die tägliche Praxis so wichtig, dass ich nicht umhin kann, hierüber einige genaue Angaben aus Robin's Leçons sur les humeurs normales et morbides du corps d l'homme (2. Aufl., Paris, 1874) anzuführen.

Die Urethraldrüsen liefern eine grauliche, halbdurchsichtige Flüssigkeit, welche deren Ausführungsgang erfüllt und selbst in feinen Tröpfchen an ihrer Mündung erscheint. Diese nicht sehr bewegliche, nicht viscide Flüssigkeit gleicht dem Prostatasecret, lässt sich aber von letzterem schon mit blossem Auge durch die graue, halbdurchsichtige und nicht gelblichweisse Farbe unterscheiden. Gleichwohl ist dieses verschiedene Aussehen kein unterscheidendes Merkmal, denn die Prostataflüssigkeit, welche ihr Aussehen fein vertheilten, stark lichtbrechenden Körperchen verdankt, kann mitunter auch eine graue Farbe zeigen. In vielen Fällen mengt sich dieses Secret, jenem gewisser gonorrhoischer Ausflüsse bei.

Die Bulbo-Urethraldrüsen, oder die von Mery und Cowper, secerniren besonders während der Erection und im allgemeinen bei geschlechtlicher Reizung ausserhalb der Ejaculation. Ihr Secret ist vollständig glashell, ausserordentlich viscid, zieht sich wie geschmolzenes Glas, macht die Theile, welche es benetzt, schlüpfrig und reagirt alkalisch. Es verleiht dem ejaculirten Sperma sein fadenziehendes Aussehen, vor oder hinter dem membranösen Sphincter, die Art und Weise des Ausflusses ist.

Auf Nr. 19 liegt ein junger Mann mit eitriger Prostatitis; der Abscess hat sich spontan in die Harnröhre entleert. Seither fliesst der Eiter sehr reichlich aus der Harnröhre ab, aber nicht tropfenweise, sondern intermittirend. Jede Viertel- oder halbe Stunde kommt eine Art Ejaculation von Eiter. Diese Entleerung wird von keinerlei Empfindung begleitet, welche an das Gefühl während einer Pollution erinnert; der Kranke spürt einfach, dass Eiter ausrinnt. Am Anfange der Harnentleerung treibt der Urin eine variable Menge des Secretes vor sich her und wird gleich darauf wieder hell.

Diesem Kranken kann man einen andern gegenüber stellen, bei welchem eine chronische Entzündung der Pars bulbosa besteht, die nur zu einem tropfenweisen Ausfluss von Eiter Veranlassung gibt. Der Ausfluss ist aber so reichlich, dass er fast permanent, ohne besonderen Impuls und ohne Vehikel, an der Harnröhrenmündung erscheint. In diesem Falle erstreckt sich die Entzündung über die ganze Harnröhre und der Ausfluss erfolgt fortwährend und mit Verstärkung. Der Kranke hat nämlich von Zeit zu Zeit das genaue Gefühl, dass eine grössere Quantität abgeht und wird in diesem Augenblick stärker benässt als gewöhnlich. Er hat aber gewöhnlich keine andere Empfindung und das ist in solchen Fällen die Regel. Doch habe ich kürzlich einen Kranken mit chronischer, stark secernirender Prostatitis behandelt, welcher in dem Augenblick, wo die Flüssigkeit aus der Urethra prostatica ausgetrieben wurde, stets ein Wollustgefühl verspürte.

Es genügt also nicht, die Flecken in der Wäsche und das Secret

---

enthält keinerlei Formelemente, weder Epithelien, noch Granulationen, wird durch Essigsäure weder coagulirt, noch wie der Schleim streifig.

Das Prostatasecret wird in grösserer Menge nur während der Ejaculation secernirt. Es besteht kein eigenes Reservoir für dasselbe, sondern diese Flüssigkeit befindet sich stets in den Gängen der Prostata, wird aber in grösserer Menge nur während der Ejaculation und durch die Contraction der umgebenden Muskelfasern ausgeschieden. Der Prostatasaft von Hingerichteten, wenige Stunden nach dem Tode untersucht, war schwach alkalisch, milchigweiss oder opalescirend, ziemlich flüssig und bestand aus einer farblosen Flüssigkeit, in welcher sehr feine Körnchen und Fetttröpfchen, vereinzelte prismatische Epithelien und einige hyaline Tropfen einer visciden Substanz suspendirt waren. Es enthielt niemals Leucocyten. — In der ejaculirten Flüssigkeit fehlen die prismatischen Epithelien oder sind nur sehr spärlich, drückt man dagegen die Prostata aus, so entleert man eine Anzahl von Zellen mit Flimmern, welche aus den Ausführungsgängen stammen. — Schneidet man an der Leiche die Prostata aus und presst ihren Saft aus, so zeigt dieser eine rahmartige, leicht gelbliche, eiterähnliche Beschaffenheit. Das ist überaus wichtig, denn man dürfte diese eiterähnliche, normalerweise durch Druck entleerte Flüssigkeit nicht für Eiter, also für ein Zeichen von Prostatitis, halten.

unter dem Mikroskop zu untersuchen; man muss die Symptome auch anatomisch und physiologisch deuten.

Ich könnte noch manche andere Beweise aus der Pathologie erbringen, welche für den Unterschied zwischen der vorderen und hinteren Harnröhre sprechen. So ist es bekannt, dass die Tripperstricturen, d. h. die überwiegende Mehrzahl der Verengerungen im vorderen oder spongiösen Abschnitte sitzen. Das würde uns aber zu weit führen. Ich will vielmehr wieder zur Physiologie zurückkehren und mich mit der Frage beschäftigen: Welche Rolle spielt die vordere, welche die hintere Harnröhre bei der Harnentleerung?

Es ist nicht zweifelhaft, dass der Blasensphincter und der Sphincter prostaticus, welche von Sappey so schön dargestellt wurden, bei dem Ausfliessen des Harnes aus der Blase in's Spiel kommen und den Harn dadurch zurückhalten, dass sie die Wände des Blasenhalses und der sich an diesen unmittelbar anschliessenden Pars prostatica aneinanderdrücken. In jedem Schliessapparate gibt es aber eine Partie, welcher ganz besondere Widerstandsfunctionen zuertheilt sind. Um ihnen genügen zu können, ist einerseits eine ausgesprochene contractile Kraft, welche „dem Willen unterworfen ist", und andererseits eine besondere Empfindlichkeit, „welche daran mahnt", dass dieser Theil des Apparates in Thätigkeit gesetzt werden soll, erforderlich. Diese Bedingungen der kräftigen und willkürlichen Contractilität und der ganz besonderen Sensibilität, finden wir beim Schliessmuskel der Pars membranacea vereint, und ausserdem leistet er auch durch seinen Tonus ausserhalb der Harnentleerung kräftigen Widerstand.

Ich habe seinen anatomischen Aufbau sowie seine grosse Empfindlichkeit und Contractilität bereits eingehend besprochen. Bei vielen Harnkranken, so bei Neuropathen und Rückenmarkskranken, steigert sich diese Empfindlichkeit und Resistenz überdies noch durch Blasenreizung. Das wissen Kliniker und Physiologen genau. Man muss scharf unterscheiden zwischen dem Tonus, welcher den Blasenhals und die hintere Harnröhre verschliesst und so die Ansammlung des Harnes in der Blase ohne Theilnahme der Willenskraft ermöglicht, und der „Contraction", welche letztere dem dringenden Bedürfnis zu uriniren „erfolgreich" entgegenwirken kann.

Die Wachsamkeit des empfindlichen und willkürlich contractilen Sphincters hält den unwillkürlichen Blasencontractionen, welche durch das Bedürfnis zu uriniren ausgelöst werden, entsprechenden Widerpart. Auch haben wir gesehen, dass die Abnahme der Sensibilität und Contractilität die Incontinenz der Kinder erklärt, und wir waren in der Lage, aus der richtigen Deutung dieser Thatsachen die Hauptindicationen zur Behandlung der genannten „Schwäche" zu schöpfen.

Der membranöse Sphincter vervollkommnet und vervollständigt den Schliessapparat der Blase, er ist dessen mächtigster Bestandtheil und man kann wirklich sagen, „dass sich der Blasenhals bis zum Ligamentum Carcassonii verlängert“. In dieser wie in so vielen anderen Beziehungen ist „die hintere Harnröhre nur ein Anhang der Blase“.

Betrachten wir diesen grossen Schliessapparat, so hat darin jeder Theil eine bestimmte Rolle; die wichtigste, oder besser gesagt die wirklich active Rolle kommt dessen vorderem Theile, nämlich der Pars membranacea, zu. Ihr Widerstand überwindet oft die Blasencontraction und damit das Harnbedürfnis; das empfinden wir beispielsweise jeden Morgen im Halbschlafe, während wir gegen die allzu frühzeitigen Mahnungen der Blase ankämpfen, sowie bei vielen anderen Gelegenheiten.

Dieser Antagonismus der Blase und des Harnröhrensphincters wird durch gewisse pathologische Verhältnisse so recht in's Licht gesetzt. Wir haben uns überzeugt, dass sowohl die Insensität als die Häufigkeit von Blasencontractionen, die trotzdem die sie veranlassende Cystitis im Ablauf begriffen war, in unverminderter Heftigkeit anhielten, durch Faradisation der Pars membranacea herabgesetzt wurde. Dagegen kann die spatische Contractur der Pars membranacea bei starker Reizung der Blase die Harnentleerung erschweren oder unmöglich machen.

De norma wirken die Contractionen des Blasenmuskels auf jene des membranösen Sphincters; sie laden ihn gewissermaassen dazu ein, sich zum Widerstande vorzubereiten. Wenn man dem Bedürfnis zu uriniren nicht rechtzeitig Folge leistet, so fällt es schwer, die Harnentleerung zu beginnen, und da ist es gerade die Contraction des membranösen Sphincters, welche die Passage des Harnes verhindert. Kranke, welche ihre Blase mit dem Katheter entleeren, wissen sehr wohl, dass unter solchen Umständen die Einführung des Instrumentes sehr mühsam ist, und warten, durch die Erfahrung belehrt, bis der Drang vorüber ist um leicht in die Blase zu dringen. Das können Sie täglich an der Klinik beobachten. Wenn ein Kranker während des Katheterisirens plötzlich starken Harndrang bekommt, so wird der Katheter plötzlich arretirt; gelingt es Ihnen aber, den Schliessmuskel zu überwinden, so fliesst der Urin ab, bevor noch das Instrument in die Blase gedrungen ist. Das ist ein Experiment, welches der Chirurg mit der grössten Genauigkeit verfolgen kann. Wenn man ein Individuum, welches Harndrang verspürt, katheterisirt, und wenn der Blasenhals nicht obstruirt ist, so schiesst die Flüssigkeit heraus, sobald die Pars membranacea eröffnet ist; wenn im Gegentheil kein Harndrang vorhanden ist, so beginnt der Urin erst dann zu fliessen, wenn man den Blasenhals vollständig passirt hat.

Diese Beobachtungen zeigen, dass der Sphincter membranaceus das

Ausfliessen des Harnes bei Vorhandensein von Blasencontractionen verhindert, und dass er das unwillkürliche Harnlassen hintanhält. Sie beweisen ferner die tonische Wirkung des Sphincter prostaticus und des Blasenhalssphincters. Diese letztere ist ausreichend bei ruhender Blase, unzureichend bei Blasencontraction. In diesem Falle tritt der Urin in die hintere Harnröhre und wird dort so lange zurückgehalten, als der Sphincter membranaceus widersteht, wie wir das soeben nachgewiesen haben.

Der Sphincter der Pars membranacea urethrae tritt also nur in Action, wenn sich die Blase contrahirt.

„Er antwortet auf die Blasencontraction durch seine eigene Contraction", ursprünglich durch Reflexreizung später willkürlich. Wenn die Blasencontractionen häufig und besonders wenn sie schmerzhaft werden, tritt an die Stelle der „physiologischen Wachsamkeit" jene eigenthümliche „pathologische Wachsamkeit", welche in der allgemeinen Chirurgie als Contractur bekannt ist. Auch müssen wir, nach unseren klinischen Erfahrungen, das, was man irrigerweise als Contractur oder Spasmus des Blasenhalses bezeichnet hat, an diese Stelle des Schliessapparates verlegen. Der Spasmus sitzt thatsächlich in der Pars membranacea und dieses Symptom muss auch dort bekämpft werden, wenn dazu eine Indication besteht.

Der Spasmus oder die Contractur sind aber thatsächlich nur „symptomatisch".

Lassen Sie sich in wenigen Fällen durch eine fehlerhafte Anlage des Orificium oder durch eine Laesion der vorderen Harnröhre erklären, so ist dies nur so zu verstehen, dass es dann infolge dessen jedenfalls einer übermässigen Kraftanwendung von Seite der Blase bedarf. Wenn man sie bei Nierenkoliken findet, die übrigens eine gesteigerte Contraction der Blasenmuskulatur hervorrufen, wenn sie sich mitunter bei schmerzhaften Affectionen des Sphincter ani zeigen, so werden sie trotzdem „physiologisch" durch die kräftigen Contractionen des Detrusors und „pathologisch" durch schmerzhafte Zustände der Blase hervorgerufen. Ob jenen Affectionen, welche am Blasenhalse sitzen, diesbezüglich eine besondere Wirkung zukommt, getraue ich mich nicht zu behaupten. Das eine ist gewiss: die Blase ist immer im Spiele. Je öfter und je schmerzhafter die Blasencontraction vor sich geht, umso heftiger ist der Krampf. Bei keiner Form der Cystitis tritt er so häufig auf, als bei der Cystitis tuberculosa, aber bei keiner besteht auch so häufiger Harndrang. Physiologie und Pathologie stimmen stets überein und bei genauer Beobachtung werden wir uns davon überzeugen, dass weder eine Urethritis posterior noch eine Prostatitis allein ausreicht, um Spasmus des Sphincter membranaceus auszulösen. Wenn man die pathologische Bedeutung des

Symptomes „Spasmus“ richtig würdigen will, so darf man seine Nachforschungen nicht auf den Harnapparat allein beschränken.

Ich habe vorhin bemerkt, dass bei Neurasthenikern und bei einer Anzahl von Rückenmarkskranken die Empfindlichkeit des Sphincter membranaceus beträchtlich erhöht ist. Bei letzteren finden wir oft Contractur und selbst schmerzhafte Contractur. Bei den ersteren kann die Steigerung der Empfindlichkeit und Contractilität des Harnröhrensphincters sogar zu nervösen Retentionen führen, was ich bereits im ersten Band erwähnt habe.

Die Tabiker geben uns Gelegenheit, eine Form jenes sonderbaren Zustandes zu beobachten, welchen man faute de mieux Reizblase genannt und oft als eine sehr schwere Erkrankung betrachtet hat. Dieses ungewöhnliche Symptom der Tabes verdient jenem auffallenden Gesammtbilde der Visceralgien eingereiht zu werden, welches von Charcot so gut beschrieben worden ist! Das Symptom bleibt lange vereinzelt und erst allmählig werden andere classische Symptome der Ataxie auch jenes der Reizblase richtig beurtheilen lassen. Die Blasensymptome sind ja bekanntlich häufig nur die Vorläufer der Rückenmarkschwindsucht und können lange Zeit allein bestehen, ehe der gewöhnliche Symptomencomplex der Tabes ausgebildet ist. Sie wissen, welche Wichtigkeit ich im allgemeinen jenen Harnstörungen beimesse, die ohne nachweisbare Ursache auftreten, bestehen und andauern. Der klinische Verstand darf das Unbegründete nicht ruhig hinnehmen und wenn er sich gewissen Thatsachen gegenüber sieht, für welche er keine unmittelbare Ursache zu erkennen vermag, so muss er zweifeln und fürchten. Die Prognose wird in solchen Fällen stets sehr reservirt sein müssen, so lange reservirt, bis man imstande ist, die pathologische Ursache zu erkennen, welche die Functionsstörung so lange unterhält und andauern lässt. Bei der Stellung der Diagnose werden unsere Befürchtungen dann greifbare Gestalt annehmen. Das können jene Thatsachen beweisen, welche wir zur Klarstellung des Zusammenhanges der Anfangsstadien medullarer Laesionen mit schmerzhaften Contracturen angeführt haben. Man darf sich nicht mit Schlagworten wie „Reizblase“ zufrieden geben, wenn einem an der Diagnose etwas gelegen ist. Beiläufig gesagt, je mehr wir beobachten, desto mehr sind wir davon überzeugt, dass hinter der Reizblase zumeist Neurasthenie, spinale Laesionen oder Blasentuberculose zu suchen sind.

Die physiologische Rolle der vorderen Harnröhre ist viel weniger bedeutungsvoll und es ist von ihr wenig zu sagen. Beim Harnlassen verhält sie sich fast ganz passiv; activ fast nur bei der Ejaculation und beim Auspressen des letzten Tropfen Urins. Sperma und Harn werden durch die Contraction des Bulbocavernosus, durch einen eigenen Mechanismus, welchen A. Guérin genau studirt hat, d. h. durch die eigene Elasticität vorwärts getrieben. Von dieser bemerkenswerten Elasticität der Harnröhre kann man sich überzeugen, wenn man eine in die Harnröhre injicirte Flüssigkeit wieder auslaufen lässt; sie kommt im Strahl zurück.

Während der Harnentleerung lässt sich die Harnröhre einfach ausdehnen und der Grad dieser Ausdehnung ist einerseits der Kraft der Blase, anderseits dem Widerstande des Orificium proportionirt.

Die physiologische Rolle des Orificium besteht also darin, die Stärke des Strahles zu regeln; sein Widerstand und der Mangel an Dehnbarkeit haben keinen anderen Zweck. Es ist also für das Zustandekommen einer guten Harnentleerung nicht gleichgiltig, ob man ein durch einen zu grossen Einschnitt deformirtes Orificium besitzt. Steigerung der physiologischen Resistenz des Orificium bei der Harnentleerung kann, wie früher erwähnt, die Blase zu einer gesteigerten Arbeitsleistung veranlassen und durch übermässige Dehnung eine mehr oder weniger schmerzhafte Empfindlichkeit der Harnröhre hervorrufen.

Die Harnröhre fungirt also, wie ich dies bereits bemerkt habe, als Wasserrohr und die Art des Strahles ist somit grösstentheils von der Geschmeidigkeit dieses Rohres abhängig. Der Strahl kann nur dann regelmässig sein, wenn das Rohr an allen Stellen dieselbe Elasticität besitzt und durch eine genügende, durch die Kraft der Blase kräftig vorwärts getriebene Flüssigkeitssäule gleichmässig angespannt ist. Auch die Dimensionen und die physiologische Resistenz des Orificium kommen in Betracht. Ein narbiges Orificium wird natürlich einen unregelmässigen Strahl erzeugen. Inwiefern die Blasencontraction und die Völle der Blase die Form des Strahles beeinflussen, haben wir bereits im ersten Bande mitgetheilt.

Die Missbildungen und die genetische Entwicklung der Harnröhre sprechen auch für deren Dualität. Ich will hier darauf hinweisen, dass die Hypospadie, selbst in ihrer hochgradigsten Varietät (scrotale H.), niemals die Grenzen der vorderen oder spongiösen Urethra überschreitet. Wenn, wie bei gewissen, mit Ectopia vesicae complicirten, Fällen von Epispadie, die hintere Harnröhre ergriffen ist, so handelt es sich um complicirte Verhältnisse, welche durch die Theorie der Hemmungsbildungen erklärt werden, die aber mit unserer Erklärung durchaus nicht im Widerspruche stehen. Die Entwicklung der vorderen und hinteren Harnröhre erfolgt übrigens nicht nur unabhängig voneinander, sondern die Entwicklung dieser beiden Theile, welche ein einheitliches Organ darstellen sollen, geschieht successive und nicht gleichzeitig. Wir könnten noch hinzufügen, dass der Drüsenapparat hauptsächlich in der hinteren Harnröhre zur Entwickelung kommt.

Allen diesen Beweisen für die Dualität der Harnröhre können wir heute auch noch die Ergebnisse der Bacteriologie anreihen. Die vordere Harnröhre enthält bei den gesündesten Individuen Keime, von denen einige pathogen sind; dagegen findet man solche normaler Weise weder in der hinteren Harnröhre noch in der Blase. Wie wäre es aber möglich, dass sich zahlreiche Mikroben fortwährend in der vorderen Harnröhre aufhielten ohne die hintere zu inficiren, wenn diese beiden Abschnitte ein und desselben Organes nicht thatsächlich physiologisch von einander getrennt wären?

Ich habe auch auf den Schutz hingewiesen, welchen die männliche Harnröhre der Blase gewährt[1]) und habe die Frage, ob die normale Harnröhre spontan Keime in die Blase eindringen lässt, auf Grund klinischer, experimenteller und physiologischer Beweise, verneint.

Zu denselben Schlüssen kommt Melchior[2]) in einer neuen Arbeit. Er ist der Meinung, dass die gesunde Blase des Mannes durch die Urethra stets abgeschlossen wird und dass der Blasensphincter eine für die Bacterien unübersteigbare Barrière bildet.

Man braucht nur die Beschreibung der exacten Versuche dieses gewissenhaften Autors zu lesen, um sich davon zu überzeugen, dass jener Theil, welchen er mit Unrecht „Blasensphincter“ nennt, nichts anderes ist, als der membranöse Sphincter. Das geht aus der Art und Weise hervor, wie Melchior den sterilen Urin entnimmt, sowie aus der Form des hiezu construirten Instrumentes. (Bd. II., S. 21.)

Empfindlichkeit der Harnröhre. — Auch über diese schafft uns das klinische Experiment Aufschluss.

Die Empfindlichkeit bei der Untersuchung ist am Eingang der hinteren Harnröhre eine stärkere als im Verlaufe des ganzen vorderen Abschnittes und der Pars prostatica. Sie besteht normaler Weise, nur ist ihre Intensität individuell verschieden. Jedenfalls ist diese gesteigerte Empfindlichkeit so genau localisirt, dass sie als Orientirungspunkt dienen kann. Die Lebhaftigkeit, mit der sie auftritt, ist aber auch ein sicheres Kriterium für Nervosität. Man findet diese Steigerung der Sensibilität bei allen impressionablen Individuen und man kann es oft sehen, dass solche Patienten bei der Berührung des Sphincters emporfahren oder aufschreien. Zu diesem Zwecke braucht man aber nicht erst ein Instrument einzuführen; dieselbe Wirkung erzielt man vielmehr, in gleicher Intensität, wenn man die Pars membranacea vom Rectum her an den Schambogen andrückt. Sie werden häufig von jungen Leuten consultirt werden, welche an einer Erkrankung der Prostata zu leiden glauben, und dementsprechend behandelt worden sind, weil sie am Perineum

---

[1]) Guyon, Cystites et pyélites diathésiques. Ann. gén.-urin. 1890, p. 522.
[2]) Max Melchior, Cystitis und Infection. 1895.

Schmerz verspüren. Sie können dort keinen Druck vertragen und besonders auf gewissen Stühlen kaum sitzen. Trotzdem ist ihre Prostata geschmeidig, dünn und gegen Druck unempfindlich. Man könnte diese Patienten für eingebildete Kranke halten, wenn man nicht beim Zurückziehen des Fingers nachsehen würde, wie die Pars membranacea auf Druck reagirt. Und da zeigt es sich denn, dass das wirklich die leidende Stelle ist und diese Patienten haben mit Recht geklagt. Freilich wird eine Localbehandlung, Instillation von Cocain und Suppositorien kein grosses Resultat geben. Wenn Sie aber den nervösen Zustand behandeln, so werden Sie mit der angeblichen Erkrankung der Prostata fertig werden.

Die Empfindlichkeit der anderen Harnröhrenabschnitte muss man durch den Contact hervorrufen und prüfen, wenn sie sich nicht in Tension befinden. Die Empfindlichkeit bei Berührung ist nicht sehr heftig. Sie ist natürlich auch individuell verschieden, aber nicht in hohem Maasse. Es handelt sich nur um ein nicht schmerzhaftes Brennen oder Kitzeln, sowohl vor, als hinter dem membranösen Sphincter. Etwas anderes lässt sich in der Regel nicht nachweisen. Nur bei einigen Individuen tritt überdies noch Harndrang auf. Das geschieht im Moment, wo man in die Blase dringt, oder noch gewöhnlicher, wenn man das Instrument zurückzieht. Da reagirt die Schleimheit der hinteren Harnröhre genau so wie die Blase selbst.

Die Empfindlichkeit bei der Anspannung lässt sich leicht constatiren. Zu diesem Zwecke braucht man nur während des Urinirens die Harnröhre zu verschliessen, oder an irgend einer Stelle der Urethra anterior einen Druck auszuüben. Diese Empfindlichkeit kann mitunter sehr lebhaft sein, und ich erinnere mich speciell an einen Fall, wo ein Individuum, um die Ejaculation zu verhindern, das Glied in dem Augenblick zusammengedrückt hatte, in welchem das Sperma an der Mündung erschien. Es war sofort heftiger Schmerz aufgetreten, welcher den ganzen Tag anhielt und die Wäsche war einige Stunden lang durch eine kleine Urethrorrhagie, oder vielmehr durch aussickerndes Blut, rosig gefärbt.[1])

Man darf also nicht annehmen, dass bei Druck auf einen bestimmten Punkt der Harnröhre gerade diese momentan und mechanisch verengte Stelle empfindlich wird. Es schmerzt vielmehr der hinter diesem Punkt befindliche Theil der Harnröhre; davon kann man sich am besten durch Verschliessung der Mündung überzeugen, und dieses kleine Experiment, sowie die directe Untersuchung von Verengerungen, beweisen, dass Stricturen an und für sich nicht empfindlich sind, wie man geglaubt hat.

---

[1]) F. Guyon, Sur la sensibilité de l'urètre normal. Archives de phys. norm. pathol., 5. Serie, Bd. II., p. 642, 1889.

Wie die Urethra posterior auf starke Spannung reagirt, darüber haben wir keine Erfahrung. Es lässt sich aber annehmen, dass auch sie, wie die vordere Harnröhre, schmerzhaft werden kann und dass ihre Empfindlichkeit sich von jener der Blase schwer trennen lässt.

Das wird offenbar dann der Fall sein, wenn man einem lebhaften Bedürfnis zum Uriniren nicht Folge leistet. Wie wir gesehen haben, kann dann der Harn den Blasenhals überschreiten und würde ausfliessen, wenn er nicht durch die Contraction des membranösen Sphincters zurückgehalten würde. Unter solchen Umständen wird die hintere Harnröhre in grosse Spannung versetzt und muss dazu beitragen, die Empfindung, welche der starke Harndrang erzeugt, besonders lebhaft zu gestalten.

Ich kann aber nicht zugeben, dass das Eindringen des Harnes in die Harnröhre den Harndrang hervorruft. Indem ich mir vorbehalte, im Capitel über die Physiologie der Blase diese Anschauung näher zu begründen, will ich nur wiederholt daran erinnern, dass, wenn man einen Mann mit Harndrang katheterisirt, man den Urin nur bei jenen Individuen, deren Blasenhals nicht obstruirt ist, sofort im Strahle ausfliessen sieht, sobald man den Harnröhrensphincter überwunden hat. Bei Prostatikern dagegen fliesst der Harn erst dann aus, wenn man in die Blase gelangt ist. Leider genügt es nicht, in die Prostata zu gelangen, um die Blase zu entleeren, und wir wissen, wie sehr diese Unglücklichen vom Harndrange geplagt werden, bevor es einem gelingt, den Katheter über die Lappen der Prostata vorzuschieben. Es ist also nicht nothwendig, dass der Harn mit der hinteren Harnröhre in Berührung komme oder sie in Spannung setze, damit Harndrang auftritt.

## III. Pathologie.

Die Harnröhre gewährt der Blase nur insolange Schutz gegen Infection, als sie selbst nicht inficirt ist. Im letzteren Falle wandern Mikroben häufig und spontan in die Blase ein.

Bekanntlich enthält die normalste Harnröhre, wie ich schon wiederholt bemerkt habe, Mikroben, das schadet ihr aber nicht, denn solange keine besonderen Verhältnisse geschaffen werden, ist die Toleranz der Schleimhaut eine absolute, und sowohl der Träger der Mikroben, als auch jene Personen, auf welche er dieselben übertragen könnte, bleiben intact. Die Organismen, welche in der Harnröhre Obdach gefunden haben, leben dort gewissermaassen ausser Activität. Das gilt übrigens von allen mit Schleimhaut ausgekleideten Höhlen, die sich nach aussen öffnen. So sieht man täglich, dass Erosionen, Verletzungen und selbst falsche Wege der Harnröhre genau so ohne Eiterung heilen, wie Rhagaden der Zunge oder Verletzungen am Zahnfleisch. Lange, bevor man die Antisepsis kannte, haben die Chirurgen das Gaumensegel vernäht,

Blasenscheidenfisteln operirt, Schieloperationen vorgenommen und immer prima intentio erzielt, ohne jemals Eiterungen gesehen zu haben.

Der Widerstand gegen die Infection ist überhaupt eine allgemeine Eigenschaft gesunder Schleimhäute; das habe ich bereits für die Blase gebürend hervorgehoben und werde noch ausführlich davon zu sprechen haben. Wir werden sehen, dass, trotzdem der Harn eine äusserst günstige Culturflüssigkeit bildet, die Infection der Blase trotzdem nicht zu Stande kommt, so lange ihre Schleimhaut noch normal ist.

Um sich von dem Mechanismus einer solchen Infection eine richtige Vorstellung machen zu können, genügt es nicht, physiologische Verhältnisse in's Auge zu fassen und beispielsweise zu constatiren, dass eine gesunde Schleimhaut toxische oder medicamentöse Substanzen zu resorbiren vermag, denn selbst in einer Harnröhre mit grossem Resorptionsvermögen müssen erst hochgradige Veränderungen des Epithels vor sich gehen, um eine Infection zu ermöglichen.

Dann erst wird die Schleimhaut für Infection empfänglich, dann verliert sie ihre Widerstandskraft, dann können sich die Mikroben, welche sie normaler Weise enthält, sowie jene, welche eindringen, vermehren, secerniren und ihre Wirkung entfalten. Diese neue pathologische Eigenschaft der Harnröhre ist aber nicht vorübergehend, sie dauert meist lange, wenn nicht überhaupt ein für allemal an. Davon überzeugen wir uns bei den Versuchen zur Heilung der chronischen Urethritis.

Eine solche Infection erfolgt aber nicht aus geringfügiger Veranlassung. Selten ist ein Katheterismus ganz einwurfsfrei, weder bezüglich der Art seiner Ausführung, noch bezüglich der Reinlichkeit, und dennoch, mag es sich um eine temporäre Einführung oder um ein Liegenlassen des Katheters handeln, wird er keine dauernde Eiterung setzen; diese Art Urethritis heilt rasch. Auch wenn die Harnröhre fortwährend von inficirtem Urin durchflossen wird, kann ein Ausfluss weder erzeugt noch unterhalten werden, dafür haben wir täglich Beispiele. Ganz anders liegen die Verhältnisse, sobald der Gonococcus seinen Einzug hält.

Ohne Zweifel erfordert aber selbst dieser privilegirte Mikroorganismus erst eine besondere Empfänglichkeit der Harnröhre. Allein alles weist darauf hin, dass der Gonococcus eine ganz besondere Infectionskraft besitzt und die Harnröhre auch dann zu inficiren vermag, wenn andere Keime unter denselben Bedingungen keine Infection erzeugen. Nichts ist seltener, als die primäre Infection der Harnröhre durch andere Mikroben als den Gonococcus. Das ist der wirkliche Feind, der specifische Krankheitserreger der Harnröhrenschleimhaut.

Auf diese Thatsache hat J. Janet, welcher an unserer Klinik seit mehreren Jahren die Erkrankungen der Harnröhre und deren Behandlung mit vielem Fleiss studirt hat, mit Recht hingewiesen.[1]) Er hat in zwei Jahren nur drei primäre Infectionen nicht gonorrhoischer Natur gesehen und andere Beobachter citiren ebenfalls eine sehr geringe Zahl. Der bemerkenswerte Widerstand des Epithels gegen andere Mikroorganismen ist dem Gonococcus gegenüber gleich Null oder nur von sehr kurzer Dauer. Und wenn es Individuen gibt, welche der ersten Infection lange Widerstand leisten, so werden sie einer neuerlichen Infection ausserordentlich leicht zugänglich, sowie sie einmal inficirt worden sind. Freilich wird die Harnröhre in der Regel durch einmalige Infection eben gerade für den Gonococcus besonders empfänglich, allein auch eine Menge anderer Mikroben finden nun ein günstiges Medium zur Entwicklung, das bisher, solange die Harnröhre normal war, nicht vorhanden war. Das früher refractäre und sterile Terrain ist ausserordentlich fruchtbar geworden und diese Veränderung rührt nur von den Veränderungen des Epithels und von der subepithelialen und submucösen Infiltration, von dem Verlust der Elasticität, mit einem Wort von einem pathologischen Zustand her.

Selbstverständlich spielt bei der besonderen Receptivität der Harnröhre die Constitution und der Gesundheitszustand eine grosse Rolle, von ihr ist die vitale Widerstandskraft der Gewebe abhängig.

Die Wirkung des Gonococcus ist gewiss eine „elective“, denn wie man weiss, sind die Fälle selten, wo dessen Ausbreitung auf die Schleimhaut der Blase oder andere Abschnitte des Harnapparates sichergestellt werden konnte. Für denjenigen, welcher sich an die Thatsachen halten will, muss es feststehen, dass die verschiedenen Complicationen der Gonococcen-Urethritis nicht durch den Gonococcus, sondern in der Mehrzahl der Fälle durch eine secundäre Infection hervorgerufen werden. Der Gonococcus bleibt gewissermaassen am Eingang des Harnapparates.

Es ist sehr interessant, dass ein Organismus, welcher sich in der Harnröhre so gut entwickelt, in der Blase und im übrigen Harnapparat so schlecht fortkommt, und nicht minder interessant, dass dagegen der Colibacillus, dessen besondere Affinität für die Blase, die Ureteren, Nierenbecken und Niere wir kennen gelernt haben, für die Harnröhre keine besitzt.

Keinem der Autoren war es bis zum Jahre 1887 gelungen, in der normalen Harnröhre den Colibacillus aufzufinden. Erst Melchior war es vorbehalten, dessen Vorhandensein dortselbst nachzuweisen.[2]) Er bemerkt aber, dass „der häufigste Mikroorganismus der Blase, die für die Harninfection sozusagen specifische Bacterie in der Harnröhre

---

[1]) Jules Janet, Réceptivité de l'urètre et de l'utérus. (Ann. génito-urinaires, Aug. 1893.)

[2]) Melchior, loc. cit., p. 276.

so selten (einmal in 12 Fällen einer Beobachtung) gefunden wird". Er fügt aber ausdrücklich hinzu: „Da Krogius in 17 Harnröhren, die er nur auf diesen Organismus untersucht hatte, den Colibacillus niemals vorfand, so kann ich nicht behaupten, dass in dem einzigen Falle, in welchem mir dies gelungen ist, der Colibacillus nicht etwa doch mit der sterilisirten Bougie eingeführt worden ist." Diese sozusagen negativen Resultate contrastiren mit den nachfolgenden auf das lebhafteste. Bei gesunden Individuen, deren Urogenitalapparat niemals erkrankt war, fand Melchior zu seiner grossen Ueberraschung bei Knaben in 25% der Fälle den Colibacillus unter den Mikroben des Präputiums und bei ganz gesunden jungen Frauen in der Hälfte der Fälle denselben Bacillus in grosser Menge in der Vulva. Also wuchert dieser Organismus, den man in der Urethra nicht findet, an deren Mündung äusserst lebhaft; er befindet sich am Eingange der Harnröhre, ohne, wie dies viele andere thun, spontan einzudringen. Wollen wir also die Blase vor der Einwanderung des häufigsten „Blasenkeimes" schützen, wollen wir ihn nicht geflissentlich in seinen günstigsten Nährboden verpflanzen, so müssen wir bei jeder Gelegenheit die Spitze des Gliedes, die Vulva und das Orificium, sorgfältig desinficiren. Nur auf diese Weise werden wir im Stande sein zu verhindern, dass er durch die Instrumente eingeführt wird, vorausgesetzt, dass diese sowohl als unsere Hände regelrecht gereinigt worden sind.

Trotz alledem ist aber selbst die Einführung eines vollkommen aseptischen Instrumentes mit ganz reinen Händen durch eine normale Harnröhre für die Blase nicht ganz gefahrlos, und Melchior betont mit Recht, dass nach seinen Untersuchungen selbst die normale Harnröhre häufig pathogene Mikroben enthalten kann. Er hat constatirt, dass dies unter 12 Fällen 8mal zu constatiren war, und zwar fand er den Streptococcus pyogenes und Staphylococcus ureae liquefaciens, die mit Recht für die Blase so gefährlich gehalten werden. Allerdings scheint aus klinischen Beobachtungen hervorzugehen, dass der Katheterismus mit gut desinficirten Instrumenten durch eine normale Harnröhre die Befürchtungen, zu denen die Bacteriologie Veranlassung gibt, glücklicherweise nicht bestätigt. Das verdankt man offenbar dem Umstande, dass die Gegenwart des Bacterium Coli in einer gesunden Harnröhre fast mit Sicherheit ausgeschlossen werden kann. Jedenfalls halten wir es gerechtfertigt, die Blase nach jedem Katheterismus sofort und wiederholt auszuwaschen, denn man muss hauptsächlich befürchten, die etwa eingeführten Mikroben in der Blase zurückzulassen.

Die soeben angeführten Forschungen lassen die Möglichkeit der primären und directen Infection der normalen Blase so ziemlich als ausgeschlossen erscheinen, und es ist jedenfalls bemerkenswert, dass Melchior den Colibacillus in seinem einzigen Falle gerade in der Harnröhre eines jungen Mannes gefunden hat und nicht bei einer Frau, deren Vulva diesen Mikroorganismus doch so häufig und in so grosser Menge beherbergt.

Wenn die normale Urethra also für den Colibacillus kein geeignetes Medium abgibt, so scheint dies auch für pathologische Fälle zu gelten.

Die Untersuchungen von Harnröhrensecret, welche an unserer Klinik täglich vorgenommen werden, scheinen bisher nur das Eine zu beweisen, dass das Bacterium Coli in pathologischen Harnröhren nur ausserordentlich selten wächst. Bei allen Patienten, deren Blase inficirt ist, kann es ja in die Harnröhre gelangen, da es bei jeder Harnentleerung hinein gebracht wird, allein es scheint sich dort nur vorübergehend aufzuhalten. („Microbe de passage".)

Diese Infectionswirkung der Blase auf die Urethra scheint uns also für den Coli Bacillus nicht genügend erwiesen, wenigstens was die vordere Harnröhre anbelangt. Dagegen habe ich wiederholt gesehen, dass die hintere Harnröhre von der Infection der Blase mitbetroffen wird und ich halte an dem Grundsatze fest: Es gibt keine Cystitis ohne Urethritis posterior

Diese Solidarität zeigt sich besonders bei den schweren Erscheinungen der tuberculösen Cystitis; dafür sprechen die Präparate unseres Museums. Bei 30 Präparaten, bei welchen die Tuberculose mit Sicherheit nachgewiesen ist, fanden wir 17mal Läsionen der hinteren Harnröhre und darunter zwei Fälle, in denen auch die vordere Harnröhre tuberculös erkrankt ist. In den 13 übrigen Fällen finden sich weder in der vorderen noch hinteren Harnröhre tuberculöse Veränderungen. Wir besitzen kein Präparat, in welchem die vordere Harnröhre allein tuberculös erkrankt wäre.

Dieser Streifblick auf die Pathologie der Harnröhre gibt uns auch wichtige Aufschlüsse über den Mechanismus der Harninfection. Trotzdem die Summe der Beobachtungen ergibt, dass die Infection der Blase, wenigstens der gesunden Blase, nur durch Vermittlung des Katheterismus erfolgt, können wir doch weder eine directe Spontaninfection unter pathologischen Verhältnissen, noch ein indirectes Eindringen auf dem Wege der Blutbahn ausschliessen. Allein der Mechanismus, nach welchen die Infection der Blase am gewöhnlichsten erfolgt, ist der durch den Katheter.

Fragen wir uns nun, welche Rolle die Urethra bei dem Zustandekommen einer Allgemeininfectiou spielt, so kann man sich leicht davon Rechenschaft ablegen, dass sie die Infectionsproducte, welche ihren

Weg durch sie nehmen, oder sich in ihr aufhalten, nur dann in den Kreislauf gelangen lässt, wenn sie verletzt worden ist. Ihre normale, bekanntlich sehr grosse Resorptionskraft reicht noch nicht aus, um hier, nach so häufiger Passage inficirten Urins, Allgemeinsymptome zu erzeugen. Trotz der zahlreichen Harnentleerungen bei Cystitis, trotz des gewissermaassen continurlichen Contactes des inficirten Harnes mit der Harnröhre, tritt kein Fieber[1]) auf. Auch bei Localerkrankungen der Harnröhre, bei den intensivsten Entzündungen, ist dies nicht der Fall, desgleichen fehlt das Fieber auch bei Stricturen, bei welchen nicht nur hochgradige anatomische Veränderungen des Epithels bestehen, sondern auch die Elasticität der Urethra dermaassen verloren geht, dass sich deren Wände nicht mehr aneinanderlegen.

Hallé und Wassermann[2]) haben in ihrer Arbeit über die pathologische Anatomie der Stricturen nachgewiesen, dass dann der inficirte Harn in der Urethra stagniren kann. Welchen Einfluss diese Thatsache auf das Allgemeinbefinden hat, lässt sich nicht angeben. Dagegen zeigt die klinische Beobachtung sehr wohl den Einfluss der Harnentleerung, wenn eine Erosion oder Verletzung vorhanden ist.

Von diesem Gesichtspunkte betrachtet, spielt die Urethra beim Zustandekommen einer Allgemeininfection eine grosse Rolle, ohne diese Vorbedingung dagegen gar keine. Die Resorption erfolgt nur dann in genügender Stärke, um Allgemeininfection zu erzeugen, wenn die Harnröhre verletzt ist.

---

[1]) P. Noguès, De la température dans la blennorrhagie aiguë (Ann. gén.-ur. Mai 1895, p. 433.

[2]) M. Wasserman et N. Hallé Anat. path. des retréciss. de l'urètre. (Ann. génito-urinaires, 1891 et 1894.)

## Achtundzwanzigste Vorlesung.

# Physiologie und Pathologie der Blase.

I. Empfindlichkeit und Contractilität der Blase. — Bedeutung der Erkenntnis der physiologischen und pathologischen Verhältnisse, welche die Contractilität der Blase herabsetzen oder steigern. — Normalerweise fühlt die Blase den Contact des Urines nicht, ist aber gegen Tension sehr empfindlich. — Geringe Empfindlichkeit beim Contact mit Instrumenten oder Steinen. Ausserordentliche Empfindlichkeit für Distension, selbst während des physiologischen Schlafes und während der Narkose. Uebermässig gesteigerte Empfindlichkeit für die Tension bei Cystitis. Die geringste Flüssigkeitsansammlung erzeugt schmerzhafte Contractionen. Daher sind Injectionen stricte contraindicirt, sobald es sich um eine acute Cystitis handelt, während jede Intervention, bei welcher es sich bloss um eine Contactwirkung handelt, möglich ist. — Besondere Empfindlichkeit der Schleimhaut des Blasenhalses für Berührung. — Pathologische Steigerung derselben. — Der Harndrang ist aber keine Folge des Contactes des Harnes mit der Schleimhaut des Blasenhalses, noch von dessen Eindringen in die hintere Harnröhre, sondern die Folge der Spannung der Blase.

Die Distension erzeugt congestive Symptome. Beweis hiefür: Erectionen in Folge der Blasenfüllung bei Kindern, Erwachsenen und selbst bei Greisen; Beweise aus der allgemeinen Pathologie: Directe Beobachtungen von Haemorrhagie und Entzündungen in Folge von Retention bei Steinschnitt. Selbst langsame und nicht schmerzhafte Distension erzeugt Congestion.

Capacität der Blase. — Sie ist variabel, genau so wie die Empfindlichkeit. — Sie beruht auf physiologischen, nicht auf anatomischen Ursachen. — Die Distension einer schmerzhaften Blase kann zur Ruptur führen. Congestion steigert die Empfindlichkeit der Blase.

II. Mechanismus der Contraction. — Theorie von Mercier, dessen Klappe. Partielle Blasencontractionen. Zunächst nähert sich die hintere Wand dem Blasenhalse, dann hebt sich der Blasengrund. Das ergibt sich aus den Gefühlseindrücken während der Lithotripsie, aus den experimentellen Untersuchungen über die Accommodation der Fremdkörper und aus dem Leichenbefund. — Der Querdurchmesser ist der chirurgische Durchmesser der Blase.

III. Widerstandsfähigkeit der Blasenwände gegen die Ruptur. — Beträchtliche Resistenz bei pathologischer und experimenteller Ausdehnung. — Die excessive Contraction einer sehr muskulösen Blase führt viel leichter zur Ruptur als die Erschlaffung der muskulösen Wand. — Die Blase reisst eher activ als passiv ein. — Die Diagnose der Blasenaffectionen soll nicht nur anatomische und aetiologische, sondern auch physiologische Verhältnisse ins Auge fassen.

IV. Resistenz der Blase gegen Localinfection; gegen Allgemeininfection. — Die Blase spielt eine grosse Rolle bei der Harninfection. Die anatomische und functionelle

Integrität des Blasenmuskcls und der Epithelschicht sind ein wirksamer Schutz gegen die Localinfection der Blase. — Klinische Beweise hiefür liefern Stricturkranke und Prostatiker, Pyurie, Niereninfection, Blasendarmfisteln, der ammoniakalische Zustand und die Steine. — Experimente ergeben: Dass man ohne Unterbindung des Gliedes, ohne somit eine Retention zu erzeugen, die Blase nicht inficiren kann, dass vielmehr die eingebrachten Keime vollständig eliminirt werden. — Hilfsursachen für die Infection: Zustand des Organismus dynamische Einflüsse, Congestion, chemische Reize, Trauma. — Die Blase wird erst dann inficirt, wenn unter dem Einflusse der Hilfsursachen das Epithel in seiner Vitalität und seiner Structur verändert worden ist. — Nur bei einer einzigen Mikrobenart, beim Urobacillus liquefaciens kann die Infection auch ohne diese Bedingungen erfolgen.

V. Einfluss der Blase auf die Harnleiter. — Die Blase ist unter normalen Verhältnissen der Wächter für die Uretren und kann dieses Amt bei einer zweckmässigen Therapie auch unter pathologischen Verhältnissen ausfüllen. — Dazu ist vor allem die anatomische und functionelle Integrität des Blasenmuskels nothwendig. — Bei der Distension kann der Blaseninhalt nicht in die Uretren eindringen. — Man kann dies aber ermöglichen, wenn man durch Injection einer geringen Flüssigkeitsmenge die Blase frühzeitig in Spannung versetzt. — Das tritt beim Kaninchen leichter ein, als beim Hunde, dessen Blasenmuskulatur jener des Menschen analog ist. — Der Verschluss des Ureters erfolgt durch den Druck der Muskelfasern der Blase auf das Blasenende des Ureters. — Einschlägige Experimente. — Die Harnverhaltung begünstigt das Eindringen von Mikroben in die Ureteren in hohem Grade. — Sie kann aber auch ohne Retention stattfinden.

VI. Antheil der Blase an der Allgemeininfection; Resorption septischen Urines durch die erkrankte Schleimhaut. — Begünstigende Momente. Betheiligung der Niere. — Die Blase kann sich an der Allgemeininfection direct oder indirect betheiligen. — Direct durch die Resorption von septischem Urin durch die Blasenschleimhaut. Indirect, wenn die Resorption in einer verletzten Harnröhre zustande kommt und die Nierenausscheidung unvollständig vonstatten geht. — Die directe Resorption erfolgt nur durch Vermittlung besonders günstiger Hilfsursachen. — Sie führt nur dann zu ernsten Zufällen, wenn die Niere bereits erkrankt ist oder krank wird. — Der Antheil der Blase an der Allgemeininfection hängt grösstentheils von ihrem Einflusse auf die Niere ab. — Daraus erklärt es sich, wie man dadurch auf die Niere günstig einzuwirken vermag, dass man die Blase behandelt. — Um Allgemeininfection durch die Blase zu verhüten, muss man sie nicht nur entleeren und antiseptisch behandeln, sondern häufig auch noch die Urethra in Schutz nehmen. — So wirkt die Behandlung direct auf die Infectionsquelle und die Niere vermag die septischen Producte vollständig zu eliminiren. — Die wichtige Rolle dieses Organes bei der Infection hängt vor allem von dessen Durchlässigkeit ab. Ihre Wirkung äussert sie dadurch, dass sie die Ausscheidung des Harngiftes aus dem Kreislaufe ermöglicht, und sie scheint an dessen Eindringen nur wenig betheiligt zu sein. — Die Schwere der Zufälle ist von der Dosis, von der Virulenz oder Nichtausscheidung des Harngiftes abhängig. — Verletzungen der Harnröhre ermöglichen das rasche Eindringen von grossen Dosen. — Die Blasenresorption ist langsam und begrenzt; sie lässt nur kleine Dosen eindringen. — Die Blasenresorption ist aber nicht nur begrenzt, sie findet auch nicht constant statt; das beweist die Krankengeschichte aller Harnkranken. — Beispiele an den Prostatikern. — Experimenteller Beweis für die Nichtresorption der Blase an den Urethrotomirten. — Alle diese Thatsachen beweisen, dass die Blasenschleimhaut, selbst unter pathologischen Verhältnissen, nur eine beschränkte Resorptionsfähigkeit besitzt und lange Zeit überhaupt nicht stattfindet. — Trotzdem ist die Rolle der Blase bei der Harninfection eine grosse, wenn in Folge ihrer langdauernden Erkrankung die Niere bereits schlecht functionirt.

## I. Empfindlichkeit und Contractilität der Blase.

Die Empfindlichkeit der Blase fällt uns vor allem in die Augen, nicht nur deshalb, weil sie bei der Mehrzahl unserer Kranken den hauptsächlichsten Gegenstand der Klage bildet und weil in der grossen Mehrzahl der Fälle die Schmerzen der Harnkranken Blasenschmerzen sind, sondern ganz besonders deshalb, weil von der Empfindlichkeit der Blase ihre Contractilität in hohem Grade abhängig ist und diese auf die Functionen der Blase einen grossen Einfluss ausübt.

Die Blase contrahirt sich reflectorisch auf einen Reiz. Tritt diese Contraction nur zur richtigen Zeit ein, also unter physiologischen Verhältnissen, so wird die Blase in der Lage sein, sich allmählig, in Folge der fortwährenden Nierensecretion zu füllen und wird nur in solchen Intervallen entleert zu werden beanspruchen, welche den ungestörten Schlaf und die Ausführung der verschiedenen Lebensfunctionen ermöglichen. Ja die Blase wird selbst ausnahmsweise die Ansammlung einer grösseren Menge Harnes gestatten, vorausgesetzt dass ihre Empfindlichkeit normal ist. Wird diese letztere pathologisch, so erfolgt die Contraction unter ganz anderen Umständen. Dann kann die Harnfrequenz excessiv gesteigert, die Harnentleerungen nicht nur wiederholt, sondern schmerzhaft werden.

Es fragt sich nun, welches die physiologischen und pathologischen Bedingungen sind, welche die Contraction hervorrufen oder steigern. Um diese Frage zu verstehen und zu erfahren, warum sich die Blase contrahirt, müssen wir uns zunächst noch ein wenig mit der Empfindlichkeit der Blase beschäftigen.

Im normalen Zustande fühlen wir unsere Blase nur dann, wenn wir das Bedürfnis verspüren Harn zu lassen. Während der ganzen Dauer der Intervalle, welche die einzelnen Harnentleerungen von einander trennen, werden wir durch keine noch so geringe Empfindung daran erinnert, dass wir ein Reservoir besitzen, in welchem sich ein flüssiges Excret befindet, das jede andere Schleimhaut als die der Blase zu reizen im Stande wäre.[1]) Wir haben uns hier nicht mit diesen

[1]) Die Blase ist aber gegen reizende medicamentöse Lösungen sehr empfindlich, ein Umstand, der uns dazu zwingt, jene Substanzen, welche wir in die Blase einführen, genau zu dosiren und welche die Zahl jener, welche man injiciren kann, ziemlich eingeschränkt. Auch die Temperaturempfindung ist sehr ausgebildet. Dieser Mangel an Empfindlichkeit bei der Berührung mit einer Flüssigkeit, welche nicht specifische

speciellen Eigenschaften des Urins zu befassen, welche die Blase natürlich nicht wahrzunehmen hat. Allein wir müssen constatiren, dass die Blasenschleimhaut auch den physischen Contact nicht verspürt, welchen ihr Inhalt fortwährend auf sie ausübt und das selbst dann nicht, wenn wir rasch gehen, laufen, springen, tanzen, von einem Wagen gerüttelt werden, vorausgesetzt, dass die Schleimhaut gesund ist.

Man kann somit sagen, dass unter physiologischen Verhältnissen die Blase den Contact nicht verspürt.

Trotzdem wird das Bedürfnis zu uriniren auch unter ganz normalen Verhältnissen lebhaft und selbst schmerzhaft empfunden werden, wenn wir es zu spät befriedigen. Welchem Umstande muss man also das Auftreten einer bis dahin so latenten Empfindlichkeit zuschreiben? Die Antwort darauf erhalten wir so oft wir uriniren, denn wir werden stets constatiren können, dass bei jeder Harnentleerung normaler Weise fast immer die gleiche, jedenfalls ziemlich reichliche Harnmenge entleert wird und es ergibt sich daraus die natürliche Schlussfolgerung: Wenn dieselbe Flüssigkeit ihre Gegenwart nicht zu erkennen gibt, so lange ihre Menge jene der gewöhnlich in der Blase enthaltenen nicht übersteigt, aber dagegen ein nachdrückliches Bedürfnis zum Uriniren erzeugt, wenn die Blase angefüllt ist, so muss das daher rühren, dass die Schleimhaut, welche für den blossen Contact unempfindlich war, durch die Tension empfindlich geworden ist.

Unter physiologischen Verhältnissen ist also die Blase für den Contact des Urines nicht, für die Spannung dagegen sehr empfindlich.

So natürlich eine derartige Erklärung scheint, so nothwendig dieses Verhalten für das normale Functioniren der Blase sein muss, so wurde doch unseres Wissens diese fundamentale Unterscheidung nie gemacht. Sie war uns seit langem in die Augen gesprungen und wir haben sie in der ersten Auflage dieser Vorlesungen wiederholt berührt. Ich habe speciell bei der Besprechung der Chloroformwirkung gesagt: „In physiologischer Beziehung gestattet dieses Resultat eine scharfe Scheidung zwischen den Wirkungen der Distension und jener des Contactes bei der Auslösung von Blasencontractionen.[1])

Thatsächlich löst sowohl, unter gewissen Bedingungen, die Berührung als auch die Spannung Blasencontractionen aus und was wir unter normalen Verhältnissen beobachten, ist bei pathologischen Zuständen noch gesteigert. Die Contractionen treten also erst dann auf,

chemische oder physikalische Eigenschaften besitzt, durch die ein zu grosser Reiz auf die Blasenschleimhaut ausgeübt wird, ist ihrer physiologischen Bestimmung genau angepasst.

[1]) Guyon: Ann. gén.-urin. Feb. 1884 und Mitt. der Acad. des Sciences 10. März 1887. (Ueber die normale u. pathol. Empfindlichkeit der Blase.

wenn durch ein bestimmtes Agens die Empfindlichkeit wachgerufen wird. Wir können jeden Tag beobachten, dass die Blase unter normalen wie unter pathologischen Verhältnissen, gegen Spannung besonders empfindlich ist und werden darauf sowohl bei der Behandlung, als bei der Deutung der Symptome Rücksicht zu nehmen haben.

Sehen wir einmal zu, wie es bei einem exploratorischen Katheterismus zugeht, wenn die Blase nicht entzündet ist. Der Weg durch die Urethra und das Eindringen in die Blase haben kaum eine Empfindung hervorgerufen, der Contact des Instrumentes mit der Schleimhaut wird nicht schmerzhaft verspürt; wenn der Kranke vielleicht während der Manöver in der Harnröhre Schmerz geäussert hat, so beklagt er sich nicht mehr. Höchstens wenn wir ihn am Blasenhalse kitzeln, wenn wir ihn stark berühren und besonders wenn wir diese Berührungen mit dem Schnabel des Instrumentes auf den verschiedenen Punkten der Innenfläche der Blase verlängern und vervielfachen, wird diese Berührung bis zu einem gewissen Grade schmerzhaft empfunden und gleichzeitig oder nahezu gleichzeitig das Bedürfnis zu uriniren auftreten. Man kann aber auch manövriren ohne Schmerz zu erzeugen, ja selbst ohne Harndrang hervorzurufen, wenn man den Eingriff nicht zu lange ausdehnt. So war es lange Zeit möglich, die Lithotripsie in kurzen Sitzungen auszuführen, ohne Chloroform zu verwenden.

Der einfache Contact eines festen Körpers wird nicht stärker verspürt, als der des Harnes; davon können wir uns jeden Augenblick überzeugen. Kranke, welche wegen einer Strictur täglich sondirt werden, spüren die Sonde in der Blase nicht, trotzdem ein grosser Theil derselben mit der Schleimhaut in Berührung tritt, wenn die Sonde in der üblichen Weise, d. h. bis an den Griff in die Harnröhre eingeführt wird. Der Theil, welcher in der Blase liegt, wird nicht verspürt, er mag dick oder dünn sein und kurz oder lange liegen bleiben. Wenn wir zum Beispiel den Katheterismus „à la suite“ nach Maisonneuve vornehmen und die Bougie, welche als Leitsonde dient, sich in der Blase aufrollt, so empfindet der Kranke nichts, auch nicht einmal einen Kitzel, was doch sehr natürlich wäre. Nur jene Patienten, welche wissen, dass die Bougie „ihnen in den Leib dringt“, behaupten mitunter, dass sie sie spüren. Die anderen wissen nichts davon. Der Verweilkatheter wird nur dann in der Blase gespürt, wenn er schlecht functionirt. Wenn die Blase sich vollständig und regelmässig entleert, so spüren ihn die Kranken nicht, weder der Blasenhals noch der Blasenkörper reagiren auf seine Berührung.

Die Empfindlichkeit bei der einfachen Berührung durch Instrumente ist also ziemlich schwach. Diese geringe Empfindlichkeit der Blase beim Contact erhellt vielleicht noch besser aus der Beobachtung von Steinkranken. Im Gegensatze zu der allgemein verbreiteten Anschauung, dass das Steinleiden eine der schmerzhaftesten Affectionen ist, werden wir meist constatiren können, mit welcher Indifferenz die Blase einen Stein zu ertragen vermag. Die Steinkranken spüren ihren Stein, nur wenn er seine Lage brüsk wechselt, oder wenn er wiederholten Bewegungen ausgesetzt wird; lebhafte Schmerzen haben sie nur bei Cystitis, und diese tritt bei sauren Steinen sehr selten, und nur anfallsweise auf. Dieselbe Indifferenz sehen wir bei Fremdkörpern, welche leicht ertragen werden, so lange keine Cystitis besteht.

Durch die Cystitis kann thatsächlich der Schmerz exclusiv werden und der Contrast, welcher zwischen der fast vollständigen Unempfindlichkeit der Blasenschleimhaut vor der Entzündung und jenen heftigen Schmerzen besteht, welche der Stein oder Fremdkörper in einer entzündeten Blase hervorruft, ist ausserordentlich gross. Wir werden noch näher untersuchen, inwiefern diese pathologische Empfindlichkeit durch Berührung, und inwiefern sie durch Spannung ausgelöst wird; jedenfalls ist die Empfindlichkeit für die Berührung sehr gross geworden.

Das ist ein Hauptmerkmal der „pathologischen“ Empfindlichkeit; ebenso wird die „normale Empfindlichkeit“ durch das Fehlen oder die Undeutlichkeit der Gefühlseindrücke charakterisirt.

Diese Unterscheidung müssen wir mit allem Nachdruck noch weiter verfolgen. Es ist nothwendig darauf hinzuweisen, dass ein Stein — bei Fehlen von Cystitis — die Blasenwand wiederholt und so intensiv berühren kann, dass sogar Blutungen eintreten können und dass trotzdem die Kranken gar keine oder nur geringe Schmerzen verspüren. Wirkliche Schmerzen treten nur dann auf, wenn der Stein seine Lage allzu oft und allzu heftig verändert und besonders, wenn diese Locomotionen gegen den Blasenhals gerichtet sind und wenn das Volumen des Steines so gross ist, dass er schon in Folge dessen gegen den Blasenhals andrängt. Selten leiden sie am Ende der Harnentleerung und wenn, beim Uriniren im Stehen und Sitzen, der Stein wiederholt und nachdrücklich nach vorn geschleudert wird.

Diese Kranken verspüren ihre Schmerzen nur am Tage; im Bett und beim Uriniren in horizontaler Lage haben sie keine Schmerzen.

Es ist Ihnen bekannt, dass sich Steinkranke zumeist erst spät zur Operation entschliessen und mehr als einmal liessen sich Patienten erst 3—4 Jahre, nachdem ich zur Operation gerathen hatte, von mir operiren. Hätten sie so lange gewartet, wenn sie viel gelitten hätten? Man kann noch von Glück sagen, wenn das grosse Volumen eines Steines seine Zertrümmerung nicht unmöglich macht, denn häufig genug findet man zu seiner grossen Ueberraschung sehr voluminöse Steine bei Kranken, die fast gar nicht gelitten haben.

Die geringe Empfindlichkeit gegen den Contact, welche im gewöhnlichen Leben so wohlthätig empfunden wird, weil wir, dank derselben, stundenlang nicht zu uriniren brauchen, ohne Schmerz zu empfinden, hat, wie Sie sehen, auf der anderen Seite wieder den Nachtheil, dass die Blase infolgedessen auch den Contact eines Fremdkörpers viel zu leicht verträgt, den der Kranke allen Grund hätte, frühzeitig entfernen zu lassen.

Halten Sie mit den angeführten Thatsachen jene Beobachtungen zusammen, welche Sie in der Lage waren wiederholt an sich selbst zu machen. Erinnern Sie sich an die peinliche Empfindung, wenn Sie durch widrige Umstände verhindert waren die Blase rechtzeitig zu entleeren, und Sie werden auch auf diese Weise erkennen können, wie verschieden die Blase auf Berührung und auf Spannung reagirt. Wird der tiefste Schlaf nicht durch den Harndrang unterbrochen und ist unsere erste Empfindung beim Erwachen nicht jene der Blasenvölle? Ich habe einen jungen Burschen gekannt, welcher, in dem höchst lobenswerten Bestreben, zeitig genug aufzustehen, um seine Lectionen zu repetiren, am Abend ziemlich viel trank, und zwar leerte er umso mehr Gläser Wasser, je früher er aufstehen wollte, und mit Hilfe dieses originellen und neuartigen „Weckers“ war er in der Lage, die Stunde seines Erwachens ziemlich genau vorher zu bestimmen.

Die Spannung der Blase wird aber nicht nur während des physiologischen Schlafes verspürt, sondern man kann selbst während der tiefen Narkose die Blase nicht anfüllen, ohne dass deren Spannung wahrgenommen wird. Ohne Rücksicht darauf, ob die Schleimhaut eine normale oder eine pathologische Empfindlichkeit besitzt, wird man nicht in der Lage sein die Spannung zu erhöhen, ohne unzweideutige Aeusserungen der Empfindlichkeit von Seite des Kranken hervorzurufen und ausserdem die Blase zu wecken, die mit oft heftigen Contractionen antwortet. In beiden Fällen, sowohl unter normalen als pathologischen Verhältnissen, wird die Blasenschleimhaut, dank dem Chloroform, jede nothwendige Berührung vertragen, wird sich aber gegen die Tension mit umso grösserer Energie zur Wehre setzen, je grösser ihre Empfindlichkeit ist. Das zeigt sich jeden Tag bei der Lithotripsie.

Derselbe Kranke, welcher soeben ruhig und unbeweglich lag, dessen Blase unzähligemale mit dem Lithotriptor in Contact gekommen ist, welcher die Berührung der fortwährend umgeschüttelten Steinfragmente gut vertragen hatte und der selbst bei der Ausführung solcher schwieriger Manöver, wie sie gewisse Deformationen des Blasenhalses nothwendig machen, keine Schmerzen verspürt hatte und auch dann keine Schmerzen äusserte, wenn sich die Blase in partiellen Contractionen krampfhaft um Steinreste zusammenzog, derselbe Kranke bewegt sich, presst, stöhnt, jammert und erwacht, sowie wir bei dem letzten Tempo der Operation angelangt sind und die Blase füllen, um die Fragmente zu entleeren. Wir müssen den chloroformirenden Assistenten häufig aufgiessen lassen, um die Operation beenden zu können. Diese Thatsachen sprechen deutlicher als irgend ein Experiment, und die klinische Beobachtung ist umso beweiskräftiger, als sie auch das Eine zur Evidenz bringt, dass das Chloroform nur die Contactempfindlichkeit ausschaltet, die Spannungsempfindllichkeit hingegen nur herabsetzt. Wenn pathologische Empfindlichkeit besteht, so kann man mit dem Lithotriptor bequem manipuliren, ohne dass die Blase sich contrahirt. Wir können aber kaum einige Gramm Flüssigkeit einspritzen, ohne dass sie sofort wieder ausgestossen werden. Doch besteht insoferne ein Unterschied, als die leichteste Anaesthesie bereits genügt, damit eine gesunde Blase die Contactempfindung verliere, während dasselbe Resultat bei entzündeter Blase nur durch grössere Dosen von Chloroform erreicht wird. Der Chirurg wird also in der Lage sein, die Chloroformgaben nach der Art, wie die Blase während der Operation reagirt, zu bemessen.

Dass sich die verschiedenen Manifestationen der Empfindlichkeit bei pathologischen Zuständen noch steigern, werden wir noch öfter zu sehen Gelegenheit haben.

Bei schweren Blasenentzündungen, frischen oder alten, wird die Empfindlichkeit gegen Spannung eine so grosse, dass selbst die geringste Harnmenge nicht mehr vertragen wird. Auch müssen diese bedauernswerten Kranken jeden Augenblick Harn lassen, und jede Harnentleerung verursacht einen Schmerzanfall. Diese Krisen nehmen grosse Dimensionen an, wenn die Blase sehr contractil ist oder wenn sie sich weder des in ihr enthaltenen Urins, noch eines Fremdkörpers zu entledigen vermag. Die Contractionen, welche reflectorisch durch die normale oder pathologische Empfindlichkeit hervorgerufen werden, sind an und für sich schmerzhaft, u. zw. ebensowohl unter physiologischen als pathologischen Verhältnissen. Es ist bekannt, dass Contractionen des Darmes mit Schmerzen einhergehen, und nicht umsonst hat man die Contractionen der Gebärmutter bei der Geburt als Wehen bezeichnet. Wir könnten aber noch mehr Beispiele dafür anführen, dass an die Stelle der unfühlbaren tonischen Contraction der glatten Muskelfasern active, besonders schmerzhafte Contractionen derselben Muskeln treten können. Diese Contractionen können, selbst bei Fehlen von Laesionen, mit Schmerzen einhergehen.

Es ist aber unbestreitbar, dass pathologische Zustände, und besonders Entzündungen, heftigere Schmerzen erzeugen, welche fast immer durch Contractionen verursacht werden.

In solchen Fällen muss man immer an die Wirkung der Tension

denken, welche ja am häufigsten schmerzhafte Contractionen auslöst. Diese Gesichtspunkte werden natürlich unser chirurgisches Handeln stets leiten, so zwar, dass wir uns nöthigenfalls dazu entschliessen, die Blase als Harnreservoir auszuschalten, wenn wir sehen, dass selbst geringe Grade von Tension nicht vertragen werden.

Dagegen wird ein noch so schmerzhafter Zustand der Blase uns nicht verhindern, eine Therapie einzuleiten, welche bloss Contacte erzeugt, die — eventuell mit Zuhilfenahme von schmerzstillenden Mitteln — recht gut vertragen werden. Injectionen dürfen wir selbstverständlich nicht machen, dagegen können wir, wie bereits bemerkt, mit gutem Erfolge Instillationen in Anwendung bringen.

Unter dem Einflusse der Cystitis nimmt zweifellos die normaler Weise nur „dumpfe" Contactempfindlichkeit zu und wird unter Umständen sehr lebhaft. Doch ist sie stets ausserordentlich viel geringer als jene, welche durch die Spannung hervorgerufen wird. Trotzdem kann auch sie heftig werden, u. zw. um so heftiger, je öfter sich die Contactwirkung wiederholt.

Experimentell ist der Unterschied zwischen der Contactwirkung und der Spannungswirkung ziemlich beträchtlich, lässt sich jedoch vom klinischen Standpunkte aus nicht ebenso sicher aufrecht erhalten, da unter Umständen die Schmerzempfindung bei Berührung ebenso heftig werden kann, als jene, welche die Spannung erzeugt.

Um schmerzhafte Contractionen zu erzeugen, braucht man die Innenfläche der Blase nicht erst brüsk oder hart zu berühren, noch muss dies wiederholt erfolgen. Der Urin selbst kann unter Umständen als harter Körper wirken und bei manchen Individuen bereits bei den Bewegungen im Bett, beim Uebergang in die aufrechte Stellung, beim blossen Senken der Beine oder beim Gehen Schmerzen erregen. Diese Schmerzen werden durch die Bewegung des Urins in der Blase von einer Seite zur anderen ausgelöst. Solche Individuen gehen gebeugt mit langsamen Schritten und ziehen die Füsse über den Boden hin, statt sie aufzuheben; sie leiden an jener Form der Cystitis, welcher ich den Namen schmerzhafte Cystitis gegeben habe. Natürlich trifft man diesen permanenten schmerzhaften Zustand besonders häufig bei Steinkranken mit einer alten intensiven Cystitis.

Bei einer Kategorie von Kranken sehen wir den Einfluss der Contactwirkung des Urines ganz besonders ausgeprägt, nämlich bei Patienten mit Blasentuberculose. Wie ich bereits des öfteren erwähnt habe, treten die tuberculösen Granulationen und Geschwüre zumeist in der tiefen Harnröhre und am Blasenhalse, sowie in dessen Umgebung auf. Daher kommt es auch, dass keine Erkrankung so häufigen Harndrang hervorruft als die tuberculöse Cystitis. Diese letztere führt daher häufig zu diagnostischen Irrthümern. Man hält sie nicht selten für Lithiasis. Solche Kranke können sich nicht aus der liegenden Stellung aufrichten, auf die Füsse stellen, oft nicht einmal niedersitzen oder sich vornüber neigen, ohne heftigen Harndrang zu verspüren.

Ich habe einen solchen Kranken lange Zeit beobachtet, und wie das nicht gar so selten vorkommt, seine Affection ausheilen gesehen. Bevor aber die Heilung eintrat, litt er unsäglich. Er war weder im Stande aufrecht zu stehen, noch zu gehen, und wenn er sich niedersetzte, musste er die Beine über die Horizontale heben, etwa auf die Tischkante auflegen. Seine Heilung erbrachte mir die Gegenprobe, denn nun konnte er wieder aufrecht gehen und ertrug Erschütterungen wie im normalen Zustande. Trotzdem hatte er keine Steine entleert, und ich habe mich auch wohl gehütet, an die Lithotripsie zu denken oder auch nur eine Sondenuntersuchung vorzunehmen, trotzdem er zu seinem grossen Leidwesen vorher öfters derartigen Untersuchungen unterzogen worden war. Er hatte so grosses Vertrauen zu mir gewonnen, dass er allen Rathgebern zum Trotz allen Blasenuntersuchungen auswich, so oft man ihm auch im Süden, wo er den Winter verbrachte, dazu rieth.

Die Empfindlichkeit des Blasenhalses ist in diesen Fällen sehr gross, weil die Veränderungen geradedort ihren Sitz haben. Allein auch andere klinische Thatsachen weisen darauf hin, dass die Schleimhaut einer entzündeten Blase am Blasenhalse leichter reizbar ist. Das beweisen z. B. die Empfindungen, welche die Bewegung der Steine gegen den Blasenausgang, sei es in Folge der aufrechten Stellung, sei es in Folge der Strömung des Urins erzeugen, sowie die Schmerzen, welche in solchen Fällen gegen Ende der Harnentleerung auftreten. Wenn ein kleiner Stein oder ein Steinfragment im Blasenhalse stecken bleibt, so wird die Schmerzhaftigkeit excessiv und gibt sich durch häufigen und schmerzhaften Harndrang zu erkennen. Das Gleiche gilt von dem Eintritte eines Blutgerinnsels, also eines weichen Körpers, welches beweist, wie empfindlich die Innenfläche des Blasenhalses für die Berührung ist. Natürlich darf man damit nicht jene Fälle verwechseln, wo die Schmerzen in Folge des unbefriedigten Harnbedürfnisses auftreten. Diese ausgesprochene Empfindlichkeit des Blasenhalses lässt sich nicht leugnen, sie ist physiologisch. Die natürlichen Mündungen sind alle besonders empfindlich und reagiren in Folge dessen auch leichter durch Contraction; auf diese Art werden sie eben ihren Functionen gerecht. Vergessen wir aber nicht, dass die Sphincterwirkung nicht hauptsächlich am Blasenhalse ausgeübt wird. Wir wissen ja, dass der Unterschied in der Empfindlichkeit zwischen dem Blasen- und Harnröhrensphincter sehr gross ist. Der Harnröhrensphincter ist viel empfindlicher. Nichtsdestoweniger fragt es sich aber, ob die Empfindlichkeit des Blasensphincters dazu hinreicht, um durch seine Contractur schmerzhafte Zustände der Blase auszulösen und Indicationen für die Behandlung zu ergeben.

Ich habe mich immer gegen diese Interpretation gesträubt, welche nicht der Beobachtung entspringt, sondern einfach theoretisch, nach Analogie mit dem Afterkrampf, construirt ist.

Bei der Contractur des Sphincter ani ist bloss die Region des Sphincters schmerzhaft, die Innenfläche des Rectums aber durchaus nicht. Wir können uns dagegen durch methodische Contactprüfung von der Empfindlichkeit der Blasenschleimhaut bei der Cystitis überzeugen, u. zw. ist diese Empfindlichkeit an der ganzen Oberfläche vorhanden; die Berührung durch die Sonde wird überall, im Fundus sowohl als am Blasenhalse und an den seitlichen Partien, gleich schmerzhaft empfunden, ja oft klagt der Kranke sogar über grösseren Schmerz bei Berührung des Blasengrundes. Der Schmerz ist immer nur vorübergehend. Ich behaupte daher, sobald Contractur vorhanden ist, „sitzt sie nicht am Blasenhalse", sondern betrifft die ganze Blase. Es muss also die Therapie dahin gerichtet sein, die Blase ausser Function zu setzen und vollständig zur Ruhe zu bringen. Das geschieht durch Eröffnung der Blase, durch die Drainage etc.

Doch kehren wir zur Physiologie zurück und beschäftigen wir uns mit der Frage, durch welche Ursachen wird das Bedürfnis zu uriniren ausgelöst? Wir haben von allem Anbeginne gesehen, dass das Bedürfnis zu uriniren immer nur dann auftritt, wenn die Blase gespannt wird, und es lässt sich leicht, sowohl durch das Experiment als durch die klinische Beobachtung erweisen, „dass die Spannung durch die Contraction des Blasenmuskels wirksam wird und dass diese Contraction dem Bedürfnis zu uriniren unmittelbar vorangeht".

Davon kann man sich leicht überzeugen, wenn man durch einen Katheter zwischen Nr. 18 und 21 eine warme Flüssigkeit in die Blase einspritzt. Die Spritze muss eine breite Canule haben, damit der Stempel sehr leicht gleitet. Anfangs wird sich der Piston allmählig und ohne den geringsten Widerstand vorschieben lassen, der Kranke hat keine Empfindung. Bei einem gewissen Punkt angelangt, muss man stärker drücken und spürt bald einen Widerstand. Noch immer hat der Patient nicht reagirt und doch kann man bereits voraussagen, dass das Bedürfnis zu uriniren jetzt auftreten wird. Das geschieht auch fast im selben Augenblick, und die Blase kämpft so energisch gegen ihren Inhalt an, dass es einer besonderen Anstrengung bedarf, um sie zu füllen. Lässt man dann den Stempel aus, so läuft er zurück und die Blase entleert sich in die Spritze.

Wir haben auf diese Weise dieselben Erscheinungen hervorgerufen, welche der Geburtshelfer bei Kreissenden beobachtet. Bekanntlich spannt sich der Uterus an, bevor die Wehe auftritt. Die auf das Hypogastrium aufgelegte Hand spürt, wie die Gebärmutter hart wird, und einen Augenblick nachher beginnt die Kranke über Schmerzen zu klagen. Der Accoucheur und der Chirurg spüren somit vor der Kranken, wenn die Wehe der Gebärmutter resp. das Bedürfnis zu uriniren eintreten wird. Diese klinischen Versuche beweisen, dass sowohl die Kolik des Uterus als jene der Blase die Folge der Contraction sind, welche der Aeusserung der Empfindlichkeit vorangehen. Die Contraction der glatten Muskelfasern wird schmerzhaft, wenn sie erhöht und gesteigert ist, wird dagegen nicht wahrgenommen, wenn sie eine gewisse Grenze nicht überschreitet. Das ist die Regel für alle Hohlmuskel mit glatten Fasern.

Das erklärt uns auch, warum die Empfindlichkeit der Blase erst dann auftritt, wenn Spannung eingetreten ist, und beweist auch, dass das Bedürfnis zu uriniren erst dann auftritt, wenn die Contraction einen gewissen Punkt erreicht hat.

Man entgegnet, dass in Folge der gesteigerten Spannung die glatten Muskelfasern sich contrahiren und infolge dessen den Urin gegen den Blasenhals drängen oder gar in die hintere Harnröhre hinein befördern.

Wenn wirklich der starke Druck des Urins auf den Umkreis des Blasenhalses genügend wäre, durch Wachrufen der Empfindlichkeit, Harnbedürfnis zu erzeugen, so liesse sich nicht gut einsehen, warum dies denn nicht auch beim Laufen, Springen oder Tanzen eintritt. Es ist ja bekannt, dass normaler Weise, selbst wenn die Blase voll ist, die Zahl der Harnentleerungen weder drängend noch gebieterisch auftritt. Auch der Contact des Urins mit der Schleimhaut der hinteren Harnröhre ist ebenso wenig ausreichend, um Harnentleerung hervorzurufen. Wie wäre es denn sonst erklärlich, dass die Prostatiker einen so häufigen und lästigen Harndrang empfinden, trotzdem der Katheterismus lehrt, dass bei ihnen niemals Urin in die hintere Harnröhre eindringt, auch wenn der Harndrang noch so gebieterisch ist. Trotzdem ist die Theorie, welche ich bekämpfe, die eines berühmten Physiologen, nämlich die von Kuss in Strassburg und seines begabten Schülers Matthias Duval. Man kann aber gegen sie noch andere Gründe anführen. Das Individuum, mit welchem wir den Versuch mit der Spritze angestellt haben und das erst dann Harndrang bekam, als die Spannung genug gross war, um die Contractilität anzuregen, hatte ja gerade einen Katheter in der Harnröhre liegen, welcher deren hinteren Abschnitt zum grössten Theile ausfüllte.

Bei Kranken mit Blaseneiterung ist diese Partie immer mit Eiter gefüllt; setzt man den Katheter, so fliesst erst ein milchiger Strahl ab, das ist der Inhalt der hinteren Harnröhre, und der Urin, der dann nachkommt, besitzt ein ganz verschiedenes Aussehen. Solche Kranke brauchen aber ihre Blase nur in langen Intervallen zu entleeren, und werden doch nicht von Harndrang geplagt. Das ist erst der Fall, wenn ihre Cystitis in ein acuteres Stadium übergeht. Allerdings kann die hintere Harnröhre, die thatsächlich einen Theil der Blase ausmacht, auf Contact auch mit Harndrang reagiren; allein diese Beobachtung ist ziemlich selten, während man dagegen bemerken kann, dass eine concentrirte Höllensteinlösung, in die Urethra prostatica instillirt, erst nach einigen Augenblicken, wenn sie bereits in die Blase geflossen ist, aber nie sofort, Harndrang erzeugt.

Aus allen diesen Verhältnissen ergibt sich die Schlussfolgerung, dass das Harnbedürfnis die Folge der Contraction des Blasenmuskels ist und durch die Spannung desselben ausgelöst wird. Die Schleimhaut besitzt kein sensibles Centrum, dessen Reizung das Bedürfnis erzeugen würde, und die Berührung ruft, ohne Rücksicht auf die Stelle, an der sie ausgeübt wird, sowohl im normalen als pathologischen Zustande, Harndrang hervor. Der Druck, welchen der Inhalt der ganz vollen Blase auf die Schleimhaut ausübt, erregt jenen Eindruck, welcher zur Contraction führt. Dieser Eindruck wird normaler Weise nicht wahrgenommen; ist es doch kaum zweifelhaft, dass die Empfindlichkeit der Schleimhaut in's Spiel kommt. Pathologische Verhältnisse zeigen uns die verschiedenen Grade der Empfindlichkeit der Blase und beweisen, „dass thatsächlich die Empfindlichkeit der Schleimhaut Contractionen auslöst und dass diese Contractionen dem Grade der Empfindlichkeit proportionirt sind."

Einen neuen Beweis hiefür liefert die Untersuchung der Capacität der Blase. Sie wird thatsächlich durch die Empfindlichkeit der Blasenschleimhaut regulirt und ist, wie ich mich ausgedrückt habe, „keine anatomische, sondern eine physiologische." Mein Schüler Duchastelet[1]) hat darüber eine interessante Monographie geschrieben. Eine Blase enthält thatsächlich nur so viel Flüssigkeit, als ihre Empfindlichkeit gestattet. Vom physiologischen Standpunkt gibt es keine grosse und kleine Blase, sondern nur mehr oder weniger empfindliche Blasen. Ein und dieselbe Blase kann am selben Tage, mitunter in Intervallen von wenigen Augenblicken, ganz variable Mengen von Flüssigkeit aufnehmen oder entleeren. Das kann man sehr hübsch bei der Chloroformnarkose beobachten. Je nach dem Grade der Anaesthesie verträgt die Blase verschiedene Flüssigkeitsmengen.

Die Empfindlichkeit der Blasenschleimhaut gegen Spannung und Contact ist hauptsächlich von den pathologischen Verhältnissen, welche die Cystitis verursacht, abhängig; aber auch von der Art, wie gewisse

---

[1]) Duchastelet, Capacité et tension de la vessie. Dissertationsschrift Paris, 1886.

Individuen auf Gefühlseindrücke reagiren. Davon überzeugt man sich bei einiger Aufmerksamkeit. Manche Personen, sowohl Frauen als Männer, mit vollkommen gesunder Schleimhaut, uriniren zeitlebens öfters als normal. Sie sind nicht krank, sondern haben nur eine physiologisch herabgesetzte Blasencapacität, weil sie gewohnheitsmässig, jedem Bedürfnis zu uriniren, Folge leisten. Das sind nervöse Personen, welche von allen ihren Sensationen abhängig sind, und ebensowenig physische als moralische Widerstandsfähigkeit besitzen. Diese Erscheinungen der Blasenemfindlichkeit sind von der durch die Cystitis erzeugten zu verschieden, als dass man sie nicht auseinanderhalten könnte und den Ausdruck „Cystalgie" nicht durch nervöse oder entzündliche Vorgänge zu erklären vermöchte.

Wir haben also bisher gesehen, dass:

1. Die normale Blase gegen den Contact des Urins und nicht reizender lauwarmer Flüssigkeiten unempfindlich ist, wenig empfindlich gegen die Benützung von Instrumenten und festen Körpern, sehr empfindlich gegen Tension.

2. Dass die Blase unter pathologischen Verhältnissen gegen den Contact sehr empfindlich wird; dass diese Empfindlichkeit mitunter bereits durch den Contact des Urins erzeugt wird und Schmerzen hervorrufen kann; dass sich diese Empfindlichkeit nicht nur bei hochgradiger Spannung, sondern bereits beim Beginne der Tension manifestirt.

3. Die Empfindlichkeit der Blase steht zu deren Capacität in directem Verhältnis; die letztere ist physiologisch, nicht anatomisch.

4. Die Blasencontractionen werden durch die Empfindlichkeit der Blase ausgelöst und stehen zu deren Grad in directem Verhältnis.

5. Die Blasencontraction tritt vor dem Harnbedürfnis auf.

6. Das Harnbedürfnis wird durch die willkürliche Contraction der glatten Muskulatur erzeugt.

7. Der Reiz, welcher, durch Reflexwirkung auf den Blasenmuskel, Harnbedürfnis erzeugt, scheint von der ganzen Schleimhautoberfläche und nicht von besonders empfindlichen Centren auszugehen.

8. Pathologische Emfindlichkeit der Blase tritt nur bei Cystitis und nicht bei „Cystalgien" auf.

9. Contact- und Spannungs-Empfindlichkeit lassen sich zu diagnostischen und therapeutischen Zwecken genau differenciren.[1])

[1]) Genouville, La Contractilité du muscle vésical à l'état normal et pathologique chez l'homme. (Dissertationsschrift Jan. 1895.) Vom physiologischen Standpunkte bestätigen die Versuche von G. meine Beobachtungen. Sie zeigen durch die Curven eines sehr genauen Schreibapparates den constanten Parallelismus zwischen der Sensibilät und Contractilität. Bei den Stricturkranken und Prostatikern nimmt zu gewissen Perioden sowohl die Contractilität, als die Sensibilität bei Tension regelmässig ab. Das gilt auch von den Rückenmarkkranken und besonders von den

Wenn wir uns mit den Folgen der Distension beschäftigen, so wird uns als unmittelbarste Folge der Blasenspannung das Entstehen eines congestiven Zustandes auffallen, welcher zwar meist nur die Blase betrifft, allein sich mitunter auch auf die übrigen Harnorgane und sogar auf die Niere erstrecken kann.

Die physiologischen Beweise für diesen Congestivzustand lassen sich aus der täglichen Beobachtung leicht erbringen. In allen Lebensaltern sieht man bei voller Blase Erectionen auftreten, welche von der Behinderung der venösen Circulation durch die angespannte Blase Zeugenschaft ablegen. Mütter und Ammen wissen genau, dass eine Erection bei Säuglingen Zeichen einer vollen Blase ist und dem Nasswerden unmittelbar vorhergeht. Wir kennen alle die Erectionen am frühen Morgen, welche beim Uriniren sofort verschwinden, und selbst Greise hoffen in der Frühe auf die Rückkehr ihrer männlichen Kraft. Trügerische Hoffnung! denn bloss auf diese Nachttopferectionen reduciren sich meist die Velleitäten derjenigen, welche das Unrecht begangen haben, alt zu werden.

Es ist übrigens verständlich, wie leicht solche congestive Zustände eintreten, wenn man berücksichtigt, dass jede functionelle Ueberanstrengung immer grösseren Blutzufluss erzeugt. Das Gehirn, das Rückenmark, der Magen, mit einem Wort alle unsere Organe sind dieser, durch sinnreiche Experimente nachgewiesenen, physiologischen Congestion unterworfen. Es kann uns also nicht Wunder nehmen, dass dieses unvermeidliche Resultat auch durch die volle Blase hervorgerufen wird.

Die Versuche über die Physiologie und pathologische Anatomie der Harnverhaltung, welche ich in Gemeinschaft mit Albarran[1]) ausgeführt habe, zeigen auf die klarste Weise, wie stark, auch bei Fehlen jeglicher Entzündung, eine Congestion werden kann. Die Blasenschleimhaut zeigt ein charakteristisches Aussehen. Ihr ganzes Gefässnetz ist mit Blut überfüllt, es treten ausgebreitete Suffusionen auf, die Prostata, Ureteren und Nieren sind ebenfalls hochgradig congestionirt.

Aehnliches beobachtet man auch beim Steinschnitt so häufig, dass ich mich in Folge der beträchtlichen Blutüberfüllung des praevesicalen

---

Tabikern. Bei Neurasthenie des Harnapparates hingegen wächst die Empfindlichkeit bis zur Hyperaesthesie, während die Contractilität stark abnimmt. Bei diesen Kranken besteht eine Trennung zwischen den beiden Haupteigenschaften, welche die Functionen der Blase und die Theorie der Harnentleerung beherrschen. Es ist sehr interessant zu wissen, dass bei den Prostatikern der Blasenmuskel seine normale Contractilität nur in der ersten Periode bewahrt. Vom Beginne der zweiten an nimmt die Contractilitaet auffallend ab und diese Abnahme ist umso grösser, je weiter die Veränderungen der Prostata vorgeschritten sind.

[1]) F. Guyon et J. Albarran, Anat. et phys. path. de la rétention d'urine. (Arch. de méd. exp. Bd. II. p. 181, 1890.)

Plexus sogar zu einer kleinen Modification der Petersen'schen Methode bewogen sah. Um die Venen nicht zu verletzen, habe ich nach der dritten Operation, die ich auf diese Weise vornahm, zuerst das Peritoneum zurück geschoben, um die Blase mit dem Bistouri anzustechen, statt sie Schicht für Schicht zu eröffnen.[1]) Die Operation gilt zugleich als Gegenprobe, denn sowie die Blase eröffnet und die spannende Flüssigkeit abgeflossen ist, hört die Congestion auf und die venöse Blutung steht von selbst, bevor noch der Ballon aus dem Rectum entfernt wird. Trotzdem wäre die Blutung kaum zu stillen, wenn es einem, wie mir bei der zweiten Operation, begegnet, eine der Venen des Plexus praevesicalis zu eröffnen.

Aehnlich liegen die Verhältnisse bei der Congestion der Prostata und deshalb ist die beste Behandlung dieses Zustandes die regelmässige und vollständige Entleerung der Blase.

Die Pathologie zeigt aber noch eine andere üble Folge der Congestion durch Spannung. Sie erzeugt nämlich, und das ist eines der ersten Symptome, Harndrang und Schmerz. Stärkerer Blutzufluss und Schmerz sind von einander untrennbar.

Von der schmerzhaften Congestion bis zur Entzündung ist übrigens nur ein Schritt, der bei den meisten Organen und besonders bei der Blase rasch zurückgelegt wird.

Gespannte Blasen bluten leicht und solche Blutungen treten ganz spontan ein, bevor noch irgend ein Eingriff vorgenommen wurde. Bei jeder acuten Retention, die zu lange bestanden hat, ist der beim ersten Katheterismus entleerte Harn blutig gefärbt. Diese Haematurie tritt noch stärker ein, wenn man die Blase zu schnell und zu vollständig entleert. Wir müssen hinzufügen, dass unter solchen Verhältnissen recht häufig Cystitis zur Retention hinzutritt, dass solche Kranke inficirt werden und fiebern. Man beobachtet selbst jene Form, welche wir als den zweiten Typus des acuten Fiebers, mit seinen wiederholten Anfällen und häufigen schweren Symptomen, kennen gelernt haben. Ein Fall dieser Art, der 1878 an meiner Klinik zur Beobachtung kam, ist besonders instructiv.

Wie das häufig vorkommt, hatte man einmal einen älteren Mann aus der Stadt erst dann auf die Klinik gebracht, nachdem er unnöthiger Weise, wegen einer Retention mit prostatischer Grundlage, durch Versuche mit dem Katheter geplagt worden war. Es waren Fausses routes erzeugt worden und man legte ihm daher, wie das in einem solchen Fall bei uns die Regel ist, einen Verweilkatheter ein. Trotz des schlechten Zustandes, in welchem der Kranke zu uns gekommen war, gab es keinen Zwischen-

[1]) F. Guyon, Contribution à l'étude de la taille hypogastrique. (Ann. gén.-ur. Bd. I. p. 1, 1893.)

fall, so dass wir ihm am sechsten Tage den Verweilkatheter entfernen konnten und die regelmässige Vornahme des Katheterismus anordneten. Leider konnte am Abend der Katheter nicht gesetzt werden und am nächsten Morgen war die Blase bereits wieder distendirt und der Kranke fieberte. Trotzdem der Verweilkatheter sofort wieder eingelegt wurde, hielt das Fieber noch einige Tage an und der Zustand des Kranken flösste uns umso grössere Besorgnis ein, als in Folge der zweiten Distention eine intensive Cystitis aufgetreten war.

Wenn ich also im ersten Bande gesagt habe, dass man mit der Anzahl der Blasenentleerungen durch den Katheter nicht zu sparsam sein darf und dass man den Katheterismus nicht zu frühzeitig aufgeben soll, so ergibt sich in diesem Capitel der Grund für diese Vorschriften und wir zeigen die rationelle und präservirende Wirkung der methodischen Evacuation. Indem wir die Blasenspannung verhindern, werden die Bedingungen für die örtliche Infection herabgesetzt und jene für die allgemeine Infection aus dem Wege geräumt.

Wenn Sie Ihre Erinnerungen Revue passiren lassen, so wird es Ihnen auffallen, dass die meisten üblen Zufälle localer und allgemeiner Natur daher rühren, dass die Evacuation nachlässig ausgeführt wurde, oder dass man, u. zw. mit Unrecht, der Befürchtung Raum gab, durch wiederholten Katheterismus oder durch das Einlegen eines Verweilkatheters „zu reizen“.

Diese Reizung, Schmerzen und dergleichen, rühren nicht vom Katheterismus her, sondern von der Art und Weise, wie er vorgenommen wird, von der Art, wie der Verweilkatheter eingelegt und in welchem Zustande er erhalten wird.

Leider ist es oft schwer zu erreichen, dass der Katheterismus hinlänglich oft und in der richtigen Art und Weise wiederholt werde. Darum pflege ich auch immer den Verweilkatheter einzulegen, wenn ich mich auf die richtige und regelmässige Ausführung des Katheterismus nicht verlassen kann. Da diese Verhältnisse besonders bei Nacht schwer zu regeln sind, so lasse ich den Verweilkatheter von abends bis morgens liegen, bis zu dem Augenblick, wo man den Kranken sich selbst, oder einer Person seiner Umgebung überlassen kann. Ich wiederhole es, dass ein gut liegender Verweilkatheter unschädlich ist und die grössten Dienste leisten kann.

Die Harnretention mit Distension ist aber nicht die einzige Ursache für Congestion und Entzündung. Eine grosse Anzahl von Cystitiden werden je nachdem Infection besteht oder nicht, nur durch Zurückhalten des Harnes erzeugt Das findet man bei Männern, welche in Folge ihres Berufes oder aus Gründen der Convenienz ihr Bedürfnis nicht gleich befriedigen können; noch häufiger aber findet man das bei

Frauen. Auf diese Thatsachen hat mein einstiger Interne Professor Hache in Beyrut hingewiesen.[1]) Solche Beobachtungen kann man bei Individuen machen, die von Haus aus nicht zu Blasencongestionen neigen, besonders aber bei Prostatikern. Durch ein zufälliges Zurückhalten des Harnes tritt bei Prostatikern oft Cystitis oder Retention auf.

Die acute Distension erzeugt also Congestion und die Schmerzen, welche sie hervorruft, vermehren noch ihre congestionireude Wirkung. Aber auch die langsame, nicht schmerzhafte Füllung der Blase, kann Congestion erzeugen. Das beweist der klinische Verlauf chronischer Distension.

Man kann sich keinen grösseren Unterschied denken, als den Verlauf einer acuten und chronischen Distension. Die eine tritt unter stürmischen Erscheinungen auf, weil sie ausserordentlich schmerzhaft ist, die andere kann sehr hochgradig werden und lange Zeit unbemerkt bleiben, weil sie eben ohne Schmerzen eintritt und anwächst. Diese Thatsachen scheinen beim ersten Anblick mit jenen, welche wir gerade besprochen haben, in directem Gegensatze zu stehen. Wir sind ja davon ausgegangen, dass die Blase gegen Tension besonders empfindlich ist und sehen hier Fälle, wo die extremste Distension keinen Schmerz erzeugt. Der Mechanismus, durch welchen die Blase in diesen beiden Fällen in Tension gesetzt wird, ist total verschieden, was auch die verschiedene Wirkung auf die Sensibilität der Blase erklärt und es ist auch begreiflich, dass eine Muskelfaser gegen eine plötzliche und gegen eine langsam progressive Anspannung nicht auf dieselbe Weise und gleich schmerzlos reagirt.

Jedenfalls aber müssen wir darauf hinweisen, dass bei der chronischen Form, wenn auch der Schmerz ausbleibt, dennoch stets Congestion vorgefunden wird. Vor mir liegt ein Präparat, welches eine grosse Ausdehnung der Blase zeigt; die Ureteren sind fingerdick, und das rechte Nierenbecken ist so gross, wie eine gewöhnliche Blase. Der Kranke, von dem es stammt, war an abundanten Haematurien erkrankt, welche trotz des methodischen Katheterismus fortbestanden. Keine der Laesionen erklärte diese Blutungen und wir können sie nur als Folge der Congestion ansehen, welche die Distension der Blase nach und nach hervorgerufen hatte.

Wenn wir uns mit den Ursachen für die besondere Empfindlichkeit der Blase gegen die Tension beschäftigen, so müssen wir zunächst mit dem Schmerz beginnen. Physiologisch und klinisch ist der Schmerz das Zeichen für die Grenze der Dehnbarkeit der Blase. Die erste Mahnung ist die Empfindlichkeit, allein bald stellt sich Schmerzhaftigkeit ein, wenn man nicht zur rechten Zeit auf diese erste Mahnung

[1]) M. Hache, Étude sur les Cystites p. 50 u. 51. Dissertationsschrift, 1884.

geachtet hat. Sowohl unter normalen, als unter pathologischen Verhältnissen muss man der Blase nachgeben, dem Bedürfnis zu uriniren rechtzeitig Folge leisten.

Durch diese Vorschrift wünsche ich nicht etwa jener Kategorie von eingebildeten Kranken Vorschub zu leisten, welche keine anderen Sorgen haben, als Augen und Ohren offen zu halten, um die geringste Empfindung zu erspähen und zu beobachten. Wir wollen nur jene warnen, welche ihren Lebensprocess nicht nur nicht beobachten, was ganz in der Ordnung ist, sondern sich obendrein noch soweit vergessen den Ablauf ihrer Functionen durch ihren Willen bemeistern zu wollen, was ein grosses Unrecht ist.

Ich will aber auch diese physiologischen Lehren dazu benützen, um jeden Versuch die Grenze der Dehnbarkeit der Blase zu überschreiten, auf's nachdrücklichste zu widerrathen und Sie daran gewöhnen auf alle Zeichen zu achten, welche anzeigen, wann man nicht weitergehen darf. Ob es sich darum handelt, in eine Blase, deren Empfindlichkeit normal ist, eine Injection zu machen, um sie z. B. für eine Exploration oder eine Untersuchung zu präpariren, ob wir eine empfindliche und schmerzhafte Blase auswaschen, oder Steinfragmente entleeren oder einen Stein zertrümmern wollen, mit einem Worte: bei jedem intravesicalen Eingriff müssen wir uns daran erinnern, dass die Dehnbarkeit der Blase eine Grenze hat, welche „nur“ durch die Manifestation ihrer Empfindlichkeit und Contractilität angezeigt wird.

Diese Manifestationen muss man beobachten und rechtzeitig, noch im Entstehen, entdecken.

Es hiesse die Lehren der Physiologie und die der Klinik missverstehen, wollte man der Blase einen bestimmten Fassungsraum zuerkennen; wollte man ihr zumuthen, eine mathematisch genau bestimmte Summe von Grammen aufzunehmen. Das hiesse Schwierigkeiten und Verlegenheiten schaffen und Gefahren und üble Zufälle herbeiführen.

Die Capacität der Blase ist ihrer Empfindlichkeit vollkommen untergeordnet, sie ist, wie gesagt, physiologisch und nicht anatomisch. Man kann sie vergrössern, indem man ihre Empfindlichkeit herabsetzt, nicht aber indem man mechanisch auf ihre Wände einwirkt und man wird stets dann ein Resultat erzielen, wenn die Laesionen der Blase geheilt werden können.

Geht dies nicht an, oder heisst es ohne Zeitverlust eingreifen, so wird man sich darauf beschränken müssen, symptomatisch vorzugehen, und den Schmerz zu bekämpfen. Das vermögen z. B. subcutane Morphiuminjectionen, welche, auch in der von Claude Bernard vorgeschlagenen Combination mit Chloroform, die Empfindlichkeit der Blase, selbst bei unheilbaren Leiden, herabsetzen.

Man darf aber nicht glauben, dass man selbst bei dieser kräftigen Combination der Medicamente, durch welche die Störung behoben wird, in jedem Falle dahin kommen muss, die unbotmässige Blase zur Aufnahme und zum Behalten einer bestimmten Flüssigkeitsmenge zu zwingen. Wenn der Schmerz excessiv ist, die Blase ihre ganze Muskelkraft erhalten hat oder seit langem contrahirt ist, muss man auf der Hut sein und äusserst vorsichtig zu Werke gehen, denn dann ist es nicht nur sehr schwer oder unmöglich die Capacität der Blase zu erhöhen, sondern man kann sich der Gefahr einer Ruptur aussetzen.

Bei Besprechung der Empfindlichkeit der Blase gegen Contact und Spannung habe ich einen Fall citirt, den wir 1893 an der Klinik beobachtet haben. Bei einem jungen Manne von 22 Jahren, war im Gefolge einer diffusen, phlegmonösen Prostatitis, die er sich durch eine Erkältung zugezogen hatte, eine so heftige Cystitis zurückgeblieben, dass er gezwungen war, alle 10 Minuten Harn zu lassen und dass er unter den heftigsten Anstrengungen nur ein paar Tropfen Urin auszupressen vermochte.

Nachdem ich die wirksamsten Sedativa, besonders Morphiuminjectionen, der Reihe nach angewendet und durch Instillationen eine vorübergehende Besserung erzielt hatte, musste ich dem dringenden Wunsche des Kranken und den Indicationen Folge leisten und mich zu einem Eingriff entschliessen. Die Erfolge, welche ich durch die Sectio hypogastrica erreicht hatte, liessen mich diese Operation wählen. Nach Einleitung der tiefen Narkose nahm ich eine Einspritzung in die Blase vor. Kaum 200 Gramm genügten, um eine Ruptur mit tödtlichem Ausgange zu erzeugen. Bis zu diesem Tage hatte ich mich wohl gehütet, auch nur die kleinste Einspritzung in die Blase vorzunehmen, da ich wuste, dass sie nicht vertragen wird. Allein, da um diese Zeit meine Kenntnisse von der pathologischen Physiologie der Blase noch ungenügend waren, nahm ich mit Unrecht an, dass man in der Narkose ohne Gefahr die Spannung erhöhen dürfe. Heute wissen wir das Gegentheil.

Man darf also nicht vergessen: Heftiger Schmerz ist ein absolutes Hindernis dafür, die Blase in Spannung zu setzen. Dieses Hindernis kann, trotz Chloroform und Morphium, unüberwindlich sein. Man darf wohl in tiefer Narkose das Terrain vorsichtig abtasten, allein man muss jeden Augenblick bereit sein, von dem Versuche die Blase anzufüllen, abzustehen.

In derartigen Fällen, wenn die Blase eröffnet werden muss, habe ich früher den Perinealschnitt mit breiter Eröffnung des Blasenhalses anempfohlen und auch einigemale ausgeführt. Ich kann auch heute noch nicht davon abrathen, denn die Drainage durch das Perineum verdient nicht verlassen zu werden. Allein ich muss erklären, dass ich seither den Bauchschnitt wiederholt ausgeführt habe, ohne die Blase zu füllen, oder indem ich erst in dem Augenblicke der Incision, wenn ich sie aufgefunden hatte, Flüssigkeit einspritzte.

Handelt es sich um die Lithotripsie, so rathe ich: Nehmen Sie sie dennoch vor, aber fast trocken. Wenn man die Blase nicht durch übermässige Berührung reizt, wenn man sie nicht „um sich Platz zu schaffen“ ungeschickt anspannt, so wird das Chloroform alle Bedingungen für ein zweckentsprechendes Vorgehen bieten. In der Regel darf man in eine Blase, wenn man leicht manövriren will, umsoweniger Flüssigkeit einspritzen, je schmerzhafter sie ist.

Unter den weiteren Ursachen, welche die Blase gegen die Tension besonders empfindlich machen, muss die Congestion genannt werden.

Wenn die Distension einen Congestivzustand erzeugt, so erhöht dieser Congestivzustand auch wieder die Empfindlichkeit der Blase gegen die Tension. Dieser reciproke Einfluss kann begreiflicher Weise wichtige pathologische Folgen nach sich ziehen.

Wenn durch einen Muskel eine grössere Menge Blutes als gewöhnlich hindurchfliesst, so contrahirt er sich. Es ist also begreiflich, dass Blasencongestion die Blase für die Tension empfindlicher macht, da die ohnehin durch den Blutzufluss erhöhte Contractionsfähigkeit in Folge dessen noch mehr erregt wird. Es wird daher eine viel geringere Urinmenge nöthig sein, damit die Blase ihre Entlastung verlangt und ihre Ansprüche werden bei Steigerung der Congestion noch mehr zunehmen. Deshalb uriniren auch Personen, die, sei es wegen einer Prostata-Hypertrophie, sei es aus einer der vielen anderen Ursachen, zur Blasencongestion hinneigen, bei Nacht häufiger als am Tage.

Die Bettruhe hat thatsächlich einen auffallenden Einfluss auf die Blasencongestion und wiederholte Beobachtungen haben mich auf die Idee gebracht, dass nicht nur das Bett, sondern der Schlaf selbst daran Schuld trägt. Bei Kranken, die zur Blasencongestion hinneigen und die an das Bett gefesselt sind, ist nämlich die Zahl der Harnentleerungen trotzdem bei Nacht grösser als bei Tage. Hat also der Schlaf an und für sich eine Congestionswirkung, wie wir glauben, oder muss man das nur auf die Gewohnheit zurückführen? Die Frage verdient Berücksichtigung, lässt sich aber nicht sofort entscheiden.

II. Mechanismus der Contraction. — Der Mechanismus der Blasencontraction wurde besonders bezüglich der Wirkung der Muskelfasern auf die Art und Weise des Schlusses des Blasenhalses studirt. Wie ich schon bemerkt habe, wurden diese Untersuchungen ursprünglich zur Vertheidigung einer bereits bestehenden Theorie unternommen, und zwar ohne jene genauen anatomischen und physiologischen Kenntnisse, welche es ermöglichen, die Structur und die Wirkung des Blasensphincters von jenen der Harnröhre genau zu trennen.

Mercier, dessen Arbeiten einen bedeutenden Fortschritt auf dem Gebiete der Erkrankungen der Harnwege bedeuten, hat sich bemüht, in der Anatomie und Physiologie der Blase entscheidende Beweisgründe für die Existenz und den Zweck jener Muskelklappe zu finden, welcher er seinen Namen gegeben hat. Allein es ist ihm nicht gelungen, überzeugende Momente in's Treffen zu führen.

Vom pathologischen und klinischen Standpunkte kann man die Rolle, welche die Muskelklappe bei der Harnverhaltung spielen soll, nur mit grösster Reserve gelten lassen. Heutzutage lässt die genauere Kenntnis von den Gründen der Retention die Annahme gerechtfertigt erscheinen, dass die Unmöglichkeit der Harnentleerung, welche man durch das Vorhandensein einer Klappe erklären wollte, auf ganz andere ätiologische Gründe zurückzuführen ist. Der Fortschritt in der Diagnose der Rückenmarkskrankheiten, sowie der Nachweis von dem unbestreitbaren Einflusse neurasthenischer Zustände auf die Contractilität der Blase, lassen dies annehmen und ich glaube nicht zu weit zu gehen, wenn ich behaupte, dass diese Frage, welche seinerzeit sehr interessirt hat, heutzutage nur mehr historischen Wert besitzt. Wiewohl einige anatomisch-pathologische Raritäten das thatsächliche Vorkommen der Mercier'schen Muskelfalte erkennen lassen, so hat dieser Befund durch die Klinik dennoch keine formelle Bestätigung erfahren.

Mercier selbst sagt, dass die Diagnose durch die Blase fast unmöglich ist und auch jene Symptome, welche der Autor selbst anführt, können ebensogut anders interpretirt werden. Was die Operation dieser Valvula anbelangt, so haben wir, wie so viele erfahrene Chirurgen vor uns, niemals Gelegenheit gefunden, dieselbe auszuführen.

Mercier's Ideen scheinen auch durch die Physiologie nicht stärker fundirt zu werden. Nichts beweist die Richtigkeit der Annahme, dass die hintere Lippe des Blasenhalses gehoben und nach vorn gezogen sei und über die vordere Lippe hinüber reiche. Ebenso wenig lässt sich erweisen, dass diese Rolle eines Obturators nicht der hinteren, sondern der vorderen Lippe zukomme, wie dies Caudmont und Horion angenommen haben, sondern ein derartiger klappenförmiger Verschluss wird überhaupt bestritten. Was immer übrigens die physiologische Rolle der Blasenmündung im Augenblicke der Harnentleerung sein möge, so liegt der wirkliche Widerstand für den unwillkürlichen Ablauf des Urins nicht an dieser Stelle;[1]) das haben wir bereits bei Besprechung

[1]) Diese klinische Beobachtung wurde von zweien meiner Schüler experimentell controlirt. In einer Mittheilung über die Resistenz des Sphincter vesico-

der Physiologie der Harnröhre erwähnt. Wir wollen den Mechanismus für die Öffnung und Schliessung der Blase nicht vom physiologischen Standpunkte besprechen; darüber können nur Experimente Aufschluss geben. Nur was uns die klinische Beobachtung über die Blasencontraction lehrte, wollen wir hier anführen. Was ich zu sagen habe, ist allerdings unvollständig, aber es wurde wenigstens in vivo, d. h. an der Blase in Thätigkeit, gesehen oder wenigstens gespürt. Seitdem die Lithotripsie mit ausgedehnten Sitzungen ein Theil unserer täglichen Praxis geworden ist, haben wir oft Gelegenheit die Thatsachen zu controliren, über welche wir in dem Nachfolgenden berichten. Zunächst muss ich Ihre Aufmerksamkeit auf ein besonderes Verhalten der Muskulatur hinlenken, welches ich seit langem unter den Namen der partiellen Contractionen beschrieben habe. Es lässt sich weder über deren Auftreten, noch über deren Sitz, eine bestimmte Regel aufstellen. Man findet sie ebensowohl am Scheitel der Blase, als am Blasengrund, oder in der Nachbarschaft des Blasenhalses, besonders aber an letzteren Orten. Diese Contractionen verändern das ganze Operationsfeld, verstecken ganze Steinfragmente oder selbst ganze Steine und geben häufig Veranlassung dazu, die Art und Weise, unserer Manöver zu verändern oder zwingen uns oft sogar die Operation zu unterbrechen. Diese partiellen Contractionen treten besonders in grossen, chronich distendirten und chronisch entzündeten Blasen auf, besonders dann, wenn man die Contraction der Muskulatur durch übermässige Spannung zur Unzeit erregt hat. Die Dehiscenz der Muskelbündel, welche für die Blasen von Prostatikern so charakteristisch ist, lässt dieses Phänomen begreiflich erscheinen.

Wenn man in einer verhältnismässig gesunden Blase unter regulären Verhältnissen operirt und nur die zur Ausführung der Manöver nothwendige Flüssigkeitsmenge eingespritzt hat, ohne aber die Blase vollständig auszudehnen, so fühlt man auch die Blasencontraction. Das lässt sich nicht vermeiden, denn, wie ich bereits wiederholt bemerkt habe, die Contractionsfähigkeit der Blase verschwindet durch die Anaesthesie nicht vollständig, sie verhindert nur zu heftige Erscheinungen durch Herabsetzung der Sensibilität für den Contact. Es ist also begreiflich, dass im Verlaufe einer längeren Operation momentane Contractionen auftreten. Ich muss aber von allem Anfange an betonen, dass ich niemals die Empfindung gehabt habe, als ob das Instrument eingeschnürt würde, ein Umstand, der für die Physiologie der Blasencontraction nicht ohne

---

urethralis (Soc. de Biologie 28. Jun. 1895.) geben Denis Courtade et Jean-Felix Guyon an, dass bei Hunden ein Druck von 15—20 *cm* Wassers genügt, um den Widerstand der Blasenmündung zu überwinden, während die Pars membranacea einer Wassersäule von 80—140 *cm* das Gleichgewicht hält.

alles Interesse ist. Die Art und Weise, wie derartige Contractionen ablaufen, ist ungefähr die folgende: sie beginnen im Blasengrund, die hintere Wand tritt nach vorne, und zwar meist in die Medianlinie. Dieses Vortreten ist anfangs nur partiell, so dass man den Eindruck eines Promontorium gewinnt, neben welchem das Instrument rechts und links in eine Grube eindringt. Als ich diese Erscheinung zum erstenmale bemerkte, war ich der Meinung, ich hätte es mit einer ganz besonderen Deformation der Blase zu thun. Später als ich den Zustand wiederholt beobachtete und für pathologisch hielt, beschrieb ich ihn unter den Namen Blase mit Sporn (vessie à éperon). Es gibt aber keine Blasen mit Sporn, wenigstens ist der Vorsprung der uns zu dieser Auffassung gebracht hatte, nur zeitweilig vorhanden und nur der Beginn einer Contraction der hinteren Wand.

Diese physiologischen Beobachtungen im Verlaufe einer Operation sind umso interessanter, als man dasselbe Phänomen hintereinander kommen und schwinden sehen kann. Dort wo jetzt ein Vorsprung das Manöver behindert, findet sich kurz nachher eine regelmässige Oberfläche und dort wo man gerade noch frei passiren konnte, ist plötzlich der Weg versperrt. Gerade jetzt war es noch möglich von rechts nach links und wieder zurück zu gelangen, und plötzlich kann das Instrument nur mehr in einer dieser Richtungen vordringen. Jetzt kann man den Schnabel des Instrumentes noch bequem herumdrehen, oder das Knie tief eindrücken, jetzt ist es wieder unmöglich und in einigen Augenblicken wird es wieder angehen.

Wenn die Contraction sich erneuert oder fortsetzt, so kommt nach der hinteren die untere Blasenwand, der Blasengrund, an die Reihe. Thatsächlich werden wir weniger oft sehen, dass sich der Blasengrund hebt, als dass die hintere Wand nach vorne tritt.

Es lässt sich also nicht behaupten, dass bei der Entleerung der Blase bloss der Scheitel nach abwärts tritt und die Seitenwände convergirend gegen die Blasenmündung hindrängen; auch die untere Wand, obwohl weniger beweglich, nimmt an der Erzeugung des Impulses theil, durch welchen die Flüssigkeit, welche die Blase spannt und ausweitet, ausgetrieben wird.

Diese Hebung des Blasengrundes lässt sich sowohl durch die Bewegungen des Lithotriptors als durch das Festhalten der Fragmente constatiren. Wie bereits bemerkt, kann man das Instrument weder in die Tiefe drücken, noch umkehren, oder man spürt doch wenigstens eine gewisse Behinderung in den Bewegungen. Das ist aber kein Hindernis für die Operation, im Gegentheil, man wird häufig gerade aus dieser Hebung des Blasengrundes Nutzen ziehen können und oft in der Lage sein, Steine und Steinfragmente, die man bis dahin nicht fassen konnte, gerade bei Gelegenheit einer Contraction, zwischen die Branchen des Instrumentes zu bekommen. Die klinische Beobachtung lehrt uns also, dass sich zunächst der antero-posteriore Durchmesser der Blase durch die Contraction verkürzt, und dass hierauf eine Verkürzung des verticalen Durchmessers erfolgt, und auf diese Weise wird dann naturgemäss der Blasenkörper gegen den Blasenhals, der bewegliche gegen den fixen Theil der Blase bewegt. Wie gross aber der Antheil ist, welchen der quere und antero-posteriore Durchmesser an dieser progressiven Contraction des Harnreservoirs nehmen, in welchem Grade sich der Blasenscheitel senkt, darüber geben klinische Beobachtungen ebenfalls Aufschluss. Während der Operation merkt man kein beträchtliches Herabsteigen des Blasenscheitels und keine Verkürzung des Querdurchmessers. Es zeigt sich, dass selbst in einer hochgradig contrahirten oder mit sehr geringem Fassungsraum ausgestatteten Blase die Sonde, oder der Lithotriptor, im Sinne des Querdurchmessers stets genügenden Spielraum hat. Man kann ihn neigen, auf die rechte und linke Seite legen, selbst wenn es schwer ist ihn in die Tiefe zu stossen, oder den Schnabel nach unten umzudrehen. Man hat in der Blase stets Spielraum nach beiden Seiten zu. Hat man bei einer besonders grossen Prostatahypertropie Mühe in die Blase zu gelangen, so wird man an der Schwierigkeit oder Unmöglichkeit der Seitenbewegung erkennen können, dass man thatsächlich noch nicht in der Blase ist.

Wenn man jemand sagen hört: „Ich habe die Untersuchung vorgenommen, kann aber nichts Bestimmtes aussagen, weil die Blase das Instrument von allen Seiten umspannt hielt“, so muss man sich darüber klar sein, dass der Betreffende thatsächlich nicht bis in die Blase gekommen ist und muss sich hüten in denselben Fehler zu verfallen. In welchem Zustande sich die Blase auch befinden mag, so wird sie nicht in allen Durchmessern verkürzt sein und ein Instrument kann sich in derselben, wenigstens im Tranversaldurchmesser, bewegen. Daran muss man festhalten.

Diese klinischen Beobachtungen werden durch das Experiment bestätigt. Im Jahre 1878 unternahm mein Schüler Henriet auf meine Veranlassung Versuche um zu studiren, welche Lage in die Blase eingeführte Fremdkörper annehmen. Ich war der Meinung, dass diejenigen unter ihnen, welche langgestreckt sind und auf die Wand drücken, wenn sie trotzdem frei bleiben, sich durch die Blasencontraction, nach Analogie des Foetus in Uterus, der Richtung des Blasendurchmessers accomodiren müssten; denn durch diese Accomodirung wird die Kindeslage bedingt. Die Ergebnisse dieser Versuche habe ich auch in einer Vorlesung, über Extraction von Fremdkörpern aus der Blase, citirt. [1])

[1]) F. Guyon, Annales des malad. des org. génit.-urin. April 1884.

Ohne mich auf diese Versuche näher einzulassen, will ich nur die Schlussfolgerungen anführen, zn welchen Henriet kommt.

1. Der Querdurchmesser der Blase ist am constantesten. Er allein bleibt erhalten, wenn die Blase ganz leer ist. Daraus erklärt sich warum sich nicht zu grosse Fremdkörper quer stellen.

2. Je mehr man die Blase ausdehnt, desto mehr beginnt sie sich in den anderen Durchmessern zu erweitern und wird sphärisch. Ihr Querdurchmesser erreicht zuerst sein Maximum bei höchstens 10 *cm*.

3. Das Maximum des Querdurchmessers liegt ungefähr in der Mitte zwischen dem Scheitel und dem Blasenhalse, eher etwas näher gegen den letzteren zu.

4. Starre Fremdkörper von 12 *cm* und darüber können nur in einer distendirten Blase Platz finden und lagern sich entweder in der Richtung des verticalen oder eines schiefen Durchmessers.

5. 6—8 *cm* lange Fremdkörper sowie geschmeidige Fremdkörper, welche sich zusammenrollen, wie die Bougies fines, lagern sich gewöhnlich quer, und zwar an einem bestimmten Platz. Wenn sie frei bleiben, passen sie sich vollständig an und legen sich in den Querdurchmesser unterhalb des Blasenhalses. Wenn sich die Blase füllt und beträchtlich ausgedehnt hat, können sie eine beliebige Lage annehmen und sich vertical oder schief stellen. In diesem Falle liegt ein Ende in der Nachbarschaft des Blasenhalses und wenn sich die Blase entleert, werden sie wieder in Querlage gebracht, die sie selbst bei darauffolgender Füllung wieder beibehalten können. Sie können, wenn dies ihr specifisches Gewicht und der Grad der Blasenfüllung erlaubt, schwimmen, doch nicht sehr häufig, denn selbst hohle Körper, wie Katheterstücke, liegen fast immer am Grunde der Blase.

Der Querdurchmesser der Blase ist also derjenige, welcher, ohne Rücksicht auf den Zustand dieses Organes, am wenigsten variirt. Er ist der kürzeste, wenn die Blase ausgedehnt, der längste, wenn sie leer ist. Er verschwindet nie vollständig und behält immer seine Länge von einigen Centimetern bei.

Die Experimente bestätigen also die Resultate unserer Beobachtungen und wir können somit behaupten, dass die Austreibung des Harnes in der Weise erfolgt, dass der Blasengrund gegen den Blasenhals bis zur Berührung andrängt, während der Scheitel herabsteigt. Das vollständige Verschwinden der Höhle wird hauptsächlich dadurch erzeugt dass die vordere und hintere Wand an einander zu liegen kommen.

So sehen wir die Blase meist bei Sectionen, da sie sich vor dem Tode oft vollständig entleert. Wenn mir ein Vergleich gestattet ist, der nicht ganz zutrifft, weil er der Verminderung des verticalen Durchmessers in Folge der Hebung des Blasengrundes und der Senkung des Scheitels nicht Rechnung trägt, so geht etwas Achnliches vor, wie wenn sich zwei Hände mit den Palmarflächen aneinander legen, und nicht wie wenn man eine Faust schliesst.[1])

Trotzdem glaubt man an die concentrische Zusammenziehung der Blase und versinnbildlicht dieselbe noch durch schematische Zeichnungen. Das ist rein theoretisch. Wenn die Blase sich wirklich in dieser Weise zusammenziehen würde, wie liesse sich das Persistiren des Querdurchmessers bei leerer Blase und dessen geringe Veränderung bei der Füllung der letzteren erklären? Von der Thatsache selbst kann man sich aber jeden Augenblick überzeugen. Sie hat eine grosse klinische Bedeutung, denn sie lässt uns vorhersehen, welche Lage gewisse Fremdkörper annehmen werden und in welcher Richtung äussere Nachforschungen und Manöver vorgenommen werden müssen, um zugleich schnell, erfolgreich und unschädlich zu sein. Oft hat man bedauert, dass man bei der Manipulation in der Blase nichts sieht. Ist man aber nicht hinlänglich erleuchtet, wenn man genau weiss, wohin man vordringen muss und wenn man jeden Punkt des durchlaufenen Weges genau fühlt?

Ich habe mich an dieser Stelle nicht damit zu befassen, wie man Fremdkörper, welche in die Blase gerathen sind, auffindet und extrahirt, und muss diesbezüglich auf die citirte Vorlesung sowie auf eine noch neuere verweisen,[2]) aber ich muss noch eine allgemeine Bemerkung einschalten, welche ebensowohl für die Fremdkörper als für die Steine gilt.

Fremdkörper, deren Grösse, Consistenz oder Gestalt dies nicht verhindert, werden immer unmittelbar hinter dem Blasenhalse liegen. Wenn man in der Richtung des Querdurchmessers sucht, so können sie einem nicht entgehen.

Wir haben gesehen, dass dieser Querdurchmesser sich während der Ausdehnung dem Meridian der Blase nähert; thatsächlich sitzt er aber gewöhnlich am Blasenhalse, wie dies auch nicht anders sein kann, da dieser der einzige Fixpunkt ist, gegen welchen sich die beweglichen

---

[1]) Diese Thatsache habe ich im Jahre 1884 im Vereine mit meinem Interne Tuffier, Prosector an der medecinischen Facultät, verificirt. Bei neun untersuchten Leichen liess sie sich stets beobachten. Thatsächlich legt sich die hintere obere an die vordere untere Wand. Sappey (Anat. déscript. p. 571, Bd. IV) findet das gleiche. „Im leeren Zustande bietet die Innenfläche der Blase zwei Flächen und drei Ränder dar. Die zwei Flächen sind fast horizontal dreieckig und aneinander gelegen.“ Dasselbe findet mein Schüler Delbet in einer Arbeit: l'anatomie chirurgicale de la vessie, er hat hat 30 Cadaver untersucht.

[2]) F. Guyon, Quelques considérations sur l'extraction de corps étrangers de l'urètre et de la vessie. Ann. gén.-urin., Februar 1895.

Theile der Blase bei wiederholter Entleerung hinbewegen. Dort wird man also, sobald man in die Blase gelangt, den Stein stets finden, wenn man die Blase nicht ungeschickter Weise zu stark gefüllt hat, wenn sie nicht zu sehr deformirt ist, oder partielle Contractionen den Stein verstecken oder an den Scheitel andrücken, wie dies mitunter bei voluminösen Steinen vorkommt. Darum müssen unsere Excursionen hauptsächlich an einem der beiden Enden des Querdurchmessers oder in seiner Mitte erfolgen.

Am häufigsten findet man die Steine unterhalb des Blasenhalses, wohin sie, der Schwere folgend, gelangen und wo sie durch die Contractionen der Blase festgehalten werden. Das Eine darf man nicht vergessen: Die Fremdkörper, welche die Blase enthält, folgen weit mehr den physiologischen Gesetzen der Contraction, als den physikalischen Gesetzen der Schwere. Das muss man, sowohl am Beginne, als am Ende der Sitzungen, berücksichtigen. Vergeblich wird man das Gesäss hoch lagern, die Blase mit Flüssigkeit füllen und durchschütteln. Am Blasenhalse wird man den Stein finden, am Blasenhalse seine letzten Fragmente zertrümmern.

III. Widerstand der Blasenwände gegen die Ruptur. Wie die Capacität, von welcher sie abhängt, ist auch die Ruptur vor allem von physiologischen Verhältnissen bedingt. Es hängt daher sehr viel vom Vorgehen des Arztes ab, ob die Blase unverletzt bleibt oder zerreisst. Durch eine noch so methodische und aufmerksame Untersuchung werden wir nicht im Stande sein, den anatomischen Zustand der Blasenwände genau zu ermitteln, dagegen vermag man sich immer über die physiologischen Verhältnisse ganz genau zu orientiren.

Trotz der vorherrschenden Bedeutung physiologischer Verhältnisse muss man mitunter auch mit gewissen Laesionen der Wände rechnen. Ohne Zweifel geben sie auch Veranlassung zur Ruptur, aber, wenn man die klinischen Erfahrungen berücksichtigt, weit weniger häufig, als man glauben sollte. Diese lehren thatsächlich, „dass, wenn man die Perforation der Blase beobachtet, sie das Resultat der Entzündung eines Divertikels ist und nicht das Resultat einer Zerreissung". In diesem Falle ist sie spontan und nicht künstlich erzeugt. Trotzdem kann ich die Befürchtung der Möglichkeit eines Einrisses bei jenen Trabekel-Blasen (vessies à colonnes) nicht für unbegründet erklären, bei welchen die Schleimhaut an manchen Stellen keinen anderen Halt besitzt, als das Zellgewebe oder das Peritoneum und bei welchen zahlreiche Divertikel im Entstehen begriffen sind. In einer Arbeit über den Bauchschnitt[1]) habe ich darauf aufmerksam gemacht, dass diese Fälle bei der künstlichen Ausdehnung grosse Vorsicht erheischen. Heute, nachdem

[1]) Guyon, Annales des malad. des org. génit.-urin., Jän. Feb. März 1883.

ich diese Operation oft vorgenommen habe, kann ich sagen, dass ich bei diesen Patienten niemals Blasenruptur bemerkt habe. Wenn dergleichen Blasen berechtigte Befürchtungen erregen, so muss man sich daran erinnern, dass die Gefahr viel grösser ist, wenn die Muskelschicht ihre ganze Integrität und Kraft bewahrt hat und dabei die Contractionsfähigkeit durch einen schmerzhaften Zustand so sehr gesteigert wird, dass selbst das Chloroform keine Linderung bringt. In solchen Fällen muss man bekanntlich darauf verzichten, die Blase zu füllen.

Gewiss, man kann die Blase zerreissen, genau so, wie man im Stande ist die Uteruswand zu zerreissen, allein zumeist reissen derartige Hohlmuskel eher von selbst ein. Die ganze Physiologie der Muskelcontraction weist darauf hin, wie gefährlich eine plötzliche und excessive Zusammenziehung eines kräftigen und gesunden Muskels werden kann, wenn ein Hindernis vorliegt. Dagegen lehrt die Erfahrung, dass sich die Blase nur schwer zerreissen lässt. Wie viele Blasen wären zerrissen worden, wenn der blosse Druck auf ihre Wände dazu hingereicht hätte!

Bekanntlich kommt es sehr selten in Folge von Retention zur Blasenruptur. Im Verlaufe von 28 Jahren sah ich dieses Ereignis ein einzigesmal eintreten. Bei seinen Nachforschungen über die Anhäufung des Harnstoffes im Blute hat Quinquaud mehreren Hunden die Harnröhre unterbunden und so alle Zufälle der Harnverhaltung herbeigeführt. Er constatirte, dass diese Thiere am vierten Tage an uraemischen Erscheinungen, in Ausnahmsfällen am dritten Tage an Blasenruptur oder Peritonitis zugrunde gehen. Aus meinen in Gemeinschaft mit Albarran ausgeführten Experimenten, über welche ich im ersten Bande berichtet habe, geht hervor, dass die Ruptur bei Hunden 55—70 Stunden nach der Ligatur eintritt. Die Ruptur ist also bei diesen Thieren häufiger wie beim Menschen, man darf aber nicht vergessen, dass eben der Mensch nicht wie der Hund einer acuten Retention längere Zeit ausgesetzt bleibt, ohne dass entsprechend eingegriffen würde.

In der trefflichen Arbeit von Bouley[1]) finden wir Versuche, aus denen hervorgeht, dass am Cadaver eine mittlere Menge von 1300 *gr* nothwendig ist, um eine Ruptur zu erzeugen, und dass das Alter auf die erforderte Flüssigkeitsmenge nur wenig Einfluss nimmt. Trotzdem wird man sich erinnern, dass in dem angeführten Falle kaum 200 *gr* mit äusserster Vorsicht eingespritzt worden waren, und in einem von meinem Freunde Ch. Monod in der Société de chirurgie mitgetheilten Falle (Jänner 1883) die gleichen Vorsichtsmaassregeln beobachtet worden waren. In beiden Fällen handelte es sich um junge Leute, deren Blase eine grosse Muskelkraft besass. Beide litten grosse Schmerzen, der

[1]) E. Bouley, La taille hypogastrique, Paris, April 1883.

eine in Folge einer Cystitis, der andere durch einen Stein, und die Muskelkraft ihrer Blase erhöhte noch die Gefahr der Distension. Ich habe neuerdings (1894) eine Ruptur beobachtet. Wieder handelte es sich um einen jungen kräftigen Mann mit sehr empfindlicher Blase, den ich wegen eines Blasentumors operirte; übrigens wurde in diesem Falle die Heilung erzielt.[1]) Auf diese beiden Fälle beschränken sich die Blasenrupturen, welche ich beim Bauchschnitt beobachtet habe. Sie zeigen, wie der Fall von Monod, dass man besonders fürchten muss, junge und sehr schmerzhafte Blasen zu füllen.

Wieder ein Beweis, dass sowohl in normalen als pathologischen Fällen alles auf die Prüfung der Empfindlichkeit der Blase ankommt.

IV. Widerstand der Blase gegen locale und Allgemeininfection. — Die locale Infection der Blase ist zunächst von ihrer Receptivität abhängig, und mit letzterer müssen wir uns vorerst beschäftigen. Die klinische Beobachtung zwingt uns mit unwiderstehlicher Evidenz die Ueberzeugung auf, dass es Verhältnisse gibt, welche die Localinfection begünstigen oder verhindern, einschränken oder ihre Ausbreitung ermöglichen. Die experimentelle Pathologie wird die Ergebnisse der Beobachtung nur noch bestätigen.

Infectionsträger können in die Blase dringen und dort festen Fuss fassen, von dort bis in die Nieren und auf dem Wege der Blutbahn in den übrigen Körper gelangen. Sie üben ihre Wirkung auf eine widerstandsfähige Wand aus, sowie auf Orificien, deren Weg ihnen nicht ohneweiters freigegeben wird. So lange die Blase ihre Vertheidigungsmittel beherrscht, oder wenn man, sobald sie ihrer nicht mehr Herr ist, therapeutisch einwirkt, wird der Weg zu den Nieren und zum Kreislauf verschlossen bleiben können.

Die Dauer des Aufenthaltes der Mikroben in der Blase, ihre Vielfältigkeit und Virulenz beim Eindringen sowie bei längerem Verweilen

---

[1]) Der Riss sass in diesem Falle an der vorderen Wand, denn die Flüssigkeit war in den praevesicalen Raum gedrungen, war aber nicht sichtbar. Da ich wusste, wie leicht Continuitätstrennungen der Blasenwand vernarben, so hielt ich mich nicht lange mit dem Suchen auf, sondern machte die Drainage mit partieller Naht. Ohne an dieser Stelle auf die Methode der Blasennaht näher einzugehen, will ich nur bemerken, dass man sowohl in der inficirten, als in der gesunden Blase auf vollständige Wundheilung rechnen kann, wenn die Naht gut angelegt ist. Bereits lange vor Einführung der Antisepsis haben dies die Operationsresultate der durch prima intentio ausgeheilten Vesicovaginalfisteln gezeigt. Das habe ich oft benützt, um den Vesicovaginalschnitt mit vollkommenem Verschluss der Wunde nach Valette in Orléans auszuführen. Aber nicht nur die untere Blasenwand, sondern auch die obere hat einen guten Heiltrieb. Bevor ich beim Bauchschnitt die vollständige Verschliessung durch die Naht vornahm, habe ich durch einige Jahre die partielle Naht ober- und unterhalb der Drains angelegt, und ich sah stets Ausheilung, so zwar dass ich zu sagen pflege: „Die Blase hat keinen anderen Wunsch, als sich zu schliessen".

sind die Bedingungen, welche diesen Organismen im Kampfe um den Besitz der Blase und bei der Invasion des gesammten Organismus zu Hilfe kommen.

Dagegen schützt sich die Blase selbst so wie die Nieren und den gesammten Organismus vor der Infection durch regelmässige, vollständige und leichte Entleerung ihres Inhaltes, durch die anatomische und functionelle Integrität des Blasenmuskels, der Epithelschichte und den Widerstand der Zellen. Dafür legt die klinische Beobachtung Zeugenschaft ab und das beweist auch das Experiment.

Es ist bekannt, wie verschieden der Widerstand gegen locale und Allgemeininfection bei Stricturkranken und Prostatikern ist. Der Vergleich zwischen diesen beiden grossen Kategorien von Kranken, die ihre Blase nicht mehr normal entleeren können, zeigt die grosse Rolle, welche die Muskulatur hiebei spielt. Noch besser erhellt dies aber aus dem Vergleich von verschiedenen Stricturkranken unter einander, je nachdem die Strictur allmählig eintritt, wie nach Urethritis, oder plötzlich, nach Trauma.

Ohne Unterschied des Alters sind die letzteren im Voraus dazu auserkoren, der Infection zum Opfer zu fallen. Sowohl ihre Blase, als ihr ganzer Organismus unterliegen dem ersten Angriffe der Mikroben. Kinder und junge Leute gehen rasch an Harnkachexie zu Grunde. Die anderen hingegen erreichen ein hohes Alter bei voller Gesundheit, trotzdem sie meist inficirte Blasen besitzen. Man sieht jeden Tag Männer, die sich in dem Alter zwischen 30 und 40 Jahren wöchentlich einmal sondiren, ein- oder mehreremal operirt worden sind und sich dabei vollkommen wohl befinden. Sie sind niemals antiseptisch vorgegangen und kennen doch nur die localen Unannehmlichkeiten, welche die Stricturen mit sich bringen. Ihr Blasenmuskel war eben in der Lage, sich dem langsam entstehenden Hindernis allmählig, durch Hypertrophie, zu accomodiren und dabei eine stärkere Contraction zu ertragen, die ihn befähigt, selbst gegen ein doppeltes Hindernis anzukämpfen, wenn seine Träger überdies noch Prostatiker geworden sind. Ihre Blaseninfection ist localisirt geblieben und ihre Laesion oberflächlich. Weder die Niere noch die Ureteren, noch der Allgemeinzustand haben gelitten.

Noch auffälliger ist der vitale Widerstand der Epithelien gegen die Infection bei solchen Kranken, deren Blase mit einem Eiterherd oder mit dem Darm communicirt und deren Urin mit Toxinen überladen ist.

Die Kranken, welche ich unter der Bezeichnung „Eiterpisser“ angeführt habe, und die Pyelitiker sind, haben keine Cystitis, wenn die Pyelitis primär ist. Ich war in der Lage, bei einigen Pyonephrosen, bei welchen ich die Nephrotomie ausführte, mich von der persistirenden

Integrität der Blasenwand zu überzeugen. Die Fälle sind publicirt und ich brauche nur das Operationsresultat kurz zu berühren. Wenn die Operation am Morgen ausgeführt wurde, so fand sich bei Individuen, welche seit Monaten oder Jahren fortwährend bedeutende Quantitäten Eiters ausgeschieden hatten, bei Pyelitis und besonders bei Pyonephrose, bereits am selben Abend vollkommen normal aussehender Harn. Sobald der Eiter durch die Nierenwunde abfliessen kann, wird der Urin klar und bleibt es auch. Ich habe eine Beobachtung mitgetheilt, nach welcher ein Mann von etlichen 30 Jahren, welcher seit seiner frühesten Jugend an Pyurie gelitten hatte, sofort nach der Nephrotomie klaren Harn entleerte. Seine Blase hatte also durch diese lange Reihe von Jahren der Infection widerstanden, trotzdem die Schleimhaut fortwährend von Eiter bespült worden war.

Beiläufig gesagt, zeigt dies, dass der Beweis für die Infection der Blase durch die Niere mindestens schwer zu erbringen ist; darauf habe ich bereits bei Besprechung der Wirkung einer infectiosen Nephritis auf die Blase gesprochen. Man ist nur zu leicht geneigt, a priori diesbezügliche Behauptungen aufzustellen.

Wie gross die Widerstandsfähigkeit der Blase gegen Infection ist, das beweist ein Fall, den wir lange Zeit an der Klinik beobachten konnten, da die betreffende Frau nach ihrer Heilung noch an die Klinik kam, um eine nachträglich erworbene Lues behandeln zu lassen.[1]) Bei dieser Kranken war ein Beckenabscess, nach einer Salpingitis, vor mehreren Monaten in die Blase durchgebrochen und entleerte noch fortwährend Eiter. Trotzdem war die Harnentleerung normal, weder vermehrt noch schmerzhaft, noch mit Drang verbunden. Auch die Empfindlichkeit der Schleimhaut gegen Berührung, Druck und Spannung war normal.

Endlich gestattete die endoskopische Untersuchung, welche mehrmals wiederholt wurde und immer leicht gelang, die Communicationsöffnung genau zu erkennen; man sah, wie beim Druck auf das Abdomen der Eiter in grösserer Menge ausfloss und konnte wahrnehmen, dass die Schleimhaut, abgesehen von der nächsten Umgebung des Orificium, keine Röthe zeigte. Trotzdem enthielt der Eiter Mikroben, wie bei allen Pyonephrosen.

Bei dieser Kranken, sowie bei unseren operirten Nierenkranken, bestand nicht bloss mehrweniger vorübergehender Contact des mikrobenhältigen Eiters mit der Epithelialfläche, sondern das Fehlen einer pathologischen Empfindlichkeit der Schleimhaut ermöglichte es auch unserer Kranken den Harn lange in der Blase zu halten, nur in langen Zwichenräumen zu uriniren und bei Nacht überhaupt keinen Harn zu

[1]) F. Guyon, Résistance de la vessie à l'infection. (Mercredi médical, 1892.)

entleeren. Es lässt sich also diesen klinischen Beobachtungen nicht der gleiche Vorwurf machen, wie den Experimenten, dass nämlich die Schleimhaut mit der inficirenden Flüssigkeit zu kurze Zeit im Contact geblieben sei.

Bekanntlich haben Roux et Yersin nachgewiesen, dass der Krankheitserreger der Pseudomembranen in den Organen jener Kranken, welche der Infection erlegen sind, fehlte.[1] Unter diesen Verhältnissen muss man eine Nephritis, die im Verlaufe von Diphtherie auftritt, auf die Wirkung des, von dem Klebs-Löffler'schen Bacillus secernirten, löslichen Giftes zurückführen. Roux und Yersin haben dieses Gift genau studirt und isolirt.[2] Diese häufig schwer verlaufende Nephritis ist also eine infectiöse toxische Nephritis und doch haben bisher die Kliniker von einer Cystitis im Verlaufe von Diphtherie keinerlei Erwähnung gethan. Es ist dies wiederum ein Beweis für die Thatsache, dass die Blasenschleimheit von den virulentesten toxischen Producten passirt werden kann, dass diese Producte mit der Blasenschleimhaut während der langen Intervalle zwischen den Harnentleerungen in stetem Contact bleiben können, ohne dass dies üble Folgen hätte.

Auch bei Blasendarmfisteln ergeben sich interessante Beobachtungen. Der Veneninhalt und die Gase, welche ihren Weg durch die Blase nehmen, erzeugen Cystitis, allein die Entzündung der Blasenschleimhaut figurirt nicht unter den Frühsymptomen und entsteht sehr langsam. Sie ist lange Zeit nur gering und weicht den blossen Ausspülungen mit Borsäure. Fieber ist selten vorhanden. Ich habe viele Kranke beobachtet und beobachte derzeit noch Patienten, die geringe Harnstörungen aufweisen und deren Allgemeinbefinden dabei ungestört bleibt. Man muss sich darüber umso mehr wundern, wenn man bedenkt, dass das Bacterium coli, welches auf diese Weise in grosser Menge in die Blase kommt, derjenige Mikroorganismus ist, welcher beim Entstehen localer und allgemeiner Harninfection die Hauptrolle spielt.

Viele andere Thatsachen weisen darauf hin, wie gross die Widerstandsfähigkeit der Blase gegen Localinfection ist. Wir haben oft gesehen, dass ein andauernder ammoniakalischer Zustand des Urins nach der Erweiterung von Stricturen, nach der Blasenentleerung durch den Katheterismus oder mit Hilfe der Urethrotomie, nach der Entfernung eines Steines sofort verschwand. Diesen Thatsachen gegenüber kann man wirklich sagen: „Die Blase wartet nur auf eine therapeutische Hilfeleistung, um sich dem Einflusse der Organismen, welche sie bewohnen, zu entziehen."

Nicht minder lehrreich sind die experimentellen Untersuchungen.

[1]) Roux et Yersin, Ann. de l'Institut Pasteur. 1888.

[2]) Enriquez, Néphrites infectieuses, Th. Paris, 1892, p. 60.

Sie ergeben von allem Anfange zwei höchst interessante Thatsachen: 1. die fast absolute Unmöglichkeit die Blase durch Injection septischer Substanzen zu inficiren, es sei denn, dass man vorher die Ligatur der Harnröhre unternimmt, oder vorher intensive Congestion oder Reizung der Blasenschleimhaut erzeugt; 2. werden die eingeführten Organismen wieder vollständig ausgestossen.

Letzteres Resultat ergab sich selbst bei der wiederholten Injection von grossen Flüssigkeitsmengen, wie aus einer Arbeit von Reblaub[1]) hervorgeht, die ich in einer Mittheilung an die Akademie der Wissenschaften[2]) erwähnt habe. Reblaub injicirte grosse Mengen von Reinculturen in peptonisirtem Bouillon; dann überliess er das Thier sich selbst. Versuche mit allen möglichen Varietäten von Mikroorganismen gaben ein negatives Resultat, denn 3—4 Stunden nach dem Versuch enthielt der Urin keine Keime mehr, so gross auch die eingespritzte Menge gewesen ist. Das Fehlen von Mikroorganismen liess sich nicht nur durch das Mikroskop, sondern auch durch steril gebliebene Aussaaten nachweisen.

Die Keime werden also rasch und vollständig ausgestossen; dasselbe gilt von Farbstoffen.

Triconi[3]) hat bei vier Kaninchen grosse Mengen von chinesischer Tusche und Carminpulver, in Wasser suspendirt, in die Blase eingespritzt. Nach 24 und 48 Stunden fand sich von den eingespritzten Substanzen keine Spur; sie waren durch die Harnentleerung ausgestossen worden. Derselbe Autor constatirte auch, dass bei intactem Blasenepithel Einspritzungen von Bacillus anthracis und Staphylococcus pyogenes in die Blase kein Resultat geben und dass die Blasenschleimhaut 10, 20 und 30 Tage keine Veränderung zeigt.

Bereits aus den Versuchen von Feltz und Ritter[4]) ergibt sich die Nothwendigkeit, vorher Retention zu erzeugen, um durch Einspritzung von Fermenten in die Blase pathogene Wirkungen erzielen zu können. Eine Ausnahme scheint nur ein einziger Bacillus zu machen. Schnitzler behauptet, durch blosse Einspritzung von Urobacillus liquefaciens septicus in die Blase von Kaninchen „häufig aber nicht constant" intensive Cystitis erzeugt zu haben. Die Controlversuche von Reblaub konnten diese Angaben nicht bestätigen. Allein man darf ohneweiters annehmen, dass ein Mikroorganismus von aussergewöhnlicher Virulenz bereits durch sein blosses Eindringen in die Blase, Cystitis erzeugen

---

1) Reblaub. Des Cystites non tuberc. de la femme. th. d. Paris, 1872. p. 49.

2) F. Guyon, Sur les conditions de la réceptivité de l'apparail urinaire à l'invasion microbienne, Comptes rendus 29. April 1889.

3) Triconi, Sull' assorbimento della vesica, Roma, 1890, p. 9.

4) Feltz und Ritter, loc. cit p. 290.

kann. Ebenso gut, wie die Möglichkeit dieser Ausnahme, muss man aber die Regel anerkennen, dass: „Mikroben in der Blase nur nach Unterbindung des Gliedes, das heisst also bei bestehender Retention wirken.“

Der Grad ihrer Wirkung differirt, wie Reblaub[1]) constatirt hat, je nach ihrer Gattung. Allein, mit Ausnahme des Tuberkellbacillus, können alle Mikroben Entzündung der Blasenschleimhaut hervorrufen.

Die Versuche von Rovsing haben gezeigt, dass der Koch'sche Bacillus, selbst nach längerer Retention, keine Entzündung hervorruft. Das ist umso interessanter, als die Injection dieses Mikroorganismus in eine vorher entzündete und dann durch 24 Stunden abgebundene Blase nicht nur eine tuberculöse Cystitis hervorruft, sondern als man auch nach 2 oder 3 Monaten, wenn man das Thier tödtet, tuberculöse Geschwüre in der Blase, den Ureteren, Kelchen und Nierenbecken vorfinden kann.

Man sieht also, dass ganz besondere Verhältnisse mit ins Spiel kommen müssen, damit der Widerstand des Epithels, selbst bei directer Einspritzung von Culturen, verloren geht.

Diese Herabsetzung des Widerstandes findet ihre Erklärung in Functionsstörungen der Blase und in Veränderungen, welche ihre Wände erlitten haben. Natürlich spielt, wie bei allen Infectionen, auch der Gesammtzustand des Organismus eine gewisse Rolle.

Von allgemeinen Zuständen kommen hiebei Ernährungsstörungen und Intoxication in Betracht. Die ersteren sind allgemeine und locale Störungen, wie die Arteriosklerose, durch welche die Bespülung der Blasenwand mit Blut eine Veränderung erleidet. Die Intoxication dagegen rührt von der mangelhaften Blutreinigung durch die Niere her. Wie ich schon bemerkt habe, äussert sich der Einfluss des Allgemeinzustandes besonders in den Fällen unvollständiger Retention mit langdauernder Distension. In diesem Falle hat es die Infection mit geschwächten Individuen zu thun, und ergreift dann mit der grössten Leichtigkeit von der Blase Besitz.

Mechanische Einflüsse resultiren aus der Distension. Das haben wir bei den Untersuchungen über die Retention gesehen. Die Veränderungen in der Configuration der Epithelien, das Abfallen von Epithelfetzen, das Auseinanderweichen der Muskelbündel der Blase weisen darauf hin. Auch der Ureter wird ausgedehnt, die Nierenbecken und Nierencanälchen erweitert. Der Urin zeigt Veränderungen durch Beimischung von organischem Detritus, Blutserum, Blutkörperchen und Epithelzellen und gibt in Folge dessen ein ausserordentlich gutes Medium für Culturen ab.

---

[1]) Reblaub, loc. cit. p. 55 et 57.

Beim Weibe kommen noch verschiedene andere Momente in Betracht, um das Auftreten der Cystitis zu erklären, die, wenn auch nicht so häufig wie beim Manne, aber dennoch nicht selten beobachtet wird. Die Menstruation, die Menopause, die Schwangerschaft, das Puerperium und Ernährungsstörungen kommen hiebei in Betracht. Speciell an unserer Klinik findet man die Cystitis fast stets bei alten Weibern. Es besteht da ein Zustand, welcher dem „Prostatismus“ ziemlich analog ist und welcher sich in der Hartnäckigkeit und Leichtigkeit der Infection äussert. Cystitis ist bei jungen und alten Frauen schwer zu heilen und ich kann sagen, dass sie der Behandlung hartnäckiger widersteht als bei Männern. Ich brauche nicht daran zu erinnern, dass hiebei congestive Zustände der Beckenorgane, sowohl physiologische als pathologische, mit im Spiele sind, von der so häufigen Obstipation abgesehen. Diese unaufhörliche Congestion erklärt es vielleicht, warum man bei Frauen eine Ausbreitung der Blaseninfection auf die Niere viel häufiger beobachtet. Ich operire viel mehr Pyonephrosen auf dem Weiber- als auf dem Männerzimmer.

Um den Einfluss der Blasencongestion experimentell nachzuweisen, hat Reblaub kleine Dosen von Cantharidenpulver absorbiren lassen, oder Cantharidin unter die Haut gespritzt. Nachdem er auf diese Weise einen congestiven Zustand erzeugt und sowohl durch die bacteriologische Untersuchung als durch Culturen constatirt hatte, dass der Harn keine Keime enthalte, spritzte er eine Reincultur von Staphylococcus pyogenes albus ein, ohne das Glied zu unterbinden. Zwei Tage nachher enthielt der Urin zahlreiche Leukocyten und massenhafte Coccen. Er schloss daraus, dass die starke Congestion, welche zum Verlust des Epithels und zu dessen Veränderung führt, die Schleimhaut für Mikroben empfänglicher macht.

Die Versuche von Guiard,[1]) d. h. reizende Einspritzungen oder Einführung von Fremdkörpern, um experimentell Cystitis zu erzeugen und nachzuweisen, dass sie die Vorbedingung für die ammoniakalische Gährung sei, zeigen den Einfluss der Blasenreizung auf die Entstehung der Ammoniurie. Die Experimente von Rovsing ergeben, dass die oberflächlichen Epithelzellen anschwellen und schleimig degeneriren, dass die Schleimhaut inficirt wird und stellenweise kleine Ecchymosen zeigt. Diese pathologischen Veränderungen in Folge der Ammoniurie vorausgesetzt, erfolgt, wenn man eine Reincultur von Staphylococcus aureus einspritzt, nach höchstens zwei Stunden der Eintritt einer Cystitis und die Ausscheidung eitrigen Urins. Im gleichen Zeitraume tritt keine Cystitis ein, falls die genannten Vorbedingungen fehlen. Es ist aber unbestreit-

---

[1]) Guiard. loc. cit. p. 215 et 218.

bar, dass die Infection nur eintreten kann, wenn die erwähnten pathologischen Veränderungen vorausgegangen sind.

Auf ähnliche Weise gelingt dem Autor auch die Inoculation des Tuberkelbacillus, welcher, wie wir gehört haben, selbst bei längerem Bestehen einer Retention, nur schwer Fuss fasst.

Solche Versuche geben so ziemlich die Verhältnisse wieder, welche sich der klinischen Beobachtung darbieten.

Einerseits habe ich als eine Gelegenheitsursache für das Auftreten von tuberculöser Cystitis bei praedisponirten Individuen die Wirkung von Vesicantien angeführt. Anderseits habe ich in der 20. Vorlesung, bei der Besprechung der klinischen Bedingungen, welche den Eintritt des Fieberanfalles begünstigen, gesagt: Bei acuter Retention ist die Temperatur nicht erhöht, dagegen regelmässig erhöht bei chronischen Retentionen bei frischer, noch so acuter und schmerzhafter Cystitis besteht vollkommene Apyrexie, während bei chronischer Cystitis mit Retention Fieber auftritt. Was will das sagen, wenn nicht das Eine, dass die Blasenwand nur dann resorbirt, wenn das Epithel verändert ist und seit langem den Einflüssen ausgesetzt ist, welche dessen Veränderungen erzeugen und zu dessen Zerfall führen. Das Fieber ist eben ein Zeichen, dass es sich nicht mehr um locale Blaseninfection, sondern um Allgemeininfection handelt.

Wenn wir genau beobachten, was bei Behandlung einer Retention durch den evacuatorischen Katheterismus geschieht, so wird dasselbe Ergebnis daraus hervorgehen. Der Urin bleibt anfangs klar, die Harnentleerungen erfolgen in regelmässigen Intervallen, ohne Schmerzen und wenn man nicht antiseptisch vorgeht, so werden die letzten Partien des Harnes trüb; nach einiger Zeit trübt sich der Harn vollständig, der Harndrang wird gesteigert, die Harnentleerung schmerzhaft und wenn man auf dieselbe fehlerhafte Weise fortfährt, so werden bald nach den Localsymptomen Erscheinungen der allgemeinen Infection auftreten und sich durch Fieber und Verdauungsstörungen zu erkennen geben.

Nach den Experimenten von Guiard und Rovsing kann man nicht daran zweifeln, dass die Blase auch durch Trauma für die Infection zugänglich wird. Reblaub kam zu anderen Schlüssen. Trotz der Abkratzung der Schleimhaut mittels eines sterilisirten Mandrins, hat die einfache Injection von Reinculturen des Pyogenes und Staphylococcus albus keine Cystitis erzeugt. Dies geschah erst bei Ligatur des Gliedes. Reblaub schloss daraus, dass offenbar die erzeugten Laesionen nicht ausreichten und dass zu diesem Behufe ausgedehnte Verletzungen nothwendig sind.

Auch die klinische Beobachtung lehrt, dass Traumen nicht constant zu localer Infection führen.

Die Steinkranken beweisen das alle Augenblicke. Ihre Blase wird dadurch nicht besonders „receptiv“, dass der Stein die Blasenschleimhaut durch die Bewegungen beim Gehen oder das Rütteln beim Fahren oberflächlich verletzt. Wir sehen, dass diese Kranken nicht inficirt werden, so lange man sie nicht katheterisirt und selbst in vielen Fällen auf nichts weniger als einwurfsfreie Katheterismen nicht reagieren. Die directe Infection scheint also bei Steinkranken nicht leichter einzutreten, als bei anderen Kranken. Auch indirecte Infection durch die Blutbahn wird nicht häufiger beobachtet. Ich kenne bejahrte Kranke, welche seit Jahren einen Stein herumtragen und trotz intercurrenter Krankheiten, wie z. B. einer infectiösen Grippe, keine Erscheinnngen von Seite der Blase gezeigt haben.

Die ausgedehnten und tiefen Verletzungen beim Steinschnitt, oder bei der Abtragung von Tumoren, oder bei der Auskratzung, tragen auch zur localen Infection der Blase nichts bei.

Ganz anders liegen die Verhältnisse, wenn das Trauma eine bereits inficirte Blase betrifft. Allein auch dann ist die Wirkung durchaus nicht constant. Wie wir gesehen haben, treten allgemeine Symptome auch nur unter besonderen Umständen auf. Was z. B. die kleinsten Verletzungen der Harnröhre so schwer macht, ist der Umstand, dass der inficirte Urin, welcher sie durchfliesst, selbst unter physiologischen Verhältnissen „unter Druck“ steht. Er bespült daher nicht nur, wie in der Blase, die lädirte Oberfläche, sondern er dringt in das Gewebe ein.

In therapeutischer Beziehung ergibt sich für uns die Lehre, dass es nicht genügt, das Eindringen der Mikroben in die Blase zu verhindern, man muss auch Vorsorge treffen, dass sie sich dort nicht *vermehren und in Folge intravesicaler Drucksteigerung in die Gewebsräume dringen.*

Um den Widerstand der Blase gleich von allem Anfange an zu besiegen, bedarf es entweder einer ganz besonders grossen Virulenz der Infection, oder aber einer besonders geringen Widerstandskraft des Organismus. Ich habe wiederholt darauf hingewiesen, dass eine alte Blasenausdehnung und darauffolgende Intoxication die Mikroben-Einwanderung erleichtern und es ist bekannt, dass ein einziger Organismus die Blase ohne alle Präliminarien zu inficiren vermag, das ist nämlich der Urobacillus.

Das erhellt, wie bereits bemerkt, aus den Versuchen von *Schnitzler* und *Reblaub* und diese Infection durch den Urobacillus liquefaciens septicus, das Bacterium und den Staphylococcus pyogenes waren sehr deutlich ausgesprochen und traten frühzeitig, mitunter bereits nach 6 Stunden, auf. Es gibt aber diesbezüglich nicht nur grosse Unterschiede zwischen den einzelnen Gattungen — Mikrococcus albicans amplus und Diplococcus subflavus sind noch nach 12 Stunden unwirksam — sondern auch bei einer und derselben Species. Im Durchschnitt waren 24 Stunden nothwendig, um, selbst mit dem Colibacillus, d. h. mit dem gewöhnlichen Mikroorganismus der Harninfection, Cystitis zu erzeugen.

Also auch die Zeit wird in Betracht kommen müssen, wie man sieht.

Es resultirt somit aus den Untersuchungen über die locale Wirkung der Infectionsträger, dass der Epithelverlust der Schleimhaut umso energischer vor sich gehen wird, je besser die Mikroben in dem Medium, in das sie gesetzt sind, fortkommen werden, je rapider sie sich entwickeln, je reichlicher die Menge der entstehenden schädlichen Substanzen, und je länger und enger ihr Contact mit der Blase sein wird. Mit anderen Worten, der Grad der Localinfection steht zu dem Grade der Veränderungen des Epithels, in Folge der Einwirkung der Infectionsträger, in directem Verhältnis. Die erste Bedingung für die Infection ist also der pathologische Zustand der Wandung.

Man kann dies bei der Blase insoferne als Regel ansehen, als dieses Organ, im Gegensatze zur Niere, von der Infection auf dem Wege der Blutbahn nicht zu leiden scheint. Eine Ausnahme hiezu bildet die Tuberkelinfection. Alles weist darauf hin, dass die gewöhnliche Infection von der Schleimhaut her erfolgt und zwar nur dann, wenn deren Epithelbelag entsprechende Veränderungen erlitten hat. Eine Allgemeininfection kann unter diesen Verhältnissen nur so erklärt werden, dass pathologisch gewordenes Epithel den Durchtritt von septischen Substanzen in die Circulation ermöglicht.

Die Möglichkeit einer derartigen Resorption durch eine erkrankte Schleimhaut hatte bereits Civiale erkannt, nach ihm andere Autoren, mich eingeschlossen, und sie wurde von Alling[1]) experimentell nachgewiesen. Ich habe bereits betont, dass dies bei der gesunden Schleimhaut auch nicht der Fall ist.

V. Einfluss der Blase auf die Ureteren. — Das charakteristische Merkmal der Blaseninfection ist die Schwierigkeit, mit welcher sie herbeigeführt wird, und die Thatsache, dass sie lange Zeit localisirt bleibt. Ihre Ausbreitung hängt besonders von der Art und Weise, auf welche ihre Function von statten geht, oder künstlich unterhalten wird, sowie von der regelmässigen Beobachtung jener Vorsichtsmaassregeln ab, welche der Steigerung der septischen Eigenschaften ihres Inhaltes, sowie der Congestion ihrer Wände, vorbeugen.

Unter den gegebenen Verhältnissen vermag die Blase, selbst wenn

[1]) Alling, loc. cit. p. 21 u. f.

sie inficirt ist, noch in vielen Fällen die Ureteren gut zu beschützen und auch die Niere wäre schutzlos, wenn sie, wie ihr Abflusscanal, keine Garantien in der regelmässigen und leichten Blasenentleerung fände.

Der Sphincter der Blasenmündung des Ureters, die Art, wie dessen Endstück in die Dicke der Blasenwand eingelassen ist, welche es, von aussen nach innen, schief durchsetzt, die absteigende Flüssigkeitsströmung, als Folge der contiurnirlichen Harnsecretion, sowie die wiederholten Entladungen infolge der peristaltischen Contractionen, die auf seinen Inhalt einwirken, das sind die Mittel zur Abwehr.

Das Experiment hat sowohl die Bedingungen festgestellt, unter welchen der Blaseninhalt in die Ureteren gelangen, sowie jene, durch welche dies verhindert werden kann.

Wir sahen, dass bei der experimentellen Retention kein Einströmen des Blaseninhaltes in die Ureteren erfolgt. Das liess sich durch die Ergebnisse der chemischen und histologischen Untersuchung feststellen. Die Kohlenpartikel beginnen erst spät, und noch immer in sehr bescheidenem Maasse, nach oben zu wandern, wenn die Strömung im Harnleiter infolge der ausserordentlichen Spannung des Blaseninhaltes bereits aufgehoben ist, und das ist erst in einem sehr vorgeschrittenen Stadium der Fall, wenn der Ureter sich bereits nicht mehr contrahirt.

Man kann aber nicht gut von einer rückläufigen Strömung sprechen, denn wenn man den Harnleiter durchschneidet, so fliesst selbst dann nichts aus, wenn man auf die Blase drückt. Durch die Spannung wird der intraparietale Theil der Ureteren noch mehr comprimirt. Die Muskulatur der Blase hat dann ihre Elasticität fast gänzlich verloren und bildet einen starren Stützpunkt für die Wand des Harnleiters.

Die Blasenmuskulatur übt aber nicht nur auf diese gewissermaassen passive Weise einen Schutz aus, sondern auch durch ihre active Contraction.

Durch die interessanten Untersuchungen von Lewin und Goldschmidt[1]) ist es aber erwiesen, dass demnach Flüssigkeit aus der Blase in die Ureteren zurückströmen kann. Diese Autoren haben beobachtet, dass 10—20 *ccm.* einer gefärbten Flüssigkeit oder von Milch, oder aber eine unbegrenzte Menge Luft in die Blase eines Kaninchens eingespritzt, in den Harnleiter, ja selbst bis ins Nierenbecken gelangen können. Meine Schüler Courtade und Jean-Felix Guyon[2]) sind zu analogen Resultaten gelangt.

An der Thatsache selbst lässt sich also nicht zweifeln, und aus

---

[1]) Lewin und Goldschmidt, Virchow's Arch., 1893, t. CXXXIV, p. 33.

[2]) Denis Courtade et Jean-Felix Guyon, Sur le reflux du contenu vésical dans les uretères (Ann. de maladies. gén.-ur. Aug. 1894).

der Arbeit der letzteren Autoren ergeben sich auch die Bedingungen, unter welchen sie zu Stande kommt.

Die Blase des Hundes, welche zur Controle herangezogen worden war, ist muskulöser als die des Kaninchens und steht infolge dessen der menschlichen Blase näher. Während diese Autoren aber beim Kaninchen bei 32 Versuchen 50mal, ja in einer anderen Versuchsreihe selbst unter 20 Fällen 20mal, rückläufige Strömung erzeugen konnten, gelang ihnen dies unter gleichen Umständen bei Hunden nur 5mal in 25, respective 38 Fällen.

Beim Hunde sowohl wie beim Kaninchen wird die Ureterenmündung nur dann forcirt, wenn die Blasenwand sich sofort bei Beginn der Injection anspannt; in diesem Falle genügen 10—15 *gr*, vorausgesetzt dass der intravesicale Druck 1·5—2 *cm* beim Kaninchen und 5—6 bei Hunden zeigt. Bei beiden Thierspecies wurde aber der Ureter nicht forcirt, sobald die mehr oder weniger schlaffe Blase nach und nach bei zunehmender Füllung passiv angespannt wurde, gleichgiltig wie gross die eingespritzte Flüssigkeitsmenge und der Grad ihres Druckes gewesen war.

Es ist also erwiesen, dass die rückläufige Strömung zu Stande kommt, wenn durch die Injection einer geringen Flüssigkeitsmenge die Blasenwand frühzeitig angespannt wird. Weder die Gewalt, mit der injicirt wird, noch die Menge der eingespritzten Flüssigkeit kommt in Betracht. Das geht auch aus den Versuchen von Lewin und Goldschmidt hervor.

Die Rolle der Blasenmuskulatur für den Schutz des Ureters äussert sich bereits durch den Unterschied im Druck, welchen sie erheischt. Beim Hunde braucht man, um den Ureter zu forciren, den doppelten intravesicalen Druck als beim Kaninchen, und trotzdem gelingt es nur selten, und man kann sagen nur partiell. In den fünf Fällen, in welchen Courtade und Guyon diese rückläufige Strömung bei Hunden beobachtet hatten, war ein einzigesmal ein Ureter (der rechte) vollständig ausgefüllt. Die Versuche ergeben aber noch andere Beweise. In den fünf positiven Fällen drang die Flüssigkeit am Ende der ersten Injection in den Ureter ein; das konnte aber durch neuerliche Injection ein zweitesmal nicht mehr erzeugt werden, im Gegensatze zu den Beobachtungen am Kaninchen. „Einmal aufmerksam geworden, lässt sich der Blasenmuskel des Hundes nicht mehr überraschen.“ Das beweist der Umstand, dass, so oft Courtade und Guyon durch Asphyxie oder Reizung eines sensiblen Nerven (Cruralis) sehr energische Blasencontractionen erzeugten, der Quecksilberdruck im Manometer 12—15 *cm* betrug, ohne dass die Ureteren forcirt worden wären, trotzdem die Blase nur eine geringe Flüssigkeitsmenge enthielt. Mithin zeigt es sich, dass totale und energische Blasencontraction den Ureter genau so vor dem Eindringen von Flüssigkeit schützt, als wenn die Anspannung allmählig erfolgt. Der Mechanismus des Verschlusses ist analog. Das haben Courtade und Guyon nachgewiesen, indem sie jene Muskelfasern, die mit der hinteren Wand der Harnröhre in Verbindung stehen, in ihrem intraparietalen Verlaufe durchschnitten. Diese Fasern sind beim Hunde sehr ausgebildet und stellen einen förmlichen Gurt dar; sie ermöglichen den hermetischen Verschluss der Wände des Ureters. Wenn also durch die heftigsten Contractionen der Blase der Eingang in die Ureteren nicht forcirt werden kann, so genügt die einfache Durchschneidung dieses Fasergürtels, um beim Hunde die rückläufige Strömung ebenso leicht als beim Kaninchen erzeugen zu können. Sie tritt auf der durchschnittenen Seite sofort auf und wiederholt sich so lebhaft, als man es wünscht, ohne jemals auf der nicht durchschnittenen Seite stattzufinden.

Es ist ganz gleichgiltig, ob die Blasenmündung des Ureters offen steht oder nicht, denn sie bildet ja nicht den Schutz des Harnleiters gegen die Blase, sie hat nur das Ausfliessen des Harnes in die Blase zu reguliren. Die Zusammenwirkung der Contraction der Muskelfasern, sowie ein gewisser Widerstand des Orificiums, geben der kleinen Flüssigkeitssäule jenen „Impuls“, den man bisweilen während der Versuche und während der endoskopischen Untersuchung zu sehen bekommt. Dieses intermittirende „Ausfegen“ kann für das Wohlbefinden des Harnleiters nur von Nutzen sein; es schützt ihn ebenso, wie eine unter genügendem Druck erfolgende Evacuation die Blase schützt. Die Harnleitermündung öffnet sich nur bei genügendem Flüssigkeitsdruck und schliesst sich ebenso schnell wieder, wenn sie Passage gewährt hat. Ihre Oeffnung ist also gewissermaassen virtuell und die Continuität der Harnsecretion gibt dem Ablauf des Urins eine gewisse Stetigkeit, welche nur hie und da durch die brüske Entleerung des „Harnleiterstrahles“ unterbrochen wird. Experiment und klinische Beobachtung zeigen demnach, dass dieser Canal hauptsächlich durch den Blasenmuskel geschützt wird.

Man muss einen sehr scharfen Unterschied machen zwischen dem Eindringen von Blaseninhalt und dem Aufwärtswandern von Mikroben. Aus den Versuchen, welche ich mit Albarran angestellt habe, ergibt sich, dass Mikroben in den Harnleiter nicht eindringen, wenn nicht die Urethra unterbunden ist, d. h. wenn keine Retention besteht. Es ist genau so, wie bei der Festsetzung der Mikroorganismen in der Blase. Dagegen haben wir bei Thieren mit Retention Mikroben im ganzen Harnapparat nachgewiesen. Man sieht die letzteren nach 18—20 Stunden in grosser Zahl bis in's Nierenbecken hinaufsteigen (nicht wie bei Kohlenpartikeln erst nach 48 Stunden). „Eine inficirte Blase im Zustande der Retention wird ihre Infection fast mit Bestimmtheit den Ureteren und

Nieren mittheilen.“ Allein die klinische Erfahrung lehrt uns, dass auch ohne Retention die Infection der Niere auf dem Wege durch die Harnleiter stattfinden kann.

Gerade beim Weibe, bei welchem die Retention so selten auftritt, sehen wir ascendirende Infection so häufig. Offenbar sind hier die besprochenen Einflüsse, besonders die Congestion, im Spiele. Allerdings ist aber die doppelseitige Infection der Ureteren und Nieren seltener als beim Manne.

Wenn also auch die absteigende Stromrichtung ohne Zweifel ebenfalls als Schutz dient, wie dies die experimentellen Untersuchungen über die Harnverhaltung, gewisse Beobachtungen bei Gebrauch des Verweilkatheters, sowie das lang andauernde Wohlbefinden von Kranken mit Prostatahypertrophie annehmen lassen, so können doch die Eigenbewegungen, sowie die schnelle Vermehrung der Bacterien dagegen aufkommen und man muss annehmen, dass die Niere stets in Gefahr ist, sobald die Blase inficirt ist. Man muss daher auf ihre regelmässige, vollständige und leichte Entleerung bedacht sein und alles hintanhalten, was ihre Wände congestioniren könnte.

VI. Betheiligung der Blase an der Harninfection. Resorption von septischem Urin durch die erkrankte Schleimhaut. Begünstigende Momente. Betheiligung der Niere.

Der Antheil, welchen die Blase an der Allgemeininfection nimmt, kann nicht gering sein. Sie nimmt ja die pathogenen Mikroben auf und in ihrer Höhlung wird das Harngift erzeugt. Dort sind die Infectionsträger angehäuft, von dort nimmt die Infection ihren Lauf.

Wir wissen aber, dass es nicht genügt, wenn der Blaseninhalt Mikroben enthält und die Blasenwand resorbirt, es müssen noch begünstigende Momente dabei mitwirken. Ist dies nicht der Fall, so weist nichts darauf hin, dass das Allgemeinbefinden gelitten hat, so zwar, dass man umgekehrt immer nach solchen besonderen Umständen suchen muss, wenn Allgemeinerscheinungen auftreten.

So lehrt die Erfahrung, dass die Harnröhre eines inficirten Prostatikers mit vollständiger acuter Retention von Fausses routes durchsetzt sein kann, ohne dass Fieber auftritt. Täglich bringt man Kranke an die Klinik, welche höchst ungeschickt und durchaus nicht mit reinen Instrumenten katheterisirt worden sind. Sie haben so lange kein Fieber, als der Blaseninhalt nicht in die Harnröhre gelangt. Hier ist dann zweifelsohne die Eingangspforte für die Infection, nicht in der Blase. Diese Betheiligung der Blase geschieht aber nicht immer in der eben angeführten negativen Weise, sondern sie kann auch höchst activ sein. Sie liefert nicht nur das Gift, sondern sie verarbeitet es auch.

Laesionen der Blasenwand ermöglichen thatsächlich die Aufsaugung von toxischen Producten und das Eindringen der Mikroben selbst in die Circulation. In diesem Falle braucht der Kranke nicht erst durch eine verletzte Harnröhre zu uriniren, es braucht nicht erst ein Trauma der Blase vorzuliegen, damit Fieber auftrete. Es genügt bereits eine blosse Retention, ja noch weniger: eine Erkältung, Ueberanstrengung oder ein Diätfehler. Damit aber solche Gelegenheitsursachen wirksam werden, ist es nothwendig, dass es sich um lange bestehende Infection der Harnes handle, oder dass die Retention in einer seit langem erkrankten Blase auftrete und in diesem Falle, bei langem Bestehen, ist es nicht einmal nöthig, dass die Distension hochgradig sei, ein kurzes und unvollständiges Zurückhalten des Harnes reicht hin, um mitunter Verdauungsstörungen oder Fieber zu erzeugen. Alles hängt von der Qualität des Urines und vom Zustande der Nieren ab.

Ebenso wie die Blase nur unter bestimmten begünstigenden Umständen selbst inficirt wird und auch inficirt, ebenso bedarf sie der Beihilfe der Niere, um ernstliche Gesundheitsstörungen hervorzurufen.

Es ist möglich, dass diese Organe nur leicht erkrankt sind, und dass die Infection, welche die Blase zum Ausgangspunkt nimmt, schwere Erscheinungen von absteigender Nephritis erzeugt, indem sie der Niere durch die Blutbahn Keime zuführt.

Albarran[1]) hat die Wichtigkeit des Mechanismus einer derartigen Niereninfection ins rechte Licht gesetzt und ihre grosse Häufigkeit mit Recht betont. Sie hängt von der Natur der Mikroben ab, aber auch von dem Zustande der Niere. Wenn man das Bacterium pyogenes in's Blut spritzt, so erhält man selten Nierenabscesse. Allein die Contusion der Niere und deren Congestion, in Folge der Ligatur des Harnleiters der anderen Seite, lassen das Experiment gelingen. Ebenso wie die Blase vertheidigt sich auch die gesunde Niere gegen Infection, nur die kranke wird davon ergriffen.

Darum wird auch die absteigende Nephritis bei der Harninfection unter ganz anderen Verhältnissen, als die übrigen Infectionen beobachtet. Bei Infectionskrankheiten ist Nephritis im allgemeinen ziemlich selten und hat selten einen schweren Verlauf, lange Dauer, oder üble Folgen. Rei unseren Kranken ist das anders. Hier ist die Niere durch Ausbreitung der Blaseninfection weniger widerstandsfähig geworden, desgleichen durch die, infolge von Reflexreizung von der Blase her, ausgelöste Congestion. Diese Reflexreize werden besonders durch die Füllung und pathologisch gesteigerte Empfindlichkeit der Blase hervorgerufen. Die grossen Fieberanfälle correspondiren sehr häufig mit den Anfällen von descendirender Nephritis.

---

[1]) Albarran, loc cit. p. 97 u. 59.

Wenn die Blase in Scene tritt, um sich an der Erzeugung von Allgemeinerscheinungen zu betheiligen, sind die, bei alten Harnkranken so gewöhnlichen Nierenveränderungen fast immer schon ausgebildet. Hiedurch gestaltet sich der Verlauf jener schweren Zufälle, welche sich unter dem directen Einflusse der Blase z. B. bei septischer Retention abspielen, nur noch ernster. Alles ist vorbereitet, damit eine absteigende Inoculation der Niere auch den letzten Rest ihrer Eliminationskraft nimmt. In solchen Fällen rührt die Infection von der Blase her, der letale Verlauf wird von dem Zustande der Niere bedingt, die durch die Blase insufficient geworden ist und den Organismus nicht mehr zu schützen vermag.

Wir müssen also, ebensosehr um die allgemeine Infection vorauszusehen und zu verhüten, als auch um sie zu bekämpfen, den Zustand der Blase im Auge behalten. Wir müssen auf die Blase einwirken, um die Zunahme der Nierenerscheinungen zu verhindern. Man wird die Nothwendigkeit einer derartigen Anschauung am besten einsehen, wenn man sich die drei verschiedenen Wege ins Gedächtnis ruft, auf welchen die Blase auf die Niere einwirkt. Der directe Weg durch den Ureter, die Reflexerregung, sowie die Einwirkung durch die Blutbahn. „Die Niere ist nur dann wirklich geschützt, wenn sie regelmässig functionirt.“ Daher kann man ihr lange Jahre hindurch, und im Verlauf der schwersten Krisen, wirksam zu Hilfe kommen, wenn man kein Mittel unversucht lässt, um die Entleerung des Harnreservoirs und dessen Antisepsis zu erzielen.

Die Einwirkung auf die Blase allein ist aber in vielen Fällen nicht ausreichend, um den Eintritt der Allgemeininfection zu verhüten, es wird sich darum handeln, auch die Urethra in Schutz zu nehmen. Wir müssen uns also nicht nur gegen die directe, sondern auch gegen die indicrecte Infectionswirkung der Blase in Acht nehmen.

Die Resorption des Blaseninhaltes, welche während der Harnentleerung in einer verletzten Harnröhre stattfindet, ist bei allen unseren Kranken eine der häufigsten Ursachen für die Harninfection. Sie ist die wichtigste, wenn nicht die einzige, sobald es sich um frisch inficirte Individuen handelt.

Der Ausgangspunkt für primäre, acute oder subacute Harninfection ist nicht die Blase, sondern die Harnröhre. Das ist genau erwiesen und leicht zu verstehen.

Die Infection, welche von der Blase ausgeht, ist immer secundär. Sie kann sehr acut und ausserordentlich schwer verlaufen, tritt aber nur dann ein, wenn die Infection des Harnapparates schon lange besteht und die Veränderungen, welche sie hervorruft, seit langem ausgebildet sind. Die Blasenresorption allein genügt noch nicht, um sie auszulösen und auf die Höhe ihrer Entwickelung zu bringen; da müssen noch andere Läsionen, nämlich Nierenläsionen mitwirken. Es ist in solchen Fällen nicht nöthig, dass das Eindringen in die Circulation durch Harnröhrenverletzungen unter Druck, direct, relativ reichlich und mit einer gewissen Brutalität vor sich gehe; geringe Quantitäten erzielen langsam und mit einer gewissen Discretion den gleichen Effect. Die interstitielle Resorption der Blase kann bei Mithilfe der Niere die Situation beherrschen.

Je mehr die Niere ergriffen ist, desto mehr muss man den Zustand der Blase berücksichtigen.

Ganz anders liegen die Verhältnisse, in welchen die Infection infolge der grossen Dosis oder der besonderen Virulenz des Giftes ihre Wirkung so vollständig und unvermuthet entfaltet, wenn eine Harnröhrenwunde die Resorption noch unterstützt; das sind die rapid verlaufenden Fälle, die man als perniciös bezeichnet hat. Da erliegen die Kranken einem foudroyanten Anfall, ohne tiefe Nierenveränderungen. Die sorgsamsten Sectionen zeigen in solchen Fällen, dass keine, oder nur geringe, anatomische Veränderungen der Niere vorliegen. Die Infection des Blutes und dessen Einfluss auf die nervösen Centren ist hier die wesentliche Ursache des schnellen Verlaufes.

Die locale Infection ist aber immer von weittragender Bedeutung, wenn sie die Function eines so wichtigen Organes, wie die Niere, beeinträchtigt oder unterdrückt, und die Schwere der Symptome erklärt sich aus der Behinderung für die Ausscheidung der Krankheitsproducte. Der Kranke geht zugrunde, weil das Harngift in toxischen Dosen im Organismus angehäuft und zurückgehalten wird.

Man muss die Eingangspforten für das Harngift fast ausschliesslich in einer verletzten Urethra oder inficirten Blase suchen. Allein die Niere vermag auch direct zur Verderbnis des Blutes beizutragen.

Ob die Niere den septischen Urin resorbirt, oder die Mikroorganismen in die Circulation gelangen lässt, immer erreicht die von einer Niere ausgehende Infection auch die zweite Niere. Die Versuche von Albarran über die Infection des Nierenbeckens nach Ligatur des Ureters haben gelehrt, dass sich in der Rindenschicht der zweiten Niere miliare Abscesse bilden. Die Niere selbst inficirt und dient als Eingangspforte. Trotzdem spielt die Niere bei der Infection nicht so sehr als Infectionserreger die Hauptrolle, sondern insoferne, als sie nicht mehr im Stande ist, das Krankheitsgift hinreichend auszuscheiden.

Wenn auch die klinische Beobachtung meist nicht im Stande ist, diesbezüglich genaue Unterschiede zu machen und stets den Ausgangspunkt der Infection, sowie den Zustand der Nieren genau festzustellen, so wissen wir doch jedenfalls, dass es unsere Aufgabe ist, das

Blut vor neuerlicher Aufnahme grosser Mengen des Harngiftes zu schützen, d. h. wir müssen wiederum direct auf die Blase oder die Urethra einwirken. Wir wissen, dass das Harngift im Organismus keine Spuren zu hinterlassen scheint, wenn es, selbst mit einer grossen Intensität der Symptome, oder lange Zeit hindurch, den Körper passirt, vorausgesetzt, dass dessen Menge die Widerstandsfähigkeit nicht allzusehr herabsetzt. (21. Vorlesung.)

Man wird also zum Eingreifen selbst dann noch ermuthigt, wenn der Zustand des Kranken darauf hinzuweisen scheint, dass es bereits zu spät sei.

Die Beobachtung von Kranken mit inficirten Blasen lehrt uns, dass eine erkrankte Schleimhaut, selbst wenn sie fortwährend mit mikrobenhältigem Urin in Contact steht, zumeist gar nicht resorbirt. Es treten keinerlei klinische Erscheinungen auf, welche für eine Resorption sprechen würden, und fortwährend sehen wir Beweise für die Richtigkeit der Annahme, dass die Blase, selbst unter pathologischen Verhältnisen, nur unter besonderen begünstigenden Bedingungen resorbiren kann.

Von den Stricturkranken zu geschweigen, will ich nur von den Prostatikern sprechen. Wir sehen deren täglich in unseren Krankensälen, wie bei der Ambulanz, welche seit Jahren inficirt sind, ohne jemals besondere Infections-Erscheinungen darzubieten. Trotzdem treten bei ihnen alle Bedingungen zusammen, um eine besondere Receptivität zu erzeugen.

Nicht nur bei jenen Prostatikern, welche sich katheterisiren und auswaschen, noch bei jenen, welche, obzwar inficirt, ihre Blase natürlich entleeren, findet man diese Immunität. Man constatirt sie auch bei jenen, welche einen Residualharn zurückbehalten und ihre Blase durch wiederholte, mehr weniger schwierige Blasenentleerungen nur unvollständig entlasten; ferner bei Kranken, die sich mit schmutzigen Instrumenten die Harnröhre verletzen, aber niemals ohne Katheter uriniren, die ihre Blase nicht reinigen und welchen auch die elementarsten Begriffe der gewöhnlichen Reinlichkeit abgehen; schliesslich bei Steinkranken mit Retention, welche lithotribirt wurden.

Dieser Widerstand gegen fieberhafte Zufälle, welcher umso grösser scheint, je länger die Kranken sich zu katheterisiren gewohnt sind und je öfter sie den Katheterismus vornehmen, hat die Beobachter stets frappirt. Civiale hat darauf besonders aufmerksam gemacht, und ich fragte mich, seit die Bakteriologie die Möglichkeit einer Immunisirung erwiesen hat, ob sich denn diese Kranken nicht durch den Katheterismus „impfen“, oder ob ihr Urin keine derartigen Veränderungen erfahre, welche im Stande wären, dessen Toxicität abzuschwächen oder verschwinden zu machen. Leider ist dies durchaus nicht der Fall.

Eine Serie von wiederholten Versuchen, welche auf meine Veranlassung Hallé mit dem Urin von derartigen Kranken, der unter allen möglichen Cautelen entnommen wurde, angestellt hat, zeigte, dass die Inoculation den Tod herbeiführte. Kaninchen gingen an diesen Impfungen mehr weniger schnell zugrunde, aber alle wurden inficirt. Anderseits habe ich bei Individuen, welche ich durch mehrere Jahre beobachtet hätte, und die gegen die Inoculation mit septischem Urin, bei Verletzungen mit Instrumenten, anscheinend refractär geblieben waren, trotzdem schwere Anfälle von Infection gesehen. Die klinische Beobachtung stimmt also mit dem Experiment vollkommen überein. Noch vor kurzem habe ich schwere Infectionserscheinungen bei einem Kranken auftreten sehen, welchem ich mehrere Male Phosphate zertrümmert habe, ohne dass nach den Sitzungen die geringsten Krankheitssymptome aufgetreten wären, trotzdem eine alte traumatische Strictur in der Pars pendula sowohl den Operateur bei der Operation, als den Kranken bei dem wiederholten täglichen Katheterisiren zu einem ziemlich grossen Kraftaufwand veranlasste. Mehrere Monate nach seiner letzten Lithotripsie traten nach einer Reise schwere Erscheinungen auf, von welchen sich der Kranke nur mühsam erholte. Die Immunität dieser Patienten gegen Allgemeininfection ist also nur eine scheinbare und rührt offenbar daher, dass die zwar verletzte Harnröhre niemals vom Urin durchflossen wird, dass die Blasenresorption gering und der Zustand der Nieren ein guter ist. Der Kranke, von dem ich spreche, sowie ähnliche, die ich für immun hielt, vermochte noch ohne Katheter zu uriniren. Das ist wieder ein Beweis dafür, welche Bedeutung die Harnröhrenresorption besitzt. Wie gering aber das Resorptionsvermögen der Blase ist, dafür spricht jene grosse Zahl von Prostatikern, welche nur vorübergehend katheterisirt worden sind und von einer künstlichen Blasenentleerung nichts wissen wollen. Sie sind regelrecht inficirt, entleeren ihre Blase nur schwer und unvollständig durch wiederholte Miction. Ich beobachte seit langem eine ganze Reihe, die 60, 70 ja selbst 80 Jahre alt geworden sind, ein verhältnismässig thätiges Leben führen, ihren Beschäftigungen nachgehen, reisen und weder auf das Theater verzichten noch Einladungen zu Diners ausschlagen. Sie fiebern nur, wenn sie sich zu sehr anstrengen, erkälten oder Diätfehler begehen.

Trotzdem ich über die Stricturkranken im allgemeinen nicht sprechen will, muss ich hier ein Factum von einigem Interesse anführen. Es kommt häufig vor, dass ein solcher Patient, der niemals fieberhaft erkrankt war, urethrotomirt wird und dann mitunter, und zwar sehr schwer, fiebert, wenn man den Verweilkatheter entfernt. Der Urin war eben inficirt und sowie die Harnröhrenwunde verheilt ist, cessirt auchdas Fieber.

Aus diesen Betrachtungen geht somit die Thatsache hervor, dass, selbst unter pathologischen Verhältnissen, die Resorption durch die erkrankte Blasenschleimhaut beschränkt ist und selbst lange Zeit hindurch nicht wahrgenommen wird.

Die gesunde Blase besitzt sicherlich eine grosse Widerstandskraft gegen die Wirkung der Mikroben und ihrer toxischen Producte und verdankt dies, wie Beobachtung und Experiment lehren, der Integrität ihres Epithels, dessen normale Undurchlässigkeit als erwiesen angesehen werden muss. Die Thatsachen, welche gegen die Resorption der gesunden Blasenschleimhaut sprechen, sind zahlreich und wurden unter nahezu physiologischen Verhältnissen beobachtet. Sie ergeben sich, um nur die neuesten Nachforschungen anzuführen, aus den Untersuchungen von Boyer und Guinard[1]) in Lyon und Pousson und Sigalas in Bordeaux.[2])

Thatsächlich kann man nicht vergessen, wenn man die Functionen der Blasenschleimhaut experimentell studiren will, dass nicht nur die gesunde Urethra eine grosse Resorptionskraft besitzt, sondern dass auch das Blasenepithel für die Aufnahme so verdünnter Substanzen, wie jener des normalen Harnes, ein physiologisches Hindernis abgeben muss. Von dieser letzteren Bedingung weicht man dann ab, wenn man die Blasenschleimhaut mit beträchtlichen Mengen chemischer Substanzen in Berührung bringt, oder zu concentrirte Lösungen verwendet. In solchen Fällen kann man die Blase dazu zwingen, die injicirten Lösungen durchzulassen, aber man kann daraus nicht folgern, dass man deshalb auch schon das Resorptionsvermögen der gesunden Schleimhaut erwiesen hat. Aus vielen Gründen ist die Annahme berechtigt, dass die Vitalität der Epithelien gelitten hat und auch ihre Structur gewisse Veränderungen eingegangen ist. Uebrigens kann man bei Prüfung experimenteller Resultate, wie Claude Bernard angeführt hat, nicht ohne weiters den positiven negative Resultate gegenüber stellen. Die Constatirung einer Thatsache muss erst die rationellen Beziehungen zwischen Phänomen und Ursachen nachzuweisen gestatten.

Die widersprechenden Resultate jener Forscher, welche die Blase chemische Substanzen absorbiren sahen, mag man diese Befunde deuten wie man will, nehmen also denjenigen durchaus nichts von ihrem Werte, welche positiv bewiesen haben, dass eine Resorption nicht stattfindet. Dasselbe gilt von den Ergebnissen der Pathologie und klinischen Beobachtung. Die Resultate stimmten immer überein und setzten uns in die Lage festzustellen, welchen Theil die Blase an der Erzeugung der allgemeinen Infection nimmt.

---

[1]) J. Boyer et L. Guinard, Études et Recherches expérimentales sur l'Imperméabilité physiologique d l'Epithélium vésical sain. Arch. de Médecine expérimentale Nov. 1894. p. 882.

[2]) Pousson et Sigalas, Sur le pouvoir absorbant de la vesssie, Compt. rend. Académie des sciences., p. 882. 22. avril 1895.

Lightning Source UK Ltd.
Milton Keynes UK
UKHW011301070119
335137UK00016B/1224/P